TOUT COMPTE FAIT

SIMONE DE BEAUVOIR

Tout compte fait

nrf

GALLIMARD

Il a été tiré de l'édition originale de cet ouvrage quarante exemplaires sur vergé blanc de Hollande van Gelder numérotés de 1 à 40 et cent vingt-cinq exemplaires sur vélin pur fil Lafuma-Navarre numérotés de 41 à 165.

A Sylvie

PROLOGUE

Quand a paru mon essai, La Vieillesse, quelques critiques, quelques lecteurs, m'ont reproché de n'avoir pas parlé davantage de ma vieillesse. Cette curiosité m'a semblé souvent relever d'une sorte de cannibalisme plutôt que d'un véritable intérêt. Elle m'encourage néanmoins à compléter mon autobiographie. Plus je me rapproche du terme de mon existence, plus il me devient possible d'embrasser dans son ensemble cet étrange objet qu'est une vie : je tenterai de le faire au début de ce livre. D'autre part, dix années se sont écoulées depuis le moment où j'ai arrêté mon récit : j'ai certaines choses à raconter.

Dans les volumes précédents, j'ai adopté un ordre chronologique. J'en connais les inconvénients. Le lecteur a l'impression qu'on ne lui livre jamais que l'accessoire : des préambules. Il semble que l'essentiel soit toujours en avant, plus loin. De page en page, on espère en vain l'atteindre; et puis le livre s'achève sans être parvenu à un aboutissement. En la contenant dans des phrases, mon récit fait de mon histoire une réalité finie, qu'elle n'est pas. Mais aussi il l'éparpille, la dissociant en un chapelet d'instants figés, alors qu'en chacun passé, présent et avenir étaient indissolublement liés. Je peux écrire : je me préparai à partir pour l'Amérique. Mais l'avenir de ce vieux projet a sombré derrière moi comme le projet même qu'aucun élan n'anime plus. D'autre part, chaque époque était hantée par d'autres, plus anciennes : mon âge adulte, par ma jeunesse et mon adolescence; la guerre, par l'avant-guerre. En suivant la ligne du temps, je m'interdisais de rendre ces emboîtements. J'ai donc échoué à donner aux heures révolues leur triple dimension : elles défilent, inertes, réduites à la platitude d'un perpétuel présent, séparé de ce qui le précède et de ce qui le suit.

Cependant, je ne pouvais pas procéder autrement. Vivre était pour moi une entreprise clairement orientée et pour en rendre compte il me fallait en suivre le cheminement. Aujourd'hui, les circonstances sont différentes. Certes, je ne suis pas vouée à la répétition; depuis 1962, le monde a bougé, j'ai fait des expériences neuves. Mais aucun événement public ni privé n'a profondément modifié ma situation : je n'ai pas changé. Et puis, des projets me tiennent encore à cœur, mais ils ne sont plus rassemblés dans l'unité d'un dessein nettement arrêté. Je n'ai plus l'impression de me diriger vers un but mais seulement de glisser inéluctablement vers ma tombe. Alors il ne m'est plus nécessaire de prendre pour fil conducteur le déroulement du temps; dans une certaine mesure je tiendrai compte de la chronologie; mais c'est autour de certains thèmes que j'organiserai mes souvenirs.

CHAPITRE PREMIER

Chaque matin, avant même d'ouvrir les yeux, je reconnais mon lit, ma chambre. Mais si je dors l'après-midi dans mon studio, il m'arrive d'éprouver au réveil une stupeur puérile : pourquoi suis-je moi ? Ce qui me surprend — comme l'enfant quand il prend conscience de sa propre identité — c'est de me retrouver ici, maintenant, au cœur de cette vie et non d'une autre : par quel hasard ? Si je la considère du dehors, il semble invraisemblable d'abord que je sois née. La pénétration de cet ovule par ce spermatozoïde, impliquant la rencontre et d'abord la naissance de mes parents et de tous leurs aïeux, n'avait pas une chance sur des milliards de se produire. C'est un hasard, dans l'état actuel de la science tout à fait imprévisible, qui m'a fait naître femme. Ensuite, pour chaque instant de mon passé mille avenirs différents me paraissent concevables : tomber malade et interrompre mes études; ne pas rencontrer Sartre; n'importe quoi. Jetée dans le monde, j'ai été soumise à ses lois et à ses accidents, dépendant de volontés étrangères, des circonstances, de l'histoire : je suis donc justifiée de ressentir ma contingence; ce qui me donne le vertige, c'est qu'en même temps je ne le suis pas. Il n'y aurait pas de question si je n'étais pas née : je dois partir du fait que j'existe. Et certes, l'avenir de celle que j'ai été pouvait me faire autre que moi. Mais alors ce serait cette autre qui s'interrogerait sur soi. Pour celle qui dit : me voilà, il n'y a pas de compossible. Cette nécessaire coïncidence du sujet avec son histoire ne suffit cependant pas à dissiper ma perplexité. Ma vie : familière et lointaine, elle me définit et je lui suis extérieure. Qu'est-ce au juste que ce bizarre objet?

11

Comme l'univers d'Einstein, il est à la fois illimité et fini. Illimité : à travers le temps et l'espace, il s'échappe jusqu'aux origines du monde et jusqu'à ses confins. Je résume en moi l'héritage terrestre et l'état de l'univers en cet instant. Tout bon biographe sait que pour faire connaître son héros il doit d'abord évoquer l'époque, la civilisation, la société à laquelle celui-ci appartient — et aussi remonter aussi loin qu'il le peut la chaîne de ses ascendants. La somme de ces informations est néanmoins infime si on la confronte à l'inépuisable multiplicité des relations que chaque élément d'une existence soutient avec le Tout. Chacun a en outre une signification différente selon qu'on l'envisage d'un point de vue ou d'un autre. Ce fait : « Je suis née à Paris » ne représente pas la même chose aux yeux d'un Parisien, d'un provincial, d'un étranger. Son apparente simplicité s'éparpille à travers les millions d'individus qui soutiennent avec cette ville des rapports divers.

Et cependant une vie est aussi une réalité finie. Elle a un centre d'intériorisation, un *je* qui à travers tous les moments se pose comme identique. Elle s'inscrit dans une certaine durée, elle a un début, un terme, elle se déroule en des lieux déterminés, gardant toujours ses mêmes racines, se constituant un immuable passé dont l'ouverture sur l'avenir est limité. On ne peut pas saisir et cerner une vie comme on cerne et *saisit* une chose puisque c'est, selon le mot de Sartre, une « totalité-détotalisée » et que par conséquent elle n'*est* pas. Mais on peut se poser à son propos certaines questions : comment se *fait* une vie ? Quelle est la part des circonstances, de la nécessité, du hasard, des choix et des initiatives du sujet ?

Ce qui m'aide à réfléchir sur la mienne, c'est que je l'ai racontée. « Oh ! raconter ! » dit un des héros de Robbe-Grillet. D'accord : le récit se déroule sur un autre terrain que l'expérience vécue ; mais il s'y réfère et peut permettre d'en dégager certains traits. Alors que celle-ci implique l'infini, il se résout en une certaine quantité de mots qu'avec un peu de patience on pourrait compter : mais ces mots renvoient à un savoir qui lui aussi enveloppe l'infini. Quand j'écris : « Je suis née à Paris », le lecteur à qui je m'adresse comprend cette phrase sans que j'aie besoin de situer Paris dans l'histoire universelle et sur le globe terrestre. On objecte aussi que raconter c'est substituer à la fluide ambiguïté du vécu les contours arrêtés des phrases

12

écrites. Mais en fait les images que suggèrent les mots sont changeantes et floues, le savoir qu'ils communiquent n'est pas nettement circonscrit. De toute façon je ne me propose pas ici de conduire le lecteur à travers un rêve éveillé qui ressusciterait mon passé mais d'examiner mon histoire à travers certains concepts et certaines notions.

Il en est une qui va me servir de fil conducteur : celle de chance. Elle a pour moi un sens clair. J'ignore où m'auraient conduite les chemins qui rétrospectivement semblent avoir été pour moi possibles, mais que je n'ai pas suivis. Ce qui est sûr, c'est que je suis satisfaite de ma destinée et je ne la voudrais en rien différente. Je considère donc comme des chances les facteurs qui m'ont aidée à l'accomplir.

La première est évidemment celle de ma naissance. J'ai dit déjà qu'il serait vain de spéculer sur les hasards qui m'ont jetée sur cette terre. Je pars du fait que je suis née de Georges et Françoise de Beauvoir le 9 janvier 1908. Vu du dehors, ce fait, d'une singularité pour moi vertigineuse, est tout à fait banal. En se mariant, elle a vingt ans, lui a trente ans, en ayant un an plus tard un enfant, deux jeunes bourgeois se conformaient aux mœurs de leur milieu et de leur temps. L'être de cet enfant était d'avance donné : français, bourgeois, catholique; seul le sexe était imprévu. Étant donné la situation aisée de mes parents, il était très probable que je ne mourrais pas prématurément et que je serais dotée d'une bonne santé; un avenir défini m'attendait : des soins attentifs, une famille, proche et lointaine, une nourrice, Louise, l'appartement de Paris, le Limousin et presque certainement la venue d'un second enfant.

D'emblée ma naissance me constituait comme socialement privilégiée et me garantissait beaucoup plus d'opportunités qu'à une fille de paysans ou d'ouvriers. Une autre chance que je ne peux pas si précisément définir c'est la manière dont s'est déroulée ma toute petite enfance.

Tous les pédiatres insistent aujourd'hui sur l'importance qu'ont dans la formation d'un individu ses deux premières années. Normalement, vers huit mois les pleurs du nourrisson, ses cris, deviennent un mode de communication avec son entourage; il en éprouve l'efficacité et les utilise comme des signes : entre les adultes et lui se développe une relation de réciprocité. Elle ne se crée pas quand le bébé est haï, abandonné, frustré :

13

s'il ne meurt pas il devient alors un enfant autiste ou schizophrène. A un moindre degré, l'indifférence, le délaissement, l'absence de stimulations font naître en lui un sentiment d'insécurité et l'amènent à se replier sur soi. Sartre a montré à propos de Flaubert comme un enfant bien soigné, mais manipulé sans tendresse, gavé, comblé, mais sans qu'on établisse avec lui un dialogue, reçoit une constitution passive. Ce ne fut évidemment pas mon cas. J'ignore comment j'ai été sevrée, comment j'ai été initiée à la propreté et comment j'ai réagi. Mais ma mère était jeune, gaie, et fière d'avoir réussi un premier enfant : elle a eu avec moi des rapports tendres et chaleureux. Une nombreuse famille s'est empressée autour de mon berceau. Je me suis ouverte au monde avec confiance. Les adultes subissaient mes caprices avec une souriante complaisance : cela m'a convaincue de mon pouvoir sur eux. Mon optimisme a encouragé cette exigence qui me posséda dès le début de mon histoire et ne me lâcha plus : d'aller au bout de mes désirs, de mes refus, de mes actes, de mes pensées. On n'exige que si on compte obtenir des autres et de soi-même ce qu'on en réclame : on ne peut l'obtenir que si on le réclame. Je sais gré à mes premières années de m'avoir donné ces dispositions extrêmes. D'où venaient les colères violentes qui me secouaient lorsque j'étais contrariée ? Je ne l'ai qu'imparfaitement expliqué dans mes Mémoires et je n'ai pas les moyens de le faire mieux aujourd'hui. Mais je continue à penser qu'elles m'ont été salutaires. J'ai pris un bon départ. Et certes, cela ne suffit pas. Une vie n'est pas le simple développement d'un germe originel. Elle risque sans cesse d'être arrêtée, brisée, mutilée, déviée. Cependant, un début heureux incite le sujet à tirer des circonstances le meilleur parti possible ; s'il est malheureux, il se crée un cercle vicieux : on laisse passer des opportunités, on s'enferme dans le refus, la solitude, la morosité.

Comparer mon sort à celui de ma sœur est très révélateur : son chemin a été beaucoup plus ardu que le mien parce qu'il lui a fallu surmonter le handicap de ses premières années. A deux ans et demi j'ai, sur mes photos, l'air décidée et sûre de moi ; au même âge, elle a un visage apeuré. Cadette, elle étonnait et amusait moins que l'aînée ; on regrettait qu'elle ne fût pas un garçon ; sûrement on lui a moins souri, on s'est moins occupé d'elle. Inquiète, et même anxieuse, on la disait plus « caressante » que moi : elle avait besoin d'être rassurée. On la disait aussi « grognon », ce qui l'enfonçait dans la maussaderie; elle pleurait souvent, sans raison apparente. Elle a mis beaucoup de temps à se délivrer tout à fait de son enfance.

La mienne a été sereine. La bonne entente qui régnait entre mes parents a confirmé — en dépit de quelques anicroches — le sentiment de sécurité que j'avais acquis au berceau. D'autre part, il n'y avait, dans l'ensemble, pas de conflit entre l'image que mon entourage m'offrait de moi et mon évidence intime.

L'enfant est un être aliéné. Le monde, le temps, l'espace où il se situe, le langage dont il se sert, il les reçoit des adultes. Parce qu'elles appartiennent à des demi-dieux et portent leur marque, les choses ne sont pas pour lui seulement des ustensiles, mais le signe de réalités cachées, aux profondeurs mystérieuses. C'est là ce qu'on appelle le merveilleux de l'enfance. La transfiguration poétique de l'enfance qu'a effectuée le XIXe siècle bourgeois est une mystification : l'enfant n'a rien de poétique; mais il est vrai que le monde a pour lui une étrangeté fascinante — s'il est assez favorisé pour pouvoir l'explorer et le contempler.

La rançon, c'est qu'il tient d'autrui son image et son être même : il le prend pour l'essentiel et soi pour l'inessentiel. En même temps cependant, il se pose comme sujet. Il se trouve donc au centre d'un univers où il se saisit comme relatif par rapport aux grandes personnes. Il se voit *vu*. Il peut ressentir de bien des manières différentes cette condition.

Certains enfants n'ont pour ainsi dire pas d'enfance. A cinq ans, un petit cireur de souliers soutient avec ses clients un rapport de travailleur à employeur, non d'enfant à grande personne. Même s'il rapporte ses gains à ses parents, pendant qu'il manie la brosse, il est un individu autonome qui se saisit à travers une pratique sans la médiation d'autrui. D'autres, en particulier dans les familles nombreuses et pauvres, sont si délaissés qu'à peine s'éveillent-ils à la conscience : à la limite ils deviennent — aux Indes, par exemple — des enfants sauvages qui se perdent dans la nature. Tyrannisé, exploité, effarouché, un enfant n'a pas la possibilité d'opérer une reprise réflexive de lui-même. Cependant dans notre société la grande majorité des enfants connaissent à la fois — comme je viens de l'indiquer — l'aliénation et l'autonomie : même le plus aliéné se pose comme essentiel et fait par éclairs l'expérience de sa présence à soi. Si son personnage lui semble flatteur, il s'y conforme avec empressement : il devient singe et comédien. Sartre dans *Les Mots* décrit ses cabotinages[1]. Mais par moments il découvrait qu'il existait autrement que par ces faux-semblants : il découvrait la vérité nue de son être pour soi et il grimaçait de désarroi devant son miroir; il a trouvé son salut dans des activités autonomes : lire, écrire. D'autres — comme ma sœur, comme le petit Flaubert — se voient imposer une image affligeante d'eux-mêmes; ils s'y résignent ou ils se révoltent. Entre la rancune et la colère bien des compromis sont possibles. Souvent malade, Violette Leduc quand elle était petite fille sentait qu'elle était pour sa mère un fardeau et un vivant reproche : elle se tenait pour coupable. Sur ce plan aussi j'ai été favorisée. Parfois je prenais des rages à être traitée en enfant alors que je pensais être un individu achevé. Mais dans l'ensemble mon personnage me plaisait. Vers sept ans, mes colères ont cessé et j'ai joué docilement à la petite fille sage. Mais alors se sont multipliées les activités qui m'ont permis de me réaliser comme sujet indépendant.

Pendant mes premières années, les sentiments que j'éprouvais pour mes parents et pour Louise étaient soutenus par ma liberté puisque je les vivais; mais ils m'étaient si naturels qu'ils semblaient s'imposer à moi et les conduites qui les exprimaient m'étaient dictées : elles répondaient à des appels, à des attentes. Il n'y a eu au cours de cette période qu'une seule libre création : celle de mes rapports avec ma sœur. Le modèle familial auquel se conformaient mes parents exigeait qu'ils eussent assez vite un second enfant : le hasard[2] fit que ce fut une fille. Si ç'avait été un garçon, les choses auraient-elles tourné autrement pour moi? Je ne sais pas. En tout cas je ne pense pas que j'en aurais tiré des avantages, j'en aurais plutôt pâti. Je crois que je dois compter parmi mes chances d'avoir eu une sœur, cadette et proche de moi par l'âge. Elle m'a aidée à m'affirmer. J'ai inventé le mélange d'autorité et de tendresse qui caractérisèrent mes relations avec elle. C'est de ma propre

---

1. « Ma vérité, mon caractère, mon nom étaient aux mains des adultes, j'avais appris à me voir par leurs yeux. »
2. Le sexe de l'enfant dépend du spermatozoïde paternel; il y en a de deux espèces et, en chaque cas particulier, il semble tout à fait aléatoire que celui qui féconde l'ovule appartienne à l'une ou à l'autre.

initiative que je lui appris à lire, à écrire, à compter. J'ai moi-même élaboré nos jeux et notre rapport vivant. Certes, mon attitude à son égard découlait de ce que j'étais. Heureuse dans ma peau, sûre de moi et ouverte, rien ne m'empêchait d'accueillir chaleureusement une cadette que je ne jalousais pas. Active, impérieuse, je souhaitais échapper à la passivité de l'enfance par des actions efficaces : elle m'en fournissait l'occasion rêvée. Je peux néanmoins parler d'invention car, tandis que les adultes m'indiquaient comment me comporter avec eux, ma sœur au départ n'exigeait rien de moi, et en face d'elle je ne m'inspirais d'aucun modèle : je suivais mes élans spontanés.

Pour le reste, ma liberté a consisté à assumer avec bonne volonté et même zèle le destin qui m'était assigné. J'ai été pieuse avec ferveur, je suis tout de suite devenue la meilleure élève du cours Désir. Réduits à une demi-gêne, mes parents ont misé sur les valeurs culturelles plus que sur la « dépense ostentatoire » à laquelle mon père aurait été enclin. Ils m'ont proposé comme principale distraction la lecture, divertissement peu coûteux. J'ai aimé passionnément les livres. J'aimais mon père et mon père les aimait; il en avait donné à ma mère un respect religieux. Ils assouvissaient en moi une curiosité que je retrouve en éveil dès mes premiers souvenirs et qui ne s'est jamais endormie. D'où m'est-elle venue au juste? Freud pense qu'à la racine de la curiosité on trouve l'instinct sexuel. Il me semble plutôt que mon intérêt pour les « choses inconvenantes » n'était qu'une branche de mon appétit de savoir qui m'apparaît comme une donnée originelle.

Peut-être est-il oiseux de prétendre l'expliquer. Tout enfant tend spontanément à explorer le monde. Il faudrait plutôt se demander pourquoi en certains cas son élan est brisé. J'en vois bien des raisons : fragilité physique, langueur, manque de stimuli par délaissement, routine ou excès de solitude, asservissement prématuré à des tâches fatigantes, soucis et obsessions de toute espèce, déséquilibre affectif. Mal dans sa peau, un enfant est trop préoccupé de soi pour se tourner vers l'extérieur. Ma sœur avait l'esprit ouvert, mais elle était moins que moi avide de connaissances. Zaza était vive et intelligente, mais ses rapports complexes avec sa famille, plus tard ses amours enfantines, plus tard encore la nostalgie qu'elle en

17

garda, la laissaient moins disponible que moi. Moi, jusqu'à dix ou douze ans, je n'ai pour ainsi dire pas eu de problèmes : je pouvais me consacrer tout entière à mes investigations. Je n'étais pas précoce. Vers douze ans, à Meyrignac, je jouais encore à la marchande avec ma sœur et ma cousine. Je lisais volontiers des livres puérils; mais même ceux-là me faisaient entrevoir ce qui m'intéressait par-dessus tout : les variations possibles de la condition humaine et des relations que les gens soutiennent entre eux. La mécanique ne m'attirait pas, je ne désirais pas comprendre comment sont fabriqués et comment fonctionnent les objets. J'aimais l'histoire — elle ne m'a ennuyée que plus tard — qui me révélait les mœurs des peuples passés, et même la préhistoire et la paléontologie. Je m'intéressais à la cosmographie, à la géographie, je dévorais des récits de voyage. En apprenant l'anglais j'ai découvert avec joie une littérature, un pays. Je voulais ressaisir le passé et appréhender, des étoiles au centre de la terre, tout cet univers qui m'entourait.

Au sens où le hasard se définit par une rencontre signifiante de deux séries causales qu'aucune finalité n'orientait l'une vers l'autre, il n'intervint guère pendant mes dix premières années; seul fut fortuit le fait que mes parents me donnèrent une sœur et non un frère. Jacques était mon cousin et malgré l'estime un peu admirative qu'il m'inspirait, il n'a pas joué un grand rôle dans mon enfance. Le premier hasard important, ce fut pour moi, alors que j'allais sur mes dix ans, l'apparition de Zaza au cours Désir. Toutes deux nous devions faire nos études dans une institution catholique; mais ni pour l'une ni pour l'autre il n'était nécessaire que ce fût celle-là; nous aurions pu en outre ne pas nous trouver dans la même classe. En ce cas, nous ne nous serions sans doute jamais connues, car mes parents et les Mabille n'avaient aucune relation commune. Mon enfance n'aurait pas alors été illuminée par une grande amitié, car mes autres camarades ne m'inspirèrent jamais que des sentiments fort modérés.

Ce qui ne fut pas un hasard, c'est la manière dont j'ai mis à profit notre rencontre; ouverte, sociable, je m'étais déjà liée avec certaines de mes condisciples; j'avais eu une « meilleure amie » avec qui je m'entendais assez bien, mais sans plus. J'ai tout de suite reconnu la valeur de Zaza et cherché à établir avec elle une complicité : je me suis assise à côté d'elle au cours, je n'ai plus parlé qu'avec elle. J'ai été servie par ce que mon enfance avait fait de moi : moins désinvolte, moins vive que Zaza, l'admirant pour tout ce qu'elle avait de différent de moi, je n'ai cependant pas été paralysée par la timidité; j'ai réussi à l'intéresser. Je ne sais si je convainquis ma mère d'inviter Zaza, ou si Mme Mabille prit les devants. En tout cas ce fut moi qui forgeai cette amitié à laquelle Zaza se prêta volontiers mais sans soupçonner combien j'y engageais de moi.

Sans elle, ma vie d'adulte aurait-elle été différente? Il m'est bien difficile d'en décider. J'ai connu par Zaza la joie d'aimer, le plaisir des échanges intellectuels et des complicités quotidiennes. Elle m'a fait abandonner mon personnage d'enfant sage, elle m'a appris l'indépendance et l'irrespect : mais de manière superficielle. Elle n'a pris aucune part aux conflits intellectuels qui ont marqué mon adolescence : jamais je ne l'ai mêlée au travail qui se faisait en moi. Je lui ai même soigneusement caché que je lisais des livres défendus, que je remettais en question la morale et la religion; je lui ai dissimulé longtemps que je ne croyais plus en Dieu. Dans les événements extérieurs, notre amitié n'intervenait guère. C'est à cause d'elle que j'ai fait des mathématiques : cela m'a amusée mais ce fut sans conséquences. Son père a recommandé à mes parents le collège Sainte-Marie où j'ai connu Garric et Mlle Lambert; Garric ne fut pour moi qu'un fantasme; Mlle Lambert m'encouragea à faire de la philosophie, ce qui décida de ma vie. Mais de toute façon j'aurais certainement choisi cette voie car telle était ma vocation profonde. Par Zaza j'ai connu Stépha et indirectement Fernand qui m'ont apporté beaucoup, mais rien de vraiment essentiel.

Le bonheur que j'ai trouvé auprès de Zaza n'aurait donc pas marqué durablement ma vie? Je n'en suis pas sûre. Ma famille m'a inspiré, à partir de mes seize ans, un désir d'évasion, des colères, des rancunes; mais c'est à travers l'entourage de Zaza que j'ai découvert combien la bourgeoisie était haïssable. De toute façon, je me serais retournée contre elle; mais je n'en aurais pas éprouvé dans mon cœur et payé de mes larmes le faux spiritualisme, le conformisme étouffant, l'arrogance, la tyrannie oppressive. L'assassinat de Zaza par son milieu a été pour moi une expérience bouleversante et inoubliable. Et puis, sans Zaza, dans quelle morne solitude se seraient passées mon adolescence et ma jeunesse! Elle a été mon seul joyeux rapport à la vie non livresque. J'avais tendance à me défendre contre les forces hostiles par un orgueil crispé : l'admiration que j'avais pour Zaza m'en a sauvée. Sans elle, peut-être me serais-je trouvée à vingt ans méfiante et amère au lieu d'être prête à accueillir l'amitié, l'amour, ce qui est la seule attitude propre à les susciter. Je ne peux pas m'imaginer, à vingt ans, autre que j'étais : mais aussi ne puis-je pas m'imaginer une enfance où Zaza n'aurait pas existé.

Pourquoi a-t-elle échoué dans la mort alors qu'elle aurait souhaité vivre, aimer, écrire peut-être? Quelles ont été ses malchances? Avant tout, je pense, celle de sa petite enfance : moins appréciée par son père que sa sœur aînée, passionnément attachée à une mère affectueuse mais peu disponible, sous son apparente désinvolture elle était très vulnérable et manquait de confiance en soi : c'est ce que confirment les derniers mots qu'elle a prononcés : « Je suis un déchet. » Elle a été déchirée par des contradictions qu'elle n'avait pas la force de surmonter et qui l'ont brisée : à son amour pour sa mère s'opposèrent à quinze ans celui qu'elle éprouva pour son jeune cousin, plus tard celui que lui inspira Pradelle. Sa fragilité originelle a rendu ces conflits mortels.

J'ai eu vers douze ou treize ans l'occasion d'infléchir la ligne de ma vie. Mon père, écœuré par la pauvreté de l'enseignement que nous dispensait le cours Désir, a envisagé de nous faire entrer dans un lycée : nos études auraient été plus solides, et elles auraient coûté moins cher. Ma mère aurait peut-être cédé si je m'étais liguée avec lui. Deux chemins s'ouvraient donc à moi. Mais comme dans la plupart des cas, il ne me sembla pas que je pouvais opter : ma décision s'imposa à moi. Je ne voulais pas me séparer de Zaza. En outre, je tenais à mon passé, à l'ensemble de mes camarades, aux salles de classe où tant de mes journées s'étaient écoulées. J'étais sûre de moi à l'intérieur d'un cadre qui m'était familier; l'idée d'affronter un monde inconnu me terrifiait. J'appréciais les loisirs que me laissait un horaire peu chargé. Je savais que celui des lycées était beaucoup plus exigeant. Je m'unis donc sans hésiter aux protestations de ma mère.

Mon père ne pouvait pas passer outre; il avait toujours laissé à ma mère le soin de notre éducation : proposer ce changement était déjà de sa part une intervention inopinée. Si cependant Zaza n'avait pas existé, s'il avait su me convaincre, pour d'impérieuses raisons pécuniaires ou pour d'autres motifs, d'entrer dans un lycée, comment les choses auraient-elles tourné? Au début, dépaysée, débordée, j'aurais sans doute médiocrement réussi et j'aurais été blessée dans ma vanité; mais la suite de mes études a prouvé que je pouvais m'adapter à des changements; je me serais retrouvée dans un bon rang. J'aurais moins brillé qu'au cours Désir, la compétition étant plus sévère, mais en revanche bien des opportunités m'auraient été données : des professeurs intelligents, des camarades à l'esprit ouvert. Je n'aurais pas été obligée de cacher comme une tare mon évolution intellectuelle. Je serais parvenue à mes buts plus facilement et plus vite. Et peut-être me demanderais-je aujourd'hui avec un effroi rétrospectif : « Mais si j'étais restée au cours Désir, est-ce que toutes mes chances n'auraient pas été gâchées? »

J'y restai parce que toute ma vie antérieure me le commandait et non par un choix délibéré. Ma véritable liberté pendant cette période se situe ailleurs : dans le travail pénible et exaltant qui, à travers mon âge ingrat, contribua à me faire qui je suis. Je compte parmi mes chances que les divergences morales de mes parents m'aient acculée à la contestation. Je me suis résolue à ne plus relever que de moi. Je me suis délivrée de certains tabous. Mon projet d'étudier s'est fortifié ainsi que celui d'écrire. Je me suis avoué que je ne croyais plus en Dieu. Je parlerai plus loin de mon athéisme. Mais je précise tout de suite que la maladresse de l'abbé Martin n'a pas joué un grand rôle dans mon évolution. Elle m'a écarté de lui, non de la religion à laquelle je me suis encore accrochée quelque temps. Mais j'avais appris à réfléchir et ma foi avait perdu sa naïveté primitive; elle était devenue ce douteux compromis dont beaucoup se contentent et qui consiste à croire qu'on croit : j'étais trop entière pour m'en accommoder.

A ma naissance, j'étais sur des rails. J'ai dit qu'en 1919, mes parents étant devenus de « nouveaux pauvres », il y eut un changement d'aiguillage et je me retrouvai sur une autre voie : celle qui me convenait le mieux. Ce fut aussi une de mes chances. J'ai un peu souffert de notre gêne, directement et surtout à travers les mauvaises humeurs de mes parents. Mais sans elle, au sortir du cours Désir, il m'aurait été plus difficile de poursuivre mes études.

Il m'a fallu prendre alors un certain nombre de décisions; mais là encore il ne me semble pas avoir opté : j'ai suivi le chemin que m'indiquait impérieusement mon passé. Depuis l'enfance je souhaitais enseigner. Quand on m'a suggéré de devenir bibliothécaire, j'ai refusé : l'austérité de la philologie et du sanscrit me rebutait. J'ai convaincu mon père, qui souhaitait pour moi un poste de fonctionnaire, de me laisser me destiner au professorat. Il m'a suffi d'un an pour comprendre que je voulais me spécialiser non en mathématiques ni en lettres, mais en philosophie : j'en ai persuadé Mlle Lambert et grâce à elle mes parents. Par la suite, le choix des certificats à préparer, celui de mon sujet de diplôme ont dépendu des circonstances : c'était d'ailleurs des décisions assez insignifiantes. Une initiative plus importante, ç'a été de passer l'agrégation dès l'année 29; mais là aussi elle m'était indiquée par ma situation : j'avais le droit de me présenter au concours, j'étouffais à la maison, je voulais en finir au plus vite.

Ainsi pendant toutes ces années d'enfance, d'adolescence et de jeunesse, ma liberté n'a jamais pris la forme d'un *décret;* ç'a été la poursuite d'un projet originel, incessamment repris et fortifié : savoir et exprimer. Il s'est ramifié en projets secondaires, en multiples attitudes à l'égard du monde et des gens : mais qui tous avaient la même source et le même sens. Je me suis inscrite aux équipes sociales, j'ai cherché et cultivé l'amitié de Jacques, j'ai fréquenté des camarades de Sorbonne, j'ai traîné en cachette dans des bars de Montparnasse, je me suis liée avec Stépha, j'ai profité de la sympathie que me marquait Herbaud. Je n'étais jamais passive : je sollicitais la vie. Souvent dans mes quêtes j'ai abouti à des impasses. Mais aussi j'ai fait des trouvailles qui m'ont enrichie. Et mon attitude multipliait mes chances d'une rencontre décisive.

De mon enfance à ma majorité, j'allai de découverte en découverte; ma vie était une aventure. En même temps, cependant, elle obéissait, comme toute existence, à des cycles. Ce fut particulièrement frappant pendant les années que je passai au cours Désir. J'y allai presque chaque jour, accomplissant à pied ou en métro le même trajet, y retrouvant les mêmes professeurs et les mêmes compagnes. Les dimanches répétaient les dimanches et les vacances d'été celles de l'année précédente. Après mon bachot, la routine a été brisée. Le collège Sainte-Marie, l'Institut catholique, la Sorbonne surtout ont été de grandes nouveautés. J'ai découvert la Bibliothèque nationale. Je me suis familiarisée avec des visages inconnus. Mais je demeurais ancrée au foyer de mes parents, asservie à leur rythme de vie. C'est seulement après mon agrégation que les vieux cadres ont éclaté.

Mon existence pendant ces vingt années s'est caractérisée par la double continuité de son déroulement. Mon organisme s'est métamorphosé. Et d'autre part j'ai fait un incessant apprentissage. Le temps était alors positivement un facteur d'accumulation : comme j'avais une excellente mémoire je ne perdais pas grand-chose de tout ce que j'amassais. Il faut remarquer cependant que chez tout individu, même si de la naissance à la maturité il ne cesse de progresser, on observe une sorte de décélération. Tolstoï octogénaire a écrit qu'à peine une enjambée le séparait de sa cinquième année tandis qu'entre le nouveau-né et l'enfant de cinq ans s'étendaient des espaces infinis. Il y a beaucoup de vérité dans cet apparent paradoxe. La métamorphose de la larve humaine en un individu parlant a quelque chose de stupéfiant. Ensuite la conquête du langage, de la pensée rationnelle, de la lecture, de l'écriture, des rudiments du savoir, constitue encore un exploit remarquable, mais moins. Plus tard, le progrès se poursuit, mais il se ralentit. Scolairement, on apprend plus en seconde qu'en huitième, à la Sorbonne qu'en seconde : mais dans la formation générale de l'individu ces acquisitions jouent un moins grand rôle. (Au sein de cette décélération, il y a eu cependant pour moi une année privilégiée : celle où j'ai quitté le cours Désir qui m'a apporté, grâce à Jacques, la foudroyante révélation de la littérature contemporaine.)

Au fur et à mesure que je grandissais, ma situation par rapport aux adultes et leur conduite à mon égard se modifiait, et ces changements à leur tour réagissaient sur moi : il me fallait me réadapter à la manière dont ils s'adaptaient à moi. Ma mère a cessé de me prendre sur ses genoux, elle s'est mise à me traiter avec un sérieux qui m'a flattée : je suis entrée dans la peau d'une enfant sage. Sous l'influence de Zaza, et sans doute aussi à cause de mon âge, je suis devenue vers douze ans agitée et frondeuse. Les sévères réactions de ces demoiselles ont amené en moi une rébellion intérieure : j'ai répudié leur morale et le Dieu qui la garantissait; j'ai éprouvé dans la gêne la distance entre l'image qu'elles et mes parents gardaient de moi et ma vérité. Plus tard, au début de ma vie d'étudiante j'ai fait confusément l'apprentissage de la nécessité, au sens sartrien du mot : le destin en extériorité de la liberté. Je m'étais faite librement et, pensais-je, avec l'approbation de tous, une étudiante zélée : et je me retrouvais changée en monstre. A la maison je suis alors devenue fermée, sombre, hostile. Heureusement des camaraderies, des amitiés m'ont aidée à récupérer une image de moi plus riante.

A travers mon enfance et ma jeunesse ma vie avait un sens clair : l'âge adulte en était le but et la raison. Vivre, à vingt ans, ce n'est pas se préparer à en avoir quarante. Tandis que, pour mon entourage et pour moi, mon devoir d'enfant et d'adolescente consistait à façonner la femme que je serais demain. (C'est pourquoi les *Mémoires d'une jeune fille rangée* ont une unité romanesque qui manque aux volumes suivants. Comme dans les romans d'apprentissage, du début à la fin le temps coule avec rigueur.) Je sentais alors mon existence comme une ascension. Certes, on ne gagne rien sans perdre quelque chose. C'est un lieu commun qu'en se réalisant on sacrifie des possibilités. Les montages opérés dans le cerveau et le corps de l'enfant nuisent à ceux qu'on voudrait établir ensuite. Les intérêts qui se sont constitués en éliminent d'autres : le goût de la connaissance en a oblitéré chez moi beaucoup d'autres. La jouissance d'un objet lui ôte sa nouveauté. Les régressions des enfants signifient qu'ils regrettent de grandir. J'ai perdu les caresses de ma mère, l'insouciance et l'irresponsabilité du premier âge, et mon émerveillement devant les mystères du monde. Parfois l'avenir m'effrayait : aurais-je à mener un jour l'existence grise et plate de ma mère? Ma sœur et moi deviendrions-nous étrangères l'une à l'autre? Cesserions-nous jamais d'aller à Meyrignac? Mais l'ensemble du bilan était largement positif. Le seul scandale de ma jeunesse, ç'a été la mort; grandir me plaisait : je progressais. Plus tard, je souhaitai m'évader de ma famille. Vieillir, ce fut alors pour moi à la fois mûrir et me libérer. Même dans mes jours les plus sombres, mon optimisme m'incitait à faire confiance à l'avenir. Je croyais à mon étoile et que ce qui m'arriverait ne pouvait être que bon.

Il y a beaucoup d'enfants et d'adolescents qui aspirent à l'âge adulte comme à une délivrance. Mais d'autres le redoutent. Zaza a eu beaucoup plus de peine que moi à grandir. L'idée de s'éloigner de sa mère la navrait. La magie de son enfance lui faisait trouver morne son adolescence et la perspective d'un mariage de raison l'effrayait. Pour le fils d'ouvrier, il est dur de devenir ouvrier à son tour, c'est-à-dire condamné à ne plus rien faire d'autre que reproduire sa vie. Beaucoup de jeunes se défendent contre le passage à la maturité par des rébellions, de la délinquance, du vagabondage, de la drogue, des violences, un défi à la mort qui peut aller jusqu'au suicide. Moi, l'idée de gagner ma vie, grâce à un travail qui me convenait, m'exaltait d'autant plus que ma féminité me prédestinait à la dépendance.

Que serait-il arrivé si ma situation familiale avait été autre? Là-dessus je peux faire plusieurs suppositions. La première c'est que mes parents bien que ruinés aient eu des conduites différentes de ce qu'elles furent. Si ma mère avait été moins indiscrète et moins tyrannique, les limites de son intelligence m'auraient moins gênée; la rancune n'aurait pas oblitéré l'affection que je lui portais et j'aurais mieux supporté l'éloignement de mon père. Si mon père, sans même intervenir dans ma lutte contre ma mère, avait continué à s'intéresser à moi, cela m'aurait beaucoup aidée. S'il avait franchement pris mon parti, réclamant pour moi certaines libertés qu'elle m'eût alors accordées, ma vie en aurait été allégée. Si tous deux s'étaient montrés amicaux, j'aurais tout de même été en opposition avec leur manière de vivre et de penser; j'aurais plus ou moins étouffé à la maison et je me serais sentie seule : mais non pas rejetée, exilée, trahie. Mon destin n'en aurait pas été changé : mais beaucoup d'inutiles tristesses m'auraient été épargnées. C'est la seule période de ma vie qui m'ait laissé des regrets. La crise de mon âge ingrat, c'est moi qui l'ai fomentée et elle a été féconde; je me suis arrachée à la sécurité des certitudes par l'amour de la vérité : et la vérité m'a récompensée. De dix-sept à vingt ans, l'attitude de mes parents m'a profondément peinée sans que j'en tire aucun profit.

S'ils avaient conservé leur fortune, nous aurions vécu plus

agréablement, leur humeur aurait été moins sombre : mais j'avais de onze à douze ans quand elle s'est altérée, j'étais déjà faite. Ma mère était si timorée et si despotique qu'elle n'aurait pas su nous inventer des plaisirs et qu'elle aurait répugné à nous laisser nous divertir sans elle. Sans doute me serais-je davantage adonnée à des jeux, à des sports : si à La Grillère j'ai aimé si fanatiquement le croquet, c'est qu'il n'y avait pas d'autre distraction de cette espèce dans ma vie. Mais ce sont mes jeux fantasmatiques avec ma sœur qui se seraient trouvés plus ou moins sacrifiés, certainement pas mes études ni mes lectures. Même si j'avais été mieux habillée et donc plus à l'aise dans ma peau, j'aurais détesté les réunions mondaines. Non, l'argent n'aurait pas changé grand-chose à mon enfance ni à mon adolescence. Et si je n'avais pas été obligée de prendre un métier, j'aurais tout de même obtenu de poursuivre mes études.

Sur un seul point, mais important, la ligne de ma vie aurait pu être déviée : Jacques se serait plus facilement intéressé à moi si j'avais été mieux attifée et si j'avais eu cette aisance que donne d'ordinaire l'argent; ma pauvreté n'aurait pas créé un obstacle à un mariage qui l'a un moment tenté. Je ne spécule pas sur l'hypothèse : et s'il m'avait épousée sans fortune? Il aurait fallu qu'il fût un autre si bien que cette supposition n'a pas de sens. Mais tel qu'il était, si j'avais eu une dot, il m'aurait volontiers épousée. S'il me l'avait proposé avant que j'aie rencontré Sartre, comment aurais-je réagi? C'est difficile de rêver rétrospectivement sur sa vie : il faudrait tenir en main toutes les variables. Satisfait de sa situation, mon père n'aurait pas vu en moi l'image de son échec, il ne se serait pas détourné de moi; même importunée par ma mère, la maison ne m'aurait pas semblé un enfer ni Jacques un sauveur. Je n'aurais peut-être vu en lui qu'un ami dont les failles ne m'auraient pas échappé. Déjà, quand je rêvais de partager sa vie, cette idée me faisait par moments horreur. J'aurais hésité. Cependant, s'il m'avait parlé d'amour, l'émotion, l'attirance physique qui se serait développée entre nous m'auraient sans doute convaincue.

Et alors? Jacques aurait-il moins bu et dirigé plus sagement ses affaires? Le vide qu'il y avait en lui, je ne pense pas que je l'aurais comblé : ce que je pouvais apporter à quelqu'un, il n'était pas prêt à l'accueillir. J'aurais vite découvert la pauvreté de ses sentiments et intellectuellement il ne m'aurait pas satisfaite. J'aurais tenu à lui cependant, et aux enfants que nous aurions eus. J'aurais connu les déchirements qui sont ceux de tant de jeunes femmes, ligotées par l'amour et la maternité sans avoir oublié leurs anciens rêves.

Ce dont je suis sûre, c'est que je m'en serais sortie. Mes dix-huit premières années m'avaient faite telle que je ne pouvais pas les trahir. Impossible d'imaginer que j'aurais renié mes ambitions, mes espoirs, tout ce qui m'était nécessaire pour conférer un sens à ma vie. A un moment donné, j'aurais refusé l'enlisement bourgeois. Séparée ou non de Jacques, j'aurais repris mes études, j'aurais écrit et j'aurais certainement fini par m'éloigner de lui. J'aurais eu à vaincre bien des obstacles; leur affrontement m'aurait peut-être aussi bien servie que les facilités qui furent mon lot. Pour la jeune fille que j'étais, plus d'un avenir est concevable : encore que la femme d'aujourd'hui ne soit pas en mesure de s'imaginer différente.

Quelle importance réelle Jacques a-t-il eue dans ma vie? Bien moindre que celle de Zaza. Mon initiation à la littérature et à l'art moderne se serait faite de toute façon pendant mes années de Sorbonne. J'ai connu grâce à lui la «poésie des bars »; je les ai fréquentés : c'est une décompression qui m'a été utile mais qui ne m'a pas apporté grand-chose. J'ai connu par Jacques plus de tourments que de joie. En fait ce qu'il a représenté dans ma jeunesse, c'est la part du rêve. Auparavant, je rêvais peu : Zaza, les livres, la nature, mes projets me suffisaient. A dix-huit ans, mal à l'aise dans ma famille et dans ma peau, j'ai rêvé : non pas à être une autre mais à partager une vie qui me semblait admirable — celle de Garric — ou émouvante — celle de Jacques. Ce rêve-là a duré longtemps sans que j'y aie jamais cru tout à fait. Mes sentiments pour Jacques étaient soufflés alors que ceux que j'éprouvais pour Zaza étaient vrais. Bien qu'insolite il n'avait rien de remarquable, tandis que Zaza était exceptionnelle.

A propos de Zaza, de Jacques, de bien d'autres, je remarque quelle grande part d'ignorance il y avait dans mes relations avec eux; je les croyais transparentes mais elles avaient un envers caché que je ne soupçonnais pas. Je pouvais être émue lorsque, entrant dans la chambre de Zaza en son absence, je me demandais quel goût avait pour elle sa vie; mais je ne doutais pas que celle-ci se réduisît à ce que j'en connaissais. Je manquais d'imagination, d'expérience, de perspicacité. J'avais une confiance enfantine dans les paroles des gens et je ne m'interrogeais pas sur leurs silences. Je suis tombée des nues quand j'ai appris le roman d'adolescence de Zaza, la liaison de Jacques, quand Fernand m'a laissé entendre qu'il couchait avec Stépha. Cependant Zaza n'aurait pas été telle qu'elle était, telle que je l'aimais, sans son amour passionné puis contrarié pour son jeune cousin. C'est ma propre vie qui m'était opaque alors que je croyais la tenir tout entière sous mon regard.

J'étais plus aveugle encore au contexte social et politique dans lequel elle se bâtissait. Mon histoire était typiquement celle d'une jeune bourgeoise française de famille pauvre. J'avais accès aux biens de consommation qu'offraient mon pays et mon époque, dans la mesure où ils convenaient au budget de mes parents. Mes études, mes lectures m'étaient imposées par la société. Celle-ci, je ne l'ai d'abord connue que par la médiation de mes parents puis d'une manière plus directe mais sans m'y intéresser. Cette indifférence était conditionnée par l'état du monde : c'est la sécurité de l'après-guerre qui m'a permis de me soucier si peu des événements. A la Sorbonne des camarades m'ont obligée à m'en préoccuper un peu. J'ai compris l'ignominie du colonialisme. Stépha m'a convertie à l'internationalisme et à l'antimilitarisme. J'ai pleinement assumé le dégoût que j'éprouvais depuis longtemps pour le fanatisme de droite, le racisme, les valeurs bourgeoises et tous les obscurantismes. L'idée de Révolution me séduisait. Je glissais vers la gauche : tout intellectuel de bonne foi, au nom de l'universalisme qu'on lui enseigne, ne peut que vouloir l'abolition des classes. Mais mon aventure individuelle comptait plus pour moi que celle de l'humanité. Je ne mesurais pas à quel point la première dépendait de la seconde sur laquelle je continuais à être très mal renseignée.

Comment aurais-je évolué si je n'avais pas rencontré Sartre ? Me serais-je débarrassée plus tôt ou plus tard de mon individualisme, de l'idéalisme et du spiritualisme qui m'encombraient encore ? Je ne le sais pas. Le fait est que je l'ai rencontré et que ce fut l'événement capital de mon existence.

Il m'est difficile de décider dans quelle mesure il fut dû au hasard. Il n'a pas été purement fortuit. En me vouant à des études supérieures, je m'étais donné le maximum de chances pour que se produisît une telle rencontre : le compagnon idéal dont je rêvais à quinze ans devait être un intellectuel, avide comme moi de comprendre le monde. D'autre part, le regard, l'oreille aux aguets, dès mon arrivée à la Sorbonne j'ai cherché à découvrir parmi mes camarades celui avec lequel je pourrais le mieux m'entendre. Enfin mon ouverture à autrui me valait des sympathies : j'ai gagné celle d'Herbaud et par lui celle de Sartre.

Cependant s'il avait réussi l'agrégation un an plus tôt, si je ne m'y étais présentée qu'un an plus tard, nous serions-nous ignorés? Pas fatalement. Herbaud aurait pu servir de truchement entre nous. Et même, nous avons souvent pensé que si elle ne s'était pas produite en 1929, cette rencontre aurait pu avoir lieu plus tard : le cercle de jeunes professeurs de gauche auquel nous appartenions était restreint. J'aurais en tout cas écrit, fréquenté des écrivains et à travers ses livres souhaité connaître Sartre. Entre 43 et 45, mon vœu aurait été exaucé étant donné la solidarité qui unissait les intellectuels antinazis. Un lien, différent peut-être, mais sûrement très fort, se serait créé entre nous.

Si c'est en partie le hasard qui nous a mis en présence, l'engagement qui a lié nos vies a été librement choisi : un tel choix n'est pas un décret mais une entreprise de longue haleine. Il s'est manifesté d'abord pour moi par une décision pratique : rester deux ans à Paris au lieu de prendre un poste. J'ai adopté les amitiés de Sartre, je suis entrée dans son monde, non comme certains le prétendent parce que je suis une femme mais parce que c'était le monde auquel depuis longtemps j'aspirais. D'ailleurs il a adopté mes amitiés comme moi les siennes : il a sympathisé avec Zaza; mais, bientôt il ne m'est plus resté de mon passé que ma sœur, Stépha et Fernand; ses amis étaient plus nombreux et reliés les uns aux autres par des liens affectifs et des affinités intellectuelles.

J'ai veillé avec vigilance à ce que nos rapports ne s'altèrent pas, mesurant ce que je devais accepter, refuser, de sa part, de la mienne, pour ne pas les compromettre. J'aurais consenti, à contrecœur, mais sans désespoir, à ce qu'il partît pour le Japon. Je suis certaine qu'au bout de deux ans nous nous serions retrouvés comme nous nous l'étions promis. Une décision importante, ç'a été de partir pour Marseille plutôt que de me marier avec lui. Dans tous les autres cas, mes résolutions coïncidèrent avec mon élan spontané; dans celui-ci, non. Je désirais vivement ne pas quitter Sartre. J'ai opté pour ce qui dans l'instant m'était le plus difficile par souci de l'avenir. Aussi est-ce la seule fois où il me semble avoir évité un danger et donné à ma vie un coup de barre salutaire.

Que serait-il arrivé si j'avais accepté? Cette hypothèse n'a pas de sens. J'étais faite de telle façon que j'avais le respect d'autrui. Je savais que Sartre ne souhaitait pas le mariage. Je ne pouvais pas le souhaiter seule. Il m'est arrivé de le contraindre dans de petites choses (et réciproquement) mais jamais je n'aurais pu envisager de lui forcer la main dans des circonstances sérieuses. A supposer que — pour des raisons que j'imagine d'ailleurs mal — le mariage se soit imposé à nous, je sais que nous nous serions débrouillés pour le vivre dans la liberté.

La liberté : dans quelle mesure en ai-je usé pendant les dix années qui ont suivi? En quoi le hasard et les circonstances sont-ils intervenus?

J'ai pris quelques initiatives que me dictait la situation : j'ai demandé à me rapprocher de Paris et j'ai été nommée à Rouen, non loin de Sartre qui enseignait au Havre. Ensuite solliciter, accepter un poste à Paris allait de soi. J'étais tout à fait d'accord pour que Sartre passât un an à Berlin. Ensemble, à une khâgne qu'on lui proposait à Lyon, nous avons préféré pour lui une classe de philo à Laon, pensant avec raison qu'il reviendrait plus vite à Paris.

Mon sort, pendant cette période, ressemblait à celui de la majorité des gens : moi aussi j'ai travaillé à reproduire ma vie. Mon existence était comme la leur répétitive, ce qui parfois me pesait. Mais j'étais privilégiée. La plupart n'espèrent pas échapper à cette routine avant le moment attendu et redouté de la retraite. La seule nouveauté pour eux c'est celle qu'apportent la naissance et le développement de leurs enfants : elle se perd au jour le jour dans la monotonie quotidienne. Moi, j'avais beaucoup de loisirs; je lisais, je nouais des amitiés, je voyageais : je continuais de faire des découvertes. Mon attention au monde demeurait en éveil. Ma relation avec Sartre restait vivante; je n'étais pas asservie à un foyer; je ne me sentais pas enchaînée à mon passé. Et j'avais les yeux fixés sur un avenir prometteur : je deviendrais un écrivain. C'est dans mon apprentissage de l'écriture qu'essentiellement ma liberté était engagée. Il ne s'agissait pas d'une tranquille ascension, pareille à celle qui m'avait menée à l'agrégation de philosophie, mais d'un effort hésitant : des piétinements, des reculs, de timides progrès.

Des hasards ont contribué à peupler ma vie. Colette Audry aurait pu ne pas se trouver dans le même lycée que moi, Olga, Bianca, Lise ne pas suivre mes cours. Étant donné l'intérêt que je portais aux gens, il aurait été anormal qu'aucune de mes collègues, aucune de mes élèves ne retînt mon attention. Cependant j'aurais pu, au lieu de ces rencontres, en faire d'autres dont l'apport aurait été plus ou moins riche et qui auraient donné à ma vie une coloration différente. C'est un hasard que celles-ci aient eu lieu et non pas d'autres. Mais ce hasard ne pouvait pas grand-chose pour ou contre moi puisque l'essentiel de mon existence était assuré.

Ma liberté a joué dans la manière dont j'ai cultivé ces amitiés. Cela m'intéresse particulièrement de démêler quelle a été sa part dans mes rapports avec Olga à cause de leur complexité. C'est moi qui ai pris l'initiative de sortir parfois avec elle. Émue par son attachement, encouragée par Sartre, j'ai obtenu de ses parents qu'elle revînt à Rouen alors qu'ils voulaient la confiner à Caen. Je n'ai pas réussi à la préparer, comme je l'avais projeté, à sa licence de philosophie; je me suis résignée à sa paresse : je ne *pouvais* pas faire autrement. Le pratico-inerte, Sartre l'a montré, supporte des exigences; une amitié n'est pas seulement vécue au jour le jour, elle tombe dans le passé, elle devient une réalité figée que nous sommes obligés de subir : celle-ci réclamait d'être poursuivie. Pas question de me brouiller avec Olga ni de m'entêter à lutter contre elle. Par la suite, je me suis trouvée confrontée à d'autres impossibilités. « Il m'était trop nécessaire de m'accorder en tout avec Sartre pour voir Olga avec d'autres yeux que les siens [1]. » Cette nécessité, c'est en moi qu'elle avait sa source, sans cesse je la choisissais : mais ce choix en contredisait d'autres et c'est pourquoi, à l'intérieur du trio que nous avions créé, je me trouvais déchirée. Je ne *pouvais* pas m'y arracher mais je m'y sentais mal à

1. *La Force de l'âge.*

l'aise. C'est Olga qui a dénoué la situation en se liant avec Bost. A partir de là, les exigences de notre amitié, j'étais toute disposée à les satisfaire. Je l'ai vécue dans la liberté et non plus dans la contrainte.

Juste à ce moment-là est survenu un événement qui aurait pu briser définitivement mon existence : ma maladie. Elle n'a rien eu de fortuit. Je me fatiguais à l'excès; je ne me suis pas tout de suite soignée comme je l'aurais dû. Elle fut aussi une fuite : j'échappais ainsi au trio qui achevait de se liquider mais où des tensions subsistaient. Ce n'est pas non plus un hasard si on n'a pas pu l'enrayer : les antibiotiques n'existaient pas. C'en est un que j'aie survécu — du moins au niveau de la connaissance qu'en avaient les médecins. Ils me donnaient une chance sur deux de m'en sortir.

Il m'a semblé pendant ces dix années que je bâtissais ma vie de mes propres mains; ce n'était pas tout à fait faux; cependant, comme pendant la période précédente, j'étais conditionnée par la société. Je consommais les marchandises qu'elle m'offrait; elle m'assignait un certain salaire : la marge de décision qu'elle me concédait était très mince. Professionnellement je jouissais du statut confortable qui était à cette époque celui des professeurs de lycée; je pouvais prendre quelques initiatives : mais les programmes, les horaires, le nombre des élèves étaient déterminés en dehors de moi. Dans le domaine culturel, il m'était permis de choisir : mais parmi les livres, les films, les expositions qui m'étaient proposés. Souvent, en outre, quand je croyais inventer une conduite je ne faisais que me conformer à un modèle : aller aux sports d'hiver, passer des vacances en Grèce, c'était suivre l'exemple d'un grand nombre de petits bourgeois français. Cependant j'étais déconcertée quand je me saisissais, sous un regard distant, comme le fragment d'une collectivité. Quand Stépha a dit à Rouen : « Comme ils mangent bien ces Français! » et plus tard Fernand : « Salauds de Français », je n'admettais pas que leur propos me concernât. Pas plus que, petite fille, je ne voulais être classée parmi les enfants — j'étais *moi* — je n'acceptais à présent d'être définie comme une Française : là aussi je pensais que j'étais *moi*.

La situation d'un pays dépend de son histoire et de celle du monde; j'étais donc tributaire des événements : je refusais de m'y intéresser. Je me tenais à peu près au courant de ce qui se passait, mais avec beaucoup de détachement. Pour donner une juste idée de ma vie, j'aurais dû mieux indiquer dans *La Force de l'âge* l'étendue de mes ignorances. Un individu se définit autant et parfois davantage par ce qui lui échappe que par ce qu'il atteint. Louis XVI, le dernier tzar, marquant en substance sur leur journal intime : « Aujourd'hui, rien », alors qu'autour d'eux la révolution se déchaînait, en livrent plus long sur eux que dans aucun de leurs actes ou de leurs propos. Je l'ai dit : entre 29 et 39, toute la gauche française souffrait de cécité politique. Il m'était facile de la partager car je n'éprouvais pas la pression de l'histoire de telle manière qu'elle me dérangeât. Et je voulais m'aveugler : je voulais croire que rien, jamais, ne pourrait ébranler mon bonheur. Le Front populaire a compté pour moi : c'est qu'il était porteur d'espoirs et non de menaces. La guerre d'Espagne m'a émue : mais je ne pensais pas qu'elle me concernât directement. J'ai usé de ma liberté pour méconnaître la vérité du moment que je vivais.

La vérité m'a sauté au visage en 1939. J'ai su que je subissais ma vie car j'ai cessé de consentir à ce qui m'était imposé : la guerre m'a déchirée, elle m'a séparée de Sartre, coupée de ma sœur; j'ai passé de la peur au désespoir, puis à des colères, des dégoûts, traversés de flambées d'espoir. Chaque jour, à chaque heure, je mesurais combien je dépendais des événements. Ils sont devenus la substance même de mes journées. A cause de la censure ils m'ont en grande partie échappé : jamais la face d'ombre qui est l'envers de mon existence n'a été plus opaque que pendant la guerre. Mais je cherchais avec passion à les connaître, à les comprendre : je ne les distinguais plus de mon propre destin.

La part de liberté qui m'est demeurée a été mince. Je me suis débrouillée, pendant l'hiver 39, pour aller voir Sartre à Brumath : là encore je ne faisais qu'imiter un grand nombre de femmes. En juin 40, j'ai quitté Paris : mon lycée se repliait sur Nantes, le père de Bianca m'offrait une place dans sa voiture, ce départ allait de soi. Je suis revenue très vite de La Pouèze, profitant d'une occasion : ce retour aussi s'est imposé à moi. Mon attitude sous l'occupation m'a été dictée par mon passé : mon échelle de valeurs, mes convictions. En politique, mes engagements ont toujours exprimé les idées que je m'étais forgées au cours de ma vie : la question c'était de choisir au présent les conduites qui dans des circonstances inédites les traduisaient le plus fidèlement. Par la suite, cela m'a souvent posé des problèmes. En 40, sur le plan intellectuel aucune hésitation n'était possible : je ne pouvais que haïr le nazisme et la collaboration. Il était aussi dans ma ligne de tenter de réagir à la situation sans me laisser écraser. Rassurée sur le sort de Sartre par un de ses camarades de captivité, j'ai décidé de parier sur un avenir heureux. J'ai demandé à Hegel de me rendre intelligible le cours de l'Histoire. J'ai accueilli et suscité toutes les distractions possibles. Surtout j'ai entrepris d'achever *L'Invitée* puis j'ai écrit *Le Sang des autres*. Ce que je n'ai pas découvert, c'est la manière de traduire par des actes mon opposition au nazisme. C'est Sartre à son retour du camp et par la suite qui a pris des initiatives : la première — la création du groupe *Socialisme et liberté* — m'a d'abord étonnée mais il m'a convaincue et je me suis associée alors et par la suite à ses activités politiques. Je me suis adaptée à la pénurie matérielle en faisant de mes soucis une manie. Les circonstances nous ont incités à quitter Paris en juillet 44; nous y sommes revenus volontairement, malgré les difficultés, pour assister à cette fête : la Libération.

Les amitiés que nous avons nouées vers la fin de la guerre n'ont rien eu de fortuit. Giacometti, nous l'avons connu par Lise, mais sinon ç'aurait été par Leiris. Celui-ci, nous aimions ses livres et Sartre a travaillé avec lui au C.N.E. Il nous a fait rencontrer Salacrou, Bataille, Limbour, Lacan, Leibovitz, Queneau, qui tous appartenaient à la résistance intellectuelle. Camus — sur qui Sartre avait écrit un article — s'est présenté de lui-même pendant une représentation des *Mouches*. Genet — qui savait que nous aimions *Notre-Dame des Fleurs* — a abordé Sartre au Flore. A supposer que je n'aie pas connu Sartre, me serais-je liée avec ces écrivains? Sans doute. A ce moment-là, j'aurais eu sûrement un livre édité; j'aurais fait partie du C.N.E. et peut-être y aurais-je justement rencontré Sartre.

En 1945, je me suis retrouvée sur des rails et j'ai eu peu de décisions à prendre. La plus importante, ç'a été de ne pas rentrer dans l'Université et de n'accepter aucune tâche alimentaire afin de me consacrer à écrire. Je n'avais plus à susciter des opportunités. Ma réalité objective — écrivain, collaboratrice des *Temps modernes,* grande sartreuse — m'en valait de nombreuses : il m'appartenait seulement de les écarter ou de les accueillir. Ainsi j'ai été invitée au Portugal, en Tunisie, en Suisse, en Hollande, sans l'avoir cherché. Pour notre voyage en Italie, je me suis dépensée davantage : j'ai insisté pour qu'il ait lieu, malgré des circonstances défavorables. Mon voyage en Amérique, c'est Soupault qui me l'a organisé : je l'en avais plus ou moins prié. Par la suite nous avons inventé ensemble, Sartre et moi, certains de nos voyages; d'autres nous furent proposés avec insistance, en particulier ceux que nous fîmes en 1960 à Cuba, au Brésil, et en 62 en U.R.S.S. Nos séjours à La Pouèze étaient à la fois sollicités par Mme Lemaire et désirés par nous. Ceux que nous fîmes dans le Midi c'est moi qui les ai arrangés, en accord avec les goûts de Sartre. J'ai quitté l'hôtel pour m'installer dans une chambre, rue de la Bûcherie, et cette chambre — après avoir accepté le prix Goncourt — pour un studio près du cimetière Montparnasse. En 51, je me suis acheté une auto et j'ai appris à conduire : cette initiative n'avait rien d'original; l'industrie automobile reprenait et beaucoup de Français ont voulu avoir une voiture.

Du fait que ma vie se répandait de plus en plus largement dans le monde — que je connaissais plus de gens, que se multipliaient les occasions qui s'offraient à moi — le rôle du hasard s'y est trouvé réduit à peu de chose. Les événements qui s'y produisaient étaient les prolongements ou les contrecoups de mon histoire passée. C'est cependant le hasard qui en 47 m'a mise en présence d'Algren : rien n'était plus improbable que ma rencontre avec lui. Que Sartre ait connu Richard Wright aux U.S.A., c'était normal et normal aussi que celui-ci m'ait fait connaître des intellectuels new-yorkais. Mais il ne m'a pas parlé d'Algren qui habitait Chicago. C'est Nelly Benson qui m'a conseillé de le voir lorsque j'ai été dîner chez elle et j'avais été à deux doigts de refuser son invitation. A Chicago, il s'en est fallu d'un cheveu qu'Algren ne me répondît pas au téléphone, et malgré la sympathie que nous éprouvâmes l'un pour l'autre je ne l'aurais jamais revu si Sartre ne m'avait pas demandé de prolonger un peu mon séjour aux U.S.A. Cependant, rien ne serait arrivé entre nous si je n'avais été assez disponible pour désirer cette aventure : je ne lui aurais pas proposé par téléphone de revenir à Chicago comme il m'y avait invitée. Ensuite, j'ai voulu notre histoire : nous nous convenions à cause de ce que nous étions et de ce que chacun représentait pour l'autre. Mais je la voulais dans certaines limites qui la condamnaient presque fatalement à une fin rapide. Ce qu'elle m'a apporté, je l'ai dit dans *La Force des choses*.

Le hasard a beaucoup moins joué dans mes relations avec Lanzmann. Il aurait pu ne pas faire partie de l'équipe des *Temps modernes;* cependant, par son âge, sa formation intellectuelle, ses idées politiques, il y avait une place tout indiquée. A ce moment-là aussi je me sentais disponible et j'avais envie que quelque chose m'arrivât : la sympathie que j'éprouvais pour Lanzmann et que je savais réciproque était toute prête à se changer en un sentiment plus profond. Notre différence d'âge, les circonstances firent que cette histoire s'acheva au bout de quelques années pour laisser place à une grande amitié. En ce cas-là aussi l'issue était fatale.

Je savais désormais que le cours du monde est la texture même de ma propre vie, j'en suivais avec attention le mouvement. Faute d'informations suffisantes, mon ignorance demeurait considérable : entre autres, j'ai ignoré en 45 l'ampleur de la répression de Sétif et jusqu'en 54 la vraie situation de l'Algérie; je ne savais pas ce qui se passait réellement en U.R.S.S. et dans les démocraties populaires. Même si on n'y voit pas très clair, on est obligé de prendre parti : cela ne va pas sans des hésitations et des erreurs. Quant à nos relations avec le parti communiste et les pays socialistes, j'ai suivi Sartre dans ses fluctuations. Par moments s'imposait à nous avec une fulgurante évidence le refus de certains scandales : les camps soviétiques, les procès de Rajk et de Slansky, Budapest. Sur le capitalisme, l'impérialisme, le colonialisme, nos positions étaient nettes : il fallait les combattre dans nos écrits et si possible par des actes. J'étais intellectuellement engagée dans cette lutte, mais sur le plan pratique je n'ai guère milité. Je supporte mal l'ennui des congrès, des comités. J'ai tout de même, en 1955, participé au congrès d'Helsinski. La même année, j'ai écrit un livre sur la Chine, où j'avais passé deux mois, pour faire connaître la révolution chinoise. En diverses occasions, j'ai signé des manifestes, participé à des meetings. J'ai fait quelques petites choses pendant la guerre d'Algérie et contre le gaullisme. Sur ces deux derniers points, mes convictions intellectuelles se sont imposées à moi avec autant d'évidence qu'en 1940 mon refus du nazisme; comment les traduire dans des actes? Je l'ai demandé à des militants comme Francis Jeanson ou à des organisations engagées dans la lutte. Je n'ai fait que suivre leurs consignes : mais évidemment j'avais d'abord choisi de les solliciter et c'était là une libre décision.

C'est essentiellement dans le domaine de la création littéraire que j'ai fait usage de ma liberté; on écrit à partir de ce qu'on s'est fait être, mais c'est toujours un acte neuf. J'ai dit dans *La Force des choses* comment, jusqu'en 62, sont nées et se sont développées ces inventions : inutile d'y revenir ici.

Si je considère la ligne générale de ma vie, elle me frappe par sa continuité. Je suis née, j'ai vécu à Paris : même pendant les années passées à Marseille, à Rouen, j'y demeurais ancrée. J'ai changé plusieurs fois de logement, mais je suis restée à peu près dans le même quartier : j'habite aujourd'hui à cinq minutes de mon tout premier domicile. Paris s'est transformé depuis ma jeunesse; je peux tout de même la retrouver en de nombreux endroits : au Luxembourg, à la Sorbonne, à la Bibliothèque nationale, sur le boulevard Montparnasse, place Saint-Germain-des-Prés. Je n'écris plus dans les cafés, mais je travaille à peu près toujours sur le même rythme, selon les mêmes méthodes. Je ne fais plus de longues marches, mais je me promène en auto. Mes occupations ont toujours été les mêmes : la lecture, le cinéma, écouter des disques, voir des tableaux.

Il y a pourtant un domaine où cette continuité a été en grande partie rompue : les amitiés que je partageais avec Sartre. C'est la mort parfois qui les a brisées; j'ai raconté comment certaines se sont effilochées ou assez brutalement rompues tandis que d'autres naissaient. Dans la plupart des cas — dans celui de Camus par exemple — du début à la fin l'histoire m'en paraît claire. L'un d'eux cependant m'intrigue : celui de Pagniez. Il a été pendant des années le meilleur camarade de Sartre, ils se plaisaient ensemble et se voyaient sans cesse. Aucun conflit ne les a jamais explicitement opposés : comment ont-ils pu s'éloigner au point de cesser tout à fait de se voir? Jeunes, il y avait entre eux des divergences, mais elles n'étaient que d'opinions et d'attitudes : des nuances qui ne s'inscrivaient dans aucune praxis. Du moment où elles s'expriment dans des choix, qui aussitôt constituent un pratico-inerte chargé d'exigences neuves, on comprend que des chemins, au début presque confondus, puissent très rapidement se séparer. Que Pagniez fût passéiste, Sartre extrémiste, c'était amusant : deux manières de vivre leur condition d'intellectuels petits-bourgeois. Quand Pagniez s'est montré conservateur, réactionnaire, alors que Sartre découvrait et prenait sérieusement à cœur la lutte des classes, cela rendait une entente impossible. On aurait pu concevoir cependant que s'établisse, au nom du passé, une mutuelle tolérance : entre nous et Mme Lemaire, elle régna longtemps. Avec Pagniez nous nous y essayâmes : « Vous écrivez, moi je me suis créé un foyer heureux, ce n'est pas mal non plus », disait alors Pagniez. Mais il nous est bientôt apparu que ce n'était pas tout à fait ce qu'il pensait, sinon il n'aurait pas nourri tant d'aigreur contre Sartre. Nous ne nous voyions plus depuis longtemps quand en 1960 il a refusé de se solidariser avec Pouillon et Pingaud, ses collègues, qui se trouvaient suspendus de leurs fonctions pour avoir signé le manifeste des 121.

Cependant il y a aussi dans ma vie des liens très anciens qui ne se sont jamais brisés. Deux choses lui confèrent essentiellement son unité : la place que Sartre n'a pas cessé d'y tenir. Et ma fidélité à mon projet originel : connaître et écrire. Qu'ai-je visé à travers lui? Comme tout existant, j'ai cherché à rejoindre mon être et pour cela je me suis inspirée d'expériences où j'avais l'illusion d'y avoir accédé. Connaître, c'était, comme dans mes contemplations enfantines, prêter ma conscience au monde, l'arracher au néant du passé, aux ténèbres de l'absence; il me semblait réaliser l'impossible liaison de l'en soi et du pour soi lorsque je me perdais dans l'objet que je regardais, dans les moments d'extases physiques ou affectives, dans l'enchantement du souvenir, dans le pressentiment enthousiaste de l'avenir. Et je voulais aussi me matérialiser dans des livres qui seraient, comme ceux que j'avais aimés, des choses existant pour autrui mais hantés par une présence : la mienne.

Toute quête de l'être est vouée à l'échec mais cet échec même peut être assumé. Renonçant au vain rêve de se faire dieu on peut se satisfaire tout simplement d'exister. Savoir n'est pas posséder et cependant je ne me lasse pas d'apprendre. Je souhaitais participer à l'éternité d'une œuvre dans laquelle je m'incarnerais, mais avant tout je voulais me faire entendre de mes contemporains. Ce sont mes relations avec eux — coopération, lutte, dialogue — qui pendant toute ma vie ont eu le plus de prix à mes yeux.

Dans l'ensemble, mon destin a été faste. J'ai eu des peurs, des révoltes. Mais je n'ai pas subi d'oppression, je n'ai pas connu l'exil, je n'ai été frappée d'aucune infirmité. Je n'ai vu mourir personne qui me fût essentiel et depuis mes vingt et un ans je n'ai jamais connu la solitude. Les chances qui me furent données au départ m'aidèrent non seulement à avoir une vie heureuse, mais à être heureuse de la vie que j'avais. J'ai connu mes manques et mes limites, mais je m'en suis accommodée. Quand les événements qui se passaient dans le monde me déchiraient, c'est le monde que je souhaitais changer, et non la place que j'y occupais.

« On naît multiple et on s'achève un », a dit en substance Valéry. Bergson aussi a souligné qu'en nous réalisant nous perdons la plupart de nos possibilités. Ce n'est pas du tout ainsi que je m'éprouve. Oui, à douze ans j'étais tentée par la paléontologie, l'astronomie, l'histoire, par chaque nouvelle discipline que je découvrais : mais elles faisaient toutes partie d'un projet plus vaste qui était de dévoiler le monde et je m'y suis appliquée. De bonne heure, c'est l'idée d'écrire qui éclaira mon avenir. J'étais au départ informe mais non multiple. Ce qui me frappe, au contraire, c'est comment la petite fille de trois ans se survit, assagie, dans celle de dix ans, celle-ci dans la jeune fille de vingt ans, et ainsi de suite. Certes sur beaucoup de points les circonstances m'ont amenée à évoluer. Mais je me reconnais à travers tous mes changements.

Mon exemple montre d'une manière frappante combien un individu est tributaire de son enfance. La mienne m'a permis de prendre un bon départ. J'ai eu la chance qu'aucun accident ne brisât par la suite le développement de ma vie; une autre chance, c'est que le hasard m'a été exceptionnellement favorable en mettant Sartre sur mon chemin. Ma liberté s'est employée à soutenir mes projets originels; pour y rester fidèle, elle a eu recours, à travers les fluctuations des circonstances, à de constantes inventions; celles-ci ont pris parfois la figure d'une décision, mais qui toujours m'a paru aller de soi : touchant les choses importantes, je n'ai jamais eu à *délibérer*. Accomplissement d'un projet original, ma vie a été en même temps le produit et l'expression du monde dans lequel elle se déroulait, et c'est pourquoi j'ai pu, en la racontant, parler de tout autre chose que de moi.

Et maintenant, où en suis-je au juste? Quelles nouveautés m'ont apportées les dix dernières années que je viens de vivre? C'est là-dessus que je vais essayer de faire le point.

*
* *

La première chose qui me frappe, si je considère les dix années qui se sont écoulées depuis que j'ai achevé *La Force des choses*, c'est que je n'ai pas l'impression d'avoir vieilli. Entre 1958 et 1962, j'ai eu conscience de passer une ligne. A présent, elle est derrière moi et j'en ai pris mon parti. Peut-être une maladie ou des infirmités m'en feront-elles franchir une autre; je n'ignore pas les menaces que contient l'avenir, mais je n'en suis pas obsédée. Provisoirement, le temps s'est arrêté pour moi : avoir soixante-trois ans ou cinquante-trois, cela ne fait pas à mes yeux une grande différence; alors qu'à cinquante-trois ans je me sentais à une stupéfiante distance de mes quarante-trois ans. Maintenant, je me soucie peu de mon aspect physique : c'est par égard pour mes proches que j'en prends soin. Je me trouve en somme installée dans la vieillesse. Je suis comme tout le monde incapable d'en avoir une expérience intérieure : l'âge est un irréalisable. Étant en bonne santé, mon corps ne m'en livre aucun indice. J'ai soixante-trois ans : cette vérité me demeure étrangère.

Ma vie n'a guère changé depuis 1962. Elle dépend étroitement d'un même passé. C'est lui qui définit ma situation actuelle et son ouverture vers l'avenir. Il est le donné à partir duquel je me projette et que j'ai à dépasser. Je tiens de lui les mécanismes qui se sont montés dans mon corps, les instruments culturels dont je me sers, mon savoir, mes ignorances, mes goûts, mes intérêts, mes relations à autrui, mes obligations, mes occupations. Dans quelle mesure cette re-saisie de mon histoire par le pratico-inerte est-elle une limitation et une contrainte? Quelle place laisse-t-elle à ma liberté?

Je l'ai dit plus haut : le pratico-inerte supporte des exigences. Dans le dialogue si fréquent entre amants : « Je ne *peux* pas lui faire ça. — Dis que tu ne *veux* pas », c'est en général le premier interlocuteur qui a raison. On ne peut pas toujours vouloir ce qu'on voudrait : ce serait se renier soi-même. C'est pourquoi les gens dont la vie est *faite* la vivent souvent à contre-cœur, enfermés dans un foyer d'où ils rêvent de s'évader ou dans un métier qui a cessé de les intéresser. Si la rupture avec le passé est à la fois violemment désirée et rigoureusement interdite il arrive que le sujet se voie acculé au suicide. Ce fut le cas de Leiris, tel qu'il le décrit dans *Fibrilles* : il ne pouvait ni trahir la compagne de toute son existence, ni renoncer à la femme qui venait de lui ouvrir des horizons neufs. Pour ménager des êtres chers, accomplir un acte qui les déchirera, cela peut paraître absurde. Mais l'absurdité est alors la seule issue. On brise l'univers de la rationalité par une violence aveugle : à défaut d'une solution, c'est une radicale échappatoire. Il est rare qu'on en vienne à ces extrémités mais fréquent que l'on subisse dans la résignation ou la révolte le poids d'anciens engagements. Quant à moi, je ne le sens pour ainsi dire jamais. J'ai toujours détesté m'ennuyer et j'ai à peu près réussi à me débarrasser de toutes les corvées importunes. Vivre sans temps morts : c'est un des slogans de Mai qui m'ont le plus touchée parce que depuis mon enfance je l'avais adopté; j'y reste fidèle. Les journées que je passe à présent prolongent en grande partie celles d'autrefois : mais c'est avec mon plein consentement. Par exemple je demeure au même endroit depuis quinze ans. Il est vrai que déménager me poserait des problèmes et dans cette permanence il entre de l'inertie. Mais aussi je n'imagine pas qu'un autre appartement puisse me convenir davantage; celui-ci est riche de souvenirs qui lui donnent à mes yeux un charme inestimable. Je choisis délibérément d'y rester.

Le passé m'habite et m'investit. Mais je ne me retourne pas vers lui plus souvent qu'autrefois. J'ai toujours aimé évoquer, avec Sartre, ma sœur, des amis, des souvenirs communs. Certains qui n'appartiennent qu'à moi me sont précieux, malgré leur pauvreté stéréotypée, parce qu'en moi des émotions vivantes les animent encore. C'est une chance d'avoir éprouvé des sentiments durables : les moments que j'en ai vécus jadis avec intensité n'étaient pas des leurres, l'avenir qu'ils me promettaient s'est réalisé, et ils ont gardé tout leur prix. Il me semble que dans une vie cassée par des ruptures, les retours en arrière ne sauraient avoir la même douceur. Si je garde avec quelqu'un des liens identiques à ceux d'autrefois, ou un peu différents mais chaleureux, toutes les expériences traversées ensemble refluent sur les anciennes images, leur donnent leur poids, en confirment le sens. D'une autre manière encore, le passé parfois m'enchante : quand je reconnais des lieux que j'ai aimés. Quand je raconterai mes voyages, je dirai quelle importance ont pour moi ces confrontations.

Ni esclave de mon passé, ni obsédée par lui, je n'en garde pas une vision assez nette pour mesurer les changements qui se produisent autour de moi : aussi ne puis-je pas saisir sur le vif le passage du temps. Quand je me retrouve dans un pays que je n'ai pas visité depuis longtemps, des différences me sautent aux yeux : mais il me semble constater la brutale substitution d'un décor à un autre, plutôt qu'une transformation. Si au contraire j'observe jour à jour les divers moments d'une évolution, je m'y adapte si bien qu'elle m'échappe. De ma fenêtre, de celle de Sartre, je vois se dresser de vastes immeubles qui n'existaient pas il y a dix ans. Quand ils ont commencé à se construire, ils n'altéraient pas le paysage : et je l'avais oublié quand ils se sont achevés.

De ce point de vue, l'Histoire n'est pas moins décevante. Au fur et à mesure que le présent s'affirme, les moments antérieurs s'engouffrent dans la nuit. Emportés vers l'avenir, on a rarement le loisir de se retourner en arrière. Une fois cependant un retour au passé s'est imposé à moi. Chaque année, de jeunes avocats, pour s'exercer à l'éloquence, montent avec solennité au Palais de Justice un faux procès. En avril 67, ils ont choisi de juger Frantz, le héros des *Séquestrés d'Altona* : fallait-il acquitter ce tortionnaire? le condamner à mort ou à une peine moins grave? Plusieurs des orateurs ont très bien parlé. Le procureur a prononcé contre la torture un réquisitoire d'une extrême violence : pas de pitié pour ceux qui y ont recouru, il faut les abattre. C'est dans ce même Palais que quelques années plus tôt, au procès Ben Sadok, les avocats qui assistaient à l'audience s'indignaient parce que des témoins dénonçaient la torture. A présent on avait perdu le souvenir de ces horreurs au point de publiquement les flétrir. L'indépendance de l'Algérie était revendiquée comme un succès gaulliste, alors que pendant trois ans de Gaulle avait poursuivi la guerre et couvert les tortionnaires. Pour moi, la guerre d'Algérie resurgissait de manière criante précisément à cause du silence dans lequel on l'avait désormais enterrée.

Ce qui, réflexivement, m'indique de la manière la plus décisive le nombre de mes années, c'est la transformation qu'a subie pour moi l'échelle des âges. Mes proches, je ne les y situe pas. Dans la perception vécue de l'espace — c'est un fait qu'a bien mis en lumière la théorie des formes — la perspective ne joue pas : l'amie que je vois à distance n'a pas diminué de taille; elle a toujours 1,60 m, à vingt mètres de moi. Ainsi à travers les années elle demeure identique à elle-même. Dans le temps comme dans l'espace — c'est bien connu — il faut une circonstance inhabituelle pour que Proust à la place de sa grand-mère aperçoive une vieille femme. Il en va tout autrement quand il s'agit de relations lointaines ou d'étrangers; je leur attribue un âge : mais celui-ci n'a pas eu la même valeur à tous les moments de ma vie. Je ne prendrai qu'un seul exemple : ma vision de la femme de quarante ans.

Enfant, je classais en gros les adultes par générations : il y avait celle de mes parents — les grandes personnes; celle de mes grands-parents — les gens âgés; et des espèces de phénomènes assez répugnants, les vieillards que j'assimilais aux malades et aux infirmes. A quarante ans on était déjà une personne assez âgée. Quand j'avais vingt ans, les quadragénaires me semblaient romanesques : une vie derrière soi, une personnalité définie; je rêvais à cette femme riche d'expérience et plus ou moins meurtrie que je deviendrais un jour. Mais il me semblait déplacé qu'on prétendît à cet âge avoir des liaisons ou même flirter. Assistant à vingt-cinq ans à une fête, à l'Atelier, je considérais toutes ces créatures encore « bien conservées » comme « de vieilles peaux ». Même à trente-cinq ans j'étais choquée quand des aînées faisaient allusion devant moi à leurs ébats conjugaux : il vient un moment où il faut avoir la décence de renoncer, pensais-je.

J'avais quarante ans quand j'ai descendu le Mississippi avec Algren et je me sentais très jeune; j'en avais quarante-quatre quand j'ai fait la connaissance de Lanzmann et je ne me sentais pas vieille. C'est à cinquante ans passés qu'il m'a semblé — je l'ai dit déjà — avoir franchi une ligne. Quarante ans représenta alors pour moi une jeune maturité, encore riche d'espoirs et j'ai compris qu'une héroïne de Colette ait pu dire avec nostalgie : « Je n'ai plus quarante ans pour m'émouvoir devant une rose qui se fane [1]. » Et l'autre jour, parlant avec une femme de quarante-cinq ans, fraîche et vive, elle me semblait aussi jeune qu'au temps — vingt ans plus tôt — où je l'avais croisée pour la première fois. Comme aperçus du haut d'une montagne les reliefs s'écrasent, les différences d'âge aujourd'hui s'atténuent ou même s'abolissent à mes yeux. Il y a les jeunes, puis jusqu'aux environs de cinquante ans, des adultes, puis les gens âgés, et les grands vieillards qui ne me semblent plus bien loin de moi.

Mais il y a un signe de vieillissement qui m'est encore bien plus évident, et contre lequel je bute sans cesse, c'est mon rapport à l'avenir. Quand on interviewe des personnes âgées, elles signalent, malgré un optimisme de commande, certains inconvénients de la vieillesse : je m'étonne que jamais elles n'évoquent ce rétrécissement de l'avenir dont Leiris a si bien parlé dans *Fibrilles*. Il est vrai que certaines gens ne le ressentent pas. Mon amie Olga me disait : « Moi j'ai toujours vécu dans l'instant et dans l'éternité, je n'ai jamais cru à l'avenir. Alors avoir vingt ans ou cinquante ans, c'est à peu près la même chose. » A d'autres, la vie pèse : la brièveté de l'avenir la leur rend plus légère. Mon cas est différent; j'étais tendue vers l'avenir; j'allais gaiement à la rencontre de la femme que je serais demain; j'étais âpre parce que dans chaque conquête je pressentais un souvenir qui ne se fanerait jamais. Maintenant, je peux encore me prendre avec ardeur à des projets à court terme — un voyage, une lecture, une rencontre — mais le grand élan qui me jetait en avant a été stoppé. Comme disait Chateaubriand, je touche au terme; je ne peux pas me permettre de trop grandes enjambées. Je dis souvent : il y a trente ans, il y a quarante ans. Je ne me hasarderais pas à dire : dans trente ans. Et ce court avenir est fermé. J'éprouve ma finitude. Même enrichie de deux ou trois volumes, mon œuvre restera ce qu'elle est.

Au présent, cependant, mon univers n'a cessé de s'agrandir. J'ai déjà noté ce phénomène, en parlant de l'après-guerre; il n'a fait que s'amplifier. L'incidence des faits extérieurs sur mon histoire diminue : les événements se produisent en son sein et

1. Je cite de mémoire.

la part du hasard est presque réduite à rien. La plupart des gens nouveaux que j'ai rencontrés m'ont écrit parce qu'ils aimaient mes livres : les relations qui se sont créées entre nous, c'est moi qui les ai provoquées par une sorte de choc en retour. Parce que ma vie se répand de plus en plus largement dans le monde, elle est devenue le lieu de nombreuses convergences : ainsi s'explique la multiplication des coïncidences que j'observe depuis quelque temps. L'ennui dans les romans, a dit J.-B. Pontalis, c'est que les mêmes gens s'y rencontrent toujours entre eux. C'est vrai. Mais je m'aperçois que dans la réalité, c'est presque pareil. Une femme de quarante ans avec qui j'ai des liens amicaux épouse un homme que j'ai connu chez Mᵐᵉ Lemaire quand il avait seize ans. Violette Leduc sort parfois avec un des deux homosexuels à qui Lise s'était attachée. Je pourrais citer quantité d'autres exemples. Cela tient à la quantité de gens que je finis par avoir connus et à l'exiguïté du cercle d'intellectuels auquel j'appartiens.

Par leur rythme, par la nature de mes occupations et de mes fréquentations, mes journées se ressemblent. Cependant ma vie ne m'apparaît pas du tout comme stagnante. La répétition n'est qu'un fond où s'inscrivent perpétuellement des nouveautés. Je lis chaque jour : mais pas le même livre. J'écris chaque jour : mais sans cesse l'écriture me pose des problèmes imprévus. Et je suis avec un intérêt anxieux le déroulement des événements qui ne se recommencent jamais et qui à présent appartiennent à ma propre histoire.

Un des avantages de l'âge c'est qu'il me permet de saisir, dans leur continuité et leurs développements imprévus, la courbe de certaines vies. Beaucoup me surprennent. Cette « bouleversante » du Flore, belle et égarée, je n'aurais jamais supposé que le temps ferait d'elle une femme d'affaires compétente, ni que cette autre, nonchalante, un peu hagarde deviendrait la meilleure spécialiste française de Kafka; ni que le beau Nico, dans sa maturité, ferait de très beaux films. Je n'imaginais pas que Paulhan, si peu conformiste et qui semblait si indifférent aux honneurs, endosserait l'habit d'académicien. Ni que l'auteur de *L'Espoir* accepterait un ministère dans une France technocratique liée d'amitié avec Franco. Si ces évolutions m'ont étonnée, c'est évidemment parce que je ne les ai saisies que du dehors; je ne savais pas sur quel fond s'inscrivait ce que je connaissais de ces femmes et de ces hommes; j'ignorais tout de leur enfance, qui est la clé de toute existence.

Quand il s'agit de mes amis, il en va tout autrement. Je suis assez bien renseignée sur leur passé, sur leurs racines, sur leur ouverture au monde et leurs possibilités; s'il arrive dans leur vie des événements marquants, je m'y attendais plus ou moins; et il ne me semble pas qu'ils en soient changés. A vrai dire, pour en décider, il me faudrait d'abord prendre à leur égard un recul qui me permettrait de les voir. Ce n'est pas ce que je fais d'ordinaire; avec mes proches, je vis dans une transparente complicité. Pour les regarder du dehors, dans leur opacité, il faut que pendant un moment quelque chose dans mes rapports avec eux se détraque : qu'ils se montrent au-dessous, ou au-dessus, ou différents de ce que j'escomptais d'eux. Mais bientôt cette distance s'abolit.

Certes, dans la mesure où ils épousent le cours des choses, où ils affrontent des situations inédites, ils évoluent. Il peut y avoir chez eux des remises en question, des crises, des cassures, des engagements nouveaux. J'en ai vu des exemples chez Sartre, Leiris, Genet, Giacometti, bien d'autres. Mais ils n'en restaient pas moins fidèles à eux-mêmes. Je ne les ai pas vus se métamorphoser sous mes yeux.

Je constate aussi une grande stabilité dans ce qu'on appelle le caractère des gens : l'ensemble de leurs réactions dans des circonstances analogues. Le passage des années amène des modifications dans la situation d'un individu : ses conduites en sont affectées. J'ai vu des adolescentes ombrageuses ou timorées devenir de jeunes femmes épanouies. J'ai vu l'humeur de Giacometti s'altérer par suite de sa maladie et de son immense fatigue. J'ai assisté aux spectaculaires dégradations de Lise et de Camille. Mais en général, un homme, une femme, installés dans leur maturité, demeurent conformes à eux-mêmes. Et même parfois ils se répètent alors qu'ils se croient différents. Gorz qui dans *Le Traître* dénonce ses marmonnements continue à marmonner.

En vérité, même s'il prétend le contraire, aucun homme ne se veut autre qu'il est, puisque pour tout existant, être, c'est se faire être. Il se peut que rétrospectivement il blâme certains de ses comportements : cela ne le conduit pas à les transformer. Amiel dans son Journal ne cesse de déplorer sa paresse; il pré-

46

tend la combattre et continue de s'y enliser. En fait, il choisit d'être ce paresseux qui gémit sur sa paresse. Cela ne veut pas dire que tout le monde s'aime. Je l'ai dit déjà : quand on a été mal aimé dans son enfance et qu'on a adopté le point de vue de ses parents, on a constitué de soi une image déplaisante dont on ne se débarrasse jamais. Mais ce dégoût même qu'il éprouve pour soi, c'est le sujet qui le sécrète et tout en en souffrant il y adhère. Cette adhésion ontologique permet à certains de revendiquer fièrement des traits qui me semblent des tares inavouables : « J'ai le respect de l'argent, je ne le gaspille pas... Ça m'amuse que les gens que je connais aient des ennuis... Je ne suis pas de ces hystériques qui veulent à tout prix savoir la vérité. » Je pense aussitôt : c'est un avare; c'est un méchant homme; c'est une femme qui se ment. Mais les individus en question récuseraient ces définitions. Il est presque impossible de convaincre les autres de défauts qui nous paraissent évidents : s'ils y consentent, c'est que leur système de valeurs ne coïncide pas avec le nôtre et nos critiques glissent sur eux. Fernande Picasso disant : « Quand dans la rue on ne ricane pas sur mon passage, je pense que mon chapeau manque de chic. » Les badauds qui croyaient l'humilier ne faisaient que la confirmer dans le sentiment de son élégance.

J'éprouve moi aussi ce consentement à moi-même. Analysant mon écriture, une amie graphologue fit de moi un portrait que je jugeai flatteur. « Il vous plaît parce que vous vous choisissez telle que vous êtes, me dit-elle, mais on pourrait le prendre en négatif. » En effet, on peut appeler volonté, ténacité, persévérance ma manière de me concentrer sur mon travail et de mener à bout mes projets. On peut aussi y voir un entêtement aveugle, une opiniâtreté bornée. Mon désir de connaître, est-ce de l'ouverture d'esprit ou une curiosité frivole? Quant à moi je m'accepte sans réticence. Quand je me « reconnais », je m'en amuse. Pendant un temps j'ai exploré le monde musical aussi méthodiquement que jadis les paysages de Provence : je m'en suis rendu compte mais cela n'a pas atténué mon acharnement maniaque. Ce que j'ai dit à propos d'autrui vaut aussi pour moi : il est difficile de me blesser. Injustifiés, les critiques et les blâmes ne m'atteignent pas. Fondés, je les tiens pour des compliments. Qu'on me traite d'intellectuelle, de féministe ne me gêne pas : j'assume ce que je suis.

Un des sens de la paranoïa, c'est le refus de quitter la position de sujet : nous en sommes tous plus ou moins atteints, aveugles à notre présence inerte dans le monde de l'autre. Il arrive cependant qu'un incident détruise ma transparente familiarité avec moi-même. Mes proches me signalent des phrases que j'ai dites, des gestes que j'ai accomplis et que je n'ai pas remarqués; je les ai produits sans en rien soupçonner : cette constatation me déconcerte. Ou bien ils me reprochent une conduite dont j'ai été consciente, mais sans me rendre compte qu'elle était déplacée. Ou ils me signalent un trait de caractère auquel je n'avais pas prêté attention : « Vous aimez mieux être débordée par les choses que les dominer », me dit par exemple une amie. « Vous avez l'air de croire que ça va de soi : mais non. » En effet. Ma manière de penser, de sentir, d'agir, va de soi, à mes yeux. J'ai du mal à admettre que c'est à mes yeux seulement.

Pourtant je trouve parfois fascinant de m'apercevoir du dehors. Certains tests me mettent en présence d'une réalité que je suis et qui se dérobe à moi. Je me suis prêtée au test de Rorschach. Quand la psychologue m'en a communiqué le résultat, j'ai glissé dans le fantastique : je consultais une voyante qui m'aurait dit la vérité. Elle ne m'apprenait rien de neuf. Mais je m'étonnais de m'être révélée à elle sans l'avoir cherché et de me saisir du dehors comme projetante et projetée. Une autre expérience troublante c'est de lire le récit qu'un interlocuteur a fait d'un entretien avec moi; même si chaque détail est exact, la substitution de son point de vue au mien me déconcerte; il avait un visage, moi non : il l'a perdu et c'est moi qui en ai pris un. Les paroles que j'ai prononcées, c'est en tant qu'entendues par lui qu'il les rapporte. Je sais que ce retournement se produit chaque fois que je dialogue avec quelqu'un. Dans l'ensemble, je suis assez indifférente aux images qu'on se forme de moi; elles sont si contradictoires et souvent si inconsistantes que je ne m'y attarde pas. Tout de même je suis un peu émue quand j'aborde en chair et en os un public. Je me sens transformée en objet par ces consciences étrangères. Je ne sais pas lequel, et pendant un instant cela m'intimide.

Construire une image de moi-même : cette vaine et d'ailleurs impossible entreprise ne m'intéresse pas. Ce que je souhaiterais c'est me faire une idée de ma situation dans le monde. Être femme, française, écrivain, âgée de soixante-quatre ans en 1972, qu'est-ce que cela signifie? Pour répondre, il faudrait d'abord savoir ce que représente historiquement le moment que je suis en train de vivre. Est-ce une avant-guerre, ou la veille de grandes révolutions qui liquideront le système? Les jeunes d'aujourd'hui verront-ils l'avènement d'un véritable socialisme, ou le triomphe d'une technocratie qui perpétuera le capitalisme, ou une forme de société différente de tout ce que je peux imaginer? Ces questions restent sans réponse; le sens de mon époque est incertain pour moi et cela contribue à obscurcir celui de mon existence individuelle.

Quand j'étais jeune, j'imaginais que ma vie était une expérience exceptionnellement réussie de la condition humaine [1]. Depuis longtemps je sais qu'il n'en est rien. Je n'ai pas partagé le sort de l'immense majorité des hommes : l'exploitation, l'oppression, la misère. Je suis une privilégiée. Si je me compare aux autres privilégiés je n'en envie aucun mais j'en connais qui n'ont rien à m'envier. J'ai gardé longtemps un sentiment de supériorité à l'égard des siècles passés. Quand, dans la biographie d'un écrivain d'autrefois, on m'indiquait ses lectures, j'en éprouvais du malaise : science, histoire, psychologie, les ouvrages qu'il étudiait étaient tellement dépassés! En partie souvent grâce à lui. N'importe, ce retard le dévaluait à mes yeux. Voilà qu'à présent je fais un retour sur moi-même. Sans céder au vertige futuriste qui s'est emparé de mes contemporains, je dois admettre que la postérité a sur moi un grand avantage. Elle connaîtra mon époque alors que celle-ci ne la connaît pas. Elle saura une quantité de choses que j'ignore. Ma culture, ma vision du monde lui paraîtront périmées. A part quelques grandes œuvres qui résistent aux siècles, elle dédaignera les aliments dont je me suis nourrie.

Tout de même : Stendhal assistant sur le Corso à des courses de chevaux n'a rien à envier au touriste qui parcourt aujourd'hui la même rue enlaidie et banalisée. Chaque période de l'histoire est un absolu qu'aucun critère universel ne permet de confronter à d'autres. Les diverses destinées humaines ne se contestent pas les unes les autres. Les richesses du futur ne m'appauvrissent pas.

1. « Il me semblait confusément que du moment où un objet s'était intégré à mon histoire il jouissait d'un éclairage privilégié. Un pays était vierge de tout regard tant que je ne l'avais pas vu de mes yeux » (*La Force de l'âge*, p. 369).

Non; mais elles relativisent ma situation. J'ai définitivement perdu l'illusion puérile de me tenir au centre absolu de l'univers.

Il m'en reste d'autres. J'ai actuellement le souci de récupérer ma vie : ranimer les souvenirs oubliés, relire, revoir, compléter des connaissances inachevées, combler des lacunes, élucider des points obscurs, rassembler ce qui est épars. Comme s'il devait y avoir un moment où mon expérience serait totalisée, comme s'il importait que cette totalisation fût effectuée. Certains primitifs imaginent qu'après leur mort ils demeureront éternellement tels qu'ils étaient quand elle les a frappés : jeunes ou vieux, robustes ou décrépits. Moi j'agis comme si mon existence devait se perpétuer par-delà ma tombe telle que j'aurai réussi dans mes dernières années à la reconquérir. Je sais bien pourtant que « je ne l'emporterai pas avec moi ». Je mourrai tout entière.

Je m'en soucie moins qu'autrefois. L'angoisse de la mort, si violente dans ma jeunesse, je ne l'éprouve plus. J'ai renoncé à me révolter contre elle. Freud écrivait, à propos de la douleur physique : « On pourrait la dire ignoble s'il y avait quelqu'un qui en supportât la responsabilité. » Ce mot s'applique aussi à la mort : le vide du ciel désarme la colère. Mon indignation ne se tourne plus que contre les maux fomentés par des hommes. Cependant, l'idée de ma fin m'est présente. Sous mes pieds s'étire une route qui derrière moi émerge de la nuit, qui devant moi s'y engouffre : j'en ai couvert plus des trois quarts; l'espace qui me reste à parcourir est bref. D'ordinaire l'image est immobile; parfois un tapis roulant m'entraîne vers l'abîme. La dernière fois que j'ai vu un cercueil glisser dans une tombe — celui de Mme Mancy — j'ai pensé avec une fulgurante évidence : bientôt, ce sera moi. La nuit je ne fais plus de ces cauchemars consolants où par-delà ma mort une voix parlait encore pour dire : « Je suis morte. » Mais il m'arrive de me réveiller baignant dans une anxiété confuse : j'ai le goût du néant dans mes os.

Le néant : si cette idée ne me bouleverse plus, je ne m'y habitue cependant pas. On m'a dit : « Pourquoi le craindre? avant votre naissance, c'était aussi le néant. » L'analogie est fallacieuse. Non seulement parce que la connaissance éclaire en partie le passé alors que les ténèbres me dérobent l'avenir; mais surtout parce que ce n'est pas le néant qui répugne : c'est de s'anéantir. La liaison de l'existence — conscience et transcendance — avec la vie, au sens biologique du mot, m'a toujours jetée dans la perplexité — encore que je trouve aberrant de prétendre dissocier la première de la seconde. L'existence indéfiniment se jette vers l'avenir qu'elle crée par ce mouvement : c'est pour elle un scandale de buter contre l'extinction de la vie. Quand c'est elle-même qui la provoque — dans les morts héroïques ou les suicides — le scandale en un sens s'abolit. Mais rien ne me paraît plus affreux que de mourir en pleine santé sans l'avoir voulu. La vieillesse, la maladie, en diminuant nos forces vives aident souvent à apprivoiser l'idée de fin.

Parfois je m'étonne : il y a plus de différence entre ce corps et mon cadavre qu'entre celui de mes vingt ans et celui d'aujourd'hui encore vivant et chaud. Cependant quarante-quatre ans me séparent de mes vingt ans et bien moins certes de ma tombe.

Quand je pense que mon cadavre me survivra, cela crée d'étranges rapports entre mon corps et moi.

La semi-indifférence que je constate à l'égard de ma mort vient-elle de ce que l'échéance me paraît tout de même encore lointaine? ou suis-je moins attachée à la vie qu'autrefois? Je crois que la vraie raison est ailleurs : si je m'éteins dans quinze ans, dans vingt ans, ce sera une très vieille femme qui disparaîtra. Je ne peux pas m'émouvoir de la mort de cette octogénaire, je ne souhaite pas me survivre en elle. La seule chose qui me soit douloureuse quand j'envisage ce départ, c'est la peine que j'infligerai à quelques personnes : celles précisément dont le bonheur m'est le plus nécessaire.

Mes rapports avec autrui — mes affections, mes amitiés — tiennent dans mon existence la place la plus importante. Beaucoup de ces relations sont anciennes. Mes liens avec Sartre, avec ma sœur n'ont pas changé. Je continue à voir fréquemment Olga, Bost, Lanzmann, Bianca, Violette Leduc. Plus rarement, mais avec régularité, Pouillon, Gorz, Gisèle Halimi, Gégé, Ellen Wright, quelques autres. La divergence de nos occupations m'a amenée à ne plus avoir avec certains de mes amis que des relations espacées; mais par exemple Michel Leiris, Jean

51

Genet n'en existent pas moins pour moi et je suis avec attention leurs activités.

Dans ce domaine non plus la permanence ne signifie pas stagnation : si je vois les mêmes personnes, c'est pour partager avec elles la perpétuelle nouveauté du monde. Nous réfléchissons ensemble sur les sujets qui nous intéressent, nous mettons en commun les renseignements que nous avons recueillis. Parce que nos références, nos projets, nos valeurs, nos fins coïncident, les divergences de nos opinions ont un sens; chacune met en lumière un profil différent des objets dont nous discutons : événements, livres, films. Des gens dont les coordonnées sont différentes des miennes, je peux aussi tirer profit de leur conversation : à condition que nous tombions d'accord sur les points que je juge essentiels. Ainsi sont nées mes amitiés avec Léna, en U.R.S.S., avec Tomiko au Japon [1]. Elles saisissaient dans une autre perspective que moi un monde qu'elles abordaient cependant avec les mêmes exigences : cela m'enrichissait de le voir par leurs yeux. En revanche j'estime oiseux de parler avec des gens dont les attitudes diffèrent radicalement des miennes: les mots n'ont pas le même sens pour eux, pour moi et ne nous permettent jamais de nous rejoindre. De toute façon, je n'ai pas de temps à perdre avec des indifférents. Je préfère en consacrer davantage à mes proches. J'ai investi dans leur vie des intérêts tels que leurs projets, leurs réussites, leurs échecs sont devenus les miens. Je lis avec une attention toute particulière les articles ou les livres qu'ils écrivent, je participe à ce qui leur arrive. Dans une certaine mesure mon existence enveloppe la leur et s'en trouve enrichie.

Celle de Sartre fait toujours aussi étroitement partie de la mienne. Il habite à présent à cinq minutes de chez moi, boulevard Raspail; de son bureau situé au dixième étage on a une immense vue sur Paris, avec au premier plan le cimetière Montparnasse; je travaille chez lui tous les après-midi et je contemple au soir tombant d'étonnants couchers de soleil. Nous passons les soirées dans mon studio. On sait trop quelles ont été ses activités depuis 1962 pour que je les signale ici. Je retiendrai seulement un épisode : celui du prix Nobel.

Au début de l'automne 1964, un philosophe italien, Pace,

1. Voir p. 280 et p. 317.

avec qui Sartre a souvent discuté, lui a écrit : il lui demandait de lui communiquer le discours qu'il allait prononcer à l'occasion du prix Nobel. Était-il donc question que cette année il fût décerné à Sartre? Oui, avons-nous appris. Il inclinait à refuser et je l'y encourageai. Des amis d'âge mûr l'engageaient à accepter mais des étudiants à qui j'ai posé la question ont bondi : quelle déception pour les jeunes s'il se laissait couronner!

Sartre avait pris sa décision. Il avait une orgueilleuse horreur des « honneurs » : il n'envisageait pas d'aller faire le singe à Stockholm. Qui étaient ces académiciens qui se permettaient de l'élire? Leurs choix avaient une couleur politique : jamais le prix n'avait été attribué à un communiste. Si Sartre l'avait été, il aurait pu l'accepter parce que l'Académie suédoise aurait par sa décision fait preuve d'impartialité; mais il ne l'était pas et lui donner le prix ne signifiait pas qu'on admettait ses positions politiques, mais qu'on les tenait pour négligeables : il n'entendait pas se laisser récupérer. Il a envoyé une lettre où il priait très poliment l'Académie de ne pas lui assener un prix qu'il se verrait obligé de repousser.

Elle n'en a pas tenu compte. Nous étions en train de déjeuner dans une brasserie de mon quartier quand un journaliste — qui sans doute nous avait guettés — nous apprit la nouvelle. Sartre a décidé d'expliquer son refus à un journaliste suédois que, par l'intermédiaire de Claude Gallimard, il a rencontré au Mercure de France. Dans cette déclaration, qui fut lue à Stockholm par un représentant de son éditeur et reproduite dans de nombreux journaux, il rappelait qu'il avait toujours décliné les distinctions officielles parce qu'il estimait que l'écrivain ne doit pas se laisser transformer en institution; d'autre part il regrettait que le prix Nobel fût réservé « aux écrivains de l'Ouest ou aux rebelles de l'Est [1] ».

Sartre ne voulait pas parler à la presse avant que ce texte eût été communiqué à l'Académie suédoise. Il est venu me voir à cinq heures, et sa mère nous a téléphoné — elle habitait tout près de chez lui — qu'une foule de journalistes l'attendait devant son immeuble. Certains ont deviné qu'il s'était réfugié chez moi et ont sonné à ma porte jusqu'à deux heures du matin.

1. Sartre précisait : on l'a donné à Pasternak, non à Cholokhov. La phrase a été très mal comprise par les amis que nous avions en U.R.S.S. Ils ont cru que Sartre abandonnait le camp « libéral » pour le camp « stalinien ».

Pour avoir la paix, Sartre est sorti et s'est laissé photographier mais il n'a dit que quelques mots.

Dès le réveil, j'ai vu dans la rue des photographes et une voiture de télévision. Quand il est sorti, Sartre a aussitôt été happé. Journalistes et techniciens de la télévision l'ont suivi jusque chez lui. Arrivé devant sa porte, il a fini par leur répondre : « Je n'ai pas envie d'être enterré. » Dans l'après-midi, la charcutière qui habite à côté de chez lui m'a dit avec compassion : « Pauvre M. Sartre! il y a deux ans c'était l'O.A.S.! Maintenant le Nobel! on ne le laissera jamais tranquille. »

Naturellement, la presse a accusé Sartre d'avoir monté toute l'affaire par goût de la publicité. Elle a insinué qu'il avait refusé le prix parce que Camus l'avait eu avant lui; ou parce que j'aurais été jalouse. Il fallait qu'il soit bien riche pour cracher sur 26 millions. Ce qui l'a davantage démonté, ce sont les lettres de gens qui lui demandaient de prendre l'argent et de leur en donner une partie, ou la totalité, ou même un peu plus : ils l'utiliseraient pour protéger les animaux, pour sauver une certaine espèce d'arbres, pour s'acheter un fonds de commerce, pour réparer une ferme, pour s'offrir un voyage. Ils acceptaient tous les principes du capitalisme; les grosses fortunes établies ne les scandalisaient pas ni que Mauriac eût consacré le montant du prix à se faire installer une salle de bains : mais que Sartre dédaignât une pareille somme les frustrait.

Quelque temps auparavant, Sartre avait publié *Les Mots*, ouvrage qu'il avait ébauché depuis longtemps sous le nom de *Jean sans terre*. Je ne découvre jamais ses livres dans leur fraîcheur, j'en ai lu des brouillons. Cependant au bout de deux ou trois ans ils redeviennent neufs. Celui-ci m'a paru très familier, très étranger. Je connaissais cette enfance et les gens qui y furent mêlés. Ce que j'ignorais — comme l'auteur lui-même avant de les raconter par écrit — c'est sa distance actuelle par rapport à ces anciens temps. Parlant de soi, tour à tour et simultanément au passé et au présent, il a créé, à travers l'invention du langage, ce rapport de l'adulte à l'enfant qui fait l'originalité du récit et son prix. J'ai saisi ici sur le vif le passage d'une histoire contingente à l'intemporelle nécessité d'un texte. J'ai vu se substituer à un individu de chair et d'os le personnage imaginaire — le vampire — qui guide la main de l'écrivain. *L'Idiot de la famille*, je ne sais combien de fois je l'ai lu sens dessus dessous par grandes tranches que je commentais et discutais avec Sartre. Je l'ai repris à Rome, l'été 71, de la première page à la dernière, pendant des heures d'affilée. Aucun livre de Sartre ne m'a paru si délectable. C'est un roman à suspense, une investigation policière aboutissant à la solution de cette énigme : comment s'est fait Flaubert? L'auteur y explore, plus librement, plus gaiement qu'il ne l'a jamais fait les domaines qui l'intéressent : ce qu'un homme doit à son enfance, à son époque; quel est le rapport de son discours à son expérience vécue; qu'est-ce que le langage, l'art, le comique? Il faudrait des pages rien que pour en indiquer les thèmes. Aussi sérieux et solide que *La Critique* cet ouvrage-ci a en même temps les charmes de la désinvolture. Visiblement, Sartre s'est amusé en l'écrivant et si le lecteur peut faire l'effort de le suivre, il s'amuse avec lui.

Ma sœur n'habite plus à Paris. Son mari fait partie à présent du Conseil de l'Europe qui siège à Strasbourg; ils ont acheté dans un village une vieille ferme alsacienne dont ils ont fait une confortable et charmante maison. Du matin au soir, même l'hiver où il y fait très froid, elle s'enferme dans son atelier et elle peint. Elle a toujours refusé à la fois les contraintes de l'imitation et l'aridité de l'abstraction : elle a trouvé un équilibre de plus en plus savant entre les inventions formelles et les références à la réalité. Je n'ai pas vu ses expositions de La Haye, de Tokyo, qui ont eu beaucoup de succès. Mais j'ai aimé les toiles, inspirées de Venise, qu'elle a présentées à Paris en 63 et davantage encore l'ensemble où elle évoquait les fêtes et les tragédies de Mai 68. Depuis longtemps elle fait d'excellents burins et elle a particulièrement réussi les illustrations de *La Femme rompue* qu'elle a exposées en même temps que de subtiles aquarelles. Récemment, elle a inventé une intéressante technique de peinture sur altuglass et polyester, mais sans abandonner la peinture à l'huile. Elle peut mener de front ces activités parce qu'elle ne prend presque jamais de vacances. L'été, en Italie, dans sa maison de Trebiano, elle travaille dans un grand atelier ensoleillé. Nous nous retrouvons assez souvent à Paris et parfois je vais chez elle voir ses derniers tableaux et les roses de son jardin.

La plus ancienne de mes amitiés, celle qui me liait à Stépha, n'avait pas résisté à notre longue séparation : ç'a été pour moi une grande joie de la voir renaître.

Stépha et Fernand avaient gagné les U.S.A. au début de la guerre et s'étaient installés à New York. Il avait continué à peindre, elle avait exercé divers métiers. Il y avait longtemps que je ne les avais pas vus quand en 1947 je sonnai à leur porte. Fernand vint m'ouvrir : il n'avait pas beaucoup changé. Quand j'entrai dans sa chambre, Stépha fut si émue qu'elle tomba du divan sur lequel elle était allongée. Pendant ce séjour, j'ai passé beaucoup d'heures avec eux. Je les revis brièvement en 48 et en 50, lorsque je traversai New York pour aller à Chicago. Ensuite, ils s'installèrent comme professeurs dans une petite ville du Vermont. Ni Stépha ni moi n'étant très douées pour les relations épistolaires, nous avons laissé le silence s'établir entre nous. En 65, se rendant en Autriche pour voir sa mère, elle s'arrêta à Paris; je me trouvais en U.R.S.S. et elle m'en voulut assez injustement de mon absence. Ma sœur a pris ma défense mais Stépha s'est butée : « Non, quand on n'intéresse plus les gens, ce n'est pas la peine d'insister. »

Cependant quand *La Femme rompue* a paru, je lui en ai envoyé un exemplaire dédicacé. Elle m'a écrit pour me remercier et m'annoncer qu'elle séjournerait à Paris pendant le printemps 69.

Par téléphone, nous nous sommes donné rendez-vous chez moi : elle habitait chez son beau-frère, à moins de cent mètres. J'ai attendu son coup de sonnette avec un peu d'appréhension. Allais-je retrouver, vieillie, la Stépha de mes vingt ans, ou quelqu'un d'autre, et qui?

J'ai ouvert la porte; sur le seuil se tenait une femme âgée, très petite, appuyée sur une canne; mais j'ai tout de suite reconnu les yeux bleus de Stépha, son teint rose, son nez, ses pommettes, la grande bouche rieuse. J'ai dit avec élan : « Vous n'avez pas changé. » Elle avait les larmes aux yeux et nous nous sommes embrassées. « Comme vous êtes grande! » m'a-t-elle dit. Elle s'était beaucoup tassée : elle avait à présent une tête de moins que moi. Elle a porté sa main de son front à sa taille : « De là à là, j'ai vingt-cinq ans ». Sa main a quitté sa taille et désigné ses pieds : « Mais de là à là, j'en ai cent. » Elle souffrait d'une sévère arthrite et ne pouvait pas marcher sans canne. Elle a trouvé que mon visage n'avait pas la même expression qu'autrefois.

Nous avons parlé de Fernand, de son fils dont elle est très fière, de son travail. Elle aime ce métier de professeur qu'elle exerce depuis vingt ans; ses élèves ont beaucoup de respect et d'affection pour elle : elle en profite pour tenter d'éveiller leur conscience politique. « J'aime les jeunes », m'a-t-elle dit avec chaleur. Elle se plaisait chez son beau-frère parce qu'il avait trois enfants âgés de vingt à trente ans, et tous trois militants d'extrême gauche. Elle ne se lassait pas de les entendre raconter la grande aventure de Mai.

Je l'ai revue souvent, tantôt seule, tantôt avec Sartre. Nous marchions à petits pas sur le boulevard Raspail, nous déjeunions dans des brasseries du quartier. La conversation était aussi aisée que si nous ne nous étions jamais quittées : nous avions les mêmes opinions, les mêmes goûts. Et tout l'intéressait. J'admirais sa vitalité et son courage. Ses jambes la faisaient beaucoup souffrir et cependant elle était toujours gaie. Elle était décidée à ne pas prendre sa retraite, mais à accepter un poste qu'on lui proposait à Philadelphie. Elle passerait ses vacances à Putney, dont la tranquillité convenait à Fernand. Mais elle voulait garder contact avec des jeunes et profiter des ressources qu'offrent les grandes villes.

Elle a réalisé ce projet et elle en a tiré les satisfactions qu'elle escomptait. C'est une de ces rares personnes qui ont tant investi dans leurs activités que la vieillesse ne les abat pas : le monde demeure pour elles peuplé d'intérêts, de valeurs, de fins jusqu'au terme de leur vie. Je pense que nous ne nous reverrons guère. Mais, moi qui déteste tant que mon passé s'effiloche, il m'a été précieux de récupérer cette amitié de jeunesse.

Pendant que je corrigeais ces épreuves, Violette Leduc s'est éteinte, à Faucon. Je parlerai cependant d'elle au chapitre de mes amitiés vivantes, puisque pendant ces dix dernières années son existence est demeurée mêlée à la mienne.

J'ai dit déjà qu'en 1955 l'échec de *Ravages* la jeta dans un grand abattement. Bientôt elle devint la proie des incohérents délires qu'elle a commencé de décrire dans *La Folie en tête.*

Bouts de ficelle, fragments de journaux, étrons de chiens, emballages de Gauloises bleues : la rue était peuplée de signes qu'une organisation malveillante semait sur son chemin pour la tourner en dérision. Malgré les verrous qu'elle avait fait poser, des gens entraient dans sa chambre la nuit : au réveil elle s'apercevait que son manteau de fourrure avait raccourci, qu'il y avait une tache sur le mur, qu'une photographie était écornée. Quand elle travaillait, elle entendait des craquements au-dessus de sa tête : là-haut un espion était tapi qui lisait ses cahiers; elle retrouvait dans les journaux, à la radio, des allusions malveillantes à ce qu'elle avait écrit. J'essayais de la raisonner sans ébranler des évidences qu'elle n'essayait pas de rassembler en un système cohérent. On se moquait d'elle, on lui voulait du mal : mais elle ne savait pas qui la persécutait ni pourquoi; à peine nourrissait-elle de vagues soupçons. Je m'inquiétai sérieusement quand elle se mit à réagir avec violence aux attaques dont elle se croyait victime : elle insultait les gens qui la bousculaient dans le métro ou qui la regardaient d'un drôle d'air. J'obtins qu'elle consultât un psychanalyste : il me laissa entendre qu'il considérait le cas comme désespéré. Un après-midi du mois de novembre 1957, j'étais en train de travailler chez Sartre, rue Bonaparte, quand le téléphone a sonné. C'était Madeleine Castaing, une amie de Violette, qui tient un magasin d'antiquités au coin de la rue Jacob et de la rue Bonaparte : Violette était chez elle, dans un état affreux; elle me demandait de venir. J'y allai. Passant en voiture devant l'immeuble de Sartre, Madeleine Castaing avait aperçu Violette adossée au mur, toute blanche, le regard fixe; elle était descendue, elle avait touché l'épaule de Violette qui était tombée sur le sol en hurlant; elle l'avait fait monter dans l'auto et l'avait amenée ici. Je trouvai Violette en larmes; elle m'expliqua confusément qu'elle avait attendu Sartre devant sa porte pour se plaindre de ce qu'il avait écrit sur elle dans *Les Temps modernes;* à propos du Tintoret, il avait parlé de la laideur et elle avait bien compris que c'était elle qu'il visait. Elle eut encore par la suite deux ou trois crises dont l'intensité finit par l'effrayer. Elle consentit à se faire soigner. Sur les conseils d'un psychiatre, je la fis entrer dans une clinique, à Versailles : malgré mon opposition formelle, le médecin la soumit à une série d'électrochocs. Ensuite elle fit une cure de sommeil dans la maison que dirigeait à la Vallée-aux-Loups [1] le docteur Le Savoureux; elle eut de la sympathie pour lui et pour sa femme, elle aimait se promener dans le parc magnifique. Elle redevint capable de mener une vie normale. Elle m'avait paru si atteinte qu'à un certain moment j'avais douté de sa guérison. Un de ses plus anciens amis a eu si peur d'elle qu'il a cessé de la voir. Mais il y avait quelque chose de si robuste en elle, elle aimait si passionnément la vie qu'elle a fini par surmonter ses égarements.

Elle ne renonça jamais tout à fait à ses interprétations. Le monde resta peuplé de symboles et de signes émis par d'invisibles persécuteurs. Mais elle ne se laissa plus abattre : elle recommença à travailler. J'ai souvent admiré son courage. Elle a décrit dans ses livres le soin qu'elle apportait aux tâches ménagères; elle passait des heures à briquer son intérieur; elle faisait son marché avec minutie; elle préparait longuement ses repas. Et pendant des heures elle couvrait de sa fine écriture penchée des cahiers aux pages quadrillées. L'été, elle louait à Faucon, dans le Vaucluse, une vieille maison, belle, mais délabrée. Chaque matin elle s'en allait dans les bois, elle accrochait à une branche le panier qui contenait son frugal déjeuner et jusqu'au soir elle écrivait. Quand on sait quel effort demande l'affrontement de la page blanche, quelle tension exige l'alignement des phrases et quel découragement vous prend parfois, on reste stupéfait devant une si persévérante énergie — et d'autant plus que c'est sur un fond d'insuccès que Violette Leduc s'acharnait.

Elle avait entrepris de raconter sa vie. A Paris, quand nous nous rencontrions, je relisais avec elle ses brouillons et nous en discutions ensemble. En 64, elle eut achevé *La Bâtarde* qui obtint tout de suite un grand succès. J'ai dit dans ma préface ce que j'aimais dans ce livre : la sincérité intrépide de l'auteur, sa pointilleuse sensibilité, l'art avec lequel elle mêle la vie vraie et la vie rêvée. Sa réussite transforma l'existence de Violette Leduc. Jusqu'alors, elle avait été vouée à la solitude et à la pauvreté : elle se retrouva riche et entourée d'amis, les uns sincères, les autres plus ou moins intéressés. Elle se laissa griser par la nouveauté de sa situation; mais souvent aussi elle la

1. L'ancienne propriété de Chateaubriand.

ressentait dans la colère. Elle fréquentait surtout des homosexuels; elle les suivait volontiers dans des boîtes de travestis : chez *Madame Arthur*, au *Carrousel;* certains lui faisaient une cour empressée; elle s'y laissait prendre un moment; et puis elle les soupçonnait de se jouer d'elle et elle s'insurgeait contre eux avec véhémence. Le luxe la fascinait; les hommes très fortunés qui, généralement par snobisme, s'intéressaient à elle, ressuscitaient pour elle l'image mythique de son père : elle était séduite par leurs belles manières et par leurs raffinements. Mais en même temps elle décelait leurs failles : son bon sens, sa santé morale se révoltaient avec violence contre leur sophistication. Je ne raconterai à ce sujet qu'une anecdote particulièrement signifiante. Violette a été invitée à dîner par Raoul Lévy, le producteur alors célèbre, dans une superbe maison de campagne; il y avait là le sculpteur César, des écrivains, des artistes, et des amis personnels de Raoul Lévy : une trentaine de personnes. Tous ensemble, ils prirent l'apéritif dans la vaste salle à manger. Soudain, ils se retrouvèrent une quinzaine de convives attablés autour d'une paella : le maître de maison et ses intimes dînaient dans la cuisine. Violette Leduc s'est levée, elle a glissé sa serviette dans sa ceinture, la transformant en un petit tablier de femme de chambre, elle a empoigné le plat de paella, elle s'est approchée de Raoul Lévy qui lui tournait le dos, imitant un serviteur stylé : « Monsieur veut un peu de paella? Monsieur est-il content du service? » Il a sursauté : « Qu'est ce que vous faites? — Si vous jouez au domestique, je peux y jouer aussi. » Avec embarras il a expliqué : « C'est un malentendu : la prochaine fois nous serons moins nombreux, la prochaine fois vous mangerez aussi dans la cuisine. » Plus d'une fois il lui arriva ainsi, s'arrachant au tourbillon des plaisirs parisiens de se rétablir dans son orgueil. Elle s'excusait auprès de moi de sa frivolité; mais je comprenais bien qu'après tant de privations cela l'amusait de connaître les restaurants et les boîtes de nuit à la mode. Elle aimait la toilette. Elle écrivit dans *Vogue* des articles sur les grands couturiers du jour. Et elle prit de nouveau plaisir à s'habiller : avec sa perruque blonde, ses minijupes, ses manteaux dernier cri, elle avait beaucoup d'allure; mais dans la rue on se retournait sur son passage parce que l'âge inscrit sur son visage contrastait d'une manière provocante avec sa silhouette juvénile.

L'argent lui posait des problèmes : elle a dit dans ses livres combien elle y était attachée. Elle haïssait l'idée de laisser dormir chez son éditeur celui qu'elle venait de gagner; mais si elle le retirait massivement, elle risquait que le fisc ne lui en prît une grande partie : c'était une idée qui la révoltait. Conseillée par des amis, elle a trouvé un compromis. Mais bien qu'elle s'offrît des vêtements, quelques voyages, elle est demeurée très économe : elle ne voulait pas retomber dans ses vieux jours dans la demi-misère qu'elle avait connue avant *La Bâtarde*. Elle garda le « réduit » qu'elle occupait dans un immeuble populaire. La seule dépense sérieuse qu'elle se permit, ce fut pour réaliser un vieux rêve : posséder sur terre un endroit à elle. Elle acheta et fit aménager la maison de Faucon où elle venait en été. Ce ne fut pas une affaire facile : elle se battit avec l'entrepreneur, avec les maçons. Il lui semblait parfois que la maison avait quelque chose de maléfique. Mais elle finit par lier amitié avec elle. Elle aimait la grande vue sur le mont Ventoux qui s'encadrait dans sa fenêtre. Elle se prit de passion pour son jardin où elle fit planter des arbustes rares et des fleurs qu'elle se plaisait à soigner elle-même. D'abord un peu surpris par ses shorts, ses colliers, ses grands chapeaux de paille, son maquillage, les gens du village finirent par l'adopter. Elle compta parmi eux de sincères amis.

Même pendant sa période mondaine, elle ne cessa jamais de travailler. Elle a écrit *La Femme au petit renard,* une longue nouvelle centrée comme *La Vieille Fille et le mort* sur le thème de la solitude. Avec *La Folie en tête* elle a poursuivi son autobiographie. La lecture en a été pour moi une expérience assez singulière. Les événements que Violette Leduc racontait, je les connaissais, souvent j'y avais été mêlée ou même j'y avais joué un grand rôle : il était troublant d'y apparaître en tant qu'objet alors que je les avais traversés comme conscience et sujet.

Lassée des sorties, des réceptions, de l'agitation parisienne, Violette Leduc fit à Faucon des séjours de plus en plus longs. Elle a fini par s'y établir tout à fait à partir de 1969. Ainsi retrouvait-elle les prédilections de son enfance. Elle a aimé les livres, la musique, des tableaux, des monuments. Mais ces dernières années la littérature et l'art ont presque cessé de l'intéresser. Elle était surtout attentive au monde réel : les gens, les choses, les nuances d'un ciel, les odeurs de la terre. « *Qu'est-ce que j'aime de tout mon cœur? La campagne, les bois, les forêts. Ma place est chez elle, chez eux* », avait-elle écrit dans *La Bâtarde*.

Il y avait chez Violette Leduc un saisissant contraste entre sa vie imaginaire — remplie de fantasmes et d'obsessions — et son attitude face à la réalité. Elle redoutait la mort : au moindre malaise, au plus léger frisson, il lui semblait que sa vie s'échappait d'elle. Et cependant elle a subi avec une sérénité étonnante les deux opérations exigées par la plus redoutable des maladies. La première fois on lui a affirmé que la tumeur dont on venait de lui faire ablation était bénigne : elle l'a cru. J'ai su la vérité et je me suis affolée : je craignais une rechute et qu'elle ne la vécût dans les affres. Un peu plus tard elle a dû subir en effet l'ablation d'un sein : elle l'a acceptée avec tranquillité. « Le chirurgien m'a dit que c'était un cancer, mais un cancer au degré zéro », m'a-t-elle dit. Ce qui l'inquiétait, le jour où je lui ai rendu visite à la clinique, c'est qu'en se regardant dans la glace, sa chevelure grisonnante lui était apparue d'un rouge flamboyant ainsi que la peau de son crâne; le phénomène s'était déjà produit une fois à Faucon, elle ne se l'expliquait pas. Je lui ai dit que c'était une illusion, elle a protesté. « Mais pourquoi n'avoir pas appelé l'infirmière pour lui faire constater la chose? » Elle a réfléchi, elle a souri : « je pense qu'au fond mon inconscient n'y croyait pas ».

Il me semble que c'est un mot profond et qui explique que, si fragile, Violette ait été robuste. Son inconscient était résolument optimiste, il ne croyait pas à la vieillesse, à la mort, ni aux délires qu'elle s'inventait. Quand au printemps 72 elle est entrée à l'hôpital d'Avignon elle était convaincue qu'elle souffrait d'une bénigne crise de foie. Quand elle en est sortie, elle m'a écrit combien elle était heureuse de se retrouver chez elle et de savoir que ses troubles n'avaient aucune gravité. A peu de temps de là un coup de téléphone m'a appris qu'elle venait de sombrer dans le coma : les médecins l'avaient laissée partir parce qu'ils ne pouvaient plus rien pour elle. Elle est morte sans avoir repris conscience, sans souffrance, et semble-t-il sans angoisse. On l'a ensevelie comme elle le souhaitait dans le cimetière de son village.

A Faucon elle a rédigé la fin de son autobiographie. Je pense qu'il sera bientôt possible d'en livrer au public des passages.

Je le souhaite, car dans son cas on ne saurait détacher ses livres de la femme de chair et d'os qui en est l'auteur. Elle a fait de sa vie la matière de son œuvre qui a donné un sens à sa vie.

Il y aurait beaucoup d'autres choses à dire sur Violette Leduc : je l'ai fait de mon mieux dans la préface de *La Bâtarde* que je n'ai pas voulu répéter ici.

J'ai parlé dans *La Force des choses* de quelques amitiés qui se sont ébauchées aux environs de 1960. Elles se sont fortifiées. Le jeune Marseillais qui s'était présenté à moi comme un « désadapté classique » et qui, pendant la guerre d'Algérie, a aidé le F.L.N. en prenant de gros risques, est devenu professeur de lettres. Il a eu des postes en province, à la Guadeloupe, au Cambodge : il a raconté ces expériences dans un livre [1]. Barbu, chevelu, avide de dépaysement, mais très présent à tout ce qui se propose à lui, ses révoltes ont gardé toute leur fraîcheur. Nommé dans un lycée des environs de Paris, il a essayé d'enseigner à ses élèves avant toute chose la liberté, ce qui n'a pas été sans entraîner des conflits avec l'administration. L'été il faisait ses cours sur la pelouse. Il ne relevait pas les absences, il ne suivait pas le programme, il encourageait la contestation. Il a été suspendu, sans motif précis, en février 72. *Le Monde* lui a consacré le 2 mars un article : « Soutenu par les élèves, critiqué par les parents. — Un professeur inhabituel au lycée de Gonesse. » Il s'intéressait à ses élèves au point que, logeant dans l'enceinte du lycée, il les laissait s'installer dans sa chambre, écouter des disques, discuter entre eux ou avec lui quand ils le voulaient. Bien entendu les parents ont parlé de drogue et d'orgies : c'est la fédération Armand qui a exigé sa suspension. Un parent d'élève a dit au reporter du *Monde* : « Je ne sais pas si vous l'avez vu, monsieur, avec sa houppelande de berger. Il ne s'habille pas comme un professeur. » (En fait il porte un long manteau blanc qu'il a rapporté d'Afghanistan.)

Mon amie canadienne, Madeleine Gobeil, a renoncé à la mise en scène. Elle a donné des cours dans une université du Canada et fait des émissions littéraires à la télévision. Elle a aussi réalisé des reportages et des interviews que les journaux de son pays

1. Cl. Courchay : *La Vie finira bien par commencer*, Éd. Gallimard.

ont publiés. Elle est venue souvent en France et à présent elle s'y est installée : elle prépare une thèse sur Michel Leiris.

J'ai continué à voir aussi Jacqueline Ormond. Déçue par les événements qui se sont passés au Mali, elle est retournée vivre en Suisse. Elle a écrit un roman [1], inspiré de fantasmes personnels, et elle en a commencé un second, basé sur son expérience africaine. Elle est repartie enseigner au Niger où elle ne s'est pas du tout plu. Un matin j'ai reçu un exemplaire de son second livre, publié en Suisse. Une note de l'éditeur m'a appris que quelques jours auparavant elle était morte. La nouvelle était abrupte, mais je n'en ai pas été très étonnée. Je crois savoir comment elle a quitté la vie et pour quelles raisons.

Vers la fin de la guerre d'Algérie, j'ai reçu des lettres d'une assistante sociale, Denise Brébant, qui voulait absolument me rencontrer; mes refus ne la décourageaient pas : « Je suis têtue comme Lise », disait-elle, en faisant allusion à l'ancienne élève à qui j'ai prêté ce nom dans *La Force de l'âge*. J'ai compris qu'il ne s'agissait pas d'une curiosité oiseuse : elle aidait le F.L.N. et voulait me consulter à ce sujet. Par la suite, son petit appartement a souvent servi d'abri à des Algériens : elle risquait sa situation et n'avait aucune autre ressource. Nous nous sommes liées. Elle avait à peu près mon âge et sa vie avait été difficile. Elle était fille de paysans qui ayant eu une enfance sévère se montraient à leur tour durs pour leurs six enfants comme pour eux-mêmes. L'aînée s'est mariée à dix-huit ans pour leur échapper. Le fils est parti se battre en Espagne où il a été tué. Ils ont envoyé Denise en classe à Senlis. Excellente élève, quand elle a eu quatorze ans l'institutrice a proposé de lui payer elle-même des études dans une école normale. Ses parents ont refusé. Ils l'ont d'abord fait travailler à la ferme, puis ils l'ont placée : dans un garage, dans une usine, chez un pharmacien dont la femme était infirme; en transportant d'un endroit à un autre cette lourde invalide, Denise, alors âgée de dix-huit ans, s'est décroché un rein. (On l'a opérée quelques années plus tard.) Bien qu'elle donnât à ses parents tout ce qu'elle gagnait, ils la battaient pour un oui pour un non. Une lésion au poumon l'a obligée à passer un an dans un sanatorium. Quand elle en est sortie, à vingt et un ans, elle a été tenter sa chance à Paris.

1. *Transit*, Éd. Gallimard.

Elle a trouvé une place d'institutrice-répétitrice dans une famille. Elle y est restée sept ans pendant lesquels elle a pu suivre des cours de français, de littérature, d'histoire, et lire énormément. Elle s'était inscrite à l'Armée du Salut. Le soir, dans les restaurants élégants, dans les boîtes de nuit, elle faisait la quête; comme elle était jeune et mignonne, elle récoltait beaucoup d'argent; au Fouquet's on la laissait même entrer dans les salons particuliers. « Ah! voilà la petite salutiste », disaient les habitués. Le préfet de police Chiappe, Gaby Morlay, Marie Bell, Sacha Guitry se montraient très généreux; mais non Jean Gabin ni Raimu. Les rencontres l'amusaient mais elle finit par se rendre compte que les indigents n'en profitaient pas. Elle a planté là les salutistes. Au début de la guerre, elle est entrée au Secours national. Elle continuait à étudier dans l'espoir de devenir assistante sociale. « Une fille de paysans! vous n'y arriverez jamais », lui a dit avec dédain une monitrice. Elle s'est néanmoins présentée au concours en 1948 : elle a été reçue quatrième sur cinq cents candidates et elle a eu la satisfaction d'obtenir la plus haute note pour le devoir qu'elle avait rédigé sur le service social accompli pendant la guerre. Elle m'a raconté avec fierté qu'il fut lu publiquement par le ministre de la Santé : c'était une belle revanche contre les dédains qu'elle avait essuyés. Passionnée par son métier, elle travailla bien au-delà de ses heures de service, aidant de sa poche les nécessiteux. Elle avait souvent l'occasion, dans son secteur, de voir dans quels taudis étaient parqués les Algériens et à quelles persécutions ils étaient en butte : elle a pris leur parti. C'est alors, je l'ai dit, que nous nous sommes rencontrées. Je lui dois d'avoir approché des misères, des détresses, que sans elle je n'aurais connues que de très loin.

J'ai beaucoup aimé *Élise ou la vraie vie*, le livre de Claire Etcherelli que Lanzmann m'avait impérieusement enjoint de lire. Tout en décrivant le monde du travail — dont les romans parlent si rarement — il racontait une belle et tragique histoire d'amour entre un Algérien et une Française, dans le Paris de 1957, malade de racisme. J'ai voulu connaître l'auteur : de beaux cheveux noirs, de beaux yeux verts, une voix, une présence, qui m'ont tout de suite été sympathiques. Fille d'un docker de Bordeaux qui a été fusillé en 42 par les Allemands, elle a été élevée par un grand-père gitan qui vendait de vieux chevaux aux organisateurs de corridas. A neuf ans, elle ne savait pas lire. En tant que pupille de la nation elle entra comme boursière dans une institution religieuse; elle rattrapa vite son retard et poursuivit brillamment ses études jusqu'au baccalauréat : mais écœurée par l'attitude dédaigneuse des jeunes bourgeoises qu'elle avait pour condisciples, elle refusa de s'y présenter. Mariée à vingt-deux ans, elle eut un enfant et divorça au bout de trois ans. Elle vint à Paris et travailla à la chaîne chez Citroën, puis dans une usine de roulement à billes, ensuite comme employée de maison, condition qui lui parut beaucoup moins pénible que celle des ouvrières. Le couple qui l'avait engagée l'orienta vers un travail de bureau. Quand je la rencontrai, elle était employée dans une agence de voyages, ce qui lui avait permis, en quatre ans, d'écrire *Élise*. Depuis l'âge de quatorze ans, écrire était sa passion. Sa chance a été d'avoir fait des études secondaires avant les années d'« anéantissement » passées à l'usine.

Je l'ai interviewée pour *Le Nouvel Observateur* et peu après elle a reçu le prix Fémina, ce qui lui a permis de se monter une garde-robe — elle ne possédait qu'un seul chandail — et de quitter le taudis où elle habitait. Elle vit à présent au vingt et unième étage d'une de ces tours qu'on vient d'édifier dans le XIIIe arrondissement; de sa fenêtre on découvre le Paris de Zola, de vieux immeubles, de vieilles usines, les hangars de la gare d'Austerlitz. On aperçoit la Seine au loin et le rocher du Zoo de Vincennes. Elle dit qu'à cette hauteur on se sent très loin de la terre : même le chant des oiseaux ne parvient pas jusqu'à elle. Elle vit avec ses deux enfants : le fils qu'elle a eu de son mari, et le fils de l'Algérien que dans son roman elle appelle Arezki.

La réussite suscite la malveillance : on l'a accusée d'avoir truqué l'histoire de sa vie. Après la disparition d'Arezki elle aurait épousé un haut fonctionnaire algérien qui l'aurait fait vivre dans l'aisance. Le fait est qu'elle a contracté avec un Algérien un mariage qui n'est pas valable en France. Mais jamais elle n'a vécu à ses crochets — au contraire; et elle l'a quitté au bout de quelques mois.

Après le Fémina, elle a exercé divers métiers et écrit un second roman sur la condition des exilés espagnols, *A propos de Clémence*. J'ai dit dans un journal le bien que j'en pensais.

Clémence est de la même race qu'Élise, douce et dure, donnée et préservée. De fragiles et fugaces joies traversent la tristesse de son existence et l'espoir perce sous les grisailles. C'est un roman aussi attachant que le précédent, mais il n'a malheureusement pas connu le même succès. Il m'est souvent arrivé lorsque j'avais apprécié l'œuvre d'un écrivain de souhaiter le voir. Cela m'a intéressée de causer avec Albert Cohen, avec Arthur London, d'écouter Papillon. Après la parution de *La Gloire du vaurien*, que j'aime beaucoup, j'ai rencontré Ehni et nous nous voyons de temps en temps. Je ne partage pas son amour pour la petite paysannerie, ni son passéisme. Je regrette que dans ses pièces [1] il dénonce exclusivement les travers des hommes de gauche. Mais j'aime sa vitalité et son naturel et dans nos conversations nous sommes le plus souvent d'accord.

Avant de retrouver Stépha, je m'étais depuis quelques années liée d'amitié avec son fils Tito. Nous étions de vieilles connaissances. Le jour où il vint au monde, en 1931, j'étais avec son père et des amis à La Closerie des Lilas, près de la maternité où Stépha accouchait. Je l'avais vu devenir un petit garçon rieur et turbulent, puis il avait accompagné ses parents en Amérique. Dans les années 50, il vint à Paris avec sa femme, une Française; ils avaient une fille. Je lui ai fait connaître des amis, je l'ai promené en auto, j'ai eu beaucoup de sympathie pour lui. De retour aux U.S.A., il a travaillé comme journaliste, il a voyagé en Amérique latine sur laquelle il a écrit un livre. De temps en temps il envoyait un article aux *Temps modernes*. J'ai su qu'il avait divorcé, qu'il s'était remarié avec la fille d'un exilé espagnol, qu'il était professeur à Berkeley. Il était politiquement très actif. Il avait créé un comité contre la guerre du Vietnam; il prenait souvent la parole à la télévision pour dénoncer les crimes commis par les troupes américaines et pour réclamer leur retrait. Il a participé à la première enquête faite au Vietnam pour le Tribunal Russell; à l'aller, au retour, il s'est arrêté à Paris et c'est alors que nous sommes devenus vraiment amis. Revenu à Berkeley, il milita aux côtés des Panthères noires qui, à l'encontre du mouvement fondé par

---

1. *Eugénie Kopronime* où il s'attaque gaiement à la culture occidentale n'encourt pas ce reproche.

Carmichael, acceptaient des Blancs dans leurs rangs. Il se lia aussi étroitement avec les *Weathermen* [1].

A la suite d'un incident de caractère racial, il occupa avec ses étudiants les bâtiments de l'administration; parce qu'on le considérait comme un dangereux agitateur, on le chassa de l'Université. Cette mesure exceptionnelle suscita de nombreuses protestations et fit grand bruit dans la presse. Il vendit tout ce qu'il possédait et se donna entièrement à la lutte révolutionnaire; sa femme, qui ne voulait pas s'exposer à mener de nouveau une vie d'exilée, le quitta. Il ne m'a pas raconté en détail ses activités militantes. Je sais seulement que pour avoir pris part à la grande manifestation de Chicago contre la guerre du Vietnam, il a été en prison : on le frappait tous les jours longuement avec une matraque de caoutchouc. Relâché, il a repris le combat. C'est par lui que nous avons connu, Sartre et moi, les avocats d'Angela Davis et de Jackson : il a vu plusieurs fois Angela Davis dans sa prison. Les Panthères noires ayant, pour le moment du moins, ralenti leur action, il a décidé de se consacrer pendant quelque temps à des travaux personnels. Ayant déjà écrit plusieurs livres il a obtenu à Londres une bourse qui lui permet de vivre. Il va souvent en Angleterre mais il habite Paris et nous nous voyons souvent.

On continue à m'adresser beaucoup de lettres et en général j'y réponds. Certaines sont assez intéressantes pour qu'une correspondance s'engage. D'ordinaire cependant je me refuse, faute de temps, à entretenir des relations épistolaires. Pour la même raison, je n'ouvre pas ma porte aux gens qui me demandent de les recevoir sans motif valable. A vrai dire je comprends mal l'obstination de certains lecteurs qui réclament de me voir « cinq minutes ». Un écrivain travaille pendant des années pour essayer de communiquer le mieux possible ce qu'il estime avoir de plus important à dire : comment pourrait-il en une heure de conversation fournir l'équivalent d'un seul de ses livres? S'il s'agit de donner un conseil « personnel » j'en suis incapable puisque je ne connais précisément pas la personne qui le sollicite. Je m'étonne du dépit que suscite souvent mon attitude. « Ah! je ne vous intéresse pas », me dit d'un ton

---

1. Les « Météorologues », ainsi nommés par allusion à une chanson de Bob Dylan.

mécontent quelqu'un qui n'est rien de plus pour moi qu'une voix au téléphone. « Vous ne me devez rien à moi en particulier : mais chacun de nous se doit à tout le monde », m'écrit une jeune femme. Peut-être. Mais tout le monde, c'est beaucoup, c'est trop; je suis bien obligée de choisir. Je vois les étudiants français ou étrangers qui font un diplôme ou une thèse sur mes livres et qui ont des questions précises à me poser. Je reçois toujours aussi les militants de divers pays qui viennent me requérir pour une action sociale ou politique. Parfois naissent ainsi des relations solides : à partir de 71, j'ai eu des contacts avec des membres du Mouvement de Libération de la Femme et je rencontre très souvent certaines d'entre elles.

Je me plais particulièrement dans la compagnie des jeunes. Je leur sais gré d'échapper aux dégradations, aux aliénations auxquelles consentent les adultes. Je trouve réconfortants leur intransigeance, leur radicalisme, leurs exigences et je m'enchante de la fraîcheur de leur regard : pour eux, tout est neuf et rien ne va de soi. Dans un discours où je n'entends qu'un ronron de politicien, ils perçoivent des bévues, des incongruités qui les font rire ou les indignent. La sottise les étonne encore, les scandales les scandalisent. Changer la vie leur semble urgent, parce que c'est leur propre avenir qui est en question. Quand l'occasion m'est donnée de participer à leur action, j'en suis heureuse. Il y a une dizaine d'années, comme je me trouvais assez disponible, j'ai noué des relations privées avec quelques-unes de mes jeunes lectrices. J'en ai perdu de vue certaines. D'autres, j'ai suivi avec intérêt leur évolution. C'était des lycéennes : elles sont devenues des étudiantes; c'était des étudiantes : elles sont devenues professeurs. Elles étaient en révolte contre cette société; leurs positions se sont précisées; elles sont marxistes ou maoïstes et, à quelques nuances près, nous nous trouvons d'accord sur l'essentiel.

Une de ces amitiés a pris beaucoup de place dans ma vie. J'avais tort de penser en 1962 qu'il ne pouvait plus rien m'arriver d'important, sinon des malheurs : une grande chance m'a de nouveau été donnée.

Une élève d'hypokhâgne m'a écrit, au printemps 1960, qu'elle souhaitait me rencontrer; sa lettre, brève et simple, m'a persuadée qu'elle aimait sincèrement la philosophie et mes livres. Je lui ai répondu que je lui ferais signe à la rentrée des classes. Et en effet; j'avais à cette époque beaucoup plus de loisirs qu'aujourd'hui : en novembre, j'ai envoyé un mot à Sylvie Le Bon pour lui fixer un rendez-vous. Je l'ai emmenée dîner dans un restaurant de mon quartier. Très intimidée, elle se tordait nerveusement les doigts, elle louchait et répondait à mes questions d'une voix étranglée. Nous avons parlé de ses études et j'ai fini par lui faire avouer qu'elle avait eu le prix d'excellence en juillet. Elle se plaisait en khâgne où elle avait de bonnes camarades.

Je l'ai revue, mais pendant deux ans nos conversations ont été brèves et espacées. Je l'intimidais moins, elle ne louchait plus, elle souriait et même elle riait; elle avait un plaisant visage et sa présence m'était agréable. Elle semblait ne pas avoir de problèmes personnels. Quand je l'interrogeais sur ses rapports avec ses parents, elle se dérobait; ils vivaient à Rennes, ils l'avaient envoyée préparer le concours à Paris, il n'y avait rien à en dire. Elle me parlait surtout du lycée, de ses professeurs, de ses condisciples, de ses programmes, de son travail : elle le faisait d'une manière si vivante que, par-delà ses soucis scolaires, s'indiquait toute une attitude à l'égard du monde. Elle m'intéressait et je me sentais en accord avec elle.

A ma grande surprise, je trouvai un jour dans mon courrier une longue lettre de sa mère. Étant tombée par hasard sur le journal intime de Sylvie, elle y avait lu, disait-elle, une phrase indiquant que je croyais qu'elle battait sa fille. Elle m'assurait que jamais elle n'avait levé la main sur elle; elle m'énumérait tous les sacrifices auxquels son mari et elle avaient consenti pour permettre à Sylvie de faire des études poussées. Cette histoire me parut très suspecte; les mots qui m'étaient attribués, je ne les avais jamais prononcés et ils n'appartenaient pas à mon vocabulaire. Je répondis quelques lignes polies mais sèches, disant que Sylvie ne me parlait jamais de sa famille. J'hésitais à la mettre au courant de l'incident, mais je n'étais pas assez intime avec elle pour prendre le risque de la dresser contre sa mère : j'ignorais tout de leurs rapports. Je me tus.

L'année scolaire s'acheva. Sylvie passa l'été au Maroc chez une amie. Elle ne m'écrivit pas. A la rentrée, elle laissa passer un mois avant de me téléphoner. Quand nous nous revîmes elle me reprocha vivement ce qu'elle considérait comme une trahison. Sa mère lui avait montré ma lettre, elle lui en avait lu quelques lignes, se targuant d'avoir avec moi une complicité qu'en fait j'avais nettement refusée. Je m'en expliquai mais Sylvie se buta : cette manœuvre de sa mère tentant de s'immiscer dans ses amitiés s'était répétée plusieurs fois dans sa vie, et elle lui en gardait une rancune qui rejaillissait sur moi. Je compris que ses relations avec ses parents n'avaient pas été aussi neutres qu'elle me l'avait laissé entendre.

Quand j'eus reconquis sa confiance, elle me donna quelques aperçus sur son enfance. Ses premières années avaient été heureuses. Sa mère, qui dans sa jeunesse avait nourri des ambitions qu'elle n'avait pas pu satisfaire, avait voulu prendre sa revanche à travers sa fille. Toute petite, elle lui fit donner des leçons de piano, de chant et de danse au théâtre de la ville. Sylvie s'exhiba sur la scène. Elle m'a montré des photos d'elle, prises quand elle avait huit ou neuf ans : vêtue de tulle blanc, coiffée de roses blanches, maquillée, ses pieds habillés de chaussons de danse, elle sourit, dressée sur ses pointes. Je reconnaissais son visage, mais j'avais peine à croire que la sérieuse étudiante assise à côté de moi eût été cette petite fille déguisée et un peu maniérée. Elle fut l'enfant que Mme Butterfly serre dans ses bras avant de mourir; elle fit partie du chœur qui salue le réveil de Rip Van Winkle. Le monde du théâtre lui plaisait et elle était fière de jouer la comédie. Son travail scolaire n'en souffrait pas : dans les petites classes, elle remporta tous les prix.

Ensuite, elle ne réussit plus à se maintenir dans un bon rang et sa mère dut consentir à ce qu'elle renonçât à la scène. Elle put travailler davantage; en français elle conquit la première place; mais dans les autres matières ses notes restèrent assez faibles. Ses parents ne cachèrent pas leur dépit. Elle eut de moins bons rapports avec eux, elle devint renfermée et taciturne. Sa mère lui en voulait d'avoir contrarié ses rêves en abandonnant le théâtre; elle se montrait possessive, jalouse et irritable. Sylvie me fit ce récit plus ou moins à contrecœur : le sujet lui était désagréable et je n'insistai pas.

La réconciliation qui suivit notre demi-brouille nous avait rapprochées. Mais c'est pendant l'automne 63 que j'ai commencé à vraiment m'attacher à Sylvie. *La Force des choses* a paru et, sans en diminuer la portée, elle a donné son juste sens à l'épilogue, en général si mal compris. Pendant l'agonie de ma mère et àprès sa mort elle a su, malgré sa jeunesse, m'être d'un grand

réconfort. Je l'ai vue davantage; nos conversations sont devenues plus longues et plus libres.

Reçue au concours de Sèvres, elle habitait à présent boulevard Jourdan. Elle s'y plaisait beaucoup. Elle n'avait rien
d'une bête à concours et travaillait avec désinvolture. Elle
s'entendait très bien avec quelques camarades que l'administration tenait pour de fortes têtes : elles sortaient ensemble,
buvaient du vin rouge, jouaient de mauvais tours aux « talas »
et aux « réacs » et défiaient les autorités. Souvent blâmées pour
leur indiscipline, elles avaient cependant du prestige parce
qu'elles réussissaient avec éclat leurs examens.

Sylvie me racontait ce qu'elle appelait « ses apacheries »;
elle me tenait au courant de ses sorties, de ses lectures, de ses
fréquentations, de tout ce qui lui arrivait. Attentive aux choses
et aux gens, sensible à toutes leurs nuances, elle les décrivait
avec un grand bonheur de langage. Elle m'intéressait, elle me
divertissait. Une expérience devenait plus riche quand je la
partageais avec elle. L'année de son agrégation, je l'ai emmenée
souvent avec moi au cinéma, au théâtre, dans des expositions
de peinture. Au printemps, au début de l'été, nous avons fait
de grandes promenades en auto. Cependant je la connaissais
encore assez mal car elle était assez secrète et en plusieurs
circonstances elle m'a surprise.

Après une journée passée en Sologne, nous avons dîné et
nous sommes restées dormir dans un hôtel situé au milieu d'un
parc. Je me suis couchée de bonne heure et j'étais déjà très loin
de ce monde quand j'ai sursauté; une main me touchait l'épaule,
Sylvie était debout à côté de mon lit : « Habillez-vous, venez
vite, c'est si beau! » me dit-elle d'un air exalté. Je me frottai les
yeux : que se passait-il? Elle m'entraîna vers la fenêtre. Une
grosse lune ronde brillait dans un ciel très pur, une odeur
d'herbe et de fleurs — une odeur d'enfance — montait du sol;
sur une pelouse, des jeunes gens étaient assis qui jouaient de la
guitare et qui chantaient à mi-voix. « Jamais je n'ai vu une
lune comme celle-là! » disait Sylvie. Oui, c'était une belle nuit
et la musique me plaisait : mais je n'avais aucune envie de me
rhabiller et de descendre. «Oh! je n'aurais pas dû vous réveiller!»
m'a dit Sylvie navrée. En vérité elle avait eu raison de le faire
car elle m'avait découvert un côté d'elle-même que je ne soupçonnais pas : des possibilités d'enthousiasme, de passion que

jusqu'alors sa très grande retenue m'avait dissimulées. Quelques verres de vin rouge bus pendant le dîner lui avaient permis de briser cette barrière. Je me recouchai. Elle retourna dans le parc et s'y trouva si bien qu'elle resta dormir dans l'auto, sous les étoiles.

Un autre soir, dans des circonstances analogues, elle m'étonna davantage encore. Après une longue randonnée, nous avions déposé nos bagages dans un hôtel des environs de Paris et nous dînions. Je ne sais plus à quel propos, je lui ai dit en riant : « Oh! mais vous, vous êtes un cerveau fêlé! » : c'était dans mon esprit une antiphrase car personne ne me semblait plus sensé et mieux équilibré qu'elle. La fin du repas fut morne : je supposai que la voiture et le grand air l'avaient fatiguée. Quand le lendemain matin je frappai à sa porte pour prendre le petit déjeuner avec elle, je la trouvai vêtue de pied en cap; elle portait des lunettes noires. J'admirai qu'elle fût prête de si bonne heure. En vérité, m'a-t-elle avoué un peu plus tard, elle n'avait pas fermé l'œil, elle avait passé la nuit à pleurer de rage : si je sortais avec elle, c'est que je m'en amusais comme on s'amuse d'un bouffon, je la prenais pour une toquée. Il m'a fallu du temps pour la convaincre qu'elle se trompait. Pourquoi avait-elle si mal interprété une plaisanterie innocente? Elle finit par me le dire. Une folle, une cinglée, une malade, une anormale, une tordue : elle avait entendu ce refrain pendant toute son adolescence et elle n'avait pas supporté de le retrouver dans ma bouche. Je n'arrivais pas à comprendre que ses parents l'eussent ainsi jugée et elle me raconta toute l'histoire.

J'ai dit déjà que pendant sa troisième elle s'entendait mal avec eux. Elle s'attacha cette année-là à une camarade, fille de professeur et très brillante élève; elles échangeaient des carnets dans lesquels elles se racontaient leurs journées et exprimaient avec chaleur leurs sentiments. Ils tombèrent dans les mains parentales : ce fut un drame. On reprocha à Sylvie son « exaltation malsaine »; on la déclara « anormale »; les parents de son amie Danièle furent avisés et eux aussi ils jetèrent les hauts cris : comment leur fille, un brillant sujet, pouvait-elle s'être entichée d'une camarade intellectuellement si médiocre! Ils se plaignirent aux professeurs, à la directrice et il fut décidé qu'au retour des vacances on prendrait des mesures.

L'été fut pour Sylvie un enfer. Danièle lui écrivait presque chaque jour de longues lettres : mais sa mère les ouvrait, en soulignait avec ironie ou colère certains passages et lui interdisait d'y répondre; il lui fallait ruser pour glisser de loin en loin quelques lignes dans une boîte aux lettres. Auprès de son amie, Sylvie s'était intellectuellement développée; elle lisait avec passion tout ce qui lui tombait sous la main. Les camaraderies, les jeux qui l'avaient amusée l'année précédente à présent l'ennuyaient. Sa mère exigeait qu'elle passât ses journées sur la plage et s'irritait de la voir toujours plongée dans des livres. De violents conflits éclataient constamment entre elles. Le père, quand il les rejoignait le samedi, prenait le parti de sa femme. Brimée, solitaire, effrayée de se sentir transformée en brebis galeuse, Sylvie sombra dans un désespoir dont le souvenir ne devait jamais s'effacer.

A la rentrée, pour la séparer de son amie, on lui fit redoubler sa troisième alors qu'elle était tout à fait capable de passer en seconde. Elle en fut si humiliée et si révoltée qu'elle hurla toute une nuit. Pour prendre sa revanche contre ses parents, contre le lycée, contre la famille de Danièle, elle décida de battre celle-ci sur son propre terrain. Elle se mit à travailler avec un sombre acharnement et bientôt elle fut, dans toutes les matières, la première de sa classe. On ne lui décerna cependant pas de prix d'excellence — personne ne le reçut — sous prétexte qu'elle avait redoublé. Cette nouvelle injustice exaspéra sa rage. Elle était profondément malheureuse car, leurs familles les surveillant de très près, elle ne pouvait jamais passer plus d'un quart d'heure avec Danièle.

Celle-ci partit pour Paris l'année suivante et elles se perdirent de vue. Sylvie continua à bûcher avec furie et désormais elle remporta chaque année le prix d'excellence. J'ai compris alors pourquoi au début de nos relations elle m'avait tant parlé de ses études et d'une manière qui mettait beaucoup de choses en question : pendant ses années de lycée, ç'avait été son seul recours. Elle s'y était donnée non par une docilité de bonne élève mais par ressentiment, par défi, avec une sombre furie. Sa situation familiale ne s'améliora pas. En public, ses parents étaient fiers d'elle; à la maison, son attitude rétive les exaspérait; ils prétendaient s'ingérer dans sa vie et elle ne le supportait pas. Ils voulaient la « mater », elle était indomptable. Plus d'une fois ils la menacèrent de l'envoyer dans une maison de

correction. Leurs affrontements devinrent de plus en plus violents. Sa mère, au cours d'une scène, ayant déchiré ses livres
préférés, elle passa quinze jours sans lui adresser la parole.
Cette histoire éveillait des échos en moi. Mais j'étais plus âgée,
je dépendais moins de mes parents quand j'avais souffert de
leur malveillance et elle ne s'était pas manifestée avec autant de
brutalité.

Mieux je connaissais Sylvie, plus je me sentais d'affinités avec
elle. Comme moi c'était une intellectuelle et elle aussi elle tenait
passionnément à la vie. Sur beaucoup d'autres points elle me
ressemblait : avec trente-trois ans de différence, je retrouvais en
elle mes qualités et mes travers. Elle avait un don très rare : elle
savait écouter. Par ses réflexions, ses sourires, ses silences, elle
donnait envie de raconter et même de se raconter : moi aussi
désormais je la tins au jour le jour au courant de mon existence
et je la renseignai en détail sur mon passé. Personne n'aurait su
profiter aussi bien qu'elle de ce que je pouvais lui apporter;
personne n'aurait apprécié mieux que moi ce que je recevais
d'elle. J'aimais ses enthousiasmes et ses colères, son sérieux, sa
gaieté, son horreur de la médiocrité, sa générosité sans prudence.

S'étant prouvé qu'elle pouvait les obtenir, les succès scolaires
avaient cessé d'intéresser Sylvie. Mais elle aimait apprendre,
comprendre, son intelligence était vive et précise; elle fut reçue
à l'agrégation dans un très bon rang, ce qui lui valut de passer
une quatrième année à l'École avant de partir enseigner en
province. Elle fut nommée d'abord au Mans, puis à Rouen,
dans le lycée même où j'ai été professeur; quand elle y passait
la nuit, elle descendait dans l'hôtel proche de la gare où j'ai
habité pendant deux ans, elle prenait son café le matin au bar
du Métropole : cela me donnait un peu l'impression d'être réin-
carnée. A présent elle a un poste en banlieue.

Cela nous permet de nous voir tous les jours. Elle est mêlée
à toute ma vie comme moi à la sienne. Je lui ai fait connaître
mon entourage. Nous lisons les mêmes livres, nous allons
ensemble au spectacle, nous faisons de grandes promenades en
auto. Il y a entre nous une telle réciprocité que je perds la
notion de mon âge : elle m'entraîne dans son avenir et par
instants le présent retrouve une dimension qu'il avait perdue.

Parmi les personnes qui ont joué un plus ou moins grand rôle dans ma vie et dont j'ai parlé dans les volumes précédents, quelques-unes sont mortes au cours de ces dernières années. Je veux ici raconter leur fin et en certains cas compléter le portrait que j'avais fait d'elles.

Dans ma jeunesse, la beauté de Camille, l'indépendance de sa vie, la violence de ses ambitions, son acharnement au travail m'inspirèrent une admiration envieuse. Elle était en réalité fort différente du personnage qui m'avait fascinée. Mais elle possédait incontestablement un grand pouvoir de séduction. Elle éblouit Olga. Marco avait pour elle une amitié étonnée. Mme Lemaire, si différente d'elle, fut enchantée par la soirée qu'elle passa rue Navarin. Elle fut profondément aimée par un journaliste de talent, plus jeune qu'elle, qui lui demeura long-temps attaché, même après la fin de leur liaison. Dullin l'ido-lâtrait; il croyait en son génie et respectait ses conseils. Il avait formé son goût et lui avait communiqué son intelligence du théâtre. Elle réussit de très bonnes adaptations de *Jules César*, de *Plutus*, du *Faiseur*. Les cours qu'elle donnait à l'École étaient souvent intéressants. Les élèves ne l'aimaient pas parce qu'elle se montrait avec eux impérieuse et arrogante; on se moquait de ses toilettes et de sa voix mignarde. Mais quand, à titre d'exercice, elle fit monter *Dommage qu'elle soit putain*, tout le monde reconnut son talent de metteur en scène. Sartre et moi, nous nous plaisions beaucoup avec elle. Elle nous agaçait quand elle parlait avec une feinte simplicité de Lucifer et des « Présences » qui la protégeaient; nous trouvions affectés ses jeux avec Friedrich et Albrecht [1] qu'elle alla jusqu'à emporter dans une valise pendant l'exode. Mais quand elle abandonnait ses mythologies, elle savait très bien observer, décrire, raconter; ses parodies, ses imitations nous divertissaient.

Elle décora de manière ravissante l'atelier de la rue Navarin, puis le bel appartement de la rue de La Tour-d'Auvergne où elle vivait avec Dullin. Elle avait le goût des cérémonies et de

---

1. Deux poupées à qui elle avait donné pour parrains Nietzsche et Dürer.

toutes nos rencontres elle faisait des fêtes. A Paris, à Rouen, à Toulouse, dans la jolie maison de Ferrolles, nous avons passé avec elle des moments charmants. Nous pensions qu'elle écrivait assidûment et malgré l'échec de *L'Ombre* nous lui faisions confiance. Nous étions touchés quand nous lisions sur ses cahiers le mot qu'elle avait emprunté à Emily Brontë : « Seigneur, faites que ma mémoire ne se fane jamais. »

Nos rapports se refroidirent au début de l'occupation. Camille se ralliait au nazisme, acceptant sans sourciller les persécutions antisémites. D'autre part elle nous fit lire ses *Histoires démoniaques;* c'était si puéril et si creux que nous n'avons pas pu les recommander à un éditeur et elle nous en a voulu : pourquoi nous intéressions-nous aux écrits de Mouloudji et non aux siens? Nous avons été moins sincères à propos de *La Princesse des Ursins;* mais elle a dû sentir que nous n'étions pas transportés par ce « somptueux navet », comme le définit un critique. Le soir de la générale, la salle était glacée; au milieu de la représentation, la scène tournante s'est bloquée; il fallut sauter un tableau : le public ne s'en aperçut même pas; derrière le rideau, Dullin pleurait. La pièce fut éreintée. Nous avons compris à ce moment-là que Camille ne serait jamais un écrivain. Elle ne faisait plus allusion au roman, inspiré de son expérience, dont elle nous avait parlé à Toulouse. Les sujets des pièces dont elle nous entretenait étaient d'une désolante niaiserie. Elle voulait décrire un naufrage qui symboliserait celui de toutes les anciennes valeurs; les dieux annonceraient les valeurs nouvelles : elle demandait à Sartre de les définir. Dans *L'Amour par intérêt* elle entendait montrer que le goût de l'argent et l'ambition peuvent conduire à un véritable amour : le héros de cette histoire serait Pierre le Grand et l'héroïne, Camille, sous un déguisement. Nous étions étonnés. Camille était une adulte, riche d'expérience, ironique et même cynique, qui parlait avec réalisme des gens et des choses; c'était une lectrice intelligente qui commentait de manière intéressante les auteurs qu'elle aimait et se moquait avec esprit de la mauvaise littérature : comment pouvait-elle se complaire à des inventions infantiles et se montrer si dépourvue de sens critique?

Sans doute son narcissisme contribuait-il à l'aveugler. Et puis, alors que nous l'avions crue acharnée à écrire, elle était en

77

fait d'une extrême indolence : elle jouait à travailler et ne travaillait pas. Nous n'en étions pas moins surpris du décalage entre sa conversation et les textes qui sortaient de sa plume. Quelque chose clochait. Mais quoi?

Est-ce à cause de cette faille qu'elle buvait? Au début, le récit de ses soûleries nous faisait rire : sur la scène de l'Atelier, elle se livrait à des incongruités. Pendant un dîner ennuyeux, à Ferrolles, elle s'était à plusieurs reprises échappée pour aller lamper avec Zina de grands verres de vin rouge. « J'ai été malade, nous a-t-elle dit gaiement. Je me cachais derrière un grand éventail et je vomissais sur la pelouse en disant : c'est très espagnol. » Mais après l'échec de *La Princesse des Ursins*, ses excès ne nous parurent plus drôles. Dullin essayait de les prévenir; elle cachait des bouteilles dans le théâtre, il les cherchait pour les subtiliser; ils se disputaient. Quand elle était ivre, elle faisait des avances à tous les acteurs et à tous les élèves. Dullin finit par obtenir qu'elle entrât dans une clinique pour se désintoxiquer.

La guérison fut de peu de durée. Elle recommença à se soûler et à faire des esclandres. Dullin n'avait plus de théâtre. Il partit en tournée en Allemagne; elle l'accompagna et se rendit odieuse à toute la troupe. Elle nous raconta elle-même qu'une nuit dans un hôtel des bords du Rhin, les acteurs, assis sur une terrasse, chantaient et riaient entre eux : de son balcon, elle leur enjoignit de se taire parce qu'ils troublaient sa méditation. Elle nous raconta aussi que s'étant enivrée à une réception officielle, très importante pour Dullin, elle avait tenu des propos consternants. Un autre soir, m'a-t-on dit, au cours d'une crise aiguë, elle jeta au feu par colère la liasse de billets qui devaient servir à payer la troupe. Elle buvait, nous dit-elle, parce qu'elle savait Dullin malade et que l'idée de sa mort la terrorisait. Cependant elle lui rendait la vie infernale par des scènes d'une extrême violence à propos de son travail artistique, de questions d'argent, de tout et de rien. Il avait fait d'elle autrefois sa légataire universelle. Il modifia ses dispositions. Il nomma un exécuteur testamentaire à qui il recommanda de veiller sur celle qu'il appelait à présent avec tristesse « ma pauvre enfant ».

Elle n'alla presque jamais le voir à l'hôpital et n'était pas auprès de lui quand il mourut. Le jour de l'enterrement, aucun des amis de Dullin n'alla la chercher : elle vint seule, et personne ne lui adressa la parole. En février 1950, ses amis et ses élèves organisèrent à l'Atelier un hommage à Dullin. J'ai raconté comment, arrivant chez Camille, nous l'avions trouvée ivre, sanglotante, le visage tuméfié, à côté d'Ariane Borg, consternée. Elle pleura pendant toute la cérémonie et pas un regard ne se posa sur elle, pas une main ne se tendit. Je ne suis pas sûre que cet ostracisme ait été la meilleure manière de se montrer fidèle à la mémoire de Dullin.

Camille parut reprendre le dessus. Elle avait dressé dans sa chambre un petit autel à Dullin : des photos, des fleurs, une rose artificielle dans un crâne. Elle disait que dans les moments difficiles, il la conseillait. Elle nous écrivit au mois de mars : « J'ai vécu ces dernières semaines une des périodes les plus caractéristiques de ma vie et peut-être une des plus belles. En cela que le dessin et le sens de ma vie me sont apparus cursifs et achevés (non pas du tout finis, mais aperçus comme par une sorte de voyance, jusqu'à ma mort). J'évolue avec une gravité calme qui s'accompagne de pas mal de gaieté et d'une certaine espièglerie (je n'aime pas beaucoup ce mot, mais il se double pour moi d'un sens et d'une puissance occultes qui le caractérisent un peu différemment). »

Elle se serait trouvée sans aucune ressource si Sartre ne l'avait pas aidée; elle considérait ce secours comme une espèce de bourse qui lui permettrait d'accomplir son œuvre. Afin de la mériter elle nous parlait beaucoup des travaux qu'elle allait entreprendre : *L'Amour par intérêt* et une autre pièce, sur les sorciers de Loudun; un « romancero » en plusieurs volumes où elle raconterait la vie de ses parents et la sienne; et surtout un livre sur Dullin : sa vie, son œuvre, ses idées. Elle cherchait à obtenir des subsides pour transformer le vaste appartement en un « Musée Charles Dullin » : elle possédait de somptueux costumes, des maquettes de décor, des mises en scène écrites de la main de Dullin. Nous ne pensions pas qu'elle travaillât beaucoup car elle faisait constamment la navette entre Paris et Ferrolles, où elle avait une solide réputation d'ivrogne : elle se soûlait avec le facteur. Elle passait aussi beaucoup de temps en rangements. Nous la voyions assez souvent. Elle allait au cinéma, au théâtre, à des expositions, à des concerts, elle lisait; sa conversation était intéressante sauf quand elle se croyait obligée de parler de son Œuvre.

Elle vivait tout à fait seule. Mariée depuis longtemps, Zina avait continué à habiter rue de La Tour-d'Auvergne avec son mari qui était garagiste. Plus tard il s'installa à Belleville, et elle se partagea entre son foyer et celui de Camille. Mais au cours de ses crises éthyliques il arrivait de plus en plus souvent que Camille la frappât violemment : un jour elle vint nous ouvrir la porte avec un œil au beurre noir. Elle finit par s'en aller.

Camille eut de l'amitié pour une jeune fille qu'elle appelait la « Corse » et qui était plus ou moins amoureuse d'elle. Mais leurs rapports se détériorèrent vite. Elle retomba dans un isolement dont elle nous disait ne pas trop souffrir. Elle écrivait en juillet 51 : « Je suis dans un tout autre état que l'année dernière à la même époque. Proche d'une certaine maîtrise dans la conduite de mon équilibre et parfaitement accoutumée, bien que ce soit un peu âpre parfois, à la solitude indispensable. Solitude d'existence, non de fond, car grâce à vous deux je ne me sens pas solitaire dans le monde; et puis... il y a les " PRÉ-SENCES ". Elles ne sont plus troublées par rien et n'ont jamais été si effectives. Et puis il y a aussi ce que j'appelle les " demi-vivants " à savoir Friedrich et Albrecht, et Nell [1]. Avec les premiers je converse à haute voix. Avec Nell je me dispute presque tout le temps [...] elle est terriblement jalouse des petits [...] Rien ne ressemble plus à la vie — la vraie, pas celle avec les parents — que je menais lorsque j'avais six, sept, huit ans, avant aussi, et après naturellement, mais déjà avec plus de souci de prendre contact avec la vie effective (n'oubliez pas qu'à neuf ans j'eus mon premier amant) que celle que je mène en ce moment... Vous allez peut-être m'imaginer retombée en enfance, au mauvais sens du mot. Je ne crois pas qu'il en soit ainsi, si on excepte ce petit côté " demeurée " que j'ai tou-jours eu et avec lequel je mourrai sans doute si tout se passe bien. » Un peu plus tard, cet été-là, elle nous écrivit une lettre très optimisme : elle acceptait l'idée de vivre en anachorète. Sa santé était satisfaisante et elle estimait avoir fait de grands progrès d'ordre moral; elle signalait entre autres une « accoutu-mance à peu près parfaite avec *Solitude* ».

Cette solitude devait pourtant être assez lourde puisque trois ans plus tard, quand un médecin en qui elle avait confiance

---

1. Sa chienne.

l'eut convaincue d'entrer en clinique pour une nouvelle cure de désintoxication, elle dit à Sartre, qui était venu la voir, combien elle se trouvait bien dans cet endroit : des infirmières s'occupaient d'elle; elle s'intéressait aux malades des chambres voisines : elle assista de loin avec curiosité à l'agonie d'un vieillard; elle s'amusait même à voir passer les filles de salle transportant des bassins.

Elle retomba tout de suite. Elle nous expliqua elle-même qu'il y avait toujours une bouteille de vin rouge sur sa table de nuit; le matin, dès qu'elle ouvrait les yeux elle en avalait un grand verre sinon elle vomissait et elle était incapable de se lever. Elle veillait à avoir la tête claire quand nous nous rencontrions mais on sentait souvent qu'elle émergeait à peine d'une crise et qu'il lui fallait faire un gros effort pour soutenir la conversation. Dans une lettre de 1956, elle écrivait : « Il y a des fois où je ne *peux* pas et où donc je ne dois pas même essayer de faire certaines choses. C'est *cela* que je suis bien forcée d'admettre... L'autre soir parce que j'avais voulu à tout prix vous voir, je ne vous ai montré que l'envers de moi-même et aussi le côté *négatif* de tout ce que j'avais été, fait et pensé depuis notre dernier entretien. Je déplore cette " tristaillerie généralisée " qui n'était que l'autre versant tari, d'un ruisseau allègre que les obstacles et les cailloux ne détournent pas de sa route mais qui en fait au contraire des cascades de joie. A peine ai-je mentionné ce qui avait une importance réelle (mon livre par exemple) et presque par hasard. »

Camille n'avait jamais été douée pour les échanges : elle posait quelques rapides questions auxquelles nous donnions de brèves réponses, et elle monologuait. Au temps où elle voyait beaucoup de monde, où elle lisait, s'informait, ses soliloques étaient nourris. Mais on ne peut pas impunément vivre enfermé en soi. L'intelligence se rouille, les intérêts se réduisent : Camille ne se souciait plus guère que de sa santé. Elle pouvait passer des heures à nous décrire les symptômes de son diabète et les traitements qu'elle suivait. Soucieuse de justifier la pension que Sartre lui versait, elle avait toujours soin de nous mettre au courant de son œuvre : elle classait de vieux papiers pour le Romancero. Elle avait eu pour son essai sur Dullin une idée fulgurante : elle remplacerait en grande partie l'écriture par des photographies. Elle sentait sûrement combien ces propos étaient peu convaincants. Nos entrevues la fatiguaient. Elle y tenait de moins en moins.

Un jour où nous l'attendions chez moi nous avons entendu dans la rue un pas lourd et incertain qui se rapprochait, s'éloignait : elle a mis un quart d'heure à trouver ma porte. Elle titubait et bredouillait. Si pudique d'ordinaire, étant montée dans la salle de bains elle en a laissé la porte ouverte et nous l'avons entendue uriner bruyamment. Nous avons commencé à descendre le boulevard Raspail pour aller dîner boulevard Montparnasse. Elle s'est affalée sur un banc et Sartre a été chercher un taxi. Elle s'est à peu près tenue correctement pendant le dîner mais au prix d'un effort considérable. Peu à peu, les obstacles qui nous empêchaient de nous voir se sont multipliés. Elle ne souhaitait voir personne. Après la publication de *La Force de l'âge* j'ai reçu une lettre d'un médecin toulousain qui avait été amoureux d'elle dans leur jeunesse : il me demandait son adresse. Elle l'a reçu une fois, mais ensuite elle a esquivé les rendez-vous. Elle allait de temps en temps chez Zina. Celle-ci buvait elle aussi immodérément; elle est tombée gravement malade et après avoir traîné quelques mois à l'hôpital, elle s'y est éteinte, en 64. Nous avons passé une soirée chez moi avec Camille, à ce moment-là. Elle était très bouleversée par cette mort. Elle a eu « plus que du chagrin » nous a-t-elle écrit un peu plus tard; elle a traversé une période de « hantise » et passé un mois « atroce ».

Elle ne nous invitait plus chez elle et nous ne l'amenions plus au restaurant. Elle portait toujours épandus sur son dos ses longs cheveux qui étaient devenus roussâtres et elle s'habillait de vieilles nippes très voyantes : elle attirait tous les regards. Nous restions dans mon studio où elle se trouvait plus à son aise pour causer. Plus d'une fois elle nous a confié combien sa chasteté lui pesait. Un jour qu'elle avait bu, nous a-t-elle raconté, elle est descendue dans la rue chercher un homme. Elle en a ramené un chez elle, mais le dégoût l'a prise et elle l'a mis à la porte. L'ayant rencontrée à peu de temps de là, il l'avait giflée et jetée par terre.

La concierge faisait la plupart de ses courses et s'occupait de son ménage. La plus grande partie de l'appartement était désaffectée : elle vivait dans sa chambre et dans le salon rond. Je n'y avais pas remis les pieds depuis des années quand en juin 67 elle me pria instamment, par lettre et par téléphone, de me rendre chez elle. Je me suis trompée de porte, j'ai sonné chez la locataire d'en face. « Frappez fort. Sa sonnette ne marche pas et souvent elle n'entend pas », m'a-t-elle dit en me regardant d'un drôle d'air.

J'ai frappé, tambouriné : en vain. J'ai été chercher la concierge qui a donné de grands coups dans la porte : en vain. Du jardin nous avons lancé des cailloux dans les fenêtres aux volets clos : en vain. J'ai été téléphoner. « Ah! je croyais que le rendez-vous était chez vous », m'a dit Camille d'une voix assez ferme. C'était absurde parce qu'alors elle n'aurait pas dû se trouver là. Elle m'a dit qu'elle allait laisser la porte de l'appartement ouverte. Je suis entrée, j'ai regardé avec incrédulité la salle à manger et le salon : il m'a semblé décoller de la réalité et tomber dans une histoire fantastique. Entre le passé encore proche et le moment présent, il y avait autant de distance qu'entre une fraîche jeune fille et une centenaire. Le décor soigneusement ordonné par Camille était devenu un bric-à-brac crasseux. Des couches de poussière recouvraient les glaces jaunies, les murs grisâtres, le plancher. Des tulles, des mousse-lines, d'étranges oripeaux étaient jetés sur les meubles et sur les bibelots. On s'attendait à trouver dans les coins des toiles d'araignée. « Asseyez-vous », m'a crié une voix. J'ai enlevé les papiers et les chiffons qui encombraient un fauteuil, et je me suis assise. Par la porte entrebâillée j'apercevais dans la chambre voisine le pied d'un lit. J'ai entendu d'étranges jappements, des pas lourds, encore des grognements, le bruit sourd d'un corps qui tombe. Quelques instants encore se sont écoulés et sur le seuil de la salle à manger, Camille est apparue : le dessus de sa lèvre supérieure, le dessous de sa lèvre inférieure étaient barbouillés de rouge. Elle portait un pyjama de satin noir dont la veste s'ouvrait sur un soutien-gorge en cotonnade rose. Un fichu couvrait ses cheveux roussâtres. Elle suçait sa lèvre inférieure et des mots inarticulés tombaient de sa bouche. J'ai compris qu'elle me parlait de la société des Amis de Dullin, de l'exposition Dullin, de Ferrolles où elle n'allait plus jamais parce que la maison était lourdement hypothéquée. Peu à peu, son élocution est devenue plus nette, ses propos plus cohé-rents. Elle m'a parlé des *Belles Images* et de Walter Scott. Mais bientôt elle a donné des signes de fatigue; son buste se balançait d'avant en arrière : visiblement elle tombait de sommeil. Je me suis levée. Sur le seuil de la porte, elle m'a dit qu'elle souhaitait avoir des cheveux blancs parce que, attirés par sa silhouette — en vérité elle était d'une corpulence affligeante — des hommes la suivaient dans la rue : en voyant son visage, ils cachaient mal leur déception. Avant de me serrer la main elle m'a demandé, d'un air un peu mutin : « Qu'est-ce que vous pensez de la minijupe? »

Quand je suis revenue de Copenhague, en automne 67, j'ai trouvé un mot de Camille, vieux de dix jours, m'annonçant qu'elle était menacée d'une saisie; pour l'éviter, il lui fallait dans les quatre jours une somme modique que j'aurais facilement pu lui avancer : mais j'étais au Danemark. Le lendemain, elle m'a demandé par téléphone de me mettre en rapport avec sa « petite concierge », Mme C. Celle-ci m'a raconté que Camille n'ayant pas payé depuis longtemps son loyer ni ses impôts, la saisie avait eu lieu, dans des conditions affreuses. Camille a fait attendre vingt minutes le commissaire; elle est entrée dans le salon à quatre pattes, enveloppée d'une robe de chambre d'une saleté répugnante, et sentant le vin. Elle a roulé sur le dos en sanglotant et en criant. La saisie opérée, Mme C. l'a aidée à se recoucher; la chambre, où elle n'entrait jamais, était remplie de bouteilles vides, de paperasses qui risquaient de prendre feu, car Camille se chauffait avec un radiateur électrique. Il n'y avait plus de drap sur le matelas qui était noir de crasse. Dans des poubelles, où Camille jetait des déchets de nourriture, grouillaient des asticots. Camille ne permettait pas qu'on touchât à rien. Dès neuf heures du matin, elle se faisait monter du vin : elle téléphonait à l'épicière qui lui apportait de bonnes bouteilles, chères. Depuis la saisie, elle ne mangeait rien. Mme C. déposait des plats sur la table de la salle à manger et appelait Camille : le lendemain elle retrouvait le plat intact. Parfois la nuit on entendait Camille chanter. « Je ne veux rien dire aux autres locataires, m'a dit la concierge, les gens sont si malveillants, ils ricanent. C'est plutôt du malheur qu'autre chose, c'est de la déchéance ». Elle aimait bien Camille qui dans ses moments lucides se montrait si bien élevée, si cultivée et qui lui parlait avec tant de courtoisie et de gentillesse. J'ai dit qu'il fallait l'envoyer dans une clinique; j'ai demandé à Mme C. d'insister pour qu'elle y consente. J'ai téléphoné à Camille pour la convaincre : Sartre se chargerait des frais. Elle a refusé avec obstination. Elle ne voulait voir personne et surtout pas un médecin. Elle refusait de quitter sa chambre.

Sartre a envoyé de l'argent à Mme C. pour qu'elle paye les dettes de Camille et continue de s'occuper d'elle. Elle me téléphonait chaque jour. Pendant quatre jours Camille a un peu mangé, et puis la situation a empiré : elle sifflait quotidiennement six bouteilles de vin rouge. « Mais vous vous tuez! lui disait Mme C. — Pourquoi pas? puisque je n'ai plus de quoi vivre. » Elle ne sortait plus de son lit et faisait ses besoins dans les plats. J'ai conseillé à la concierge d'alerter le département d'hygiène sociale et de faire emmener Camille à l'hôpital : « Non. Je veux continuer à la soigner. » Trois jours après, elle s'est décidée. Camille faisait sous elle, la chambre était pleine d'excréments, il y en avait même dans ses cheveux. Elle couchait sur le plancher, entourée d'huîtres qu'elle avait commandées et laissées pourrir. Ce matin, elle avait encore eu la force de réclamer du caviar que Mme C. avait refusé de lui acheter. Elle avait appelé une ambulance. Le docteur n'est pas entré dans la chambre parce qu'il n'a pas voulu patauger dans l'ordure. « Jamais on n'a vu ça! ont dit les infirmiers. Ce n'est pas une femme, c'est du fumier. » Elle était dans un demi-coma et elle s'est laissé emporter sans protester. Il a fallu couper sa robe de chambre qui était collée à sa peau parce qu'elle avait des escarres. A Lariboisière on lui a coupé les cheveux, on l'a plongée dans un bain. Elle était maigre comme une déportée avec un énorme ventre gonflé.

Le lendemain j'ai été à l'hôpital. L'interne de service était absent. Une surveillante m'a dit que Camille était « en observation » pour diabète. Je lui ai fait demander si elle voulait bien me voir; elle a dit oui, et la surveillante m'a indiqué vaguement un box où se trouvaient huit lits. Je n'ai pas vu Camille. J'ai éliminé plusieurs malades : les jeunes, les vieilles aux cheveux blancs et il est resté une femme brune, aux cheveux coupés court, au gros visage informe. Je me suis approchée, elle parlait avec une infirmière et j'ai reconnu la voix de Camille. Elle portait une chemise réglementaire, en grosse toile; ses poignets étaient très maigres, son visage boursouflé.

Elle s'est excusée de sa coiffure : « On m'a coupé les cheveux et je n'ai pas eu la force de me peigner. » Je lui ai demandé si elle était convenablement traitée : « C'est le bagne. On ne me donne rien de ce que je veux. — Que voudriez-vous? — Du lait, c'est la seule chose qui pourrait me remonter. Et les infirmiers sont grossiers : ils m'ont traitée de fumier. — Mais comment est-ce possible? — Oh! ils sont mal élevés », a-t-elle répondu avec beaucoup de dignité. Elle m'a dit aussi que par moments ses mains se contractaient et que si elle tenait un verre, elle ne pouvait pas le rendre à l'infirmière : alors celle-ci la rudoyait. Je lui ai proposé d'aller dans une clinique. Elle a réfléchi : « Non. J'aime mieux rester ici », a-t-elle dit. Je lui ai demandé si elle dormait : « Je dors tout le temps. Je suis dans le coma. » Elle désirait que la concierge lui apporte des couvertures et des chaussettes « pas chères, achetées au marché Saint-Pierre ». Elle ne se plaignait pas d'avoir été enlevée de sa chambre. Elle ne semblait pas du tout se croire en danger.

Pendant quelques jours j'ai eu de ses nouvelles par la concierge qui allait la voir et lui faire ses courses : l'état était stationnaire. Et puis la nuit du 11 au 12 décembre le téléphone a sonné à quatre heures du matin. C'était l'hôpital Lariboisière : Camille venait de mourir. Le matin du 11, elle avait demandé une bouteille de bourgogne qu'on lui avait refusée. La nuit, elle a étouffé. En vain lui a-t-on fait du bouche à bouche. On l'a enterrée quatre jours plus tard. Nous n'étions que cinq autour de sa tombe : l'exécuteur testamentaire de Dullin, le secrétaire des Amis de Dullin, Mme C., Sartre et moi. Seule Mme C. avait les yeux rouges.

Elle a nettoyé l'appartement : elle a descendu de la chambre 450 bouteilles. Sous le matelas, entièrement pourri, elle a retrouvé deux magnifiques costumes de théâtre, pourris eux aussi. Tous les autres souvenirs de Dullin avaient été achetés par la bibliothèque de l'Arsenal.

Elle m'a remis les papiers de Camille : c'était peu de chose. Aucune trace de son œuvre, pas même une page de brouillon : cela ne m'a pas étonnée. Mais que sont devenues les anciennes lettres de Sartre? Il n'en reste qu'un très petit nombre. Et où ont passé les lettres de Dullin? J'ai trouvé quelques lettres de gens que je ne connaissais pas et les brouillons des réponses de Camille. Elle refusait les rares propositions de rencontre que lui faisaient certains correspondants en arguant de sa « réclusion mystique ». Elle parlait de son « Œuvre » et de son « immense ouvrage » sur Dullin. La veille de sa mort est arrivée encore une lettre : la maison de Ferrolles était tellement hypothéquée qu'on l'avait vendue à des paysans du village.

Camille laissait aussi une sorte de journal intime. C'était un étrange assemblage de feuillets détachés, mauves et transparents, de formats divers et couverts d'une grosse écriture désordonnée; l'encre était verte, violette ou rouge. Des raccords et des surcharges rendaient le texte presque illisible. Ces notes avaient été prises de 1960 à sa mort. Du culte de Lucifer, Camille avait passé à celui d'un certain nombre de saints, curieusement choisis : elle regrettait qu'on accordât si peu d'importance à la Communion des Saints et que la fête des Morts fît négliger celle de la Toussaint. En haut de chaque page, elle indiquait la date et le nom du saint à qui elle vouait sa journée. Elle écrivait en grosses lettres : Oraison, et elle indiquait si celle-ci avait été médiocre ou excellente. Outre les saints, elle invoquait aussi le Père et Jésus, leur demandant leur protection. Elle parlait beaucoup des « Présences ». Elle notait : « Cela fera bien plaisir à maman. » Elle se sentait « inspirée », « entraînée » par une force intérieure qui la poussait à descendre chez l'épicier juste avant qu'il ait fermé boutique, ou à aller chercher un poulet chez le rôtisseur au moment précis où il venait de sortir du four. Car ses préoccupations étaient surtout alimentaires et hygiéniques. Elle notait le menu de ses repas, les verres d'eau minérale qu'elle avait bus, les drogues qu'elle avait absorbées et la qualité de son sommeil. Deux ou trois fois, elle parlait de lectures : Walter Scott, Michelet; et de musique : Berlioz entendu à la radio. Elle ne faisait presque aucune allusion à ses excès de boisson : il lui arrivait cependant de signaler qu'elle venait de traverser une période de « bourlingage » ou une période de « ténèbres ». Par moments elle se rendait compte de la saleté dans laquelle elle vivait. En 1964, elle parlait de nettoyer son « matériel de chevet » : c'était une condition nécessaire à son « travail ». Un autre jour, elle a décidé de faire vider les poubelles par la concierge. Le contenu des poubelles montre bien, écrivait-elle, qu'elle venait de traverser une « période de ténèbres ». Les faire vider lui donnait l'impression de recevoir une « absolution ».

Je ne m'attendais pas à ce que ces papiers fussent à ce point puérils. Je m'en étonne encore. Ce vide que nous avions décelé chez Camille quand nous avions lu ses écrits l'avait envahie tout entière; l'alcool, la solitude avaient achevé de la détruire, elle avait sombré dans l'inconsistance. Mais comment s'expliquait cette faiblesse originelle? Certainement seule son enfance pouvait en rendre compte. Elle nous l'avait racontée sous une figure légendaire, mais nous en ignorions la vérité. Privée de cette clé, toute l'histoire de Camille et le naufrage de ses dernières années demeurent pour moi un mystère.

Depuis la mort de Bourla, Lise ne supportait plus de vivre en France. S'étant liée, après la guerre, avec un séduisant G.I. qui était assistant metteur en scène à Hollywood, elle décida de l'épouser. Il n'avait pas envie de se marier, mais elle se trouva enceinte et elle le persuada de faire les démarches nécessaires pour qu'elle pût le rejoindre aux U.S.A. Elle l'y retrouva en 46 et peu après ils eurent une petite fille. Quand en 47 je fis un séjour dans leur villa de Californie, je me rendis compte que le ménage ne marchait pas bien. Leur situation matérielle était difficile : elle en prenait prétexte pour voler dans les supermarchés ce qui inquiétait et irritait son mari. S'occuper de son intérieur et du bébé l'accablait. Elle affectait de négliger sa toilette : elle traînait en souillon dans la maison. Elle gardait la même attitude provocante à Hollywood qu'à Paris. Quand Jack l'amenait à une « party » elle faisait exprès de s'habiller n'importe comment, de mettre de gros souliers ou des sandales de marche. Elle s'attaquait avec véhémence à des producteurs célèbres, à des metteurs en scène arrivés : elle les critiquait, les contredisait ou se moquait d'eux. Au buffet, elle piquait des saucissons, des sandwiches dont elle remplissait un grand sac; une fois, le sac s'ouvrit : elle rit beaucoup, Jack pas du tout. Il lui arrivait aussi d'escamoter un stylo, une montre, une broche. Jack lui demandait en vain de renoncer à ces manèges. Très bien élevé et maître de lui, il se montrait toujours courtois avec elle, mais par moments son agacement perçait. Elle l'accusait de se plier avec trop de complaisance aux mœurs d'Hollywood et de se prendre au sérieux. Elle avait des élans de tendresse exubérante; elle saisissait Jack à bras le corps, le soulevait en l'air, lui disait qu'elle l'adorait. Mais pour un oui, pour un non, sa voix devenait geignarde, elle grognait, boudait, récriminait. Elle passait même à des voies de fait. Dans une lettre que je reçus peu après mon retour en France elle me raconta que Jack étant rentré d'une soirée plus tard qu'il n'aurait dû, elle lui avait versé un seau d'eau sur la tête; elle regrettait ce geste vraiment par trop « routinier ».

Je ne fus donc pas très surprise quand j'appris en septembre 1949 que leurs rapports s'étaient tout à fait détériorés : « Je vais vous écrire une bien triste lettre. La cause de mon désespoir est très longue à raconter. En quelques mots je crois bien que mon histoire avec Jack est à l'agonie... Je suis tellement misérable que cela me fait mal d'y penser... Il m'a dit qu'il avait été au désespoir de m'épouser, qu'il ne voulait pas refuser parce qu'il m'aimait bien mais qu'il avait souhaité de tout son cœur que les démarches n'aboutissent pas... Dès le début, notre vie ensemble a été gâtée par des préoccupations matérielles... Je me suis toujours sentie profondément rejetée par Jack.

« Il est survenu peu après votre départ une mauvaise période. Le monde était rétréci et vide, le bébé était dans un âge insupportable et ma seule joie me venait du fait de voir Jack le soir et de l'aimer. J'avais souvent des crises de désespoir... elles prenaient la forme d'un certain ressentiment, d'une haine contre Jack qui éclatait à propos de quelque prétexte futile... Jack m'en voulait d'être une mégère mais il ne m'a jamais aidée avec amour et amitié à ne pas en être une... »

Lise estimait toujours qu'on ne l'aidait pas assez, qu'on ne lui donnait pas assez; Bourla seul n'avait pas encouru ce reproche : mais que serait-il arrivé si leur liaison avait duré?

Avec Jack en tout cas, les choses ne s'arrangeaient pas. Elle m'écrivit en octobre : « C'est un peu une histoire morte, un pis-aller, un remède contre une solitude totale dans ce pays. Jack a traversé une très mauvaise période. Il me disait à quel point il me méprisait, à quel point c'était insupportable de vivre avec moi. " I may have to live with you, I do not also have to like you. " Maintenant cela m'est indifférent de garder Jack ou de le perdre. »

Elle décida de suivre des cours à l'Université. Très douée intellectuellement, elle réussit tout de suite très bien. Le milieu universitaire lui était beaucoup plus sympathique que le monde du cinéma. En particulier elle fut fascinée par un couple d'homosexuels, Willy, un professeur de littérature anglaise, et Bernard, un jeune étudiant. Elle voulait partager leur vie, elle les suivait, elle les épiait. Elle réussit un jour à se cacher dans un placard de leur chambre pour assister à une de leurs nuits. Ils en furent amusés et Willy surtout devint très ami avec elle. Elle quitta Jack pendant quelques jours pour aller vivre sous leur toit. Dans ses lettres, elle me parlait longuement de Willy et avec beaucoup de chaleur.

Pendant dix heures chaque semaine elle suivait des cours et à partir de 1950, pendant dix heures chaque semaine elle enseigna le français à l'Université. Elle se fit des amis, que Jack n'aimait pas plus qu'elle n'appréciait les siens. Elle était revenue vivre avec lui, mais elle ne pensait pas que leur union pût durer encore longtemps. A l'égard de sa fille Mary, son attitude était ambivalente. Au début de chaque lettre, elle s'extasiait sur ses charmes; elle plaignait celles de mes amies qui ignoraient la maternité. Dans la dernière page, elle me décrivait avec hargne les fatigues et les soucis qu'entraîne l'éducation d'un enfant; elle accusait Mary de la tyranniser. Quant à Willy, son enthousiasme retombait souvent en aigreur : il la décevait. Elle voulait absolument coucher avec lui, non par désir physique mais pour avoir barre sur lui. Elle lui expliquait au nom de l'existentialisme que l'homosexualité n'est pas une essence et qu'il prouverait sa liberté en ayant des rapports avec une femme. Elle ne le convainquait pas. Alors elle se fâchait, elle criait et même elle le frappait.

Nous avons parlé de ses problèmes, quand je l'ai vue chez Algren, l'été 1950. Entre elle et Jack, un fossé se creusait. Au mois de novembre, elle l'avait quitté. « J'ai vraiment vécu les semaines les plus moches de ma vie, si on excepte celles qui ont suivi l'arrestation de Bourla... J'ai rompu avec Jack, de mon propre accord, après deux semaines de vie avec lui à mon retour de Los Angeles. J'ai décidé de vivre seule. J'ai loué un affreux petit appartement. Eh bien! c'est rudement sinistre, Los Angeles.

Willy a été pris de panique, il a cru que j'avais rompu pour lui et du coup il a rompu avec moi... Le soir, je serrais les dents de désespoir et j'attendais que la tourmente passe. Jack venait me voir de temps à autre, mais c'était plus moche encore que si je ne l'avais pas vu du tout. »

Jack lui donnait un peu d'argent, mais il n'en avait guère. Willy revint la voir, mais c'était pour lui raconter combien Bernard le faisait souffrir. Elle trouvait la vie bien amère. Elle se fit un nouvel ami, Bertie, un physicien qui lui plaisait beaucoup : mais il ne voulait pas se laisser entraîner dans une liaison avec elle. Lui aussi, elle l'attirait, mais elle l'effrayait. Elle savait bien pourquoi. Elle m'a écrit très lucidement à ce moment-là : « J'ai acquis une meilleure technique avec les gens; je ne leur casse plus leurs lunettes; je ne les menace plus du poing. La tyrannie est plus subtile, mais elle est là. »

Cependant, grâce à Bertie elle se sentait moins malheureuse. Elle écrivit en anglais une jolie nouvelle — qu'elle ne réussit pas à faire publier — sur ses rapports avec sa fille. Mais Jack lui ayant annoncé qu'il souhaitait divorcer elle en fut bouleversée : « Je suis complètement recroquevillée sur moi-même, je n'arrive pas à communiquer avec qui que ce soit. D'un côté c'est comme si je me rendais compte que je ne peux aimer personne, et d'un autre, comme si je ne le voulais pas. J'ai trop peur de me risquer. Ça doit être le contrecoup de l'histoire de Jack, ou plutôt non, ça va plus loin encore... Quand pour des raisons incroyables Jack m'a demandé de commencer les procédures, je me suis vraiment sentie seule au monde, j'ai failli m'écrouler. Tout ce que j'avais fait n'avait plus de sens. Ces trois ans m'ont paru une absurde perte de temps car, puisque je n'avais même plus de mari, ce n'était pas d'être professeur de français qui allait me donner les satisfactions dont j'avais besoin. »

Pour gagner sa vie elle travaillait très dur : « Le matin dans un jardin d'enfants, l'après-midi mes cours à l'Université et des leçons particulières; le soir et le dimanche, toute la journée je suis serveuse dans un drugstore. Je travaille dans les cinquante-cinq heures par semaine et avec cela c'est à peine si j'arrive à rester à flots. Quand je suis libre, je m'occupe des deux gosses d'une voisine parce qu'elle s'occupe de Mary quand je travaille. Si cela dure, je crois que je vais devenir folle. »

Ça ne dura pas, grâce à Bertie. Son amour pour Lise l'emporta sur ses appréhensions. « En principe, c'est moi qui fais la cour à Bertie, m'écrivit Lise, mais en fait il doit en être très content, quoiqu'il avoue sa grande terreur d'être avalé vivant. Mais il a une grande confiance en moi et il pense que je vais être une grande écrivaine. Moi je pense qu'il va être un grand physicien. Donc tout est pour le mieux dans le meilleur des mondes. » Peu après, elle s'installa chez lui. Au retour de son voyage à Paris, l'été 54, elle m'écrivit que Bertie avait acheté une maison superbe, en pleine campagne, en haut d'une colline que recouvrait un jardin. Elle paraissait tout à fait heureuse. Mais après un an de silence je reçus une lettre qui me consterna :

« Mes genoux ont commencé à foutre le camp. Je ne pouvais plus me tenir debout et j'avais des douleurs épouvantables dans les jointures. On m'a opérée sur les deux genoux, coupé un os de douze centimètres dans chacune de mes cuisses et transporté les os dans les deux tibias; on m'a remodelé les deux rotules; l'opération a duré cinq heures et j'en suis sortie dans le plâtre, des orteils jusqu'aux hanches pour deux mois et demi... Enfin rentrée chez moi, j'ai passé un mois de plus dans le plâtre. Je dormais au plus deux heures à la suite avec des narcotiques et me réveillais avec des maux de tête et de jambes épouvantables... Deux heures après le décret final de mon divorce avec Jack, j'ai épousé Bertie, dans une chaise roulante et dans mon plâtre. Maintenant je suis guérie, j'ai fait de la bicyclette pour la première fois aujourd'hui. »

Elle était guérie, elle avait décidé de faire son droit et de devenir avocate. Était-elle heureuse? Ses lettres commençaient toujours par une description enthousiaste de sa vie : Bertie était un ange, le jardin, magnifique. Et puis elle s'emportait contre Mary, l'accusant de lui rendre la vie impossible; elle récriminait contre sa condition : devenir une ménagère américaine, ce n'est pas cela qu'elle avait souhaité.

Dans ses relations avec moi, elle hésitait aussi entre l'affection et la rancune. Ses lettres étaient chaleureuses, mais elle y glissait des remarques désagréables. Quand j'eus le prix Goncourt, elle me reprocha en plaisantant de l'avoir volé à des candidats plus jeunes. Je passai outre. Mais quand j'appris qu'elle tenait sur mon compte des propos aussi déplaisants que faux, je cessai de lui écrire. Pendant quelques années, je ne sus presque plus rien d'elle, sinon qu'elle avait eu un petit garçon. Puis des amis communs me donnèrent de ses nouvelles. Elle adorait son fils mais elle s'était montrée si capricieuse et si despotique avec Mary que la petite fille avait eu des troubles névrotiques. Le psychiatre avait recommandé qu'on l'éloignât de sa mère. Lise avait acquiescé et on avait confié l'enfant à son père. Je les ai vus un peu plus tard à Paris : c'était une très gracieuse adolescente qui semblait avoir retrouvé un parfait équilibre.

A la fin de l'année 60, je rencontrai Willy à Paris. Il m'apprit que Lise avait voulu un autre enfant; mais elle avait été prise de convulsions pendant l'accouchement et le bébé était mort étranglé. Elle en était d'autant plus désespérée que les médecins lui interdisaient une nouvelle grossesse. Elle m'écrivit peu après pour me raconter la mort de son bébé. Elle ajoutait : « J'ai une drôle de maladie du sang, quelque chose qui manque, une protéine, et j'ai bien du mal à vivre en permanence, mais à part cela nous sommes très heureux. » Elle m'envoyait une photo d'elle et de son petit garçon. Elle était encore assez belle mais on ne retrouvait plus sur son visage ce mélange de tendresse et de violence qui lui donnait sa séduction : il s'était américanisé et uniformément durci. J'ai répondu une petite lettre amicale et de nouveau notre correspondance s'est arrêtée.

J'ai appris peu après que Lise s'était mise à souffrir de crises d'asthme. Le pollen des fleurs en particulier l'incommodait. Elle avait fait arracher toutes les plantes du jardin et recouvrir la colline de ciment. A l'intérieur, elle ne supportait d'autres matériaux que le bois et la pierre : les pièces étaient d'une nudité glaciale. Elle y accumulait un nombre impressionnant d'objets de toute espèce : des machines à écrire, des stylos, des crayons, des montres. Cependant son asthme empira. Elle décida qu'elle ne pouvait pas supporter l'atmosphère de Los Angeles, où l'air est en effet chargé de brouillard et de poussières : Bertie accepta d'aller s'installer avec elle à San Francisco. Là, pour que Michael ne demeurât pas un enfant unique, elle adopta une petite fille. Son asthme la tourmenta moins. Mais elle avait des troubles, de nature épileptique disait-on, qui se traduisaient soit par des convulsions, soit par de terrifiants maux de tête.

Un psychiatre qui la connaissait m'a dit que son asthme, ses convulsions, ses migraines avaient très évidemment un caractère psychosomatique. Elle avait été marquée par son enfance, par sa condition d'apatride, par le terrible choc de la mort de Bourla. Sa rupture avec Jack lui avait porté un nouveau coup. Le dévouement de Bertie n'avait pas suffi à la guérir de toutes ces blessures. Elle voulait être heureuse et le rendre heureux : mais le malheur s'était insinué dans son corps.

Au début d'avril 1967, je reçus de Lise une dépêche m'annonçant sa venue à Paris. Elle me demandait de téléphoner à l'hôtel Scribe. Je l'ai fait. Je n'ai pas reconnu sa voix : c'était une grosse voix masculine. Était-elle enrhumée? mais non m'a-t-elle répondu d'un ton surpris. Elle traversait Paris pour accompagner son mari à Moscou où l'appelait un congrès scientifique. Nous avons convenu de déjeuner ensemble le lendemain.

Le lendemain, vers une heure, j'épiais la rue déserte avec un peu d'appréhension. Jusqu'à quel point la maladie et l'âge avaient-ils changé Lise? Un contact serait-il possible entre nous? C'était étrange d'attendre que le passé ressuscitât sous une figure inconnue. Je suis restée longtemps à la fenêtre : c'est avec beaucoup de retard qu'un taxi s'est enfin arrêté, à quelques mètres de mon immeuble. Une femme est descendue; elle portait des lunettes à monture d'écaille, une longue jupe d'un bleu criard, de hautes bottes, une blouse en tissu-éponge qui découvrait d'énormes bras; elle tenait à la main une brosse, et tout en marchant elle la passait d'un geste maniaque dans ses cheveux d'un blond éteint. Un petit homme qui portait à la main des cabas et en bandoulière un appareil photographique trottinait derrière elle : son mari. De grands cris ont retenti dans le vestibule : « Castor! Castor! » appelait Lise de sa grosse voix. J'ai ouvert la porte. Elle m'a embrassée avec des exclamations et des rires. Elle ressemblait à ces quadragénaires américaines ravagées d'alcool et névrosées que j'ai vues dans plusieurs films. Les bottes et la jupe cachaient tant bien que mal des jambes et des genoux monstrueusement enflés. « Je suis arrivée exprès en retard parce que je voulais voir ce que vous diriez », m'a-t-elle lancé avec défi. Et puis, avec un enthousiasme bruyant elle a sorti de ses cabas cadeau sur cadeau : une petite broche très laide, une grosse pendule ronde dont on change la pile une fois par an et qu'on ne remonte jamais, un paquet d'étiquettes, du papier collant dont elle m'a expliqué avec véhémence les divers usages, une série d'images représentant des montres, dotées de prénoms masculins ou féminins : elle s'esclaffait en me les montrant et j'ai eu l'impression pénible que sa maladie l'avait tout à fait abêtie.

« L'horloge, c'est un cadeau que j'avais fait à Bertie pour son anniversaire, m'a-t-elle dit... Il voulait la garder, on s'est disputés : c'est pour ça que nous sommes arrivés en retard. » Très gênée, j'ai voulu rendre à Bertie son bien. Il pourrait acheter une autre horloge à San Francisco, a-t-elle objecté et il a approuvé d'un signe de tête. Il n'avait pas encore ouvert la bouche.

Elle a jeté un coup d'œil autour d'elle : « Et qu'est-ce que vous devenez? qu'est-ce que vous faites? — Toujours la même chose : j'écris. — Mais pourquoi? » a-t-elle dit d'un air navré. J'ai invoqué le seul argument qui pût la frapper : « Parce que ça me rapporte de l'argent. — Ah! ça, c'est une raison », a-t-elle convenu.

Bertie chargé du sac de Lise, Lise tenant sa brosse à la main, nous avons été au restaurant. Elle a demandé des escargots, elle les a mangés en mimant la gloutonnerie et en vociférant : « C'est for-mi-dable! » On aurait dit qu'elle jouait à caricaturer la jeune femme qu'elle avait été. Toutes ses expressions étaient outrées, ses gestes exagérés; ses mouvements semblaient échapper à son contrôle; elle se jetait d'arrière en avant, d'avant en arrière, avec brusquerie.

Elle a peu mangé : « Je n'ai pas le droit de boire, ni de fumer, ni de manger beaucoup, et comme celui-là est très jaloux, il ne me reste rien », a-t-elle dit en riant, avec une coquetterie que la disgrâce de son corps rendait choquante. En revanche elle a énormément parlé : presque uniquement de ses enfants. Elle adorait son petit garçon et elle avait décidé, pour son bien, qu'il ne serait pas un enfant unique. En fait quand elle a adopté Lily, Michael est devenu fou de jalousie : il a commencé à désobéir, à tout briser, à jeter à la poubelle les objets que Lise aimait, à mettre le feu aux rideaux. Elle n'est pas arrivée à le mater; alors elle l'a mis pensionnaire dans une école militaire. « Au début, Bertie n'était pas content. Il me disait : " Ah non! Tu ne vas pas recommencer comme avec Mary. " Et puis il a compris », a-t-elle conclu en souriant à son mari, qui n'a rien répondu. J'ai pensé qu'il avait pris son parti de « comprendre » énormément de choses. Elle a parlé avec attendrissement de Lily : « C'est si intéressant une petite fille! » Mais aussitôt elle s'est plainte d'avoir dû pendant dix-huit mois être du matin au soir sur le dos de l'enfant pour lui apprendre ce qu'il fallait faire ou ne pas faire. Comme je lui demandais si elle avait lu des livres intéressants, elle s'est exclamée : « Lire! qu'est-ce que vous pensez! Je ne lis même pas un journal! Vous ne savez pas comme c'est absorbant de dresser un enfant! » Comme Michael, Lily se vengeait de cette sollicitude en cassant, en jetant, en brûlant des objets. « Mais maintenant elle est sage », m'a dit Lise. Et elle m'a montré la photo d'une petite fille mignonne mais dans les yeux de laquelle se lisait l'« égarement des bêtes dressées ». Ensuite, elle m'a parlé de sa chienne, une énorme bête qu'elle adorait; elle m'a dit fièrement : « Je lui ai appris à faire ses besoins sur le trône des cabinets, comme une personne. Ç'a été dur, mais je l'ai dressée. » Ce goût du « dressage » était nouveau chez Lise et il m'a semblé effrayant.

Lise avait tant parlé que Bertie et moi nous avions bu nos cafés avant qu'elle ait fini ses fraises à la crème. « Je les emporte », a-t-elle dit. J'ai protesté : nous pouvions rester à table encore un moment. Mais elle tenait à les manger dans la rue. De nouveau elle parodiait ses habitudes de jeunesse. Intérieurement vidée par les drogues dont on la bourrait, elle masquait ce creux en copiant machinalement ses anciennes attitudes. Quand une heure plus tard elle a pris un taxi, elle se plaignait de violents maux de tête. J'ai su qu'aussitôt arrivée à l'hôtel elle s'est mise au lit.

A son retour de Moscou elle portait une robe de toile grise, assez courte et très laide, ornée de pompons bleus. « Au fond, je n'ai pas à me plaindre, m'a-t-elle dit : Ça pourrait être pire : je peux encore marcher. » Elle était enchantée de son voyage mais en fait elle n'avait rien vu : elle avait presque tout le temps gardé la chambre. Elle a vidé sur le sol un grand sac en plastique et m'a donné des enveloppes qui provenaient d'un hôtel de Moscou. Puis, toujours avec de grands gestes et une voix criarde, elle m'a décrit la vie qu'elle menait à San Francisco : c'était une totale solitude, elle ne connaissait pas une âme. Elle avait failli ne pas partir parce qu'elle ne pouvait confier Lily à personne : à la dernière minute, la mère de Bertie avait accepté de se charger d'elle. Avant de me faire ses adieux Lise m'a demandé : « Au fait, pourquoi étions-nous brouillées? — Pour des choses que vous avez dites. — Ah! c'est possible! Quand j'ai bu je dis n'importe quoi. » Je savais qu'elle ne buvait jamais, mais je n'ai pas insisté.

De retour aux U.S.A., elle m'a écrit. Sur l'enveloppe elle avait fait des collages et des dessins coloriés : c'était un de ces objets amusants qu'elle aimait fabriquer, autrefois. Sa lettre était drôle. Elle préparait un dernier examen de droit et en ce moment elle étudiait la question des testaments : « A en juger par les testaments, l'espèce est étrange », concluait-elle. Si elle était capable de poursuivre ses études, elle était moins atteinte mentalement qu'elle ne me l'avait semblé; sans doute, à Paris, les fatigues et les émotions du voyage avaient aggravé son état.

Un an plus tard, on a carillonné à ma porte, un matin. Je n'ai pas reconnu tout de suite le petit homme coiffé d'un chapeau rond qui portait une boîte cubique en bandoulière : on aurait dit un pêcheur à la ligne. Derrière lui se tenait Lise qui s'est jetée sur moi avec des rugissements d'amitié. Elle a déballé de jolis cadeaux : une montre-bracelet électrique, un stylo Parker dernier cri, des chemises à carreaux pour Sartre. Bertie se rendait à Poitiers, pour un congrès. Auparavant, ils feraient un tour en Italie. Nous avons pris rendez-vous.

J'ai vu Lise trois ou quatre fois pendant les dix jours qu'elle a passés à Paris. Elle m'a paru un peu moins boursouflée, un peu moins désadaptée qu'à son précédent séjour. Cependant elle venait de souffrir, pendant quarante-huit heures d'affilée, d'affreux maux de tête. Elle répandait une désagréable odeur pharmaceutique : dès qu'elle commençait à être fatiguée, elle se couvrait de sueur, ses jambes tremblaient et elle devait avaler un médicament à base d'éther. Elle gesticulait encore beaucoup. Elle s'habillait avec un surprenant mauvais goût. Elle portait un bandeau vert dans ses cheveux, une robe blanche à pois verts et un manteau de velours orange. Son attitude avec Bertie était devenue moins amicale. Chez moi, elle le faisait asseoir sur ses genoux et le cajolait, ce qu'il supportait d'un air un peu crispé. Mais elle pouvait aussi tenir sur lui en sa présence les propos les plus déplaisants et les plus humiliants : il ne bronchait pas. « Qu'est-ce que j'ai encore fait? » murmura-t-il cependant une fois, comme Lise l'apostrophait d'un ton vindicatif. Elle prétendait qu'il s'était parfois emporté contre elle au point de la frapper; pour se défendre, elle avait appris le karaté : lui aussi. Dans la rue, ils ont mimé un combat avec un entrain factice qui m'a mise mal à l'aise. Lise avait encore moins de respect humain qu'autrefois. A la fin d'un repas, elle tira d'une poche un petit sac imperméable et prétendit y verser le reste de ragoût qu'elle avait laissé dans son assiette. « Ça se fait là-bas, m'affirma-t-elle. On dit que c'est pour le chien, mais personne n'est dupe. » J'ai obtenu qu'elle emportât seulement quelques fruits. Ils m'ont quittée après un déjeuner pour aller acheter aux Galeries Lafayette un ours pour Lily et des balais pour Lise : ceux qu'on vend aux U.S.A. ne lui convenaient pas. La veille de leur départ, elle n'avait pas encore trouvé le balai de ses rêves : ils comptaient chercher encore le lendemain matin avant de prendre l'avion.

Avec moi, Lise a été plus bienveillante que d'habitude. La femme du « tuteur » qui dirigeait ses études aimait mes livres et l'avait influencée. Elle m'a chaudement félicitée de *La Femme rompue* qu'elle avait lu à haute voix avec Bertie. Il nous a filmées ensemble dans la rue. Elle m'a soulevée de terre et m'a fait tournoyer. Elle s'est esclaffée : « Pauvre Castor, elle est toute gênée! » Nous avons surtout parlé de sa santé et un peu de sa mère, qu'elle avait fait venir aux U.S.A. et qui y avait été très malheureuse parce qu'elle ne savait pas un mot d'anglais. Elles s'étaient brouillées : selon Lise, sa mère avait eu tous les torts. Elle était morte d'un cancer à l'hôpital sans qu'elles se soient revues.

De Venise, Lise m'a envoyé une petite carte morose; elle n'était pas contente de Bertie, elle s'ennuyait. Elle l'a laissé repartir seul pour les U.S.A. : elle est restée quelques jours à Paris. Pendant l'été, nous n'avons pas correspondu. Fin novembre, j'ai reçu une lettre de Bertie : « J'ai quelque chose de terrible à vous apprendre. » J'ai pensé : ils divorcent. Et puis j'ai lu la ligne suivante : « Lise est morte. » Elle s'était alitée le lundi avec une grippe. Le jeudi Bertie avait proposé de faire venir une infirmière pendant qu'il promènerait les enfants. Elle avait refusé. Au retour, Bertie était entré dans sa chambre et l'avait trouvée morte. Je n'ai rien su de plus.

Un mois plus tard, j'ai reçu un paquet qui portait dans le coin réservé à l'expéditeur le nom et l'adresse de Lise. Je suis restée un moment stupide devant ce cadeau d'outre-tombe. C'est un de ces cakes aux fruits qu'on fabrique aux U.S.A. au

moment de Noël et qu'il faut commander longtemps à l'avance.
Elle me l'avait fait envoyer deux jours avant de tomber
malade.

Depuis 1960, Giacometti se portait mal. Il avait de cruelles
douleurs d'estomac et s'en inquiétait. Le docteur P., son médecin et son ami, l'assurait qu'il souffrait d'une simple gastrite.
Giacometti n'en était pas moins préoccupé. Il travaillait avec
plus d'acharnement que jamais et ce surmenage contribuait
à le délabrer : il lui arriva de s'évanouir dans son atelier.
Mécontent de n'avoir pas encore « tordu le cou » à la sculpture,
soucieux de sa santé, il était beaucoup moins gai qu'autrefois,
et moins ouvert sur le monde. Nos rencontres n'avaient plus
la même chaleur : il nous paraissait lointain.
    Au début de 1963, des spécialistes dirent à Giacometti
qu'il avait un ulcère à l'estomac et qu'il fallait l'opérer. Nous
l'avons vu à la clinique, quelques jours après l'intervention,
qui s'était très bien passée. Son visage était détendu; il se sentait délivré et attendait impatiemment le moment de se
remettre à l'ouvrage.
    A peu de temps de là, Annette — sa femme — a voulu
voir Sartre. Sur beaucoup de points il ressemblait à Giacometti,
pensait-elle, et il était mieux placé que quiconque pour répondre
à la question qu'elle se posait : devait-elle ou non lui avouer
qu'il avait un cancer? Elle s'en était ouverte au chirurgien
qui lui avait demandé d'un ton sec : « C'est une question d'intérêt? Vous souhaitez qu'il prenne certaines dispositions? —
Mais non, pas du tout. — Vous êtes croyante? — Absolument
pas. — Alors, pourquoi le mettriez-vous au courant? » Elle
avait discuté. Il s'était emporté. Moralement, affirmait-il,
rien n'était plus dangereux pour un homme atteint de cancer
que de connaître son état. Si Annette le lui révélait, lui et le
docteur P. la démentiraient. Elle souhaitait l'avis de Sartre.
« Moi j'ai fait promettre au Castor de ne rien me cacher »,
a-t-il répondu. Selon lui, quand un homme a assumé sa vie en
essayant de ne jamais se mentir, il a le droit de regarder sa
mort en face et de disposer, en toute lucidité, du délai qui lui

est accordé. D'ailleurs il ne s'agissait pas de signifier à Giacometti une condamnation brutale. Peut-être était-il guéri. Et de toute façon, à son âge, le cancer évolue très lentement.

Pendant cette discussion, nous avons reparlé d'un cas très différent : celui de la femme de Pagniez. « Dans un an elle sera morte », avait dit le médecin. Nous avions approuvé Pagniez de vouloir garder le secret. Elle n'avait aucune disposition à prendre; alitée, affaiblie, la tête un peu brumeuse, pourquoi lui infliger un an d'agonie morale? Elle a toujours cru à une proche guérison et s'est éteinte dans le calme. Pagniez savait qu'en la leurrant il agissait dans son intérêt mais quant à lui il souffrait d'un mensonge qui les séparait alors qu'ils avaient toujours été transparents l'un à l'autre.

Annette éprouvait un sentiment analogue. Sartre acheva de la convaincre. Quand elle nous quitta, elle était à peu près décidée à parler.

Elle ne le fit pas tout de suite. Nous avons dîné deux ou trois fois avec Giacometti qui semblait ne rien soupçonner. Nous étions embarrassés, presque honteux, de savoir sur son compte quelque chose de très important qu'il ignorait. Il nous semblait indigne de lui qu'il se berçât d'illusions. Annette était au supplice. La comédie que nous jouions nous paraissait une trahison.

Ils sont partis pour Stampa. Un soir, nous avons reçu un coup de téléphone de Suisse : Giacometti remerciait Sartre du conseil qu'il avait donné à Annette. Il venait d'apprendre la vérité. Son chirurgien lui avait remis une lettre destinée au médecin italien qui le soignait en Suisse. Avec une surprenante étourderie, celui-ci, ne sachant pas bien le français, avait demandé à Giacometti de la lui traduire. Il s'agissait d'un cancer, écrivait le chirurgien, mais l'opération avait parfaitement réussi et l'intéressé ne se doutait de rien. Sur le moment, personne ne fit de commentaire. Quand ils se retrouvèrent en tête à tête Annette et Giacometti se parlèrent d'abord à mots couverts : il ne savait pas si auparavant elle était déjà au courant, ni si elle avait bien compris la lettre; elle se demandait si le sens en avait été tout à fait clair pour lui. Ils finirent par s'expliquer en toute franchise et, au téléphone, Giacometti en semblait extraordinairement heureux. Jusqu'alors, son ignorance avait-elle été totale? Probablement non. Il avait

100

des doutes et il les affrontait sans secours. A présent il n'était plus seul. Du soupçon à la certitude, il y a moins de distance que de la séparation à l'entente. C'est pourquoi il se sentait à présent beaucoup mieux dans sa peau. Quand il a été de retour en France, nous avons eu des conversations aussi détendues et aussi gaies que par le passé.

En revanche, il s'est plus ou moins brouillé avec le docteur P. Non seulement celui-ci avait choisi de lui mentir, mais il lui a avoué que plusieurs années plus tôt il avait décelé sur une radio des taches significatives. « Je me suis tu, parce que je ne voulais pas que tu te mettes à vivre dans la peau d'un malade », a-t-il expliqué [1].

En janvier 64, la mère de Giacometti tomba malade et mourut. Il en fut bouleversé. Il l'avait toujours profondément aimée. Il avait éprouvé une grande joie le jour où, quelques années plus tôt, elle avait remplacé au-dessus de son lit un tableau de son père par un tableau de lui. Il avait fait d'elle, en 1958, un beau portrait plein de tendresse.

Nous ne l'avons pas beaucoup vu cette année-là. A mon grand étonnement, comme nous revenions d'U.R.S.S. en juillet, Olga m'a dit qu'il en voulait à Sartre à cause d'un passage des *Mots* où il était question de lui. Dans un bar de Montparnasse, elle l'avait entendu dire à son ami Lotar : « Je suis content que Sartre ne revienne qu'en juillet. A ce moment-là, je serai parti. Je ne le reverrai qu'en automne : j'aurai eu le temps d'oublier. » Il était très sombre, a-t-elle ajouté. Comme elle lui demandait si son travail marchait bien, il avait répondu d'un air sinistre : « Il me faudrait dix ans. » Il devait y avoir l'an prochain à New York une grande exposition de ses œuvres, et Lotar l'interrogea : irait-il? « L'an prochain? Ah! si c'était demain », a-t-il murmuré. Il s'est repris : « Même demain, je n'irais pas à New York. »

Il s'est expliqué avec Sartre en octobre : « Je n'étais pas fâché, mais désorienté », a-t-il dit. Dans *Les Mots*, Sartre avait raconté, d'après une conversation avec Giacometti, que celui-ci, renversé par une auto place d'Italie, avait pensé en un éclair : « Enfin quelque chose m'arrive. » Et Sartre commentait : « J'admire

<hr />

1. Plus tard il s'est amèrement repenti d'un silence qui a peut-être coûté la vie à Giacometti. Il est mort peu après lui.

cette volonté de tout accueillir. Si l'on aime les surprises, il faut les aimer jusque-là. » Or, l'épisode avait eu un sens très différent. Giacometti se préparait à partir pour Zurich et il regrettait de quitter une femme qu'il aimait ; sortant de chez elle, place des Pyramides, et renversé par une auto, dans l'ambulance qui l'emportait il s'était réjoui d'un accident qui le retenait à Paris. Si Sartre avait pu faire de cette histoire un récit si inexact, il cessait d'être lui-même. « Mais c'est *votre* récit que j'ai repris », objecta Sartre. Si la réaction de Giacometti avait été aussi insignifiante qu'il le disait aujourd'hui, nous en aurions à peine pris note et, à vrai dire, on ne voit même pas pourquoi il nous l'aurait signalée. Le décalage entre les deux versions venait évidemment de lui mais nous n'avons pas réussi à nous l'expliquer. De toute façon, il nous a paru surprenant qu'il ait pris cette affaire tellement à cœur. Il est vrai qu'il avait alors un grand souci de récupérer son passé. Il s'était toujours volontiers retourné vers son enfance et son adolescence ; à présent il ne se lassait pas de les évoquer.

En 65, il y eut de grandes expositions de ses œuvres, à Londres, à New York, aux environs de Copenhague. Lui qui détestait voyager, il se rendit à toutes les trois avec Annette. Cependant — nous a-t-elle dit plus tard — il était rongé d'anxiété et même il tombait dans des angoisses à propos des plus petites choses. Pendant la traversée de l'Atlantique, quand elle entrait dans sa cabine le matin, elle le trouvait assis sur sa couchette, le regard fixe. « Reste si tu veux, mais tais-toi », lui disait-il : cela ne lui ressemblait pas. Il ruminait ainsi pendant de longs moments. Sur ses photos de New York, il avait beaucoup vieilli, son expression s'était durcie. Ce n'est pas un hasard si ses derniers bustes, qui représentent son ami Lotar, ont quelque chose de terrifiant : dans ces grands yeux effrayés il a projeté son propre égarement.

En automne, son médecin lui trouvant le cœur fatigué lui conseilla d'avancer le séjour qu'il faisait chaque année, depuis son opération, dans une clinique suisse. Il partit seul. Un télégramme appela Annette à son chevet : ses poumons étaient pris, il allait mal. Elle l'a trouvé très changé. On aurait dit qu'au moment où il s'était alité, son corps avait renoncé à se défendre. A-t-il compris que sa fin approchait ? Il dressait des bilans : « Mon œuvre, oui, je l'ai réussie », a-t-il murmuré.

Cette parole a réconforté ses amis qui l'avaient vu si souvent douter de lui. Il est resté deux jours dans un demi-coma avant de rendre son dernier soupir, le 1er janvier 1966.

Je n'ai pas été vraiment triste. Tout entier envahi par ses obsessions et ses souvenirs, nous l'avions déjà perdu. Il avait conquis toute la gloire qu'il pouvait souhaiter. Et il me semblait que son œuvre était achevée. Peut-être même ce qu'il tentait à présent était-il contradictoire : garder au visage humain son sens général et abstrait tout en en dégageant la singularité.

En 68 a eu lieu à l'Orangerie une grande exposition de ses œuvres. Au-dessus de la porte d'entrée, on lisait en grands caractères son nom et les dates de sa naissance et de sa mort. Je les ai regardés longtemps, avec une espèce d'incrédulité. Il était tombé à pic dans l'Histoire, aussi embaumé, aussi lointain qu'un Donatello : ma propre vie s'en trouvait rejetée au fond des âges. Les salles n'étaient pas très bien disposées : on voyait d'abord les chefs-d'œuvre de sa maturité; puis on revenait à l'époque surréaliste d'où on passait de nouveau à sa maturité. Selon moi, ses peintures et ses dessins sont devenus de plus en plus beaux au fil des années. Mais pour la sculpture, sa plus grande époque c'est celle d'après guerre, de 1945 à 1952. Ensuite, il y a des réussites, mais dans l'ensemble sa recherche n'aboutit pas. Son dernier buste, celui de son ami Lotar, est cependant d'une extraordinaire intensité. Le public était déconcerté : sans doute Giacometti ne lui paraissait-il ni assez moderne ni assez conventionnel pour le séduire. En revanche les visiteurs de la fondation Maeght, à Saint-Paul-de-Vence, sont presque tous des admirateurs chaleureux. Les grandes statues des hommes en marche prennent tout leur sens dans cet environnement. Il y a maintenant des sculptures ou des peintures de Giacometti dans de nombreux musées et j'ai toujours un choc au cœur quand il m'arrive de les rencontrer.

Depuis qu'une charge de plastic avait explosé sous le porche de son immeuble, Mme Mancy avait quitté son appartement; elle n'y habitait plus quand un second attentat l'avait dévasté.

Elle s'était installée dans un hôtel, boulevard Raspail. Ce changement de domicile ne lui avait pas été trop pénible. Rue Bonaparte, elle avait six étages à monter et, bien qu'elle se fît aider, les travaux ménagers la fatiguaient. L'hôtel la délivrait de ces servitudes. Elle avait pu s'entourer de ses meubles, de ses bibelots, de ses livres préférés. Elle se plaisait dans la compagnie des jeunes femmes de chambre. Sartre ne vivait plus avec elle, mais il avait trouvé un studio tout à côté et il la voyait très souvent. Elle a passé trois ou quatre années heureuses. Elle recevait des visites, elle lisait, elle regardait la télévision et surtout elle écoutait de la musique. D'une famille de musiciens, jouant très bien du piano et douée d'une belle voix, elle avait souhaité faire une carrière de cantatrice; alors qu'en peinture elle avait très mauvais goût et qu'elle ne lisait que des œuvres faciles elle aimait la musique avec passion et discernement; les œuvres modernes ne l'effrayaient pas : c'est chez elle que j'ai entendu pour la première fois à la radio le *Wozzeck* de Berg. Quand il faisait beau, elle se promenait dans le quartier ou elle se faisait conduire en taxi aux Tuileries. Le soir, une fois couchée elle se délectait à se raconter son enfance et sa jeunesse : « Jamais je ne m'ennuie », disait-elle. Elle était coquette, soignée, presque toujours habillée en bleu marine, avec une touche de blanc; des talons hauts mettaient en valeur ses belles jambes. A quatre-vingts ans, sa silhouette était encore élancée et élégante, et comme un chapeau cachait ses cheveux blancs, il arrivait qu'on la suivît dans la rue.

Enfant, elle avait été opprimée par Mme Schweitzer, qui devint une vieille dame charmante, mais qui fut une mère autoritaire et égoïste : sur ses photos de jeune fille, la petite Anne-Marie a l'air éperdue. Mariée sans joie, bientôt veuve et revenue vivre sous le toit de ses parents, elle prépara un concours d'inspectrice du travail; elle souhaitait l'indépendance; mais elle crut agir dans l'intérêt de son fils en acceptant d'épouser un ingénieur qui depuis longtemps l'en sollicitait. Cette union aussi fut sans joie : « J'ai été deux fois mariée et mère, et je suis toujours vierge », disait-elle dans ses vieux jours. Autoritaire, dur aux autres comme à lui-même, incarnant austèrement les vertus bourgeoises, l' « oncle Jo » fut parfait avec son beau-fils : mais celui-ci ne partageait aucune de ses idées et quand il grandit il y eut entre eux des heurts fréquents. Après avoir lu le début de *L'Enfance d'un chef*, il renvoya à Sartre son exemplaire du *Mur*. Il ne fut jamais question qu'il me rencontrât. Soumise, dévouée, pleine de reconnaissance parce qu'il l'avait prise en charge ainsi que son enfant, Mme Mancy lui donnait toujours raison. Elle regrettait cependant la tendre intimité qu'elle avait connue jadis avec son fils; elle essayait de demeurer proche de lui. Plusieurs fois, sans le dire à son mari, elle nous invita ensemble dans des salons de thé. Je la revis, seule, pendant la guerre. Mais c'est seulement dans ses dernières années que nous avons éprouvé l'une pour l'autre une véritable affection. Sans le dire, elle blâmait mon mode de vie. J'étais moins gênée par ses préjugés que par son apparente mollesse. Elle parlait par courtes phrases brisées, abusant, pour atténuer le sens de ce qu'elle disait, du mot « petit ». Par exemple, dans les salons de thé, elle demandait à la serveuse : « Où sont les petits cabinets? » Son ton était généralement plaintif. Elle se disait affligée d'une quantité de petits maux et jamais elle n'avouait un plaisir. L'existence était à ses yeux un faisceau de devoirs ennuyeux. Sur aucun sujet elle n'osait donner un avis personnel : absent, son mari contrôlait encore ses pensées.

Mais j'ai admiré la discrétion dont elle fit preuve lorsque celui-ci mourut d'une crise cardiaque. Sartre se trouvait en Amérique. Mme Mancy ne lui annonça pas la nouvelle : elle ne voulait pas qu'il abrégeât son voyage. Elle souhaitait passionnément vivre avec lui, et à son retour il accepta. Elle trouva un appartement place Saint-Germain-des-Prés. Elle installa le bureau de Sartre dans la plus belle pièce, se réservant un salon et un petit salon où elle dormait. Eugénie, la vieille Alsacienne qui l'aidait à tenir la maison, couchait dans la chambre du fond. « C'est mon troisième mariage », dit gaiement Mme Mancy.

Mais cette cohabitation lui donna moins de joie qu'elle ne l'avait escompté. Marquée par les opinions de son mari, elle avait souvent avec son fils des désaccords qu'il ne soulignait pas mais dont elle s'agaçait. Si par hasard il la contredisait, elle prenait de brèves mais vives colères, car elle était « soupe au lait ». Et c'était elle parfois qui l'attaquait. Elle se faisait de la vie littéraire une idée plus mondaine que nous : elle avait rêvé de réceptions auxquelles elle eût présidé. Elle aurait voulu qu'il recherchât les honneurs, la publicité. C'est elle qui en 45 signa un papier demandant pour lui la Légion d'honneur. Elle reçut un jour la visite d'un jeune homme qui se disait américain; étudiante dans un collège d'Amérique, sa sœur avait pour Sartre une vénération que partageaient ses condisciples : il avait promis de leur rapporter de France des photos de leur idole. Flattée, Mme Mancy lui confia des photos de Sartre bébé, enfant, adolescent : elles parurent à la dernière page de *Samedi-Soir*, illustrant un article venimeux. Honteuse de sa bévue, elle nous accueillit ce soir-là en sanglotant. Sartre la consola. Mais il eut beau lui demander par la suite d'éviter tout rapport avec la presse, il lui arriva plusieurs fois de trop parler. Consciente d'avoir été indiscrète, elle en voulait à Sartre des reproches qu'il ne lui adressait qu'en silence.

Totalement dévouée à son fils, comme elle l'avait été à son mari, elle tenait à croire qu'elle lui était nécessaire. Elle veillait à son confort matériel mais elle aurait aussi voulu qu'il suivît ses conseils. Respectueuse des hiérarchies, de l'ordre établi, des valeurs reconnues, ses conduites l'inquiétaient. Comme beaucoup de femmes «relatives» elle vivait dans le souci. Si on attaquait Sartre dans les journaux, elle se désolait. Elle s'affolait quand il donnait une conférence ou faisait jouer une pièce. Souvent les répétitions étaient orageuses, elle en avait des échos, et elle était dévorée d'anxiété. Elle craignait que Sartre n'indisposât le directeur du théâtre, le metteur en scène, le public. Le soir de la générale, elle était au supplice si elle surprenait une critique, si les applaudissements lui semblaient tièdes. En bien d'autres circonstances elle nous demandait avec insistance si «tout allait bien». Nous répondions toujours oui, et c'était généralement vrai. Elle nous soupçonnait de « faire des cachotteries »; elle interrogeait les uns, les autres. Les attitudes politiques de Sartre surtout lui semblaient regrettables et dangereuses.

Ces malentendus, ces frictions s'atténuèrent avec le temps, puis disparurent. Elle finit par adopter les opinions de son fils. Ce ne fut pas seulement par docilité : en s'insurgeant contre les préjugés qui avaient brimé sa jeunesse et contre les idées que son mari lui avait imposées, elle se vengeait de tous ceux qui l'avaient tyrannisée. Vers 62, elle se sentait tout à fait libérée: « C'est seulement maintenant, à quatre-vingt-quatre ans, que je me suis vraiment affranchie de ma mère », nous dit-elle. Si craintive dans les petites choses, elle se montra pendant la guerre d'Algérie résolument solidaire de son fils. Elle supporta sereinement les deux attentats dirigés contre son immeuble et les conséquences qu'ils entraînèrent pour elle.

La parution des *Mots* fut pour elle une grande joie. Le portrait que Sartre avait tracé de M. Schweitzer la choqua et elle ne reconnut pas son fils dans le petit garçon qu'il peignait. « Il n'a rien compris à son enfance », dit-elle à une amie. Mais elle fut touchée par la manière dont il la décrivait et par l'évocation de leurs rapports passés. Elle prévoyait qu'en revanche le volume suivant, où il parlerait de son beau-père, ne lui serait pas agréable. Il ne l'écrivit pas : elle pensait qu'il le ferait après sa mort. Elle savait bien que son remariage avait brisé quelque chose entre eux; souvent elle m'expliqua quelles raisons l'y avaient poussée; j'avais beau l'assurer que Sartre les comprenait, elle demeurait inquiète.

Elle eut désormais une nouvelle occupation : pour compléter *Les Mots* elle entreprit de raconter sa propre histoire et l'enfance de Sartre telle qu'elle l'avait elle-même vécue. Pendant des mois elle couvrit des pages : « C'est drôle, je pensais que nous étions une famille très unie, nous dit-elle. Je nous revois le soir, rassemblés sous la lampe, mes parents, mes frères et moi. Mais je me rends compte qu'en fait, on ne se parlait pas. Chacun était tout seul. »

Elle avait toujours été plus ou moins dolente. Avec l'âge ses malaises se multiplièrent : elle eut des rhumatismes, des maux de tête, de l'hypertension, et son cœur était fragile. Alors que jadis elle geignait toujours un peu, maintenant elle évitait de se plaindre. Elle avoua cependant une fois à Sartre : « Si je devais souffrir tout le temps comme j'ai souffert hier, j'aimerais mieux mourir tout de suite. » Elle avait pleuré de douleur. Sa vie s'en trouva très appauvrie. Le médecin lui interdit de sortir par mauvais temps; même par beau temps, elle redoutait d'être prise d'un vertige dans la rue; et elle refusait qu'on l'accompagnât dans ses promenades : par orgueil et par souci d'autrui, elle ne voulait se sentir à la charge de personne. Elle se confina donc dans sa chambre. La lecture, la télévision fatiguaient sa vue et lui donnaient mal à la tête. La musique provoquait en elle des émotions qui surmenaient son cœur : elle fut plusieurs fois au bord d'une crise. Quand nous la voyions, elle était gaie. A Noël, le Jour de l'An, elle buvait du champagne avec nous et elle riait de bon cœur. Mais quand elle a lu *L'Âge de discrétion*, faisant allusion à l'heureuse vieillesse de la mère du héros, elle m'a dit : « Moi je ne suis pas du tout comme elle : je trouve que la vieillesse, ce n'est pas gai. » Elle pensait beaucoup à la mort. Elle avait distribué autour d'elle certains de ses bijoux et de ses bibelots : « J'aime mieux vous les donner de mon vivant », disait-elle. Elle ne la désirait pas parce que son fils lui était une suffisante raison d'être mais je ne crois pas qu'elle la craignît

En 68, ses vertiges se firent de plus en plus fréquents : il lui arrivait de tomber dans sa chambre. Elle était suivie de très près par un radiologue connu, le docteur M., et par un médecin de quartier. Ils combattaient son hypertension et essayaient, sans grand succès, de soulager ses douleurs.

Nous avons bu du champagne avec elle, le 25 décembre. Le jeudi 2 janvier, quand j'ai été la voir elle m'a dit avoir été malade la veille et l'avant-veille; elle avait vomi. Le vendredi soir, je travaillais chez Sartre quand on a sonné; c'était le directeur de l'hôtel : Mme Mancy allait très mal. Sartre s'est précipité. Il a aussitôt appelé une ambulance : Mme Mancy avait eu un infarctus et elle souffrait beaucoup. Le cardiologue lui avait conseillé, en cas d'accident, d'aller à l'hôpital Fernand-Widal, où il s'occuperait spécialement d'elle. Il était absent de Paris mais on ne l'en a pas moins très bien soignée et ses douleurs se sont calmées. Quand Sartre l'a revue le lendemain, elle était heureuse de ne plus souffrir, très lucide, un peu surexcitée, sans doute sous l'effet d'un remède.

En entrant dans sa chambre le dimanche, j'ai eu un choc : elle n'avait plus son râtelier, ses cheveux étaient dépeignés, elle accusait dix ans de plus que d'habitude. Certains mots lui manquaient; elle les remplaçait par d'autres : « Si je devais rester deux mètres ici, je tomberais vraiment malade. » Elle s'agaçait : « Je deviens gâteuse. » Mais en fait elle avait toute sa tête et toute sa mémoire. Elle a fait allusion à une anecdote vieille d'un an. Elle allait guérir, semblait-il.

Les jours suivants elle parla de nouveau sans difficulté mais elle fit un petit délire. La malade qui partageait sa chambre disparut le mardi matin vers sept heures pour revenir au milieu de l'après-midi. Le mercredi, Mme Mancy raconta à Sartre que cette femme « vendait des cadavres ». Elle s'était rendue la veille en Corse pour acheter le cadavre d'un Américain qu'elle avait ramené dans l'après-midi. « Peut-être qu'ils guettent mon cadavre », a-t-elle dit; elle a demandé s'il fallait avertir la police. Quand je l'ai vue le lendemain, elle m'a paru très fatiguée. Elle se plaignait d'une douleur dans le bras : la nuit, sa voisine avait ouvert une fenêtre et elle avait pris froid. Cette explication ne nous a pas satisfaits. « Ici, ce n'est pas un endroit pour vieilles personnes », a-t-elle dit. Dès six heures du matin, une bande de médecins commençait à s'occuper d'elle; toute la journée on lui administrait des piqûres, des médicaments : c'était épuisant... « Si on me laisse ici deux mois, je ne m'en sortirai pas. » Elle a dit aussi, sur un drôle de ton : « Je n'aurais pas cru que ça serait comme ça. » *Ça* : la fin, la mort? ou simplement était-elle déçue de n'avoir pas une chambre pour elle toute seule comme le docteur M. le lui avait promis? L'expérience tout en l'étonnant l'intéressait; elle n'avait jamais été en clinique ni à l'hôpital. A la fin de notre visite, elle a un peu divagué. On parlait beaucoup à cette époque d'envoyer des hommes dans la lune et elle a dit : « Si vous y allez, ne me prévenez pas, je serais trop inquiète. » C'était un peu une plaisanterie, et aussi une manière de nous demander si nous allions partir en voyage, mais son ton était sérieux. Elle nous a fait comprendre qu'elle voulait dormir. Ce jour-là j'ai eu l'impression qu'elle était perdue.

Le vendredi matin, on a téléphoné à Sartre que sa mère était à Lariboisière : elle avait eu une crise d'urémie et on y était mieux outillé pour la soigner. En arrivant, elle avait été frappée d'hémiplégie : c'est une conséquence fréquente de l'infarctus. La douleur au bras dont elle s'était plainte la veille manifestait sans doute un trouble circulatoire. Sartre l'a trouvée couchée dans un des boxes d'une grande salle de réanimation, inconsciente, bardée d'appareils destinés à faire battre le cœur, le bras pris dans un goutte-à-goutte.

On a ramené Mme Mancy à l'hôpital Fernand-Widal, dans une chambre où elle était seule. Divers appareils maintenaient en elle une vie artificielle. Elle était dans le coma. Son côté droit était paralysé et sa lèvre inférieure un peu de travers; cela ne la défigurait pas, mais son visage était celui d'une moribonde : les yeux clos, les narines pincées. Elle est restée deux semaines dans cet état. Deux fois je l'ai vue entrouvrir les yeux, mais je n'ai pas eu l'impression qu'elle nous vît. Deux fois, en mon absence, elle a sorti des draps sa main valide, elle a pris le poignet de Sartre et l'a serré; elle a essayé de sourire mais sa bouche ne lui obéissait plus; elle lui a fait signe de s'en aller. Sans doute l'a-t-elle reconnu : mais de quelle distance? du sein de quelle nuit?

Quand en arrivant on leur demandait de ses nouvelles, les infirmières disaient toujours : « Ça ne va pas plus mal qu'hier. » Mais sur la fiche il y avait marqué : « État comateux. » Le jeudi 30 janvier, elles m'ont dit le matin au téléphone : « Ça ne va pas bien »; et à Sartre : « État stationnaire », ce qui en fait n'était pas contradictoire. Quand nous sommes arrivés devant l'hôpital, une femme aux yeux rougis — une lointaine cousine — s'est élancée vers Sartre : « Je viens de voir votre mère. Elle est décédée très bien. » Sartre a sursauté : « Décédée? — Oui, il y a une demi-heure; tout doucement. Courez vite si vous voulez la voir. Ils vont l'emmener à Lariboisière. » Elle avait bien fait de nous prévenir : nous n'avons rencontré personne dans les couloirs. Nous avons ouvert la porte de la chambre et nous avons vu Mme Mancy, toute blanche, la bouche légèrement entrouverte, mais non plus déformée; elle avait retrouvé son visage de vivante. L'infirmière a confirmé qu'elle avait « passé » sans s'en rendre compte. Sartre l'a revue le lendemain à Lariboisière. Il a été frappé par la farouche dureté de son visage. Il a eu l'impression que la vie avait écrasé et affadi, sans cependant la briser, une femme que sa constitution disposait à la passion, à la ténacité et même à la violence. Je l'ai vue pour la dernière fois le matin de l'enterrement : c'était ses traits, mais ils n'exprimaient plus rien.

« Je ne veux pas passer par l'église », avait-elle souvent dit. Elle était vaguement déiste mais n'appartenait à aucune religion et ne croyait pas à l'immortalité. Nous l'avons conduite directement de l'hôpital au cimetière où sa famille et ses amis s'étaient rassemblés. Le lendemain nous avons été vider sa chambre d'hôtel. Elle contenait peu de chose puisqu'en quittant son appartement elle s'était débarrassée de presque tout ce qu'elle possédait. Sartre a laissé aux femmes de chambre la télévision et la plupart des vêtements. Nous avons mis dans des valises les objets que nous voulions garder ou distribuer. Il a suffi d'une heure pour que les derniers vestiges d'une vie fussent à jamais effacés.

Le docteur M. avait dit à Sartre au lendemain de l'hémiplégie : « En tant que médecin, je dois faire survivre votre mère le plus longtemps possible. Mais si j'étais son fils, je souhaiterais sa mort. » Cela signifiait que si elle en réchappait, elle resterait gâteuse et paralysée. C'était un sort qu'elle avait toujours redouté plus que la mort. Pour quelques jours de survie, ma mère avait risqué d'affreuses souffrances. Sur quoi donc se fonde cette féroce déontologie qui exige la réanimation à tout prix? Sous prétexte de respecter la vie les médecins s'arrogent le droit d'infliger à des êtres humains n'importe quelle torture et toutes les déchéances : c'est ce qu'ils appellent faire leur devoir. Mais le contenu de ce mot *devoir*, pourquoi ne consentent-ils pas à le remettre en question? Une vieille correspondante m'écrivait récemment : « Les médecins tiennent à me conserver, bien que je sois malade et paralysée. Mais pourquoi, madame? pourquoi? Je ne demande pas qu'on tue tous les vieillards, mais ceux qui le désirent, qu'on les laisse donc mourir. On devrait avoir droit à la mort libre comme à l'amour libre. » En effet : pourquoi? pourquoi? J'ai posé la question à un grand nombre de médecins et aucune des réponses qu'ils m'ont faites ne m'a satisfaite.

Pendant les dernières années de sa vie, l'évolution de Mme Mancy nous avait rapprochées. Au contraire l'attitude de Mme Lemaire m'avait éloignée d'elle. Les divergences politiques qui jadis nous semblaient négligeables avaient pris de l'importance au cours de la guerre d'Algérie. Elles impliquaient des visions du monde si opposées qu'il était difficile de trouver un terrain commun. Après le morne dîner où, l'été 1962, Mme Lemaire s'était montrée peu amicale, je restai longtemps sans la voir. Prise de remords, je lui téléphonai et je montai un soir dans son appartement de la rue Vavin; il appartenait à une époque révolue de mon existence et me parut assez sinistre : un passé mort et embaumé où le présent n'avait pas sa place. Mme Lemaire fut très cordiale; j'essayai de lui parler de Sartre, de moi; je lui posai des questions sur elle. Mais la conversation traîna. Elle ne s'intéressait guère à mes activités; elle me parla peu des siennes. Nous nous sommes promis de nous revoir mais nous savions bien que ces instants étaient sans avenir. Deux ans plus tard, Jacqueline m'annonça par téléphone que sa mère venait de mourir : un an plus tôt elle s'était cassé la jambe, et depuis elle vivotait; malgré son chagrin, Jacqueline semblait penser qu'elle s'était éteinte sans regret. La nouvelle ne m'émut donc guère.

Je ne m'émus pas non plus lorsque au printemps 71 j'appris que Pagniez était mort. Il n'avait survécu que quelques mois à sa mise à la retraite. Non seulement nous ne le voyions plus depuis que, pour des raisons en apparence puériles, il s'était brouillé avec Sartre, mais il avait suivi des chemins tout à fait opposés au nôtre. Il avait hautement désapprouvé le Manifeste des 121 et nous savions que lorsqu'il parlait de nous, c'était avec plus de blâme que de sympathie. De notre côté, son mode de vie nous l'avait rendu tout à fait étranger.

A vrai dire de toutes les morts qui se produisirent dans mon entourage pendant ces dernières années, une seule m'a profondément remuée : celle d'Évelyne. Mais je n'ai pas envie d'en parler.

Pourquoi ai-je accueilli ces morts avec tant de tranquillité? J'en vois une première raison. Biologiquement, on peut parler d'une programmation des êtres vivants qui dépend des espèces et en chacune d'elles de facteurs héréditaires et individuels. Sartre montre dans le *Flaubert* que cette notion peut s'appliquer à l'ensemble d'une existence humaine : certains meurent accidentellement avant l'accomplissement du programme, certains lui survivent sans avoir plus rien à faire sur terre. Dans les cas que je viens de rapporter, ceux que la mort a frappés m'apparaissaient comme des survivants : Camille, Lise à cause de leur déchéance, Mme Mancy, Mme Lemaire à cause de leur âge avancé, Giacometti parce que la maladie l'avait beaucoup changé. Cependant cette explication ne me suffit pas : quand il s'est éteint en 1949, Dullin était un homme fini; je n'avais avec lui que des liens superficiels et j'ai été bouleversée. « Tout un pan de mon passé s'effondrait et j'eus l'impression que ma propre mort commençait », ai-je noté. Ma mort a commencé depuis longtemps et je me suis habituée à voir mon passé me quitter. C'est sans doute parce que je me résigne à ma propre disparition que j'accepte aussi celle des autres. Bien entendu, la mort de quelques personnes qui me sont très chères briserait cette indifférence : elles laisseraient dans mon existence un vide qui même en imagination m'est difficilement tolérable.

*
* *

Avant de rendre compte des activités qui ont occupé ces dernières années je veux parler d'un domaine que je n'ai jamais abordé : mes rêves. C'est une des diversions qui m'est le plus agréable. J'en aime l'imprévu et surtout la gratuité. Ils se situent dans mon histoire, ils fleurissent sur mon passé, mais ils n'ont pas de prolongement dans l'avenir : je les oublie. Tels qu'ils s'offrent à moi, ils ne sont pas marqués par l'expérience, c'est-à-dire par le vieillissement : ils surgissent, ils s'effondrent, sans s'accumuler, dans une perpétuelle jeunesse. C'est pourquoi souvent le matin je m'efforce de les reconstruire avec ces lambeaux qui flottent derrière mes paupières, scintillants, mais évanescents. J'essaie de me rendormir, je me retourne d'un côté sur l'autre; mon sommeil et les visions qui le peuplent varient selon que je sens sous ma joue la fraîcheur de l'oreiller ou sa douceur tiède. Mais parfois mon réveil est brutal. D'un seul coup je suis arrachée à cet univers de fantasmes et d'enfance où les désirs sont assouvis, les craintes avouées, toute répression ignorée; je suis précipitée dans un monde peuplé d'exigences pratiques, où le passé m'impose impérieusement des activités : il arrive que ce passage provoque chez moi un traumatisme qui me fait battre le cœur.

J'ai noté de 69 à 71 quelques-uns de mes rêves; je n'en raconterai pas beaucoup et je n'essaierai pas d'en donner une interprétation freudienne : c'est seulement s'il est pris dans l'ensemble d'un traitement que le rêve peut livrer à l'analyste ses significations profondes. Je me bornerai à décrire les miens et à dégager quelques-uns des thèmes que j'y retrouve le plus fréquemment.

Très souvent je me rends à pied d'un point à un autre. Le paysage est beau mais il y a des obstacles à surmonter et je me demande si j'atteindrai mon but. Je me sens euphorique, à cause du charme de la promenade, et légèrement anxieuse. C'était ainsi dans un rêve que j'ai fait et consigné en novembre 69. J'étais avec Sartre en Israël, mais nous marchions dans une campagne verte et accidentée qui évoquait plutôt la Suisse. Nous avions laissé nos affaires dans l'hôtel d'un village où nous retournions : on l'apercevait en haut d'une colline très peu élevée et que desservait pourtant un téléférique. Nous allions, par des routes et des sentiers, et soudain une maison nous barrait le chemin. Cela m'arrive très souvent : j'entre dans la maison, je cherche en vain une sortie, je n'ai pas le droit d'être là, je m'affole et parfois il y a quelqu'un qui me poursuit. Cette nuit-là, j'ai trouvé une porte qui donnait sur une cour d'où nous avons repris notre route. Le rêve s'est arrêté là.

Je suis souvent influencée par les événements politiques. Ainsi la nuit du 7 novembre 69. J'étais chez moi, dans un appartement (qui ne ressemblait à aucun de ceux que je connais) que je partageais avec Sartre. Je recevais un télégramme bleu, avec un texte écrit à la main à l'encre noire : « Ai renseignements exacts et affreux sur danse. » Je ne comprenais pas. Je relisais la phrase : au lieu de *danse* il y avait *Grèce*. Beaucoup de gens se trouvaient là. Il me fallait faire ma valise et me débarrasser d'un paquet de linge. Pendant que je m'activais, l'appartement se remplissait : un Allemand qui était visiblement un ancien nazi, des Grecs, entre autres une jeune fille pas belle mais très sympathique qui se mettait à causer avec Sartre. Elle partait et il se penchait à la fenêtre pour lui dire au revoir. Je me penchais aussi. Sur la place, une foule de gens et des cars de police; une bagarre éclatait; les gens s'enfuyaient et les policiers les poursuivaient, matraques en main. L'appartement était de nouveau envahi, je revoyais la jeune fille. Je disais aux Grecs de s'installer et je m'enfermais dans ma chambre pour travailler. J'y restais longtemps. Puis je passais en robe de chambre dans la salle de bains où la jeune fille avait suspendu un bikini et un soutien-gorge fleuris. Dans le studio je retrouvais Sartre et je m'inquiétais : son mal de dents avait empiré [1] et l'empêchait de parler. Le nazi sortait d'une pièce voisine : il voulait causer avec Sartre qui s'y refusait. Tout le monde s'en allait. C'est une demi-heure après mon réveil que j'ai soudain revu avec netteté le télégramme bleu.

Assez souvent, moi qui suis si peu mondaine je fais des rêves mondains : une aimable société m'entoure, des gens me témoignent de la sympathie. Le 9 novembre je me suis trouvée dans un groupe d'homosexuels, avec Jean Marais et Cocteau et nous avions les rapports les plus affectueux. Le 11 novembre, quand le rêve a commencé j'étais aussi en agréable compagnie et je me sentais très heureuse. J'allais partir en auto avec Sartre. Je bouclais une valise, je l'installais dans la voiture, ce qui n'allait pas sans peine : une jupe bleue brodée — achetée autrefois en Grèce — se répandait à demi sur la banquette. Je finissais par fermer la valise. Et puis je me suis retrouvée avec Sartre, à pied, sans bagage; nous étions en bas d'un monticule escarpé, de couleur roussâtre, sur lequel flottait un drapeau blanc. Il semblait impossible de l'escalader mais je découvrais un escalier taillé dans le roc et nous montions facilement. D'en haut, on avait une très belle vue sur un désert. Mais de l'autre côté d'un très court tunnel [2], on découvrait un paysage très différent qui ressemblait à un coin de Suisse ou d'Allemagne. De petits hôtels flanqués de terrasses s'étageaient en dessous de nous. Nous descendions nous asseoir à une des tables. On refusait de nous apporter à manger, mais on nous servait à boire.

Le 17 novembre, j'étais avec une bande d'amis. Nous avions acheté, en vue d'un pique-nique, des nourritures très coûteuses. Nous traversions de beaux jardins verdoyants où jouaient des enfants et nous pensions à nous installer sur une pelouse : il est interdit de s'arrêter plus de cinq minutes, nous disait-on, et je me demandais vaguement : « Sommes-nous en U.R.S.S. [3]? » Nous pensions alors à aller au restaurant, mais nous avions

---

1. Il avait eu mal aux dents la veille.
2. Il y a en Crimée, au-dessus de la mer, une sorte de porte naturelle : on voit d'un côté une côte blanche, sèche, abrupte, de l'autre un vaste panorama ondoyant et plus tendre.
3. En U.R.S.S. nous nous sommes souvent heurtés à des interdits de cette espèce.

fait déjà trop de dépenses. Ensuite une transition m'échappe. J'allai seule en taxi chercher quelque chose, quelque part; c'était long et fatigant. Quand je me retrouvais devant ma porte, morte de sommeil, je m'apercevais que j'avais oublié et peut-être perdu ma clé. Il fallait repartir, ce qui me désespérait. Mais une charmante jeune femme qui, sans être Sylvie, portait son manteau de fourrure, me proposait de m'accompagner. Nous trouvions un taxi au milieu d'un terrain vague et je me sentais réconfortée.

Les nuits suivantes, j'ai encore fait beaucoup de rêves où je me sentais entourée de présences affectueuses. Souvent Sartre était là et nous nous promenions. Une fois un gros méchant homme a attaqué nos amis et je lui ai enfoncé un couteau dans la gorge; je me suis évanouie en pensant : « J'ai tué! ce n'est pas possible! » Revenue à moi, je me suis demandé anxieusement si on allait me féliciter ou me faire un procès : j'ai été assez déçue parce qu'il ne s'est rien passé du tout.

Je m'étonne de l'importance que prennent dans mes rêves les questions vestimentaires qui dans la vie ne m'inquiètent guère. Parmi beaucoup d'autres, j'en signalerai un qui est assez exceptionnel par son côté réflexif et critique. Je me préparais à aller faire mes cours à Rouen, et soudain j'avais un trou de mémoire : je ne me rappelais plus mes élèves, ni le lycée, ni le sujet que je devais traiter, et je ne savais plus du tout quels vêtements contenaient mes armoires. Je voyais dans la glace que je portais une blouse jaune et une jupe écossaise : je ne les reconnaissais pas. Je prenais peur. Je faisais téléphoner à Rouen que je ne pouvais pas venir et je demandais un médecin. Beaucoup de gens m'entouraient et je sentais toujours ce vide dans ma tête : impossible de retrouver de quoi se composait ma garde-robe. Je disais au médecin : « Je n'y comprends rien. *A moins que je ne dorme.* » Et je me reprenais : « Mais ce n'est pas possible; quand on rêve, tout change tout le temps, et vous êtes tous là depuis un grand moment. »

J'ai fait beaucoup de rêves agréables et confus d'excursions, avec Sartre ou en groupe; un des plus plaisants se déroulait à Londres et dans la campagne anglaise. En voici un, plus angoissant, qui date du 18 décembre. Je suis avec des amis; il y a ma sœur et un couple d'écrivains; je me sens très heureuse. Soudain, je dois partir, de toute urgence; c'est moins tragique qu'une déportation, mais très pénible. J'entasse des vêtements dans une grande mallette bleue; elle est trop petite parce que « là-bas » il fait très froid et je dois emporter beaucoup de choses. Mon amie écrivain [1] me donne une immense valise qui appartient à son mari, transparente, de couleur ambrée et je vide mon armoire : je prends des robes de laine — qu'effectivement je possède — et des chandails que j'ai cessé de porter depuis bien longtemps. Ma sœur me dit : « Mais tu ne pars pas tout de suite. » Je lui réponds : « Si, il le faut », en fondant en larmes.

Le 10 décembre, j'ai rêvé que je prenais le petit déjeuner avec deux personnes dont l'une était ma sœur bien qu'elle ne lui ressemblât pas et fût une très jeune fille. Son nez, son bras droit étaient des branches d'arbre brûlées. Elle n'avait pas l'air de s'en soucier mais je me disais : « Elle ne pourra jamais se marier. Ces brûlures sont trop laides [2]. »

Un rêve que je fais souvent (et pas seulement depuis que j'ai eu un accident de voiture, déjà auparavant) c'est que je conduis une auto et je m'aperçois soudain que je ne sais pas où est le frein, je n'arrive pas à le trouver, je me demande anxieusement comment je vais m'arrêter : en général je finis par m'écraser doucement contre un mur; je m'en sors indemne, mais après avoir eu peur. Fin décembre, je suis montée dans une auto qui avait non pas un volant, mais un guidon; celui-ci se trouvait à droite, moi j'étais assise sur le siège de gauche quand la voiture a démarré; j'essayais de la diriger de ma place mais c'était très incommode et bien entendu je ne trouvais pas le frein. A la fin quelqu'un est monté par la portière de droite et a repris les choses en main. Une autre nuit, l'auto était un simple fauteuil; je le dirigeais en appuyant sur un bras ou sur un autre; il glissait très vite, il faisait de nombreux virages — un genre de slalom — et je ne réussissais pas non plus à l'arrêter.

En 1970, j'ai renoncé à transcrire tant ils étaient nombreux tous les rêves où je voyageais avec des bandes d'amis; j'avais du mal à faire mes bagages et peur de manquer le train mais

---

1. Non identifiée. J'ai pensé vaguement à Elsa Triolet qui n'a jamais été une amie.
2. En revoyant ce rêve, je pense à l'impression que m'avait donnée un jour ma mère moribonde : un morceau de sarment desséché.

je finissais par l'attraper, je me retrouvais parmi les miens et je me sentais très heureuse. En mai j'ai noté deux cauchemars. J'avais appris trois jours plus tôt l'arrestation de notre ami égyptien Loufti el-Kholi. Je me suis trouvée au Caire avec Sartre, nous nous promenions avec Loufti et sa femme, dans une atmosphère angoissante. Il y avait un grouillement de gens qui donnaient une impression d'étouffement et on voyait dans des échoppes poussiéreuses des bêtes empaillées qui tombaient en décomposition, entre autres un hippopotame. J'en ressentais un insupportable malaise; l'air était lourd de menaces.

Une autre nuit, j'ai aperçu ma mère — une jeune et belle silhouette, sans visage — qui se tenait au bord d'une étendue d'eau lumineuse qu'il me fallait traverser pour la rejoindre. J'ai pensé au petit lac qui s'étendait devant le jardin d'Algren : mais il n'y avait pas de barque pour le franchir. C'était aussi un fjord et on ne pouvait le contourner que très difficilement : on était obligé de s'aventurer dans l'eau où on risquait de se noyer. Cependant, je devais avertir ma mère qu'un grand danger la menaçait.

En juin, j'ai eu une étonnante vision de la rue de Rennes dont la chaussée et les trottoirs étaient recouverts, de la gare Montparnasse à Saint-Germain-des-Prés, d'un somptueux tapis rouge. Au-dessus le ciel était tragiquement noir. Je me suis dit : « Que c'est beau! il faut écrire ça dans mon journal », et aussitôt j'ai pensé : « C'est inutile, il n'y aura pas de suite. » C'était l'occupation, j'en prenais conscience soudain. Sartre était en liberté, mais plus ou moins condamné à mort.

En septembre j'ai aussi fait un rêve centré autour d'une vision. J'étais pour plusieurs mois loin de Paris, loin de Sartre, dans une ville inconnue, je ne savais que faire de moi-même et je consultais une carte avec l'idée de partir en voyage. Je suivais une large avenue et soudain une voix m'arrêtait : Attendez! Des deux côtés de la chaussée les façades s'illuminaient, ou plutôt des scènes y étaient projetées, en couleurs brillantes dont l'ensemble formait sans doute un film. « C'est inutile de partir, me disais-je vaguement. En voilà assez pour m'occuper. » Quelqu'un — dont j'apprenais plus tard qu'il était habilité à parler parce que c'était le chef de la Résistance — me proposait : « Restez. On vous donnera un faux travail à faire —

peindre en bleu des épingles de sûreté ou quelque chose de ce genre — et vous aurez tout votre temps pour regarder le spectacle. » C'était un spectacle permanent, qui aurait suffi à remplir une vie. Ensuite se déroulaient des intrigues policières confuses. Je finissais par me trouver dans une auto avec un inconnu; elle heurtait un terre-plein, je sentais un choc à la tête et je fermais les yeux. Quand je les rouvrais il n'y avait plus d'auto et j'étais seule au milieu d'un extraordinaire paysage : c'était la même avenue qu'au début du rêve, mais couverte de neige. Le monde entier était caparaçonné de neige; sur cette blancheur se détachaient de hautes formes grises — peut-être humaines. Il y avait des fumées grises au ciel et un engin qui s'abattait sur le sol. C'était un calme cataclysme auquel j'assistais sans émoi. (Au réveil, je me suis rappelé la séquence de *L'Aveu* où des policiers éparpillent les cendres de Slansky et des autres pendus dans une grande plaine neigeuse.)

Pendant l'automne 71, j'ai de nouveau noté d'assez nombreux rêves. Voici celui du 20 octobre. Je me trouvais avec Sartre dans une ville du Sahara, assez indistincte, et nous la quittions à pied, au soir tombant, pour aller coucher dans une oasis qui portait un nom inconnu mais qui dans ma pensée était Ouargla. Sur une large route, couleur de sable, nous dépassions un homme et une femme, vêtus de déguisements bariolés, qui marchaient l'un derrière l'autre. Je leur demandais si nous étions bien sur la route de Ouargla : non, ce chemin était une impasse. Nous regagnions la ville que nous avions quittée, pour y dormir. Et je m'avisais soudain que je ne savais pas où nous étions. Touggourt? non. Je demandais à Sartre le Guide bleu : il me répondait d'un air un peu narquois qu'il l'avait expédié à Paris. Je me rendais compte qu'il ne s'intéressait pas du tout à ce voyage et je me sentais désespérée. Il parlait avec des gens que je ne connaissais pas et il disparaissait. J'errais dans la ville, pleine de touristes : personne ne savait son nom. Je découvrais qu'elle s'appelait Mersépolis [1] mais où se situait-elle? Dans un casier je trouvais des cartes : c'étaient des cartes de France. Il y avait des flèches sur les murs et des noms mystérieux qui me semblaient turcs ou suédois. Je me

1. On parlait beaucoup de Persépolis à ce moment-là.

mettais à pleurer. J'entrevoyais sous un ciel très bleu et un grand soleil des monuments magnifiques, tout rouges, de style africain et je pleurais. Pourquoi Sartre n'était-il pas avec moi ? Soudain je me retrouvais avec lui en auto : d'aimables touristes nous promenaient. Mais je désirais les quitter et commencer le voyage projeté avec Sartre. Comme nous passions devant un hôtel, Sartre a dit qu'il avait faim et il est descendu de la voiture où nous sommes restés à l'attendre. Furieuse soudain, je suis descendue moi aussi, je suis entrée dans un immense hôtel et je l'ai cherché à travers d'innombrables salles à manger : c'était une espèce de palais en même temps qu'une pension de famille. Je l'ai enfin trouvé dans un coin, attablé devant une assiette. « Je vais manger aussi », ai-je décidé. Il y avait des hors-d'œuvres appétissants et un beau gâteau aux marrons. « J'ai assez mangé, j'ai fini », m'a dit Sartre avec humeur et nous sommes remontés vers la voiture. Le rêve s'est arrêté là.

6 novembre. Je suis dans un endroit agréable — qui deviendra Rome — avec beaucoup d'amis. Je dors et Sartre dort dans la chambre voisine. Une porte qui donne sur le couloir s'ouvre et une toute petite fille m'embrasse pour me réveiller : je me rappelle que ç'a été décidé la veille, avec les Pouillon. Je me lève, je viens d'enfiler ma robe de chambre quand arrive Lise, très jeune et très autoritaire. Elle chasse la petite fille et s'installe dans un fauteuil. Je lui dis de partir : je veux faire ma toilette, aller réveiller Sartre. Elle refuse, elle me semble un peu hystérique. Je ne sais comment cette scène s'achève. Je me retrouve habillée, dehors et me demandant où habite Sartre (il n'est plus question qu'il se trouve dans la même maison que moi). Je sais que je le sais et que ce n'est pas loin mais je ne parviens pas à me le rappeler. Je me décide à descendre un escalier qui part de mon hôtel et en bas je retrouve les deux fenêtres et la porte de sa petite maison. Je voudrais prendre mon petit déjeuner avec lui mais il est plus de onze heures, il a déjà mangé. Quelque part Lise me guette. Soudain je me retrouve au milieu d'amis sur un plateau d'où je domine un très beau paysage : je suis à Rome mais j'ai oublié l'adresse de mon hôtel, je sais seulement qu'il s'appelle l'hôtel de Madrid. J'entre dans un palace qui est en même temps une agence de voyages dans l'espoir que quelqu'un me renseignera, mais per-

sonne ne répond à mes questions. Dehors il y a des taxis, d'un modèle très ancien; aucun n'est libre : ils servent de cars aux touristes. Et les chauffeurs ne me répondent pas non plus. Je décide de partir à pied : il y a une vallée à traverser, de l'autre côté je pense que je trouverai Rome et mon hôtel. Il fait très beau, l'air est léger, rien ne me presse; je me dis qu'il sera agréable de passer la matinée à me promener. Je demande à Lise — qui ne se ressemble plus du tout — si elle veut m'accompagner et elle dit sèchement : « C'est trop tard. » Je fais quelques pas vers la droite, je pousse une porte, je me trouve dans une grande salle d'hôpital pleine de malades et de bébés : je remarque dans les bras d'une infirmière un nourrisson qui a une grosse tête d'adulte et un corps minuscule. Je sors; un sentier descend vers la vallée : je le dévale en courant, il fait merveilleusement beau, je bondis, je rebondis, le cœur en fête. Je traverse une zone où se dressent de très belles ruines de monuments baroques, j'ai plaisir à les voir, mais je ne m'attarde pas. Je connais à présent l'adresse de mon hôtel : tout à côté de l'hôtel Minerva. Le rêve s'arrête avant que j'y sois arrivée.

J'ai encore rêvé le lendemain. Je me trouvais dans une salle de conférences, une espèce d'amphithéâtre, en compagnie d'une assez nombreuse assistance. J'y rencontrais avec émotion une femme — non identifiée — que j'avais perdue de vue depuis longtemps; j'avais une rougeur au coin de l'œil et elle s'en inquiétait affectueusement. Un homme entrait et s'asseyait en haut des gradins. Il portait un chapeau et des lunettes, son visage était indistinct. On me disait : c'est Soljénitsyne. A côté de lui était assis un homme assez jeune en dépit d'une barbe grise et blanche : un traducteur. Le public disait à Soljénitsyne que nous connaissions bien son œuvre et que nous l'aimions. Il demandait — par le truchement du traducteur : « Par la faute de qui mon père est-il mort? » Et chacun de nous levait la main : « Par ma faute. Nous sommes tous responsables. » Il demandait ensuite : « Dans quelle région de l'U.R.S.S. suis-je né? » et je répondais un peu au hasard : « Dans le Nord », ce qui était exact. A ce moment-là je partais : ma mère m'attendait pour dîner dans notre ancien appartement, au cinquième étage, rue de Rennes (il revient assez souvent dans mes rêves). Je me trouvais dans un village qui s'appelait Villemomble (sans

121

que j'établisse de rapport entre ce nom et la banlieue où Sylvie est professeur). C'était à environ cent kilomètres de Paris, j'ignorais comment j'étais arrivée là et comment faire pour en revenir. J'apercevais des cars, des autobus : mais dans un parking, hors de service. J'entrais dans une gare : tous les guichets étaient fermés, pas de train. Je m'engageais sur la route dans l'espoir d'arrêter un taxi; et je tombai sur un petit car où je montais; il me ramenait à mon point de départ. J'errais au hasard. J'entrais dans le cimetière. Là j'ai eu une étonnante vision : elle ressemblait à ces rêves que construit le cinéma et qui me paraissent si faux. Il y avait sur le sol un grand nombre de cercueils recouverts d'étoffes noires; des hommes en habits noirs et chapeaux hauts de forme faisaient la haie de chaque côté, tandis qu'en arrière-plan d'autres défilaient : sous le haut-de-forme, certains avaient des têtes de mort. C'était un spectacle très beau et très saisissant. Presque tout de suite je le rationalisais : les têtes de mort n'appartenaient pas à des hommes, c'étaient des sculptures en pierre. Une religieuse qui se tenait près d'une tombe me demandait si je voulais l'accompagner à Rennes : je pourrais prendre le lendemain matin un train pour Paris. Je refusais : je devais être à Paris ce soir. Je ne doutais pas d'y arriver, je n'étais pas anxieuse. Elle m'approuvait : ce village était si beau que ça valait la peine de m'y attarder un moment. Je quittais le cimetière pour aller me promener. J'apercevais au sommet d'un monticule herbeux une haute tour, semblable au donjon de Gisors et je me dirigeais vers elle...

Deux jours plus tard j'ai encore fait un rêve de voyage. J'accompagnais à la gare un couple d'amis (inconnus). La gare était vide, il n'y avait pas de train. Nous attendions sur le quai, sans beaucoup d'espoir. Soudain le train était là, la femme s'y précipitait, l'homme partait en courant et revenait avec des valises, juste à temps pour s'installer avec elle dans un curieux compartiment à deux places. Et voilà que sans y être montée, je me trouvai dans le couloir du train qui avait démarré. J'ai pensé avec un peu de déplaisir : « Tant pis : je descendrai à la prochaine. » Le train était parti de Rouen et il allait à Paris, mais il s'arrêterait en route. Je regardai à travers la vitre un très beau paysage, sec et doré comme le Sahara et je m'en enchantais. A la première halte, je descendais, sans faire signe à mes amis que j'avais complètement oubliés en cours de route. Il était huit heures du soir, la gare était déserte, la ville avait un nom russe. Allais-je être obligée d'y passer la nuit? Je demandais à une femme les heures des trains : elle ne pouvait pas me renseigner. La place de la gare était sombre. Existait-il un hôtel, et comment passerais-je ma soirée? Je n'avais même pas de livre et il était trop tard pour en acheter un. J'avais de l'argent : dix mille anciens francs, sous la forme d'un papier rose, analogue à celui qui m'avait convoquée récemment chez le juge d'instruction. Je me demandais pourquoi, tant qu'à faire, je n'avais pas été jusqu'à Paris, mais l'idée d'être bloquée là me laissait indifférente; je n'avais rien d'urgent à faire à l'endroit d'où je venais.

Deux nuits plus tard, j'entrais avec Sartre et des amis dans une grande brasserie. Un banquet se tenait à une table voisine : d'anciens nazis qui se sont mis à nous insulter. Et puis ils se sont tus et nous avons déjeuné. Soudain, nous nous retrouvions dehors, au milieu d'une foule de fascistes hostiles. Nous attendions un avion que Sylvie devait de toute urgence nous amener sur l'esplanade : il n'arrivait pas. Maheu était là, j'étais en train de parler avec lui quand je m'avisai que Sartre avait disparu : il était noyé dans la masse des fascistes, l'un d'eux le tenait par le col de son pardessus, qu'il resserrait autour de son cou de manière à l'étrangler. Je me précipitais en hurlant et l'homme le lâchait. « Ils ne sont même pas capables de tuer », disait Sartre. Je le prenais par le bras, je me mettais à courir de telle façon qu'il ne touchait pas terre. Nous passions devant des flics qui avaient l'air goguenards mais pas malveillants : ils n'auraient pas aimé que Sartre fût assassiné. J'arrivais dans une rue bordée de cafés très sombres : je pensais à La Coupole, au Guillaume Tell, mais ils étaient très différents. J'entrais dans l'un d'eux, presque vide, éclairé par des bougies et je laissais Sartre dans un box. Je partais en courant pour rejoindre Sylvie et Maheu. Ils avaient disparu. Je me disais : « Maheu est si connu que je le retrouverai facilement. » J'interrogeais quelques personnes qui me faisaient des réponses vagues. Je retournais voir Sartre. Mais le paysage avait changé, je ne m'y repérais plus; c'était de grandes avenues, des monuments, des immeubles neufs : sans doute Le Havre. A la fin quelqu'un m'indiquait la direction du Guillaume Tell. Je me suis réveillée avant d'y être arrivée.

Quelques nuits plus tard je me préparais à partir avec Sylvie sur une motocyclette que quelqu'un me prêtait. Elle était dans un garage, près d'une station d'essence où je ferais le plein avant de prendre la route. (C'était moi qui devais la conduire et j'étais un peu inquiète à l'idée de rouler toute la nuit : Sylvie trouvait ça tout naturel et amusant.) Mais d'abord il fallait faire nos bagages; ils devaient être légers, car nous habitions sur une hauteur, nous aurions à les descendre à pied par un sentier assez escarpé. Je rangeais des objets dans une caisse de carton et des vêtements dans une valise, entre autres un tailleur beige, avec une touche de rouge; une couture était décousue mais je me disais qu'à Paris ma mère me la raccommoderait. Pour me reposer j'allais m'installer dehors, sur un transatlantique; il y avait d'autres gens sur la place, étendus eux aussi dans des transatlantiques. Je mangeais un sandwich tout en lisant. Une femme en toilette d'été bleue se prélassait à côté de moi : « Il n'y a rien à voir dans ce pays [1], a-t-elle dit : excepté... » et là elle a cité des noms inconnus. J'ai pensé qu'elle était stupide : et Grenade, et Séville? me suis-je dit. Je me suis levée pour partir; elle m'a demandé avec humeur : « C'est moi qui vous gêne? — Non. Je dois m'en aller. » Je me suis retrouvée devant ma valise.

Quelques nuits plus tard, j'ai fait un rêve où se retrouvent beaucoup des thèmes qui me sont familiers et qui par moments a tourné au cauchemar. Ça commençait par une discussion avec Sartre, comme j'en ai assez souvent dans mon sommeil. Il avait des médicaments à prendre, mais il ne lui en restait plus et à la place il buvait je ne sais quoi de jaunâtre. Je lui rappelais qu'il devait retourner au plus tôt chez le médecin. Il me disait qu'il en avait par-dessus la tête, qu'il n'irait plus jamais. Je l'attaquais avec violence, je lui prédisais les pires maux : il ne bronchait pas. Alors je me mettais à sangloter (je faisais un effort pour arriver aux sanglots; toute la scène était légèrement déréalisée). Il ne bronchait toujours pas. Je lui reprochais de s'entêter dans une décision qui me désespérait; je n'aurais pas pu agir ainsi à son égard. Il restait impassible.

1. J'avais été frappée en Italie d'entendre des Français déclarer : « Oh! Palerme : il n'y a rien à y voir. — D'une manière générale, il n'y a rien à voir en Sicile. »

Soudain, je me retrouvais avec une personne qui était à la fois Sylvie et ma sœur dans le hall d'un palace : probablement en Espagne. Il y avait des amis avec nous, nous avions réservé trois chambres où on avait déjà monté nos bagages, mais nous ne savions pas où elles se trouvaient. Il y avait une longue queue devant le bureau de la réception mais une vieille femme de chambre au visage ridé et très aimable parlait, dans leur langue, à l'employé qui lui remettait les clés; elle nous ouvrait une chambre au rez-de-chaussée. Dans une première pièce, j'apercevais une valise que je ne reconnaissais pas; dans la seconde, un homme barbu dormait sur le lit et par mégarde je touchais son pied nu. C'était un peintre, envoyé ici par ses parents pour qu'il se refasse une vie. Mais alors, où était notre chambre? Il y avait un grand brouhaha dans le hall, personne ne s'occupait plus de nous. Ensuite j'étais avec ma sœur Sylvie sur le quai d'une gare; avec un grand nombre de gens nous attendions une correspondance : il s'agissait d'un métro ou plutôt d'un train de banlieue. Je m'irritais, il aurait mieux valu prendre l'autre ligne; en principe ce trajet-ci était plus court, mais ça ne marchait jamais bien. Nous attendions, dans un cagibi où étaient déposés nos bagages. On annonçait un train et c'était la ruée. Nous montions : nous avions oublié nos valises. Nous courions vers le cagibi : ma sœur retrouvait une sacoche, très précieuse, mais les valises avaient disparu. « Ça ne fait rien, disait-elle, les bagages suivent. » Le train démarrait et nous n'avons pas réussi à l'attraper. Nous avons erré sur le quai. Sous un tunnel, des femmes déblayaient de la neige. Des locomotives ont passé, des wagons de marchandises, des camionnettes et même un troupeau de vaches. J'ai demandé à un employé quand passerait le prochain train : à une heure du matin. Je me suis effondrée. Nous sommes sorties. Le soir tombait sur une ville de province, il faisait doux. Peut-être étions-nous tout près de Paris et pourrions-nous prendre un taxi? Mais non. Paris était loin. Quelqu'un a proposé de nous indiquer un bon restaurant où nous irions dîner. Le rêve s'est arrêté là. J'en avais ressenti un malaise qui frôlait l'angoisse.

A quelques jours de là, j'ai fait un rêve très différent des autres. J'étais chez des gens très riches sur une vaste terrasse plantée d'arbres qui dominait un fleuve : la Seine, puisqu'on apercevait Paris au loin. Je me promenais avec une jeune fille stupide : j'avais le même âge qu'elle. Je lui disais que ce parc me rappelait celui de La Grillère mais j'ajoutais, pour ne pas paraître prétentieuse, que celui-ci était beaucoup plus beau à cause de sa situation aux portes de la ville. Je lui demandais si elle se plaisait à Paris; elle répondait que l'important pour une « femme » c'était d'avoir une crèche à proximité. Elle m'agaçait parce qu'en parlant d'elle elle disait toujours une « femme ». Nous entrions dans sa maison qui était un véritable palais. Elle me montrait sa chambre, tendue de velours violet et tapissée d'une moquette grise : c'était très beau; mais les grands salons dorés me semblaient très ennuyeux. Je me rendais compte soudain que j'avais affaire à une femme mariée, qui avait un enfant. Des gens circulaient dans les salons. Soudain apparaissait Courchay barbu, chevelu et vêtu du long manteau blanc qu'il portait l'avant-veille, pendant la manifestation pour la liberté de l'avortement. J'étais contente de le voir. Sur une table, il y avait un plat rempli d'œufs crus, sortis de leur coquille. Quelqu'un prenait une fourchette et la plongeait dans les blancs. Je criais : « Ne faites pas ça! » C'était des embryons et si on y touchait ils deviendraient des enfants handicapés. Ce rêve était évidemment influencé par des conversations que j'avais eues à propos de notre manifestation.

Encore un rêve où je cours avec Sylvie après des trains. Nous devons retrouver Sartre à Londres pour faire un voyage et j'ai très peur de le manquer.

Un rêve que je fais très souvent, c'est celui d'une *chute*. Je m'aperçois soudain que je suis en haut d'un échafaudage — ou d'un mur, ou d'une échelle — et que je vais tomber. « Cette fois, c'en est fait, je vais me tuer », me dis-je avant d'être sauvée de justesse. J'ai peur, mais c'est une peur à laquelle je n'adhère pas vraiment. Une de ces dernières nuits, je me trouvais dans une ville étrangère, très belle, entourée de falaises; il y avait au milieu un grand rocher et des monuments. Il s'y déroulait une fête qui était en même temps une manifestation. Je m'y promenais avec des amis, je me perdais un peu et je me retrouvais avec Sartre et beaucoup d'autres sur une vaste plate-forme dressée au milieu d'une place. Il s'y tenait une espèce de meeting ou une cérémonie de caractère politique. Brusquement je découvrais que j'étais tout au bord, à trente mètres au-dessus du sol; j'étais étendue sur un drap, comme si j'avais été dans un lit, et je sentais que j'allais tomber; j'essayais de m'accrocher à un des piliers disposés de loin en loin et de reculer en rampant, mais le moindre mouvement était dangereux. A ce moment-là, une femme vêtue de blanc — en robe de mariée peut-être — tombait en tournoyant et s'écrasait au sol. Je me disais : « C'est ma mère », mais ce n'était pas exactement moi qui le disais : plutôt un personnage que j'incarnais. Je m'éloignais, je me remettais debout, je retrouvais Sartre et des camarades, j'annonçais : « Ma mère vient de se tuer », sans rien ressentir, comme si je jouais un rôle. Quelqu'un criait : « Il y en a marre de ces salauds d'Américains! » et je marchais vers le centre de la ville, comme si cet accident devait me servir à susciter une émeute. Ensuite je me suis retrouvée à la gare. Tous les manifestants devaient prendre le train pour rentrer chez eux. Mais je n'avais pas mes valises; une femme de chambre devait me les apporter de l'hôtel, mais je ne savais pas laquelle et je m'inquiétais. « Nous avons tout le temps, disait Sartre. Le train ne part qu'à trois heures et demie. » Mais quelle heure était-il? On m'appelait, on me remettait un billet où mon nom était inscrit : mais mes bagages? Les avait-on déjà embarqués sans me prévenir? Fallait-il monter dans le train sans eux? Je me suis réveillée à ce moment-là.

Tout récemment j'étais en Italie, avec une grande quantité de gens. Je dansais sur une place avec un jeune ouvrier italien, tout habillé de vert, avec un col roulé; c'était un poète de grand talent, une espèce de Rimbaud, disais-je; mais je me reprenais : il ne faut pas prendre tous les jeunes poètes pour des Rimbaud. Celui-ci était un peu psychotique, disait quelqu'un. « Un peu comme Deschanel. » Je répondais : « Mais il est beaucoup plus intéressant que Deschanel. » La compagnie se dispersait, mais pour se réunir de nouveau un peu plus tard. Je me trouvais dans une chambre, avec deux ou trois personnes, assez intimes et je décidais de changer de robe. Je décrochais une robe de lainage — que je possède effectivement — et je voulais la mettre mais je m'y prenais avec un tel souci de décence que je m'empêtrais dans mes vêtements. « Tant pis », disais-je et je me mettais en combinaison, ce qui n'avait rien d'incorrect. Mais je n'avais encore passé qu'une des deux manches quand, sur la place où je me trouvais maintenant, debout sur une estrade, arrivaient de nombreuses autos : c'était des mères de prisonniers qui venaient demander du secours à notre comité. J'étais très ennuyée de les recevoir à moitié déshabillée.

Il y a un rêve qui se répète souvent et qui est plus ou moins angoissant. Dans une ville étrangère ou un quartier mal connu, je cherche éperdument des w.c. Je ne trouve pas. Je monte, je descends des escaliers, je suis des corridors : je trouve, mais la porte est fermée à clé. Je cherche encore. Cette fois, je trouve, j'entre. Mais quand je vais pour m'installer, je m'aperçois que la pièce est pleine de monde ou bien que des gens vont et viennent. Parfois je suis déjà installée quand ils surgissent; j'en suis très gênée ou bien cela m'est indifférent.

Il y a quelques jours j'ai fait une grande promenade en hélicoptère avec Sartre et Sylvie. Ou plutôt, l'hélicoptère, c'était Sartre lui-même; il volait à peu de distance du sol et nous étions accrochées à ses basques. Nous passions au-dessus d'un lac magnifique et il nous déposait sur ses bords : « Allez voir l'île », nous disait-il. Nous suivions la rive jusqu'à une plate-forme d'où on embrassait du regard toute la nappe d'eau. Au milieu il y avait une île sur laquelle s'élevait un bâtiment, sans doute un fort. Nous revenions et j'aurais bien aimé prendre de nouveau l'air. Mais Sartre disait qu'il était fatigué; il commençait à gravir une montagne, nous le suivions. Nos pieds s'enfonçaient dans une glaise humide. Je sais qu'il y a eu une suite mais je l'ai oubliée.

Parmi les rêves antérieurs à 69 et que je n'ai pas notés je me rappelle en avoir fait souvent où je volais dans les airs ou nageais dans l'eau. Dans les rêves de natation j'avais un peu peur. Il me fallait absolument traverser une certaine étendue d'eau. Je pensais passer à gué et soudain je me trouvais n'avoir plus pied, je craignais de me noyer; et puis je me débrouillais, je réussissais à me maintenir sur l'eau jusqu'à la rive. Les rêves de vol étaient très agréables. Descendant un escalier, il m'est arrivé souvent, pour fuir quelqu'un ou simplement pour aller vite, de poser les doigts sur la rampe de l'escalier, et de tourbillonner du haut en bas, couchée dans les airs, sans toucher terre. Ou je volais dans des rues, au-dessus de la chaussée, ou dans la campagne avec une impression de grand bien-être. J'ai fait beaucoup de rêves analogues à ceux que j'ai racontés. J'ai erré dans des villes étrangères, pris des ascenseurs, dévalé des rues à pied, cherchant quelqu'un que je ne trouvais pas.

Je me suis perdue dans des souterrains, j'ai traversé des tunnels où je suffoquais, j'ai escaladé des escaliers qui n'en finissaient pas. J'ai couru après des trains, les rattrapant parfois, les manquant souvent. J'ai été transportée de joie devant de magnifiques paysages. J'ai eu aussi beaucoup de scènes avec Sartre, plus poussées que celles que j'ai rapportées. Je voulais obtenir quelque chose de lui : par exemple qu'il ne parte pas en voyage sans moi. Il refusait; je suppliais, j'allais jusqu'à m'évanouir et il passait outre avec indifférence.

Je remarque que je connais dans mon sommeil des moments d'euphorie, tels que je n'en rencontre pas à l'état de veille parce qu'ils supposent un total abandon; certaines drogues peut-être en procurent de semblables. Mes inquiétudes n'ont jamais l'intensité des angoisses réelles qu'il m'est arrivé d'éprouver. D'une manière ou d'une autre je les tiens à distance. Souvent il me semble jouer un psychodrame plutôt que de vivre vraiment.

Des thèmes ont disparu. Un de mes cauchemars autrefois, c'était que toutes mes dents s'effondraient dans ma bouche : je ne le fais plus jamais. Je ne rêve plus de ces êtres à la fois minéraux et vivants dont les silencieuses souffrances m'étaient insupportables, et j'ai dit déjà qu'il ne m'arrive plus de mourir dans mon sommeil. De tout temps Sartre a été pour moi la nuit tantôt le compagnon qu'il est dans ma vie et tantôt un homme au cœur de pierre que mes reproches ou mes prières, mes larmes, mes évanouissements laissent indifférent; l'évanouissement m'est évidemment suggéré par ma position étendue; et c'est, dans ce cas-là aussi, avec quelque distance que je souffre de l'attitude de Sartre; elle a quelque chose d'implacable et d'irréel, comme si je développais une hypothèse : à supposer qu'il ne tienne pas compte de moi, comment réagirais-je? Jusqu'où les choses pourraient-elles aller? Ma mère, j'ai dit dans *Une mort très douce* qu'elle apparaissait souvent dans mes rêves alors que mon père en était absent; jadis c'était parfois une présence chérie mais le plus souvent je redoutais de retomber en son pouvoir. Maintenant il m'arrive d'avoir rendez-vous avec elle dans notre ancien appartement de la rue de Rennes. J'en éprouve du malaise et d'ailleurs nous ne nous rejoignons pas : ou je n'arrive pas jusqu'à la maison, ou elle est absente. Quand elle m'apparaît, elle est en général lointaine et jeune. Quant à ma sœur, mes amies, elles n'ont guère dans mes aventures que des rôles épisodiques et interchangeables.

Le thème du bonheur est fréquent : réunions amicales où mon cœur est comblé, promenades dans de beaux paysages; fréquent celui de l'obstacle qui se met en travers de ma route et que je réussis à surmonter; fréquent aussi celui de l'échec : train manqué, gares vides, bagages perdus. Je ne sais trop ce que signifient ces rêves de vêtements, de valises, de trains. Certainement il y a dans ces histoires de voyage un pressentiment de ma mort mais je ne l'y associe pas directement. Dans l'ensemble c'est avec plaisir qu'en m'endormant je vais au-devant de mes aventures nocturnes, c'est avec regret que le matin je leur dis adieu.

CHAPITRE II

Écrire est demeuré la grande affaire de ma vie. Quels ont été pendant ces dernières années mes rapports avec la littérature? J'ai terminé *La Force des choses* au printemps 1963. Le livre parut peu après mon retour de vacances, en automne. Il a été chaleureusement accueilli et beaucoup lu. Cependant j'ai été déconcertée par certains des commentaires qu'il a suscités.

En l'écrivant, ont prétendu quelques critiques, j'ai renoncé à tout souci esthétique et choisi de présenter au public un document brut. C'est tout à fait faux. Il ne m'appartient pas de décider ce que vaut mon récit sur le plan littéraire; mais je n'ai pas délibérément négligé de l'y situer. J'ai refusé qu'à propos de mon autobiographie on utilisât la notion d' « œuvre d'art », j'ai expliqué pourquoi : c'est un mot de consommateur et je trouve choquant qu'on l'applique aux écrits d'aucun créateur. Cela ne signifie pas que j'ai décidé désormais de bâcler les miens.

Selon certains théoriciens, le témoignage ne saurait appartenir à la littérature parce qu'il enfermerait, dans des phrases réduites à un rôle instrumental, un contenu préfabriqué. Son auteur ne serait jamais, selon la distinction proposée par Barthes, qu'un *écrivant* et non un *écrivain*. Il est vrai, comme le disait déjà Valéry, qu'il n'y a œuvre littéraire que si le langage est en jeu, si le sens se cherche à travers lui, provoquant une invention de la parole même. Mais pourquoi l'intention de témoigner interdirait-elle des trouvailles verbales? Pour que la pensée se coule sans hésitation dans les signes, il faut qu'une discipline ait impérieusement établi un rapport univoque de ceux-ci aux idées; en chimie, eau = H_2O, ni plus ni moins. Le vocable est transparent, l'objet visé étant non une réalité mais un concept. Mais lorsque les mots renvoient aux choses mêmes, ils ont avec elles des rapports complexes et leurs combinaisons produisent des effets imprévus. Jakobson rappelle dans son article sur le réalisme artistique[1] que Gogol trouvait poétique l'inventaire des objets précieux ayant appartenu au prince de Moscou et le futuriste Kroutchennylk, un compte de blanchisseuse. Une œuvre qui se réfère au monde ne saurait être une simple transcription, puisqu'il n'est pas doué de parole. Les faits ne déterminent pas leur expression, ils ne dictent rien : celui qui les relate découvre ce qu'il a à en dire, par l'acte de le dire. S'il se contente de lieux communs, de conventions, alors il tombe hors de la littérature; mais non s'il fait entendre sa voix vivante.

Qu'il s'agisse d'un roman, d'une autobiographie, d'un essai, d'un ouvrage d'histoire, de n'importe quoi, l'écrivain cherche à établir une communication avec autrui à partir de la singularité de son expérience vécue; son œuvre doit manifester son existence et porter sa marque : et c'est par son style, son ton, le rythme de son récit qu'il la lui imprime. Aucun genre n'est *a priori* privilégié, aucun condamné. L'œuvre — si elle est réussie — se définit en tout cas comme un universel singulier existant sur le mode de l'imaginaire. Par cette œuvre, l'auteur lui-même se donne une constitution fictive : Sartre fait allusion à cette opération quand il déclare que tout écrivain est habité par un « vampire[2] ». Le *je* qui parle se tient à distance du *je* vécu comme chaque phrase de l'expérience dont elle émane. Si le public ne les avait pas confondus, *La Force des choses* n'aurait pas si facilement prêté à un malentendu beaucoup plus regrettable à mes yeux que l'erreur sur laquelle je viens de m'expliquer.

J'avais souhaité que ce livre déplût. On m'avait trop souvent félicité de mon optimisme à des moments où j'avais la rage au cœur. J'ai exhalé cette rage, j'ai rappelé les horreurs de la guerre d'Algérie : j'espérais gêner mes lecteurs. Mais non. En octobre 63, les tortures, les massacres, c'était déjà de l'his-

1. Paru en 1921. Traduit dans le numéro de *Tel quel* de l'hiver 66.
2. « Des rats et des hommes. »

toire ancienne qui ne dérangeait plus personne. J'ai déplu, mais pour une tout autre raison : j'avais parlé sans la farder de la vieillesse. Je ne savais pas alors combien ce sujet était tabou et ma sincérité indécente. J'ai subi avec surprise les reproches que des critiques et certains de mes correspondants m'ont assenés. Tous les lieux communs que j'ai dénoncés par la suite dans mon essai sur *La Vieillesse*, on m'en a accablée : toutes les saisons ont leur beauté; cinquante ans, c'est la splendeur de l'automne, ses fruits moelleux et l'or de ses feuillages! Une courriériste du cœur a déclaré qu'un bon *lifting* résoudrait tous mes problèmes. Une journaliste m'a donné en exemple une femme de mon âge, toujours prête à inaugurer le bistrot, la boîte de nuit, la maison de couture dernier cri; le secret de cette « locomotive parisienne » c'est qu'elle « avait très discrètement la foi ». Je ne mentionnerais pas ces sottises si elles n'avaient trouvé des échos même chez des lecteurs qui approuvent d'ordinaire mon désir de lucidité; pour ne pas les trahir, j'aurais dû, selon eux, prétendre que je me sentais jeune et qu'il en serait ainsi jusqu'à mon dernier soupir.

Je m'explique leur réaction. Beaucoup d'entre eux à la fois me statufient et s'identifient à moi. Ils veulent penser que je suis immuablement vouée à la sérénité, prouvant par mon exemple qu'il n'est pas impossible de la conserver en face de toutes les adversités et en particulier en face de la vieillesse qui n'est pas un accident mais notre destin commun. Si elle m'effraie, c'est donc qu'elle est effrayante et ils répugnent à l'admettre. Le fait est cependant qu'à moins de mourir prématurément, il arrive dans toute existence un moment où on prend conscience d'avoir irréversiblement franchi une certaine frontière. Cela peut se produire très tôt, en cas de maladie grave, d'accident, de deuil; ou très tard si dans des conditions favorables on poursuit avec continuité ses entreprises. Moi, l'évidence de mon vieillissement m'a frappée entre 1958 et 1962. Écœurée par les crimes qui se commettaient au nom de la France, je me suis retournée avec nostalgie vers mon passé et j'ai réalisé que sur beaucoup de plans il me fallait lui dire un définitif adieu. Si on a vraiment aimé la vie, si on l'aime encore, aucun renoncement ne va de soi. Je ne me repens pas de l'avoir dit. Là où je me suis trompée, c'est en esquissant le tableau de mon avenir; j'y ai projeté le dégoût amassé pendant mes dernières années : il a été beaucoup moins sombre que je ne le prévoyais.

On a mal interprété la dernière phrase de mon livre et elle suscite encore aujourd'hui des commentaires ironiques, indignés, hostiles ou navrés. C'est en partie ma faute. J'ai mal construit l'épilogue. Faisant un rapide retour sur ma vie, j'ai parlé d'abord de ce qui comptait le plus pour moi : mes rapports avec Sartre, la littérature, le cours du monde. Ensuite j'ai fait allusion à mon âge. Mais ce n'est pas à ces dernières pages que se rapporte ce constat : « J'ai été flouée. » Il conclut l'ensemble du bilan que j'ai dressé. Il s'explique non par la rencontre de mon image dans la glace mais par ma révolte angoissée contre l'horreur du monde : la comparant aux rêves de mon adolescence, je voyais combien ceux-ci m'avaient abusée. « On ne nous a rien promis », disait Alain. C'est faux. La culture bourgeoise est promesse : d'un univers harmonieux où on peut jouir sans scrupule des biens de ce monde; elle garantit des valeurs sûres qui s'intègrent à notre existence et lui donnent la splendeur d'une Idée. Je ne me suis pas facilement arrachée à de si grands espoirs.

Ma déception a aussi une dimension ontologique. Sartre a écrit dans *L'Être et le Néant*[1] : « Le futur ne se laisse pas rejoindre, il glisse au passé comme ancien futur... De là cette déception ontologique qui attend le pour-soi à chaque débouché dans le futur. Même si mon présent est rigoureusement identique par son contenu au futur vers quoi je me projetais par-delà l'être, ce n'est pas ce présent vers quoi je me projetais car je me projetais vers ce futur en tant que futur, c'est-à-dire en tant que point de rejoignement de mon être. »

La découverte du malheur des hommes, l'échec existentiel qui m'a frustrée de l'absolu auquel aspirait ma jeunesse : voilà les raisons qui m'ont dicté ces mots : « J'ai été flouée. »

Au cours d'un entretien[2], Francis Jeanson m'a demandé si

---

1. J'ai cité ce texte dans *La Vieillesse* mais je ne peux éviter de le rappeler ici, ainsi que les vers de Mallarmé évoquant :

> *Ce parfum de tristesse*
> *que même sans regret et sans déboire laisse*
> *la cueillaison d'un rêve au cœur qui l'a cueilli.*

2. Publié à la fin du livre qu'il m'a consacré.

je n'avais pas cédé en les traçant à une « espèce de dramatisation littéraire ». J'ai répondu qu'en un certain sens, oui. Par la suite, cette question m'a fait réfléchir sur la relation que soutient une vérité littéraire avec la vérité vécue. Puisque le langage n'est pas la traduction d'un texte déjà formulé mais qu'il s'invente à partir d'une expérience indistincte, toute parole n'est jamais qu'une « façon de parler » : il pourrait y en avoir d'autre. C'est pourquoi l'écrivain déteste être « pris au mot ». L'expression dit bien ce qu'elle veut dire : pris, ligoté, bâillonné par les mots écrits. Ils figent ma pensée alors que celle-ci n'est jamais arrêtée. La dramatisation, c'est d'avoir mis après le mot *flouée* un point final. Je ne le renie pas; mais il n'est pas le « dernier mot » d'une existence qui s'est poursuivie après lui. Je mesure l'étendue de mes anciennes illusions, je vois la réalité d'un œil lucide : mais cette confrontation ne me plonge plus dans la stupeur.

Je l'ai indiqué déjà : le malentendu le plus grave est venu de ce que le lecteur a méconnu la distance qui sépare l'auteur en chair et en os et le personnage doué d'une constitution fictive qu'il crée par le fait d'écrire. Celui-ci transcende le temps; sous sa plume, le présent équivaut à l'éternité : ses affirmations ont un caractère indépassable et définitif. L'individu vivant au contraire change; pour lui les instants sont éphémères; ses humeurs varient. C'est une erreur de prétendre le définir, dans sa contingence immédiate, à partir de ce qu'il choisit de dire sur le mode de la nécessité. Parce que j'écrivais des paroles désabusées, une partie de mon public a vu en moi une femme brisée par l'âge et les déceptions. Il y a même eu des psychiatres qui ont attribué la fin de mon livre à une crise dépressive et qui m'ont obligeamment proposé de m'aider à la surmonter. C'est pourtant un lieu commun que souvent les auteurs de livres gais sont des gens tristes et que les auteurs d'ouvrages amers ou mélancoliques peuvent déborder de vitalité. Le début de mon récit, où j'ai ressuscité les joies de la libération, date à peu près de la même époque que sa conclusion. Un individu psychiquement délabré — abattu, désespéré — n'écrit rien du tout : il se réfugie dans le silence.

Ces explications s'adressent aux lecteurs de bonne foi que j'ai déconcertés. Mais je sais bien que la vraie raison de tous ces contresens, c'est l'intérêt que mes adversaires avaient à les répandre : il leur convenait de prendre ces pages pour un constat d'échec et un désaveu de ma vie, en dépit de toutes les phrases qui récusent radicalement cette interprétation. Là-dessus je reviendrai à la fin de ce livre quand je préciserai quelles sont aujourd'hui mes positions.

Sur le moment, je ne me suis guère souciée du sort de mon livre. Ma mère venait d'être transportée dans une clinique : sa maladie, son agonie m'ont accaparée. Quelques jours après son enterrement la décision de les raconter s'est brusquement imposée à moi, ainsi que le titre de mon récit, l'épigraphe et la dédicace. J'ai passé l'hiver à l'écrire. Presque toutes les nuits je voyais ma mère en rêve. Elle était vivante et parfois je m'émerveillais qu'on eût réussi à la sauver; le plus souvent je la savais condamnée et j'avais peur.

Un chirurgien, dont je tairai le nom, a prétendu devant une de mes amies — ignorant qu'elle me connaissait — que c'était lui qui avait opéré ma mère : il ne l'avait jamais approchée. Il s'autorisait de ce mensonge pour affirmer que si j'avais passé des heures auprès d'elle, c'était dans l'unique but de me documenter. Deux ou trois critiques se sont indignés que j'aie osé « prendre des notes » au chevet d'une moribonde. Cette conception de la littérature relève d'un naturalisme bien périmé. Jamais je n'ai pensé à « prendre des notes » sur les événements ou les situations qui m'ont frappée et que j'ai essayé par la suite de ressusciter sur le papier. Je n'avais pas prémédité d'écrire *Une mort très douce*. Dans les périodes difficiles de ma vie, griffonner des phrases — dussent-elles n'être lues par personne — m'apporte le même réconfort que la prière au croyant : par le langage je dépasse mon cas particulier, je communie avec toute l'humanité; mais les lignes que j'ai tracées alors, si elles m'ont aidée à retrouver certains détails, ne m'étaient pas nécessaires pour évoquer les journées que je venais de vivre : elles s'étaient gravées en moi à jamais. Si je n'avais été qu'un observateur indifférent, je n'aurais pas ému tant de lecteurs.

A part quelques détracteurs systématiques, la presse m'a

été très favorable. Et j'ai reçu une grande quantité de lettres chaleureuses. Mes correspondants me disaient que, malgré sa tristesse, mon livre les avait aidés à supporter, au présent ou à travers leurs souvenirs, l'agonie d'un être cher. C'est à cause de ces témoignages que j'y attache du prix. Toute douleur déchire; mais ce qui la rend intolérable, c'est que celui qui la subit se sent séparé du reste du monde; partagée, elle cesse au moins d'être un exil. Ce n'est pas par délectation morose, par exhibitionnisme, par provocation que souvent les écrivains relatent des expériences affreuses ou désolantes : par le truchement des mots, ils les universalisent et ils permettent aux lecteurs de connaître, au fond de leurs malheurs individuels, les consolations de la fraternité. C'est à mon avis une des tâches essentielles de la littérature et ce qui la rend irremplaçable : surmonter cette solitude qui nous est commune à tous et qui cependant nous rend étrangers les uns aux autres.

Ce livre avait encore un caractère autobiographique. Quand je l'eus achevé, je me suis promis de ne plus parler de moi d'ici longtemps. J'ai commencé à rêver sur des personnages et des thèmes fort éloignés de ma propre existence; je voulais les intégrer dans un roman où je traiterais aussi, mais à travers des héros très différents de moi, d'un sujet qui m'intéressait directement : le vieillissement. Avant d'entreprendre ce travail, j'ai pris grand plaisir à composer une préface pour *La Bâtarde* de Violette Leduc. J'aimais tous ses livres, et celui-ci plus encore que les autres. Je les ai relus, j'ai essayé de comprendre exactement et de faire comprendre ce qui leur donne leur prix. A part celui que j'ai consacré à Sade, je n'ai pas écrit d'autre essai critique : je me demande pourquoi. Se plonger dans une œuvre, en faire son propre univers, chercher à en découvrir la cohérence et la diversité, à en pénétrer les intentions, à en mettre au jour les procédés, c'est sortir de sa peau et tout dépaysement m'enchante.

Ni Sartre ni moi n'aimons participer à ce qu'on appelle des « manifestations littéraires ». Nous l'avons fait cependant au cours de l'automne 64. Nous avions de la sympathie pour *Clarté*, une revue rédigée par de jeunes communistes qui essayaient de susciter un « dégel » parmi les intellectuels du parti. Son directeur, Buin, m'a demandé de prendre part à une discussion publique où s'affronteraient des auteurs « engagés » et des partisans du nouveau roman; les entrées seraient payantes et les bénéfices serviraient à renflouer la revue. J'ai accepté. Semprun et moi nous défendrions l'idée d'engagement contre Claude Simon, Yves Berger et le critique Janvier. Dans une conversation ultérieure, Buin m'a laissé entendre que pour Simon et Berger il s'agissait de « régler son compte à Sartre »; ils s'y étaient déjà efforcés au cours d'un entretien récemment publié dans *L'Express*. En ce cas, ai-je dit, c'est à Sartre lui-même de leur répondre : je ne viendrai que s'il vient aussi. Sartre et Buin ont été d'accord. Aussitôt de sombres intrigues se sont nouées! Si Sartre devait parler, Janvier intimidé se retirait, laissant la place à Axelos. Axelos, idéologue « marxien », avait écrit, à propos du prix Nobel attribué à Sartre, que celui-ci aurait aussi volontiers et aussi facilement vécu sous Hitler que sous Staline : il n'était pas question de nous commettre avec lui. « C'est à prendre ou à laisser, me dit Buin — Nous laissons », dis-je. Buin qui tenait à son projet refusa la participation d'Axelos. Furieux, Claude Simon s'est désisté et dans *L'Express* il s'est répandu en insultes contre Sartre. Il a fait pression sur les écrivains du « nouveau roman » pour qu'ils se tiennent à l'écart du meeting. Faye et Ricardou ont cependant consenti à venir y parler.

Il y avait six mille personnes dans l'amphithéâtre de la Mutualité et dans différentes salles équipées de haut-parleurs. La télévision allemande était présente et nous cuisions à l'étouffée sous le feu des projecteurs. Nous avons tous eu droit à des ovations. Buin qui présidait a ouvert la séance, puis Semprun a parlé des responsabilités de l'écrivain. Ricardou a lu, d'un ton précieux et agressif, quelques pages où il reprenait la distinction de Barthes entre « écrivant » et « écrivain » : seuls les auteurs du « nouveau roman » lui semblaient aujourd'hui mériter ce dernier titre. J'ai improvisé une réponse avant d'indiquer quelques-unes de mes idées sur la littérature. Ensuite Faye a parlé avec nonchalance et Berger avec furie. Sartre est intervenu le dernier. A la lecture, c'est son texte qui est le plus intéressant; mais il était écrasé de chaleur et de fatigue et il a dit de manière un peu terne des choses un peu trop difficiles. Personne n'a convaincu personne; c'est la règle : au terme de ces soi-disant « échanges » d'idées, chacun garde les siennes. Mais le public a paru satisfait et *Clarté* a survécu quelque temps.

Toute l'année j'ai écrit mon roman, assidûment mais sans beaucoup de conviction. Quand en octobre 65, revenant de vacances, j'en ai relu le brouillon, je l'ai trouvé détestable et j'ai compris qu'il m'était impossible de l'améliorer. Il comportait de longs passages morts que la construction m'interdisait de supprimer et qu'aucun travail n'aurait réussi à animer. Je l'ai enfoui dans un placard sans même le montrer à Sartre.

J'ai repris un autre projet : évoquer cette société technocratique dont je me tiens le plus possible à distance mais dans laquelle néanmoins je vis; à travers les journaux, les magazines, la publicité, la radio, elle m'investit. Mon intention n'était pas de décrire l'expérience vécue et singulière de certains de ses membres : je voulais faire entendre ce qu'on appelle aujourd'hui son « discours ». J'ai feuilleté les revues, les livres où il s'inscrit. J'y ai trouvé des raisonnements, des formules qui me saisissaient par leur inanité; d'autres dont les prémisses ou les implications me révoltaient. Ne retenant que les textes dont les auteurs « font autorité », j'ai constitué un sottisier aussi consternant que divertissant.

Personne, dans cet univers auquel je suis hostile, ne pouvait parler en mon nom; cependant pour le donner à voir il me fallait prendre à son égard un certain recul. J'ai choisi comme témoin une jeune femme assez complice de son entourage pour ne pas le juger, assez honnête pour vivre cette connivence dans le malaise. Je l'ai dotée d'une mère « dans le vent » et d'un père passéiste : cette double appartenance expliquait ses incertitudes. Grâce à son père, elle doutait des valeurs admises dans son milieu : la réussite, l'argent. Une question posée par sa fille de dix ans l'amenait à s'interroger sérieusement; elle ne trouvait pas de réponse et elle se débattait dans des ténèbres qu'elle souhaitait en vain percer. La difficulté c'était, sans intervenir moi-même, de faire transparaître du fond de sa nuit la laideur du monde où elle étouffait. Dans mes précédents romans, le point de vue de chaque personnage était nettement explicité et le sens de l'ouvrage se dégageait de leur confrontation. Dans celui-ci, il s'agissait de faire parler le silence. Le problème était neuf pour moi.

L'ai-je résolu? Quand le livre a paru, en novembre 66, un grand nombre de gens ont estimé que oui. Il a tenu douze semaines sur la liste des best-sellers, on en a vendu environ cent vingt mille exemplaires. Beaucoup de critiques, presque tous mes amis et la plupart de mes correspondants l'ont aimé. Des jeunes en particulier m'ont dit ou écrit : « Oui, c'est exactement notre histoire; nous vivons dans cet univers; comme Laurence nous nous sentons pris au piège, coincés. » Des lecteurs m'ont félicitée d'avoir renouvelé ma technique et mon style.

D'autres cependant, ainsi que quelques critiques, me l'ont reproché : « C'est le monde de Françoise Sagan, ce n'est pas le vôtre. Ce n'est pas du Simone de Beauvoir. » Comme si je leur avais frauduleusement refilé une marchandise différente de celle qu'annonçait le label. Ce qui a déçu certains lecteurs, c'était de ne pouvoir s'identifier à aucun des personnages. Le milieu que je décrivais n'était pas intéressant, m'ont objecté des communistes. Ils regrettaient l'absence d'un « héros positif ». Sans doute auraient-ils souhaité que Laurence passât de l'erreur à la vérité par une lucide « prise de conscience ».

Dans son compte rendu des *Belles Images*, François Nourissier a fait une remarque dont je n'ai compris que plus tard la perspicacité. Qu'en penseraient les gens que j'y évoquais et qui constitueraient le plus gros de mon public? Un certain nombre n'y ont vu que du feu. Ils s'y sont amusés ou ennuyés sans se sentir concernés. D'autres m'ont accusée d'être trop sévère pour les bourgeois : ils ne sont ni si sots ni si méchants.

Pour la sottise, la plupart des phrases que je mets dans leur bouche ont été cueillies chez les « penseurs » que nos technocrates respectent le plus, M. Louis Armand par exemple. Pour la bassesse morale, afin de ne pas être accusée de parti pris, je suis restée bien au-dessous de la vérité : du fait qu'ils coïncident confortablement avec eux-mêmes, les privilégiés n'ont pas conscience de l'égoïsme, de la cupidité, de l'arrivisme, de la dureté dont j'ai vu chez eux tant d'exemples stupéfiants. On m'a fait très rarement le reproche contraire : celui d'avoir accordé trop d'indulgence à mes tristes héros. Je n'ai pas prêté à Laurence la répugnance qu'ils m'inspirent mais tels qu'ils se peignent par leurs paroles et leurs actes, on ne peut que les détester. A moins de leur ressembler.

Le personnage du père de Laurence a souvent donné lieu à un malentendu : j'estimerais sa manière de vivre, je partagerais ses idées. Rien de plus faux. Il est vu par Laurence et au début elle l'admire aveuglément; mais peu à peu, pendant leur voyage en Grèce, puis de retour à Paris, ses yeux se dessillent. Ce faux sage veut ignorer lui aussi le malheur des hommes : il utilise sa culture pour s'assurer un confort moral qu'il préfère à la vérité. Il est beaucoup moins insensible qu'il ne le prétend à la fortune, au succès, et ne recule pas devant les compromissions. Son remariage avec son ex-femme manifeste la collusion entre la bourgeoisie traditionnelle et la nouvelle : c'est une seule et même classe. La désillusion de Laurence n'est pas articulée en mots mais elle s'inscrit dans son corps : elle déclenche chez elle une crise d'anorexie.

Comment a-t-on pu m'attribuer les sornettes que débite un vieil égoïste sur le bonheur des pauvres et les beautés de la frugalité? C'est Jean-Jacques Servan-Schreiber qui a le premier commis cette erreur [1]; n'osant douter de sa perspicacité, d'autres l'ont suivi : le texte en question a été reproduit avec éloge dans une revue inspirée par Lanza del Vasto. Un professeur qui connaît mes opinions m'a avisée avec surprise qu'il avait été proposé au baccalauréat comme exprimant ma propre pensée : les candidats étaient invités à le commenter avec admiration!

Demander au public de lire entre les lignes, c'est dangereux. J'ai réitéré cependant. J'avais récemment reçu les confidences de plusieurs femmes d'une quarantaine d'années que leurs maris venaient de quitter pour une autre. Malgré la diversité de leurs caractères et des circonstances, il y avait dans toutes leurs histoires d'intéressantes similitudes : elles ne comprenaient rien à ce qui leur arrivait, les conduites de leur mari leur paraissaient contradictoires et aberrantes, leur rivale indigne de son amour; leur univers s'écroulait, elles finissaient par ne plus savoir qui elles étaient. D'une autre manière que Laurence elles se débattaient dans l'ignorance et l'idée m'est venue de donner à voir leur nuit. J'ai choisi pour héroïne une femme attachante mais d'une affectivité envahissante; ayant renoncé à une carrière personnelle, elle n'avait pas su s'intéresser à celle de son mari. Intellectuellement très supérieur à elle, celui-ci avait depuis longtemps cessé de l'aimer. Il s'éprenait très sérieusement d'une avocate plus ouverte, plus vivante que sa

---

1. Dans *Le Défi américain.* A propos de ce texte, il me reproche un passéisme qui n'est pas le mien.

femme et beaucoup plus proche de lui. Peu à peu, il se libérait de Monique pour recommencer une nouvelle vie.

Il ne s'agissait pas pour moi de raconter en clair cette banale histoire mais de montrer, à travers son journal intime, comment la victime essayait d'en fuir la vérité. La difficulté était encore plus grande que dans *Les Belles Images* car Laurence cherche timidement la lumière tandis que tout l'effort de Monique tend à l'oblitérer, par des mensonges à soi, des oublis, des erreurs; de page en page le journal se conteste : mais à travers de nouvelles fabulations, de nouvelles omissions. Elle tisse elle-même les ténèbres dans lesquelles elle sombre au point de perdre sa propre image. J'aurais voulu que le lecteur lût ce récit comme un roman policier; j'ai semé de-ci de-là des indices qui permettent de trouver la clé du mystère : mais à condition qu'on dépiste Monique comme on dépiste un coupable. Aucune phrase n'a en soi son sens, aucun détail n'a de valeur sinon replacé dans l'ensemble du journal. La vérité n'est jamais avouée : elle se trahit si on y regarde d'assez près.

En même temps que *La Femme rompue*, j'ai publié deux autres récits. Dans le *Monologue* il s'agit aussi du rapport de la vérité avec les mensonges du discours : certaines lettres que j'avais reçues m'avaient montré comment elle pouvait éclater à travers des phrases destinées à la dissimuler. Ma correspondante dénonçait l'ingratitude d'un enfant, l'indifférence d'un époux; en fait elle peignait son propre portrait : celui d'une mère abusive, d'une insupportable mégère. J'ai choisi un cas extrême : une femme qui se sait responsable du suicide de sa fille et que tout son entourage condamne. J'ai essayé de construire l'ensemble des sophismes, des vaticinations, des fuites par lesquels elle tente de se donner raison. Elle n'y parvient qu'en poussant jusqu'à la paraphrénie sa distorsion de la réalité. Pour récuser le jugement d'autrui, elle enveloppe dans sa haine le monde entier. Je voulais qu'à travers ce plaidoyer truqué le lecteur aperçût son vrai visage.

Dans *L'Age de discrétion* je reprenais un des thèmes du roman que j'avais abandonné : la vieillesse. Un mot de Bachelard, dénonçant la stérilité des vieux savants, m'avait frappée : comment un individu actif peut-il se survivre quand il se sent réduit à l'impuissance? J'ai imaginé qu'un couple d'intellectuels, jusqu'alors très unis, se trouvait divisé parce qu'ils ne supportaient pas de la même manière le poids des ans. La crise éclatait à propos d'un conflit avec leur fils; mais ce qui m'intéressait c'était le rapport des parents entre eux. De mes trois récits, c'est celui qui me satisfait le moins. Il n'est pas construit à travers des silences : il est écrit en clair, selon mon ancienne technique. Et puis le sujet était trop vaste pour un texte si bref, je l'ai à peine effleuré.

Il y a des thèmes qui se retrouvent dans ces trois histoires : la solitude et l'échec. Dans la dernière l'échec est surmonté, le dialogue rétabli, parce que même dans la crise qu'elle traverse l'héroïne conserve l'amour de la vérité. Mais en choisissant désespérément de se mentir Laurence et davantage encore Muriel s'interdisent toute communication avec autrui; peut-être la première aura-t-elle un jour le courage d'affronter la réalité et renouera-t-elle des rapports avec ses semblables. Mais pour la seconde, je ne vois guère d'autre issue que la folie ou le suicide.

Quand le livre sortit à la fin de janvier 68, le public lui fit le même succès de vente qu'aux *Belles Images;* j'ai reçu un grand nombre de lettres écrites par des écrivains, des étudiants, des professeurs qui avaient très bien saisi mes intentions et me félicitaient de m'être encore une fois renouvelée. Cependant dans l'ensemble le livre fut encore plus mal compris que le précédent et cette fois la plupart des critiques m'éreintèrent.

Depuis longtemps nous souhaitions, ma sœur et moi, qu'elle illustrât un inédit de moi : il ne s'en était jamais trouvé d'assez bref. Le récit qui donne son nom au livre, *La Femme rompue* avait les dimensions requises et lui inspira de très beaux burins. J'ai voulu faire connaître au public l'existence de ce volume, à tirage restreint, signé de nos deux noms et j'ai accepté que mon texte parût en livraison dans *Elle* accompagné des burins de ma sœur. Aussitôt je fus submergée de lettres émanant de femmes rompues, demi rompues, ou en instance de rupture. S'identifiant à l'héroïne, elles lui attribuaient toutes les vertus et elles s'étonnaient qu'elle restât attachée à un homme indigne; leur partialité indiquait qu'à l'égard de leur mari, de leur rivale, et d'elles-mêmes, elles partageaient l'aveuglement de Monique. Leurs réactions reposaient sur un énorme contresens.

Beaucoup d'autres lecteurs, donnant de ce récit la même interprétation simpliste, l'ont déclaré insignifiant. La plupart des critiques ont prouvé par leurs comptes rendus qu'ils l'avaient très mal lu. Ayant seulement pris connaissance de la première livraison d'*Elle*, M. Bernard Pivot s'est hâté de déclarer dans *Le Figaro littéraire* que puisque *La Femme rompue* paraissait dans un journal féminin, c'était un roman pour midinettes, un roman à l'eau de rose. L'expression a été reprise dans de nombreux articles, alors que je n'ai jamais rien écrit de plus sombre que cette histoire : toute la seconde partie n'est qu'un cri d'angoisse et l'effritement final de l'héroïne est plus lugubre qu'une mort.

L'étourderie de mes censeurs ne m'a pas étonnée. Ce que je n'ai pas compris, c'est pourquoi ce petit livre a déchaîné tant de haine. Le défendant contre Pivot au cours d'un débat public retransmis par l'O.R.T.F., Claire Etcherelli a failli s'en aller. « Ce que vous faites n'a rien à voir avec la critique littéraire », lui a-t-elle dit d'une voix qui tremblait d'indignation : il suscitait les rires de l'assistance par de grossières plaisanteries. Kanters m'a attaquée avec virulence au cours d'une discussion avec Pierre-Henri Simon : celui-ci a doucereusement objecté que depuis *Une mort très douce* je ne prétendais plus faire de la littérature. Un de mes détracteurs a déclaré à la radio : « Je regrette d'avoir écrit cet article depuis que j'ai aperçu Simone de Beauvoir rue de Rennes, les bras ballants, hagarde, fanée. Il faut avoir pitié des vieillards. C'est d'ailleurs pour ça que Gallimard continue à la publier. » Une minute après, sans se rendre compte de la contradiction, il échangeait avec son compère des clins d'œil entendus : « Son roman est un best-seller. — Eh oui! c'est un bell-seller. » Mon éditeur n'y était donc pas de sa poche. Bien que sachant combien Mathieu Galey déteste les femmes, sa muflerie m'a interloquée : « Eh oui! madame, c'est triste de vieillir », a-t-il écrit dans sa chronique. Beaucoup ont déploré que ce dernier ouvrage fût si indigne des *Mandarins* et du *Deuxième Sexe*. Quelle hypocrisie! A l'époque ils avaient malmené *Les Mandarins* et traîné *Le Deuxième Sexe* dans la boue. C'est même à cause des positions que j'y ai prises qu'aujourd'hui encore ils me détestent tant.

A de rares exceptions près, le jugement des critiques m'indiffère : je me fie à celui de quelques amis exigeants. Mais j'ai regretté qu'à cause de leur malveillance une partie du public n'ait pas eu envie de me lire et qu'une autre ait abordé mon

roman avec un esprit prévenu. Il y a des femmes que mes idées
dérangent : elles se sont empressées de croire ce qu'ils disaient
de moi et elles en ont profité pour prendre des supériorités.
« Elle attend d'avoir soixante ans pour découvrir ce que sait
n'importe quelle petite bonne femme », a dit l'une d'elles; je
n'ai pas su à quelle découverte elle faisait allusion. J'ai été
plus touchée par la réaction de certaines femmes qui luttent
pour la cause des femmes et que mes récits ont déçues parce
qu'ils n'avaient rien de militant. « Elle nous a trahies! » ont-
elles dit et elles m'ont envoyé des lettres de reproche. Rien
n'interdit de tirer une conclusion féministe de *La Femme rompue* : son malheur vient de la dépendance à laquelle elle a
consenti. Mais surtout je ne me sens pas astreinte à choisir
des héroïnes exemplaires. Décrire l'échec, l'erreur, la mauvaise
foi, ce n'est, me semble-t-il, trahir personne.

Ma sœur étant interviewée à la Télévision à propos d'une de
ses expositions, son interlocuteur lui a demandé : « Pourquoi
avez-vous choisi d'illustrer ce livre qui est le plus médiocre
qu'ait écrit votre sœur? » Elle l'a défendu avec feu et elle a
ajouté : « Il y a deux catégories de gens qui l'aiment : les
gens simples qui sont touchés par le drame de Monique; les
intellectuels qui saisissent les intentions du livre. Ceux qui ne
l'aiment pas, ce sont les demi-intellectuels, pas assez subtils
pour le comprendre, trop prétentieux pour le lire d'un œil
naïf. » Ce n'était sûrement pas tout à fait vrai. On a pu saisir
mes intentions et conclure à un échec. Mais le fait est que j'ai
été soutenue par les gens que j'estime le plus et ceux qui m'ont
attaquée ne m'en ont jamais donné de raison valable.

Comme pour *Les Belles Images* une des objections qu'on m'a
faites, c'est que : « Ce n'est pas du Simone de Beauvoir; ce
n'est pas le monde de Simone de Beauvoir; elle parle de gens
qui ne nous intéressent pas. » Cependant beaucoup de lecteurs
prétendent me retrouver dans tous mes personnages féminins.
La Laurence des *Belles Images*, dégoûtée de la vie jusqu'à
l'anorexie, ce serait moi. L'universitaire colérique de *L'Age de
discrétion*, ce serait moi. « Mais tout le monde le pense, m'a
dit une amie. C'est vous, c'est Sartre et la mère de Sartre.
Pour le fils, on hésite entre quelques noms. » *La Femme rompue*
bien entendu ne pouvait être que moi. « Pour écrire cette
histoire, il faut en avoir passé par là. Alors dans ses *Mémoires*

145

elle n'a pas tout raconté », ont dit certains. D'autres ont été plus loin. Une correspondante m'a demandé s'il était vrai que, comme le prétendait la présidente d'un club littéraire, Sartre eût rompu avec moi. Mon amie Stépha a fait remarquer à des interlocuteurs que je n'avais plus quarante ans, que je n'avais pas eu de filles, que ma vie ne ressemblait en rien à celle de Monique; ils se sont laissé convaincre. « Mais, a dit l'un d'eux avec humeur, pourquoi s'arrange-t-elle pour que tous ses romans aient l'air autobiographiques? — Elle essaie seulement qu'ils rendent un son vrai », leur a dit Stépha.

Au printemps 66, un jeune homme, appelé Steiner, m'a fait demander une préface pour un livre qu'il venait d'achever : *Treblinka*. Je ne l'avais jamais vu, mais *Les Temps modernes* avaient publié un remarquable reportage sur son expérience de parachutiste. J'ai lu les épreuves de *Treblinka* et j'ai été saisie. Je connaissais à peu près tous les ouvrages qui avaient paru en France sur les camps de la mort; mais celui-ci ne ressemblait pas aux autres. Steiner l'avait écrit en s'appuyant sur quelques rares documents et surtout sur les témoignages d'une poignée de survivants; il prenait ses distances par rapport à ses propres émotions et aux expériences qu'il relatait : dans un style glacé, avec un humour féroce, il s'était placé du point de vue des techniciens pour comprendre comment ils avaient réussi à faire mourir un à un huit cent mille hommes. Ce qui m'a particulièrement intéressée c'est que le déroulement des événements illustrait exactement les théories de Sartre sur la sérialisation[1]; dans les ghettos comme dans les camps, les nazis ont sérialisé leurs victimes avec une adresse machiavélique, de manière qu'elles deviennent ennemies les unes des autres et soient réduites à l'impuissance. Quand dans un sursaut final et au prix d'un immense sacrifice les déportés de Treblinka ont réussi à constituer un groupe, alors ils sont devenus une force et la révolte a éclaté. Quand j'ai rencontré Steiner, je l'ai beaucoup surpris en lui demandant s'il avait pensé à la *Critique de la raison dialectique* en écrivant *Treblinka* : il n'en avait pas lu une ligne. Il s'était borné à rapporter les faits. Je pré-

1. Il y a sérialisation quand des individus, vivant dans la dispersion une condition commune, se rendent ennemis les uns des autres : ainsi dans une panique ou dans un embouteillage.

voyais que ceux-ci ne seraient pas du goût de tout le monde et, dans ma préface, j'essayais de défendre Steiner contre l'accusation d'antisémitisme que certains ne manqueraient pas de porter contre lui. Je rappelais qu'aucune catégorie de déportés n'a pu résister aux Allemands; en particulier parmi les Russes les communistes inscrits et les commissaires politiques étaient mis à part et exterminés : malgré leur préparation idéologique et militaire, ils n'ont pu que subir leur destin. En dépit de ces précautions, on a en effet reproché à Steiner d'avoir représenté les Juifs comme des lâches. Toute une campagne s'est déclenchée contre lui. Pour se défendre il a donné des interviews assez fumeuses qui ont créé de nouveaux malentendus. Rousset, dans le *Nouveau Candide* a essayé de le descendre en flammes, prétendant que son récit n'était pas un document mais un roman. J'étais personnellement concernée par ces attaques. Pour défendre *Treblinka* j'ai eu avec Lanzmann et Marienstrass un entretien qui a été recueilli et publié par *Le Nouvel Observateur*. J'ai souligné que d'anciens déportés — Daix, Martin-Chauffier, Michelet — garantissaient la valeur documentaire du livre, ainsi que l'historien Vidal-Naquet qui avait sérieusement étudié la question. J'ai expliqué pourquoi la non-résistance de six millions de Juifs pouvait poser un problème à la jeune génération qui n'avait pas vécu la guerre : j'ai reçu beaucoup de lettres de jeunes Juifs qui me disaient respirer mieux depuis que, grâce à Steiner, ils avaient compris un drame jusqu'alors obscur pour eux. Rousset a envoyé au *Nouvel Observateur* une lettre de réponse à laquelle j'ai à mon tour répondu. Beaucoup de mes correspondants ont pris mon parti. Quelques-uns ont déploré que j'aie préfacé *Treblinka;* on m'a même demandé de supprimer ces pages dans les traductions qui allaient paraître : j'ai refusé. Malgré l'hostilité de certaines réactions, Steiner a reçu en France le prix de la Résistance.

En mai 67, j'avais terminé les trois récits réunis sous le titre *La Femme rompue.* Je me demandais ce que j'allais faire. Presque tout de suite j'ai eu une illumination : cette question que j'avais échoué à traiter sous une forme romanesque, la vieillesse, je l'étudierais dans un essai qui serait, touchant les personnes âgées, le symétrique du *Deuxième Sexe.* Sartre m'a vivement encouragée.

Pourquoi ce thème me tenait-il à cœur? D'abord, j'avais été frappée par le tollé que j'avais soulevé en parlant du vieillissement à la fin de *La Force des choses*. J'avais eu envie de mettre en pièces les lieux communs qu'on m'avait jetés au visage. Je les trouvais d'autant plus écœurants que je connaissais la situation qui est aujourd'hui celle de la majorité des vieilles gens. Dans ce cas aussi c'est d'abord l'idée d'une démystification qui m'a séduite. Mais si je me suis décidée c'est que j'éprouve le besoin de connaître dans sa généralité la condition qui est la mienne. Femme, j'ai voulu élucider ce qu'est la condition féminine; aux approches de la vieillesse, j'ai eu envie de savoir comment se définit la condition des vieillards.

Sur la question féminine, avant de l'étudier systématiquement, j'avais lu un grand nombre d'ouvrages, j'avais une assez vaste expérience et j'ai tout de suite trouvé des documents en abondance. Quand j'ai abordé le problème de la vieillesse, j'avais les mains vides. Je suis descendue dans la salle des catalogues de la Bibliothèque nationale, j'ai consulté les plus récentes fiches groupées sous la rubrique : vieillesse. Je suis d'abord tombée sur les essais d'Emerson et de Faguet, puis sur des ouvrages plus sérieux qui m'ont fourni une bibliographie sommaire. De proche en proche elle s'est enrichie; j'ai lu à peu près tous les traités et les revues de gérontologie parus en France dans ces dernières années. J'ai fait venir de Chicago trois énormes sommes que les Américains ont consacrées à cette discipline. Au cours de cette exploration, le livre s'est construit dans ma tête et j'en ai rédigé avec plus ou moins de difficulté les différents chapitres.

Certains critiques ont défini *La Vieillesse* comme un livre de seconde main : c'est tout à fait injuste. Un livre de seconde main, c'est celui qui se borne à compiler des ouvrages consacrés au sujet traité. C'est le cas de mon premier chapitre : sur la biologie, j'ai pris connaissance d'études que je me suis presque bornée à résumer. Mais dans tout le reste du livre, j'ai fait un travail original. Bien sûr j'ai utilisé des livres et des documents : il ne s'agissait pas d'une œuvre d'imagination. Mais il a d'abord fallu les trouver, inventer la manière de les exploiter, et réaliser des synthèses neuves. Sur la vieillesse dans les sociétés primitives il existe un livre mais que je ne trouve pas du tout satisfaisant : je m'en suis à peine servie. J'ai utilisé l'admirable instrument de travail que Claude Lévi-Strauss a obligeamment mis à ma disposition : le laboratoire d'anthropologie comparée qu'abrite le Collège de France. Ses collaborateurs m'ont indiqué, dans diverses monographies, des passages traitant de la condition des vieillards : j'ai lu chacun de ces ouvrages, essayant d'établir le rapport de cette condition avec l'ensemble de la civilisation décrite. L'analyse de ces matériaux, les réflexions qu'ils m'inspiraient, les conclusions que j'en tirais, personne n'avait fait ce travail avant moi.

Sur le sort des vieillards dans les sociétés historiques, il n'existait aucun livre que j'aurais pu démarquer : ils sont passés sous silence. Les rares indications qu'on réussit à dégager sont souvent difficiles à interpréter, brouillées, contradictoires, du moins en apparence. Et encore faut-il savoir où les dénicher. Je me suis livrée à une véritable chasse au trésor. En général, mes recherches étaient dirigées d'une manière assez sûre et j'obtenais sans trop de peine des réponses aux questions que je me posais. Parfois le hasard me servait : je tombais, de manière imprévue, sur une mine d'or. Il arrivait aussi que les livres dont j'attendais des informations ne m'en fournissent aucune. Alors je consultais des spécialistes : quelques-uns m'ont utilement renseignée.

Sur la condition actuelle des vieillards, j'ai assez facilement rassemblé une documentation considérable. Et j'ai eu de nombreux entretiens avec des personnes que leur profession amenait à la bien connaître.

Quant à la deuxième partie de son essai, c'est une œuvre tout à fait personnelle.

Ce qu'il y a d'essentiel dans un travail de cette espèce, ce sont les questions que l'auteur se pose; seules ma propre expérience et ma réflexion m'ont amenée à définir celles que j'ai traitées : quel est le rapport du vieillard à son image, à son corps, à son passé, à ses entreprises, quelles sont les raisons de son attitude à l'égard du monde, à l'égard de son entourage? Pour répondre, je me suis appuyée sur la correspondance, les journaux intimes, les Mémoires de gens âgés; j'ai consulté des enquêtes et des statistiques; j'ai personnellement sollicité des témoignages, je me suis interrogée moi-même. Interpréter ces données, les mettre en perspective, en tirer des conclusions, ç'a été un travail absolument original. Les idées que j'ai exprimées, les positions que j'ai prises allaient souvent à l'encontre de beaucoup d'opinions admises.

Le livre a paru à la fin de janvier 70. Peu de temps auparavant avait été publié le Rapport de l'Inspection générale des affaires sociales sur les problèmes sociaux des personnes âgées. Il en ressortait que leur situation s'était encore détériorée pendant ces dix dernières années, la hausse des prix n'ayant pas été compensée par la dérisoire augmentation des pensions. *France-Soir* a consacré sa première page à un compte rendu de ce document. La question s'est trouvée soudain à l'ordre du jour. Mon livre est arrivé à un moment où le public était prêt à l'accueillir : mais je l'avais commencé plus de deux ans auparavant.

Je voulais qu'il touchât le plus grand nombre de gens possible et contrairement à mon habitude j'ai accepté de donner deux interviews à Radio-Luxembourg : elles m'ont valu des lettres émouvantes de vieillards déshérités qui les avaient entendues. Ils confirmaient dramatiquement mes conclusions les plus sombres; les chiffres officiels sont encore trop optimistes; les carences de l'Administration [1], la chinoiserie des règlements, les hasards malheureux de l'existence réduisent un grand nombre de personnes âgées au désespoir. Même les correspondants qui ont eu les moyens de se procurer mon livre m'ont aussi tracé de leur état des tableaux très noirs : plusieurs réclamaient le droit à une mort « libre », c'est-à-dire à l'euthanasie. Puisqu'on ne nous laisse pas les moyens de vivre, qu'on nous permette au moins de choisir notre mort, me disaient-ils. Trois ou quatre octogénaires, relativement privilégiés, m'ont assuré que le poids des années ne les accablait pas : c'est un bien petit nombre comparé à celui des lettres désolées que j'ai reçues.

Dans l'ensemble, la critique a été chaleureuse; à droite comme à gauche, on a reconnu que la condition faite aujourd'hui aux vieillards est un scandale. Mais les critiques de gauche m'ont approuvée de mettre l'accent sur l'aspect économique et social du problème; ceux de droite préfèrent penser qu'il est biologique et métaphysique, que le rôle de la société n'est que secondaire. Il y a eu aussi divergence entre ceux qui ont estimé

---

1. Fin 1970, une vieille femme, Mme Cocagne, s'est tuée parce que depuis des mois elle n'avait pas reçu le mandat auquel sa pension lui donnait droit.

que j'avais écrit un anti *De Senectute* et ceux qui ont considéré que je revenais à Cicéron et à Sénèque. Je donne évidemment raison aux premiers. J'admets que dans des cas très privilégiés la vieillesse peut apporter certaines ouvertures, mais l'immense majorité des gens âgés est condamnée à la dégradation.

Les témoignages qui m'ont le plus encouragée me sont venus d'un certain nombre de gérontologues. En général, les spécialistes apprécient peu qu'on s'aventure sur leurs brisées. Ceux-ci au contraire m'ont félicitée d'avoir déjoué ce qu'ils appelaient eux aussi la « conspiration du silence » et plusieurs m'ont fait des offres de collaboration.

Il était normal que quelques erreurs se glissent dans ce gros travail que j'ai mené à bien sans aucune aide [1]. Trois ou quatre correspondants me les ont signalées avec plus ou moins d'aigreur. Mais sur aucun point important, personne ne m'a opposé de démenti.

Un récit sur la mort de ma mère, deux ouvrages de fiction, deux préfaces, un gros essai : j'ai pas mal écrit de 1963 à 1970; sans parler du brouillon de roman que j'ai écarté. Cependant il m'est arrivé de traverser des périodes où l'idée de tenir un stylo m'écœurait. Je m'en suis sentie incapable après avoir achevé *Une mort très douce;* j'avais été poussée irrésistiblement à raconter cette histoire; mais ensuite la littérature m'a semblé vaine : j'avais basculé du côté de la mort et de son silence. J'étais aussi paralysée par le malentendu qui avait accueilli *La Force des choses* : les mots m'avaient trahie, je ne leur faisais plus confiance. Je me suis arrachée à ce dégoût parce que de nouveaux thèmes se sont imposés à moi. Mais mon rapport à l'écriture est plus ambivalent qu'autrefois. Elle me demeure nécessaire, mais il me plaît parfois de m'en dispenser : pendant mes séjours à Rome, par exemple, où j'aurais pourtant tout le loisir de travailler. Je n'ai jamais pu écrire quand, dans l'an-

1. Entre autres j'ai confondu Sigogne, poète français vivant à Dieppe, avec un antiquaire italien né à Modène. J'ai attribué à Marivaux un mariage tardif qui n'a pas eu lieu. De Max avait cinquante ans et non quatre-vingts quand, jouant le jeune Néron, il a paru si décrépit à l'enfant que j'étais.

goisse ou dans la joie, j'étais happée par les événements. Maintenant, même disponible, il m'arrive de me donner des vacances.

Cependant, à la longue, la paresse m'ennuie; mes journées me paraissent fades. Je ne me sens plus chargée de mission. Et je sais qu'aucun de mes livres futurs ne transfigurera l'ensemble de mon œuvre : ce sera la même œuvre, avec un tome de plus. J'éprouve pour mon compte ce que j'ai dit dans *La Vieillesse* : même le progrès a dans le dernier âge quelque chose de décevant; on avance, soit, mais en piétinant et sans espoir de beaucoup dépasser ce qu'on a déjà fait. Je garde néanmoins le désir de continuer à dire le monde et ma vie. Je ne voudrais pas renoncer à cette impression exaltante que me donne encore par moments la littérature : en créant un livre, me créer moi-même dans la dimension de l'imaginaire.

J'ai continué à m'occuper de notre revue, *Les Temps modernes*. Je n'y ai pas publié d'articles. J'y ai seulement fait paraître deux de mes récits : *Une mort très douce, L'Age de discrétion*. J'ai lu et sélectionné un grand nombre des manuscrits qui lui ont été soumis. J'assiste régulièrement aux réunions où les rédacteurs discutent de la ligne à suivre et des numéros à établir. Elles ont lieu en principe une fois par quinzaine. Comme nous sommes entre amis, le travail se confond avec le plaisir de la conversation.

En 62, Francis Jeanson remplaça Marcel Péju au comité de direction; l'orientation de la revue n'en fut pas modifiée. Elle changea d'éditeur. Après la mort de René Julliard, sa maison fut reprise par Nielsen, directeur des « Presses de la cité » qui voulait avant tout faire de l'argent : *Les Temps modernes* ne l'intéressaient pas. Claude Gallimard nous proposa de revenir chez lui. Il mit à notre disposition une partie de l'hôtel de la rue de Condé habité jadis par Beaumarchais et qu'occupent à présent les éditions du Mercure de France. C'est là que le secrétariat se transporta.

Il y avait dans la revue une lacune que nous souhaitions combler. Absorbés par leurs travaux, les membres du comité n'avaient plus le temps de se livrer à cet exercice difficile et assez ingrat : rédiger des notes sur la littérature, l'art, les ouvrages d'histoire ou d'économie. Nous avons pensé que des jeunes seraient plus disponibles et qu'ils saisiraient peut-être avec plaisir cette occasion de s'exprimer. Une réunion, très nombreuse et assez hétéroclite, s'est tenue chez moi au début de l'automne 64. Il y avait des romanciers en herbe : Annie Leclerc, Georges Perec [1]; des poètes : Velter et Sautereau qui écrivaient leurs œuvres en collaboration; un professeur de droit, Nicos Poulantzas qui préparait d'importants ouvrages d'économie politique [2]; des étudiants et surtout des étudiants en philosophie : Jeanine Rovet, Sylvie Le Bon, Dollé, Peretz, Benabou, Régis Debray. Parmi ceux-ci, beaucoup étaient disciples d'Althusser et, plutôt que nous donner les comptes rendus que nous souhaitions, ils voulaient faire des *Temps modernes* une tribune où ils exposeraient leurs idées. Cette première discussion fut assez confuse : « Il faudrait savoir quels points communs nous rassemblent », ont demandé ceux qui se considéraient comme les théoriciens du groupe.

La question resta en suspens. Mais à la seconde séance les participants, moins nombreux — Régis Debray entre autres ne revint plus —, semblaient prêts à se charger des tâches que nous leur proposions. Le groupe se réunit désormais chaque semaine, une fois sur deux avec Sartre et moi, une fois sur deux sans nous : il fournit à la revue des notes et des essais sur des livres, des films, des expositions. Dispersé pendant les vacances, il recommença à fonctionner à partir de la rentrée. Les « théoriciens » publièrent dans la revue des articles de fond et ils envisagèrent d'y faire régulièrement paraître une « chronique marxiste ». Au bout d'un numéro, ce projet avorta. Il y avait entre eux et les membres du comité de direction d'assez sérieuses dissensions idéologiques. Tout en ignorant tout de la révolution culturelle chinoise, ils s'y ralliaient inconditionnellement; avant de prendre parti, nous exigions d'être informés : ils soutenaient que c'était là un vain scrupule. D'autre part, à la fin de l'année scolaire presque tous préparaient des examens et n'avaient pas le temps de faire autre

---

1. Ils publièrent un peu plus tard elle *Le Pont du Nord*, lui *Les Choses* que suivirent d'autres ouvrages.
2. Il a publié depuis *Fascisme et dictature* et *Pouvoir politique et classes sociales.*

chose. Nous nous sommes séparés le 26 juin 66 et nous avons décidé d'un commun accord de ne pas prolonger cette expérience.

Absorbé par. l'organisation d'une *Maison de la Culture*, Jeanson quitta le comité des *Temps modernes* en 67. Il ne fut pas remplacé. Le comité ne compta donc plus que huit membres et il ne régnait pas entre nous un accord parfait. Quand dans les numéros 64 et 65 Krávetz et d'autres après lui réclamèrent « la Sorbonne aux étudiants » et attaquèrent violemment les cours magistraux, Pontalis et Pingaud furent hostiles à ces thèses. Ils ne le manifestèrent pas mais en privé ils ne cachaient pas que certaines des positions prises par la revue les heurtaient. Ils marquèrent ouvertement leur désapprobation quand Sartre publia le « dialogue psychanalytique » et expliqua pourquoi il trouvait ce texte fascinant — opinion que tous les autres membres du comité partageaient. Ce dialogue avait été enregistré par un patient du docteur X, qui avait surgi chez celui-ci, armé d'un magnétophone, trois ans après la fin d'une longue analyse. Inversant la situation, il s'était posé en sujet et avait exigé que le docteur répondît à ses questions : celui-ci avait manifesté devant l'appareil une véritable terreur. Sartre approuvait chez le « malade » cette revendication d'une réciprocité.

Pontalis, dans un texte bref, objecta que le mot d'ordre de Censier : « Analysés, levez-vous », impliquait un refus radical de la psychanalyse. Pingaud estimait que le « passage à l'acte » accompli par l' « homme au magnétophone » n'était pas une bonne occasion pour remettre en cause la psychanalyse. Chez l'un et l'autre on retrouvait cette même tendance qui leur avait fait défendre la tradition des cours magistraux.

L'affaire en resta là. Mais — surtout sous l'impulsion de Sartre et de Gorz — la revue adoptant de plus en plus délibérément une ligne gauchiste, Pontalis et Pingaud la quittèrent en 70. Ce fut l'article de Gorz, *Détruire l'Université*, placé en tête du numéro d'avril qui les décida. « Par sa place, sa signature et sa formulation il apparaît comme définissant une position collective de l'équipe des *Temps modernes*. Ne pouvant accepter ces thèses, nous avons décidé, avec regret, de quitter le comité de direction », écrivirent-ils. Nous aussi nous avons regretté leur départ mais nos désaccords intellectuels et politiques étaient devenus trop sérieux pour que l'amitié suffît à les surmonter. Nous formons à présent une équipe réduite, mais homogène, même si sur certains points nos vues ne coïncident pas exactement. Nous poursuivons notre travail d'information et d'analyse.

CHAPITRE III

Enfant, adolescente, la lecture était non seulement mon divertissement favori, mais la clé qui m'ouvrait le monde. Elle m'annonçait mon avenir : m'identifiant à des héroïnes de roman, je pressentais à travers elles mon destin. Dans les moments ingrats de ma jeunesse elle m'a sauvée de la solitude. Plus tard, elle m'a servi à étendre mes connaissances, à multiplier mes expériences, à mieux comprendre ma condition d'être humain et le sens de mon travail d'écrivain. Aujourd'hui, ma vie est faite, mon œuvre est faite, même si elle doit encore se prolonger : aucun livre ne saurait m'apporter de foudroyante révélation. Pourtant je continue à lire, beaucoup : le matin, l'après-midi avant de me mettre au travail ou quand je suis fatiguée d'écrire; si par hasard je passe une soirée seule, je lis; l'été à Rome, je lis pendant des heures. Aucune occupation ne me semble plus naturelle. Pourtant, je m'interroge : si plus rien de décisif ne peut m'arriver par les livres, pourquoi est-ce que j'y demeure si attachée?

La joie de lire : elle ne s'est pas émoussée. Je suis toujours émerveillée par la métamorphose des petits signes noirs en un mot qui me jette dans le monde, qui précipite le monde entre mes quatre murs. Le texte le plus ingrat suffit à provoquer ce miracle. *J. F. 30 ans, sténo-dactylo exp. ch. travail trois jours par semaine.* Je suis des yeux cette petite annonce et la France se peuple de machines à écrire et de jeunes chômeuses. Je sais : le thaumaturge, c'est moi. Si devant les lignes imprimées je demeure inerte, elles se taisent; pour qu'elles s'animent, il faut que je leur donne un sens et que ma liberté leur prête sa propre temporalité, retenant le passé et le dépassant vers l'avenir. Mais comme au cours de cette opération je m'escamote, elle me semble magique. Par moments, j'ai conscience que je collabore avec l'auteur pour faire exister la page que je déchiffre : il me plaît de contribuer à créer l'objet dont j'ai la jouissance. Celle-ci se refuse à l'écrivain : même quand il se relit, la phrase née de sa plume se dérobe à lui. Le lecteur est plus favorisé : il est actif et cependant le livre le comble de ses richesses imprévues. La peinture, la musique suscitent en moi, pour la même raison, des joies analogues; mais les données sensibles y jouent un rôle immédiat plus important. En ces domaines, je n'ai pas à effectuer le surprenant passage du signe au sens qui déconcerte l'enfant quand il commence à épeler des mots et qui n'a pas cessé de m'enchanter. Je tire les rideaux de ma chambre, je m'étends sur un divan, tout décor est aboli, je m'ignore moi-même : seule existe la page noire et blanche que parcourt mon regard. Et voilà que m'arrive l'étonnante aventure relatée par certains sages taoïstes : abandonnant sur leur couche une dépouille inerte, ils s'envolaient; pendant des siècles ils voyageaient de cime en cime à travers toute la terre et jusqu'au ciel. Quand ils retrouvaient leur corps, celui-ci n'avait vécu que le temps d'un soupir. Ainsi je vogue, immobile, sous d'autres cieux, dans des époques révolues et il se peut que des siècles s'écoulent avant que je me retrouve, à deux ou trois heures de distance, en ce lieu d'où je n'ai pas bougé. Aucune expérience ne peut se comparer à celle-là. A cause de la pauvreté des images, la rêverie est inconsistante, le dévidage des souvenirs s'épuise vite. Reconstruire le passé par un effort dirigé, c'est un travail qui ne donne pas plus que la création la jouissance de son objet. Spontanée ou sollicitée, la mémoire ne m'apprend jamais que ce que je sais. Mes rêves m'étonnent davantage; mais au fur et à mesure qu'ils se déroulent, ils s'effilochent et le souvenir en est décevant. Seule la lecture, avec une remarquable économie de moyens — juste ce volume dans ma main — crée des rapports neufs et durables entre les choses et moi.

Pour lire, j'aime m'anéantir. Mais souvent aussi il m'arrive, l'été, de lire en plein air. Le récit m'emporte bien loin; et cependant je sens sur ma peau le soleil et les brises, je respire l'odeur des arbres, par moments je jette un coup d'œil sur le bleu du ciel : je reste où je suis tout en étant ailleurs. Et je ne sais pas ce qui dans ces instants compte le plus : la campagne qui m'entoure ou l'histoire qui m'est racontée. Il m'est agréable aussi de lire dans un train. Mon regard reçoit avec une quasi-passivité les paysages qui défilent derrière la vitre, il revient parcourir le texte auquel il prête vie : dans cette alternance, ces plaisirs, tous deux précieux pour moi, se conjuguent délicieusement. Dans bien des cas, je lis pour le seul plaisir de lire plutôt que pour avoir lu : je suis quelque peu bibliophage. Il s'ensuit que parfois ma première lecture est trop hâtive et qu'aussitôt l'ouvrage achevé, il me faut le recommencer d'un bout à l'autre.

Cependant, je ne lis pas n'importe quoi. A moins de me situer dans une perspective sociologique ou linguistique, la page des petites annonces ne me retiendra pas. Quelles conditions faut-il pour qu'aujourd'hui un texte me prenne ?

Il y en a de bien des espèces et les bénéfices que j'en retire sont très divers. En certains cas, je parcours l'ouvrage sans abandonner ma place au centre de mon propre univers dont je me borne à combler des lacunes. Lorsque je referme le volume, je me trouve avoir acquis certaines connaissances. A cette lecture informative s'oppose la lecture communication. L'auteur ne prétend pas alors me livrer un savoir mais transmettre à à travers un universel singulier — son œuvre — le sens vécu de son être dans le monde. Son expérience existentielle est irréductible à des concepts ou à des notions : elle ne m'instruit pas. Mais le temps d'une lecture, je vis dans la peau d'un autre. Ma vision de la condition humaine, du monde, de la situation que j'y occupe peut en être profondément modifiée. Il y a un critère assez net qui distingue ces deux catégories de livres. Le document informatif, je peux le résumer dans mon propre langage, livrant ainsi à un tiers un savoir universel; dans une œuvre littéraire, le langage est en jeu, c'est par lui que l'expérience vécue est donnée dans sa singularité : on ne saurait la communiquer avec d'autres mots. C'est pourquoi le texte imprimé sur la jaquette d'un bon roman et qui prétend le résumer le trahit toujours; c'est pour cela aussi qu'un écrivain est si embarrassé quand on l'interroge sur un travail en cours : il ne peut pas faire connaître ce qui est par définition un non-savoir.

Il m'arrive souvent aussi de faire des lectures qui ne me

servent ni à m'instruire ni à communiquer avec autrui mais seulement à passer le temps : des lectures de pur divertissement comme les romans policiers, les romans d'espionnage ou des ouvrages de science-fiction.

Je lis beaucoup pour m'informer : j'ai toujours désiré apprendre et ma curiosité est largement ouverte. Je voudrais me tenir au courant de tout ce qui intéresse mes contemporains. Elle est malheureusement limitée par mes incapacités et elle dépend de mes investissements antérieurs. Le domaine scientifique m'est fermé. Certaines disciplines — la linguistique, l'économie politique — m'ont toujours rebutée. Je me résigne à beaucoup ignorer. Même dans les domaines qui me sont accessibles, je ne lis pas tout ce qui paraît. Il entre un peu de hasard dans mes choix — on m'envoie beaucoup de livres, je les regarde — mais dans l'ensemble ils sont dirigés : par quel souci ?

D'emblée un ouvrage m'attire s'il répond à des questions que je me pose. Quand je prépare un voyage, je m'interroge sur le pays que je vais voir et je cherche à me documenter sur lui. Lorsque j'ai travaillé sur la vieillesse, j'ai compulsé avec ardeur des études de gérontologie qui m'auraient ennuyée, un an plus tôt. Mais aussi, de même que c'est souvent l'objet qui par son apparition suscite le désir, la révélation d'un événement imprévu me donne souvent l'envie de mieux le connaître et de le comprendre. Ou bien, touchant des faits que j'ignorais ou qui m'étaient indifférents, des découvertes nouvelles éveillent mon attention.

Avant tout, j'essaie de comprendre mon temps. J'ai lu pendant ces dix dernières années beaucoup d'études sur l'U.R.S.S., les U.S.A., l'Amérique latine, Cuba, la classe ouvrière française, le prolétariat italien. Quand se produisent des événements importants — la guerre des Six Jours, Mai 68, l'invasion de la Tchécoslovaquie, la révolution culturelle chinoise — je lis à peu près tout ce que je peux me procurer sur la question. Je ne suis pas moins intéressée par les livres qui m'expliquent des époques que j'ai vécues. Au cours de cette décennie d'importantes révélations ont vu le jour sur l'Espagne de Franco, la résistance grecque et l'échec tragique de la guerre des partisans [1], sur le IIIe Reich, sur la Milice et

---

1. Je pense au beau livre d'Eudes, *Les Kapetanios.*

la Gestapo françaises, sur l'extermination des Juifs, sur la guerre d'Indochine, sur la guerre d'Algérie. Lorsque je lis de tels livres, j'ai l'impression de récupérer ma propre histoire. Rafraîchissant et complétant mes informations, ils raniment mes angoisses et mes colères, ils ressuscitent mon passé, me sauvant pendant un moment de l'érosion du temps.

Sur certains faits qui se sont passés beaucoup plus loin de moi il m'est précieux aussi d'être éclairée. Je dirai plus loin dans quelles circonstances j'ai lu *L'Aveu* de London où j'ai trouvé les réponses à tant de questions que je m'étais posées. Sur les camps soviétiques, je savais pas mal de choses [1]; *Le Vertige* d'Evguenia Guinzbourg m'en a fait voir de plus près certains aspects. Longtemps avant de paraître en France, ces mémoires avaient circulé en U.R.S.S. sous le manteau. Ehrenbourg nous en avait parlé avec beaucoup d'estime. Evguenia Guinzbourg — mère du jeune écrivain anticonformiste et très connu en U.R.S.S., Axionov — a été arrêtée en 1937, à une époque où les interrogatoires ne comportaient pas encore de tortures. Elle n'a signé aucun aveu et n'a pas été publiquement jugée. Elle n'en a pas moins subi deux ans de prison et dix-sept ans de camp. On a utilisé pour la coincer les procédés que devait décrire plus tard London : « Vous avez connu le trotskiste Un tel et vous n'avez pas dénoncé ses activités. — J'ai connu le professeur Un tel et j'ignorais qu'il fût trotskiste. — Il l'était. Donc signez : j'ai connu la trotskiste Un tel. » Communiste irréprochable, Evguenia Guinzbourg a perdu toute confiance en Staline, mais n'a jamais douté du communisme. Dans les circonstances les plus pénibles, elle a lutté avec énergie pour survivre et pour aider ses camarades. C'est grâce à sa ténacité et à leur gratitude qu'elle est sortie indemne d'épreuves épuisantes.

Je savais que pendant la guerre les réseaux d'espionnage soviétique avaient rendu des services importants mais je ne m'étais jamais interrogée sur le détail de leurs activités. *L'Orchestre rouge* de Gilles Perrault a été de ces livres qui piquent la curiosité en même temps qu'ils l'assouvissent. Bien qu'il m'ait agacée parfois, l'auteur raconte de manière très vivante la captivante aventure de Trepper et de ses collaborateurs :

---

1. J'avais lu entre autres *Une journée d'Ivan Denissovitch* de Soljenitsyne.

aventure parfois burlesque, le plus souvent tragique. Tandis que je la découvrais, je me rendais clairement compte de mon activité de lectrice : c'est moi qui faisais exister ensemble tous ces personnages dispersés à travers l'Europe, le réseau berlinois si durement frappé — tous ses membres furent torturés et massacrés — l'orchestre [1] parisien, les « pianistes » de Bruxelles. J'accompagnais l'auteur dans ses enquêtes; je faisais la synthèse des résultats obtenus.

A propos de ces différents livres, je me suis posé une question : quand ils relatent des événements affreux ou révoltants, comment peut-on éprouver la joie de lire? La première condition c'est que leur chute au fond du passé les ait neutralisés. Quand les journaux me décrivaient l'agonie des enfants biafrais, quand ils m'apprenaient les massacres commis au Vietnam par les Américains, il n'était pas question d'en ressentir aucun plaisir intellectuel : on rage d'impuissance. Même rétrospectivement certaines révélations peuvent susciter du dégoût, du désarroi; j'ai connu des gens qui s'y dérobaient par crainte d'en être troublés : un communiste italien, entre autres, qui a refusé d'ouvrir *L'Aveu*. Il m'est arrivé de renâcler devant des descriptions de tortures physiques. Mais souvent au cours de tragiques histoires qui serrent le cœur se détachent — comme dans *Les Kapetanios*, *Le Vertige*, *L'Orchestre rouge* — d'héroïques ou attachantes figures : l'admiration ou l'amitié que j'éprouve pour elles m'est un bonheur. Et puis le goût de la connaissance est si enraciné chez moi que le dévoilement d'une réalité, fût-elle affreuse, m'apporte presque toujours une espèce d'exaltation.

Le proche passé me renvoie à un passé plus ancien et je m'intéresse aux travaux historiques qui m'aident à mieux comprendre la France, l'Europe, le monde d'aujourd'hui. Mais je n'ai presque rien lu pendant ces dernières années qui concernât des époques très lointaines. En revanche, j'aime me dépayser dans l'espace. Je lis volontiers des reportages et aussi des ouvrages d'ethnologie : il en a beaucoup paru en France, récemment. J'ai un goût particulier pour les monographies. Comme à Rome, sur l'Aventin, on découvre à travers un

1. Ce nom vient de ce qu'on appelle « pianistes » les espions qui utilisent des émetteurs clandestins pour transmettre des renseignements.

trou de serrure un jardin et la ville entière, fixant mon attention sur un petit coin de la terre, j'aperçois au-delà tout un pays et ses relations avec le monde. J'ai été très intéressée par l'étude de Morin sur *Plodémet*, par celle de Wylie sur *Un village en France*, de Duvignaud sur *Chebika*, de Mouloud Makal sur *Un village en Anatolie* et surtout par les passionnantes enquêtes d'Oscar Lewis : *Les Enfants de Sanchez, Pedro Martinez, La Vida.*

Parmi les livres d'ethnologie, je préfère ceux qui m'indiquent sur un cas particulier comment un « primitif » intériorise sa situation. Ils sont rares. Il y a eu autrefois l'étonnant *Soleil Hopi*. Ces dernières années, j'ai été captivée par l'histoire de l'Indien *Ishi*, dernier survivant d'une tribu exterminée, et aussi par *Yonoama*, récit dicté par une Brésilienne blanche, enlevée à l'âge de dix ans par des Indiens et qui passa une grande partie de sa vie parmi eux.

D'une manière générale, j'attache du prix à tous les travaux qui me montrent sous un jour neuf la condition humaine. La psychiatrie m'a passionnée dès ma jeunesse. Aujourd'hui, je suis avec la plus grande attention les efforts des « antipsychiatres » pour briser le cercle du « grand renfermement ». J'ai lu les ouvrages de Szasz, de Cooper, de Laing, et *L'Institution en négation* où Basaglia décrit l'expérience tentée à Gorizia. J'ai aimé la virulence du pamphlet de Gentis, *Les Murs de l'asile*. Je me soucie beaucoup plus qu'autrefois des problèmes de l'enfance, car plus je vais plus je mesure l'importance qu'ont eue dans le développement d'un être humain ses toutes premières années. Le livre de Bettelheim, *La Forteresse vide* m'a saisie. Freud insiste surtout sur la période de la vie infantile qui se situe entre trois et quatre ans. Bettelheim montre [1] qu'à deux ans, beaucoup de choses sont déjà gagnées ou perdues : c'est dans les vingt-quatre premiers mois que se définissent ce qu'on appellera les dons ou les failles d'un individu. Normalement c'est alors que l'enfant doit acquérir le sens de la réciprocité, nécessaire pour qu'il s'intègre à la société; si l'attitude de son entourage ne le lui permet pas il est voué à la schizophrénie, à l'autisme ou il devient ce qu'on appelait un « enfant

---

1. Ce que viennent de confirmer une série d'observations et d'expériences faites en Israël en 70-71. Cf. p. 497.

sauvage », un « enfant loup ». Les cas rapportés par l'auteur sont en soi passionnants, ils suggèrent quantité de réflexions et aident à comprendre beaucoup de choses.

De tous les livres qui concernent la psychiatrie, le plus étonnant que j'aie lu, c'est *Le Schizo et les langues* de Louis Wolfson. Un jeune schizophrène américain y décrit les curieux procédés linguistiques par lesquels il se défend contre sa langue maternelle, l'anglais — et en particulier quand elle est parlée par sa mère — et contre les nourritures — à ses yeux vénéneuses et souillées — que sa mère lui propose. Autour de ce thème obsessionnel s'organise toute l'histoire de sa vie : son rapport à sa mère, à son beau-père, à son père. Il la considère à la fois avec un sérieux maniaque et avec un détachement ironique qui donne un charme singulier au récit de l'« étudiant de langues schizophrénique », ainsi qu'il se nomme lui-même. Une remarquable préface de Gilles Deleuze éclaire ce témoignage exceptionnel.

Un genre qui me séduit parce qu'il se situe à l'intersection de l'histoire et de la psychologie, c'est la biographie. Comme dans toutes les monographies, je suis renvoyée à travers un cas singulier à la totalité du monde. Je suis particulièrement curieuse de savoir comment s'y sont situés des hommes qui exerçaient le même métier que moi, des écrivains. La biographie de Proust par Painter ne m'a pas aidée à mieux le connaître : son œuvre permet de l'approcher de bien plus près. Mais en indiquant quels paysages, quels visages, quels événements l'ont inspiré, elle m'a renseignée sur son travail créateur. C'est ce qui m'intrigue le plus : quel lien — pour chacun d'eux si différent — existe entre la vie quotidienne d'un écrivain et les livres où il s'exprime. C'est ce que j'ai cherché, avec plus ou moins de succès, dans les ouvrages de Lanoux sur Maupassant, de Troyat sur Gogol, de Julian sur D'Annunzio, de Baxter sur Hemingway.

Comment une femme s'arrange-t-elle de sa condition de femme, c'est aussi une question qui me tient à cœur. J'ai suivi avec un grand plaisir les aventures d'Isabelle Eberhard, racontées par Françoise d'Eaubonne, celles de Mme Hanau qu'a écrites Dominique Desanti. A travers le livre assez maladroit [1] que j'ai lu sur elle, j'ai éprouvé la plus chaleureuse sympathie

---

1. *Ma sœur, mon épouse*, de H. F. Peters.

pour cette femme étonnante que fut Lou Andréas-Salomé. Mais je peux aussi m'attacher au destin d'un personnage qui m'est tout à fait étranger. Ainsi pendant l'hiver 1970, je me suis enchantée du *Talleyrand* d'Orieux. Conditionné par l'histoire de son temps, Talleyrand l'exprime. S'attachant à ses pas, on voit, beaucoup plus clairement qu'à travers des généralités, comment à la fin du xviiie siècle un grand seigneur se situait dans la société; on comprend comment furent vécus au jour le jour les changements de régime qui caractérisent son époque. Cependant il n'est pas seulement une incarnation de son siècle : c'est un individu singulier. On voit sur son exemple, de manière saisissante, quel rôle joue dans la vie d'un homme sa petite enfance : en ce cas-ci elle excuse beaucoup de ses défauts. Certains traits de son caractère me déplaisent : entre autres sa vénalité. D'autres me séduisent : son intelligence cynique, l'âpre drôlerie de ses « mots », son impassibilité, sa fidélité à ses amis et aux maîtresses qu'il a aimées; je trouve romanesque sa longue liaison tolérante avec une nièce de quarante ans plus jeune que lui. J'ai suivi avec passion la curieuse histoire de ses relations avec Napoléon.

Il y a des autobiographies qui ne se distinguent guère des biographies écrites par un tiers : elles renseignent plutôt qu'elles n'établissent une communication. Dans les divers volumes de ses mémoires, Han Suyin raconte en détail les événements historiques qui ont accompagné sa vie; et certes, elle relate aussi l'aventure singulière d'une Eurasienne née à l'époque de Tchang Kaï-Chek; c'est un récit très attachant mais qui n'introduit pas le lecteur dans son intimité. Un livre comme *Papillon* ne nous fait pas participer à une expérience vécue; il nous découvre certains aspects du bagne; et surtout la suite des épisodes plus ou moins vrais, plus ou moins inventés, mais très bien racontés, nous divertit.

A vrai dire il est un peu arbitraire de distinguer aussi nettement que je l'ai fait trois espèces de lectures. Toutes sont « divertissantes » puisqu'elles accaparent mon attention. Quand je lis *L'Orchestre rouge* ou la vie de Lou Andréas-Salomé, il y a des moments où j'entre dans la peau des personnages et où je vois le monde avec leurs yeux. D'autre part il est rare qu'une œuvre littéraire ne me livre pas quelques informations. Cependant, dans les ouvrages que j'ai cités jusqu'ici, c'est essentiellement un enrichissement de mes connaissances que j'ai souhaité et obtenu.

Mon attitude est très différente lorsque je recherche une « communication » : alors je m'abolis au profit d'un autre; je tente de réaliser le rêve de Fantasio : « Si je pouvais être ce monsieur qui passe! » Dans ces cas-là, lire, ce n'est pas, comme l'écrivait Montaigne, converser mais me glisser au cœur d'un monologue étranger. Des autobiographies, des journaux intimes, des correspondances favorisent cette intrusion. Et aussi certains romans. Un récit qui se réfère à la réalité et un récit qui se situe dans l'imaginaire posent à leur auteur des problèmes divers : mais le rôle du lecteur demeure le même. Il faut que le monde dans lequel il s'installe ait assez de cohérence et d'intérêt pour qu'il soit incité à en mettre en relation les divers éléments et les divers moments : peu importe que cet univers soit révolu, absent ou fictif. De toute façon le lecteur prend contact avec lui par l'intermédiaire de ce que Sartre appelle un « savoir imageant » : le mot sert d'*analogon* à l'objet visé aussi bien s'il existe encore, n'existe plus, ou n'a jamais existé. La prison de Julien Sorel n'est ni plus ni moins proche de moi que celle d'Oscar Wilde. Le clivage se situe ailleurs : entre les livres qui ne modifient pas ma position de sujet et ceux qui m'arrachent à moi-même. J'ai de la répugnance pour ceux qui prétendent me faire adopter à la fois les deux attitudes : le roman dit documentaire, comme la biographie romancée, m'instruit mal et ne me communique rien.

Dans quelles circonstances et dans quelle mesure un auteur réussit-il à me transformer pour un temps en une autre que moi? Je considérerai d'abord les cas où il se livre le plus directement : mémoires, lettres, journaux intimes. Ensuite ceux où il recrée son univers dans un roman.

J'ai déjà parlé du rapport singulier que je soutiens avec les livres de Sartre, de Violette Leduc : je n'y reviendrai pas ici bien que dans ces dernières années peu d'ouvrages m'aient captivée autant que *Les Mots* et *La Bâtarde*. J'ai beaucoup aimé aussi *Fibrilles*. J'y suis entrée facilement parce que l'univers de Leiris se recoupe en grande partie avec le mien. Nous habitons la même ville, je connais bon nombre de ses amis, les livres et les musiques qu'il préfère. J'ai fait au même moment que lui le voyage en Chine dont il parle. Je le connais lui-même, personnellement, et à travers son œuvre. Elle me séduit par cette méticuleuse attention que Leiris accorde à la vie, au monde, à soi-même et par la distance qu'il prend à leur égard. Il y a de l'humour dans ses scrupules d'exactitude, un souci de précision dans son humour. Il ne cherche ni à modeler sa statue ni à se changer en insecte sous l'œil froid d'un entomologiste. Complice et détaché, c'est un homme qu'il nous donne à voir : cet homme singulier qui se trouve être lui. Dans *Fibrilles* le jeu tournoyant des miroirs ne renvoie plus à l'infini comme dans *Fourbi* et *Biffures;* moins longues, moins étincelantes les phrases arrêtent plus nettement le sens : l'expérience qu'elles relatent est plus déchirante que dans ses autres livres. J'ai été remuée par les pages où il décrit le conflit entre l'amour-fidélité et l'amour-vertige, conflit qui l'a conduit aux portes de la mort; et plus encore par celles où il raconte comment il a surmonté le drame du vieillissement : par-delà le découragement qu'engendre à nos âges le cruel rétrécissement de l'avenir, il a su retrouver l'amour de la vie et de la littérature.

Il me plaît aussi que ma sympathie m'entraîne dans un univers très différent du mien. C'est ce qui m'est arrivé avec la correspondance de Freud. Bien que je récuse certaines de ses théories — en particulier celles qui concernent les femmes — c'est un des hommes de ce siècle que j'admire le plus chaleureusement. Je le connaissais par la biographie que lui a consacrée Jones. Mais ses lettres me l'ont rendu plus proche. Elles m'ont mêlée à sa vie de famille, à ses amitiés, à ses voyages. J'ai participé aux aventures de sa pensée; je l'ai vu lutter avec une indomptable intrépidité contre tous les obstacles qui se sont dressés en travers de son chemin. Malgré la sobriété des mots, j'ai senti que la maladie, la douleur, les deuils, les abandons l'avaient mis par moments au bord du désespoir; mais par amour pour les siens il a composé avec la souffrance, avec la vieillesse : il y a quelque chose d'héroïque dans sa résignation.

Je ne connais que très imparfaitement la pensée de Gramsci mais j'en sais la valeur. Lisant sa vie, dans un ouvrage récemment traduit en français, je me suis attachée à lui et les épreuves qu'il a traversées m'ont désolée. Ses lettres de prison m'ont navrée encore davantage. Délaissé par sa femme, privé de ses enfants, mal compris de ses proches, et tourmenté dans son corps, il subit dans une amère solitude une captivité qui fut un lent assassinat.

J'ignorais tout de Jackson jusqu'au jour où j'ai eu ses lettres entre les mains. Elles méritent le bel éloge qu'en fait Genet dans sa préface. Arrêté à dix-huit ans pour délinquance et peu conscient alors des problèmes politiques et raciaux, ce jeune Noir les a peu à peu découverts puis intellectuellement dominés. On voit, pendant ces dix années, son caractère se former, ses idées naître et mûrir. Il se solidarise avec la révolte de ses frères, les Panthères, et il explique avec force pourquoi. A l'intérieur de la prison il s'insurge contre l'arbitraire des discriminations raciales. Accusé du meurtre d'un gardien, il se prépare à affronter, avec deux de ses codétenus, un procès : mais il sait que sa vie est en danger. A la fin de sa correspondance, il a acquis l'instruction, l'expérience et l'étoffe d'un leader. J'ai suivi cette évolution avec joie mais aussi avec angoisse. Je me sentais liée à lui car nous devions Sartre et moi aller témoigner à son procès. Et je pressentais avec lui la fin qui l'attendait : ils l'ont abattu.

Jusqu'à quel point doit aller mon entente avec un individu pour qu'il parvienne pendant des pages à m'entraîner à sa suite ? Même si je n'ai pas pour lui cette estime absolue que j'éprouve pour Freud, pour Gramsci, pour Jackson, il peut m'inspirer assez de sympathie pour qu'à partir de son passé et de sa situation je comprenne ses intentions et ses fins, que je me réjouisse de ses bonheurs et compatisse à ses tristesses.

C'est ce qui s'est passé quand j'ai lu la correspondance d'Oscar Wilde. J'aime son théâtre, ses livres. J'ai abordé ses lettres avec amitié. Dans le premier volume surtout, sa frivolité, son esthétisme, son snobisme, son narcissisme m'irritent. Cependant je me sens des affinités intellectuelles avec lui ; il parle de l'Art et de l'Artiste avec une emphase agaçante mais le fait est que l'art et la littérature sont ses raisons de vivre. Je partage souvent ses goûts : pour certains livres, certains tableaux, pour l'Italie ; je partage aussi son refus des conventions et du puritanisme. Il sait regarder et voir, et j'aime sa présence aiguë aux bonheurs de la vie, même s'il y entre des plaisirs de vanité, de luxe, d'argent auxquels je suis étrangère. Écrivain, il sait se défendre et attaquer, il a la dent dure; dans sa vie privée, il me touche par sa générosité, sa gentillesse, son absence de fiel et de rancune. Il entre du masochisme dans cette impuissance à haïr mais surtout beaucoup de bonté et une imagination qui lui permet d'avoir des contacts vivants avec des hommes aussi différents de lui que des mineurs de Californie. On retrouve dans ses lettres ses qualités d'écrivain, il raconte avec charme. Et ses apparents paradoxes recouvrent souvent des vérités. « La vie n'est pas un roman; on a des souvenirs romanesques et des désirs romanesques — c'est tout. Nos moments d'extases les plus ardents sont simplement les ombres de ce que nous avons éprouvé ailleurs ou de ce que nous espérons éprouver un jour. » Ce texte exprime avec justesse l'idée existentialiste de l'impossible rejoignement de l'être.

Au moment où il intente un procès à Lord Queensberry, Wilde me déconcerte; mais une fois devant le tribunal, j'admire l'audace avec laquelle il défie la société et la dangereuse élégance de ses réponses aux accusations portées contre lui. J'ai relu avec émotion le *De profundis*. Wilde y règle ses comptes avec Douglas d'une manière assez déplaisante : mais la situation incitait à cette ratiocination amère; il dénonce avec beaucoup de force la stérilité nocive de la haine qu'il oppose aux richesses de l'amour. Quand il reproche à Bosie d'être « superficiel » on sent quelle profondeur ont ses propres sentiments, sous le masque de la frivolité. Découvrant dans le malheur la vérité de la condition humaine, il met son orgueil à l'assumer et tire profit de sa défaite. Il ne dissimule pas cependant ce qu'elle a de dérisoire et même de grotesque. Descendant au fond de l'abjection, il atteint une vraie grandeur. Il sort de cette épreuve non pas aigri mais plus humain qu'auparavant. Au lieu de passer sous silence son séjour en prison, il s'en prévaut pour s'indigner des cruautés administratives dont sont victimes les détenus, et en particulier les enfants et les adolescents. Dans une lettre au directeur du *Daily Chronicle* il proteste parce qu'on vient de destituer un jeune gardien coupable d'avoir donné des biscuits à des enfants en proie aux « nausées de la faim ». Cette méchanceté n'est pas le fruit d'une volonté démoniaque, constate-t-il; elle est pure stupidité, un « manque complet d'imagination ». Quant à lui, au lieu de se replier sur son propre malheur, il a su compatir à l'épouvante sans limites qui fond sur un enfant dans la solitude de sa cellule, et souffrir dans sa chair des brimades et des coups qui ont conduit un adolescent au bord de la folie. Pour parler d'eux il trouve des accents si poignants que, nous obligeant à faire à son égard un même effort de compréhension, il force notre estime et notre amitié.

Ensuite faut-il s'étonner qu'ayant subi la prison par amour pour Bosie, aussitôt libéré il retombe amoureux de lui? Contre sa femme, ses amis et tous ses intérêts il recommence à vivre avec lui et nous assistons à travers ses lettres à sa dégringolade pathétique. Il n'est plus capable d'écrire. Pour extorquer de l'argent à ses amis, il recourt à de pauvres ruses, à des mensonges qu'il ne se soucie même pas de rendre vraisemblables. De l'homme qu'il était autrefois, il a dépouillé non seulement la réputation et les masques, mais tout souci de moralité et même de la plus élémentaire décence. Il fait penser à Lear, rejetant ses vains ornements et mettant à nu cette bête fourchue qu'est l'homme.

Aimant l'œuvre de Wilde il était normal que, déchiffrée à travers ses lettres, son histoire me prenne. Il y a des cas plus déconcertants. Je suis politiquement hostile à Clemenceau, ce serviteur de la bourgeoisie qui s'intitulait lui-même « le premier flic de France »; la philosophie qui se dégage de ses œuvres est fumeuse et fade. Pourquoi ai-je pris tant d'intérêt à ses « lettres à une amie »?

A quatre-vingt-deux ans, il était politiquement neutralisé. Il n'avait plus d'influence mais seulement des opinions qui lui inspiraient d'ailleurs sur l'avenir des vues lucides. Il n'en parle presque pas dans ces lettres. Ce qu'elles livrent c'est au jour le jour la vie privée d'un vieil homme qui a connu une gloire éclatante, qui a été durement « mis à la retraite » et qui s'efforce de remplir le mieux possible ses dernières années. Il écrit surtout de sa maison de Vendée, Bélébat : je l'ai vue, isolée au bord de la mer sur une côte sablonneuse. Il y faisait pousser des roses et toutes espèces de fleurs. Ce qui m'attache à lui, à travers le récit de ses journées, c'est la fraîcheur et la sincérité de l'attention qu'il porte aux choses. Il gardait la même présence au monde, la même ardeur à vivre que dans ses années tumultueuses. Il ignorait les bons écrivains de son époque, mais il a compris et défendu les œuvres de Rodin, de Monet : il savait voir. Sensible au soleil, au vent, il jetait chaque jour un regard neuf et joyeux sur le ciel et ses nuages, sur les vagues de la mer : avec des mots très simples, il réussit à nous les montrer. Loin de se racornir, comme tant de gens âgés, il tenait chaleureusement à ses amis, à ses sœurs, à sa gouvernante Clotilde et il s'intéressait aux gens de son village.

Mais surtout, ce qui illumine ces pages et qui en fait le prix c'est sa liaison — sans doute platonique mais passionnée — avec une femme d'une quarantaine d'années. « Je vous aiderai à vivre; vous m'aiderez à mourir », lui dit-il au début de leur amour. Je sais combien une jeune amitié peut apporter de bonheur dans la vie d'une personne vieillissante. Je peux imaginer l'émotion de cet octogénaire quand il retrouvait le chaud regard, le rire joyeux de Mme B. Ils s'écrivaient tous les jours, il partageait avec elle les moindres détails de son existence. Par la suite elle le déçut un peu : il la trouvait frivole, dispersée et trop encline à se plaindre. Trop souvent elle le « grondait »; sans doute était-ce par inquiétude; elle savait bien que sa mort était proche. En tout cas elle ne lui a jamais fait défaut et il l'a chérie jusqu'à sa dernière heure. Si les deux héros de cette histoire me sont assez étrangers, je suis sensible à la qualité exceptionnelle de leur relation. Je pense qu'elle me laisserait indifférente si je n'avais pas pour eux un minimum d'estime. Entre deux êtres tout à fait vils, les sentiments ne sauraient être que pervertis. Dans *L'Orchestre rouge*, l'amour forcené de Margarete pour Kent ne m'inspire que de la répulsion.

Si je ne suis pas d'accord avec un auteur, je ne me donne pas franchement à ma lecture et elle prend mal. Les huit volumes de la correspondance de George Sand récemment édités par Lubin avec un grand luxe de notes et de références m'ont captivée : ils ressuscitent toute une époque. J'ai vu récemment Nohant et la vallée Noire : ma lecture a donc été plus « imagée » que d'ordinaire. Mais George Sand m'irrite. Jeune, j'aime sa volonté d'indépendance, son ardeur à lire, à s'instruire, à courir la campagne, et la netteté de ses décisions. Prise au piège d'un mariage stupide, elle a eu l'audace de partir pour Paris pour refaire sa vie et subvenir elle-même à ses besoins.

Par la suite, je continue d'estimer son énergie et sa puissance de travail. Mais je suis écœurée par ce masque vertueux qu'elle a posé sur son visage. Avoir des amants, les tromper, leur mentir, pourquoi pas? Mais il ne faut pas alors clamer son amour de la vérité, crier à la calomnie et se donner des airs de sainte. Elle affiche pour tous ses amants des sentiments « maternels »; couchant avec Pagello, elle prétend qu'ensemble ils aimeront Musset comme « leur enfant ». La maternité pourtant n'est pas son fort : elle s'est fait détester par sa fille; elle l'a humiliée pendant toute son enfance, l'appelant « ma grosse » et la traitant de sotte; elle a découragé tous ses élans par des sermons pédants, ne lui accordant qu'un amour « conditionnel », ce qui affole les enfants à qui la sécurité du cœur est si nécessaire. A trente ans, elle pose déjà à la femme brisée par la vie et qui se dévoue sans compter : alors qu'elle se fait impérieusement servir par tout son entourage. Ce que je lui pardonne le moins, c'est la falsification systématique de son langage intérieur qui transfigure toutes ses conduites en exemples édifiants. C'est un mensonge si radical que même l'attitude qu'elle affiche en 1848 m'est suspecte [1].

C'est aussi dans l'ambivalence que j'ai lu les trois volumes du *Journal* d'Anaïs Nin. Je me laisse prendre à certains passages : quand elle parle de Miller et de sa femme, June, quand elle évoque Artaud, quand elle peint avec une certaine subtilité des gens que j'ai croisés, quand elle s'efforce avec honnêteté de se reconnaître dans son passé. Mais la voilà soudain subjuguée par un minable charlatan que j'ai bien connu : je cesse de lui faire crédit. Je suis gênée par son esthétisme, son narcissisme, l'étroitesse du monde qu'elle se crée artificiellement, l'usage immodéré qu'elle fait des mythes, par son engouement pour l'astrologie. Sa conception de la féminité me hérisse. Tout au long de ma lecture, j'ai oscillé de la bonne volonté à la méfiance.

Lire l'œuvre d'un écrivain dont on récuse radicalement les options pose un problème; pour qu'un texte prenne un sens, il faut y engager sa liberté, faire le silence en soi, et y installer une voix étrangère. Cela m'est impossible si la fausseté des valeurs admises par l'auteur est trop flagrante, si sa vision du monde me paraît puérile ou odieuse. J'espérais cependant y

1. Cette édition s'arrête en 1848.

172

parvenir quand j'ai abordé les *Antimémoires* de Malraux. Étant donné ce qu'il avait été avant la guerre, j'étais curieuse de savoir comment il justifiait l'homme qu'il est ensuite devenu. Que pensait-il des vaticinations auxquelles il s'était livré pendant la guerre d'Algérie : « Nous ferons de l'Algérie une Tennessee Valley... La fraternisation a été une réalité »? Comment expliquait-il qu'il ait pu se sentir flatté parce que, selon le mot de Mauriac, de Gaulle lui a jeté un « ministère à ronger »? Estimait-il avoir servi hautement la culture en faisant reblanchir des façades, peindre un plafond et, dans l'intérêt de la maison Philipps, en imposant *Son et Lumière* aux Grecs consternés? Je ne m'attendais pas à des repentirs mais j'espérais trouver dans son livre des réponses à mes questions.

Comme je me trompais! J'oubliais que si depuis 45 l'attitude de Malraux m'a paru dérisoire ou scandaleuse, c'est que toute sa conception de l'homme, de la vie, de la pensée, de la littérature est radicalement opposée à la mienne. Il avertit d'emblée le public qu'il va se placer sur le plan le plus élevé : au niveau non des individus mais des Civilisations, non des hommes mais de leurs statues et de leurs dieux, non de la vie et de la mort quotidiennes, mais du Destin; c'est dire que ce monde-ci, le monde terrestre, sera escamoté au profit de notions et de concepts mystificateurs. Malraux s'escamote lui-même. Sauf dans deux ou trois épisodes — les seuls passages où je réussis à le suivre et qu'il doit considérer comme anecdotiques et d'un intérêt secondaire — il n'est jamais là. « Que m'importe ce qui n'importe qu'à moi? » dit-il. Cette superbe l'amène quand il veut malgré tout se définir à se dire épris de « justice sociale », expression chère aux papes et aux dictateurs.

A la fin de *Fibrilles*, Leiris énonce les principes qu'il a essayé de respecter — sans toujours y réussir, dit-il — dans son travail d'écrivain. Ne pas mentir, ni se payer de mots; refuser toute inflation verbale; proscrire les morceaux de bravoure; ne pas parler à tort et à travers et faire de la littérature un art touche à tout; écrire comme quelqu'un qui sait ce que parler veut dire et n'user du langage qu'avec la rigueur et la loyauté les plus grandes. Malraux a pris exactement le contre-pied de ces préceptes. Prétendre aujourd'hui que la fraternisation a été autre chose qu'une mascarade, ce serait un mensonge éhonté si les termes de mensonge et de vérité avaient un sens chez lui; mais il ne les distingue pas l'un de l'autre; les mots ne sont pour lui que des *flatus vocis*, ce qui ne l'empêche pas de les prendre pour des pensées et de croire avoir inventé une idée quand il a trouvé une formule. Regarder un objet et dire honnêtement ce qu'il a vu, c'est une activité trop modeste pour lui : au lieu de l'affronter, il fuit. C'est un tic qui saute aux yeux et qui devient vite insupportable : il lui faut toujours *penser* [1] à autre chose. Qu'*en* pense-t-il? Il ne le dit jamais : cette autre chose le fait penser à une autre encore dont il ne pense rien non plus. C'est une cascade d'intentions vides : rien n'est éclairé; tout est sans cesse éludé. Quand il est au Caire, il *pense* au Mexique, au Guatemala, à Antigua où il a *pensé* à la belle.ville baroque de Noto. Devant Mao il *pense* à Trotski, aux empereurs chinois, aux « carapaces couvertes de rouille des chefs d'armée ». Devant la Grande Muraille il *pense* à Vézelay. A Delhi, il *pense* aux jardins de Babylone, aux soldats de Cortez, aux lotus d'Hang-Tcheou. Assistant à l'enterrement de Jean Moulin, il écrit : « Je pense au combat de Jarnac et de La Châtaigneraie selon Michelet. » Je pourrais poursuivre pendant des pages cette énumération. Paulhan recommandait de ne pas entrer dans les jardins de la littérature avec des fleurs à la main. Malraux y pénètre chargé de gerbes et de couronnes et il cache sous des amoncellements de rhétorique ce qu'il prétend montrer. Il ne nous fait non plus voir personne quand il rapporte ses rencontres avec Nehru, avec Mao. On sait ce que valent, même bien conduits, des entretiens aussi officiels que ceux-là. Mais en outre Malraux est incapable d'écouter : il parle; s'il pose des questions, c'est avec tant d'insistance que l'interlocuteur est obligé de se plier à un cadre préfabriqué. Nous n'entendons jamais sa vraie voix, mais celle que Malraux lui impose. Il ne se soucie pas d'ailleurs de renseigner ses lecteurs, mais de les étourdir, de leur faire mesurer combien la culture de l'auteur est étendue, combien il a voyagé, que de gens célèbres il a approchés. La hauteur emphatique et souvent tarabiscotée du style n'est faite que pour masquer le vide de ses récits. Peut-être dans la conversation ces jongleries donnent-elles une impression de « brillant »; à la lecture, on voit trop combien ces belles envolées sont creuses : bien souvent elles dissimulent des

1. C'est lui qui emploie le mot *penser*.

lapalissades. Tout au long des *Antimémoires* Malraux nous resserre des thèmes qu'il a déjà largement exploités — sur le réalisme en art, par exemple — et des lieux communs de la pensée de droite : une pensée complice de l'exploitation, qui fait passer les valeurs et les mythes des privilégiés pour la vérité de la condition humaine. On nous parle avec émotion de la France, mais jamais des Français.

La forme la plus insidieuse du mensonge, c'est l'omission. Les moments de sa vie, les actes, les paroles qui pourraient être gênants à expliquer, Malraux n'en parle pas. Il ne peut pas ignorer que le gouvernement de De Gaulle a systématiquement couvert la torture et fait mourir des hommes par milliers dans des camps de concentration. Je me souviens de mon entrevue avec Michelet [1] et de la manière embarrassée dont il avait dit, à propos de la torture : « Je sais, je sais... C'est une gangrène. » Malraux n'était pas moins averti. A partir de 59, les rapports sur les camps se sont multipliés [2]. En soutenant inconditionnellement le régime, il s'est rangé sans équivoque du côté des bourreaux. Il fait donc preuve d'une malhonnêteté insigne quand à la fin de son livre il médite longuement sur la torture, les camps, les techniques d'avilissement de l'homme comme s'il se situait du côté des victimes. Comme beaucoup de Français il a compté parmi celles-ci, de 40 à 45, certains de ses amis; prisonnier des Allemands en 45, il a pu craindre un moment d'être torturé. Cela ne l'autorise pas à oublier ses complicités avec les tortionnaires des Algériens. Ce livre, tout entier truqué, s'achève sur une énorme imposture.

« L'Histoire n'avoue jamais », a-t-on dit. Depuis 62, elle a tout de même avoué certaines choses. Pas un instant Malraux n'en tient compte. Sa mythomanie le dispense de toute justification.

Je l'ai dit : aussi bien que des Mémoires, des lettres ou des journaux intimes, le roman peut me communiquer une expé-

1. A propos de l'affaire Djamila Boupacha.
2. En avril 59, Mgr Rodhain estimait à un million et demi le nombre des « regroupés » et faisait de leur condition une description affreuse que confirmèrent des journalistes de droite et même des généraux.

rience étrangère. Je ne parlerai pas ici de tous ceux qui pendant ces dix dernières années m'ont retenue; j'essaierai seulement sur quelques exemples de comprendre ce que je cherche, ce que je peux trouver dans un roman.

Un livre qui a été pour moi une révélation, c'est le *Wolf Solent* de Cowper Powys dont jusqu'à ces dernières années j'ignorais tout. C'est à la fois la peinture d'un monde et l'avanture d'un homme; cet homme en qui l'auteur s'est très exactement incarné est par bien des côtés très loin de moi : par son fétichisme, par son animisme. Cependant je suis entrée dans son univers et je l'y ai suivi pas à pas.

Le lieu où se déroule l'action me dépayse tout en éveillant en moi des réminiscences. Je peux imaginer ces villages d'Angleterre, leurs cottages fleuris où l'on boit du thé en mangeant des tartines de miel, ces prés verdoyants, ces eaux vives, ces étangs dormants. J'ai retrouvé avec tendresse les chambres rustiques, les bougeoirs, les brocs et les cuvettes de mon enfance. Dans ce décor évoluent des personnages qui se présentent au lecteur sous des profils si divers qu'il en est d'abord déconcerté; il s'interroge sur eux comme s'il les avait rencontrés en chair et en os. On prend à cœur leurs échecs, leurs bonheurs, leurs espoirs, leurs déceptions. Chacun d'eux enferme quelque pénible secret, presque toujours d'ordre sexuel; chacun est victime d'obsessions, de hantises et travaillé par de honteux démons. (Le mystère de leur cœur est symbolisé par la dramatique histoire, jamais élucidée, du jeune secrétaire qui s'est jeté dans un étang.) Malgré la répugnance que certains de leurs traits lui inspirent, Wolf Solent a pour eux une immense indulgence car il reconnaît en eux avec angoisse ses propres tourments.

Solent est au cœur de toutes les intrigues et les choses et les gens sont vus par ses yeux. Profondément égoïste, il peut cependant être hanté par un visage malheureux aperçu à l'improviste et il possède ce don de sympathie qui fait de Powys un grand écrivain. Il y a chez lui un côté rousseauiste; le premier lien qui s'est créé entre lui et moi, c'est son amour de la campagne, tel que je l'ai éprouvé dans mon enfance et mon adolescence, quand la révélation de mon destin me venait de l'odeur de la terre et des couleurs du ciel. Je l'ai accompagné dans ses promenades solitaires, fascinée par un caillou et happée par les promesses des lointains. Il partage le goût de Rousseau pour l'immédiat; comme lui il refuse la vie technique pratique, utilitaire, organisée; il déteste la parole toute faite, l'ordre et l'activisme des adultes : Solent s'est fait chasser de l'école où il enseignait à cause d'une brusque crise de sincérité verbale où il a attaqué les valeurs admises. Il rêve d'une existence sans consigne, où les routines serviraient de support au loisir, à la liberté, où l'on pourrait se donner sans contrainte à ses fantasmes et à ses manies sexuelles : la sexualité pénètre tout son univers. Il échappe au carcan de l'existence quotidienne grâce aux illuminations que lui dispense la nature : il appelle « mythologies » ces moments de parfaite présence, de parfaite absence qui sont pour lui l'absolu du bonheur.

Du début à la fin du livre, ce qui le préoccupe avant tout c'est la recherche de sa vérité; et grâce à la continuité sans faille de son monologue intérieur, il nous amène à y participer; il y a dans cette quête des moments de sincérité, mais aussi des arrêts, des fuites, des mensonges à soi. Une des réussites de Powys, c'est qu'il parvient à nous faire connaître de lui une face d'ombre qui demeure cependant cachée.

L'aventure aboutit à la destruction de ses mythologies et il pose alors, à partir d'une expérience des plus originales, une question qui nous concerne tous : « Comment les hommes pouvaient-ils continuer à vivre quand leur illusion vitale était détruite? Que rafistolaient-ils, que rapiéçaient-ils en eux-mêmes pour pouvoir végéter, traîner leur existence quand cette unique et incomparable ressource venait à leur manquer? » Ce problème se pose à l'écrivain vieillissant, qui a perdu l'illusion d'atteindre en écrivant cette plénitude d'être vers laquelle tend toute existence; il lui faut alors trouver dans l'existence même — dans la coexistence avec les autres hommes — des raisons suffisantes pour vivre et peut-être même pour écrire encore. Wolf Solent, à trente-six ans, se sauve du désespoir en s'appuyant sur la valeur de la vie même, saisie à son niveau le plus animal. En fait l'auteur a sûrement retrouvé d'autres « illusions », entre autres, aux environs de cinquante-trois ans la joie d'écrire : il a entrepris alors son premier livre. Il avait cinquante-sept ans quand il a composé *Wolf Solent*. Une des séductions du roman, c'est la richesse d'un style que la traduction n'affadit pas, et un art consommé du récit. Comme dans une promenade heureuse, on est à chaque instant arrêté par le tableau qu'évoque la phrase, et entraîné vers la suite de l'histoire.

Voilà un cas où le roman se trouve être un moyen de communication privilégié. J'ai retrouvé dans l'*Autobiographie*, écrite quelques années après *Wolf Solent*, l'art de Powys, sa personnalité et la plupart de ses thèmes. Mais il insiste davantage sur ses singularités. Je suis rebutée par son égoïsme, sa complaisante fixation sur ses « vices », la culture têtue de ses manies et je ne sais quoi de satisfait dans le style même. Enfermé obstinément dans les limites qu'il s'est choisies, les récits de ses voyages sont d'une pauvreté affligeante. Et de curieux parti pris obscurcissent le récit : entre autres celui de passer sous silence toutes les femmes de sa famille ou de son entourage, sa mère, son épouse, ses amies.

C'est pour de tout autres raisons que j'ai aimé *Belle du Seigneur* d'Albert Cohen. La nature n'existe guère pour lui; ce qui l'intéresse, c'est cette société qui nous investit. Décrivant l'incarnation d'un de ses mythes, un grand amour, il projette sur elle une lumière cruelle.

1936. Dans les rues de Berlin on entend le bruit des bottes nazies. A la Société des Nations, des fonctionnaires bien nourris bâillent devant leurs dossiers, indifférents à ce qui se passe dans le monde. Solal, le héros qui ressemble beaucoup à l'auteur et qui travaille lui aussi à la S.D.N., les considère avec une ironie consternée; il nous donne envie de rire et de pleurer quand il nous fait assister au cocktail où supérieurs, inférieurs et égaux s'affrontent avec un sens aigu des hiérarchies, avec des prudences et des ruses qui ne leur laissent pas un instant de répit. Décorations, promotions, réussite sociale, n'est-il pas dérisoire d'attacher tant de prix à ces hochets quand on est un futur cadavre? Que chaque individu soit un mort en sursis, cette idée hante Cohen. Et sans doute nul n'échappe à la tombe. Mais si on sait saisir la plénitude de l'instant — dans la jubilation, l'action ou la révolte — la mort recule; le futur cadavre s'affirme au présent comme un être vivant. Rares sont ces élus.

La sottise des ambitions creuses, Cohen l'incarne particulièrement chez un des fonctionnaires de la S.D.N., Adrien Deume;
avec une impitoyable minutie il dépiste ses pauvres préoccupations, ses joies minables, ses affolements futiles. Déshumanisé
par le système, Deume aurait pu cependant être un homme.
Il a un grand fond de bonté. Quand le malheur le frappe — il
est quitté par sa femme qu'il adore — Cohen lui prête fraternel-
lement les réactions pitoyables et pathétiques qui ont été les
siennes quand il a perdu sa mère [1].

J'ai rarement lu des pages plus divertissantes — et plus
vengeresses — que celles où Cohen met en scène les parents
d'Adrien. Il a de la pitié pour le « petit père Deume » qui traîne
sous la férule de sa femme sa triste existence de vieil homme
inutile. Mais il hait la mère Deume, son faux spiritualisme, sa
sotte vanité, sa dureté, sa prétentieuse vulgarité, son avarice.
C'est un parfait spécimen de cette bourgeoisie avide, égoïste,
hypocrite, raciste par laquelle le Juif Solal se sent traqué.

À cette société futile et guindée Cohen oppose la vie bruyante,
animale, insouciante des Juifs de Céphalonie. Les Valeureux
m'agacent par leur côté folklorique. Cependant leur présence
est nécessaire pour expliquer Solal. Il a les mêmes racines
qu'eux mais il s'est laissé contaminer par le monde occidental
qu'il juge amèrement sans pouvoir s'en arracher.

C'est sur ce fond que se déroule l'histoire d'amour qui est le
pivot du roman. Solal aime Ariane, la femme d'Adrien Deume,
qui est belle, noble par ses origines et par son allure, et qui
supporte mal la médiocrité de son milieu. Il la séduit et elle
quitte tout pour le suivre. Cohen a su rendre ensemble, comme
l'avers/revers d'une médaille, la splendeur de l'amour et sa
misère. Il fait admirablement sentir l'impatience presque
insoutenable des attentes, l'éblouissement des rencontres,
l'ivresse d'apercevoir son visage dans des yeux aimants; et
cependant ces enchantements, ces extases, pour chaque individu
uniques et exaltantes, apparaissent aussi comme la plus prévi-
sible des banalités. Ariane se prend au mythe de la passion
avec une naïveté qui fait sourire Solal, qui l'attendrit et l'exaspère. Quant à lui, il se donne à cette histoire non sans ardeur
mais avec un scepticisme grinçant. Elle ne le sauve pas de sa

---

1. Il les raconte dans *Le Livre de ma mère*.

solitude. Il est seul quand à la S.D.N. il demande que toutes les nations s'engagent à accueillir les Juifs allemands; il est seul lorsque, écœuré par leur refus, il dénonce anonymement l'irrégularité de sa naturalisation et se voit chassé de Genève : il devient volontairement un paria sur qui pèsent de vagues et infâmes soupçons. Il est dramatiquement seul lorsque, se promenant dans un Paris infesté d'antisémitisme, il se déguise grotesquement d'un faux nez.

Ariane ignore pourquoi ils traînent à travers la France et l'Italie une existence dorée — car ils sont riches — de hors-la-loi. Coupés du « social », leur passion doit suppléer à tout ce qui leur manque. Ariane l'entoure de tant de rites et de cérémonies qu'elle ne laisse pas de place à la vraie tendresse. Solal trouve comique l'image idéalisée de soi-même que chacun se croit obligé d'offrir à l'autre; ces raffinements mensongers provoquent en lui de l'ennui, puis une irritation qui l'entraîne à des méchancetés. Il leur oppose l'amour tel qu'il est vécu dans le mariage juif : un amour fondé sur le don et l'oubli de soi, sur une commune conscience de la misère humaine, sur un effort commun pour l'assumer; un amour que n'effraient ni la laideur ni les infirmités. C'est aussi celui qu'a connu Mariette, la servante à qui les artifices d'Ariane semblent burlesques; elle se souvient des rapports si naturels qu'elle avait avec son mari, aucun des deux ne déguisant sa quotidienne animalité. Pourquoi Solal se prête-t-il au jeu d'Ariane au lieu d'essayer de vivre avec elle dans la vérité? Sans doute pense-t-il que son milieu, son éducation l'en rendent incapables. L'hostilité qu'il éprouve à l'égard de cette société frelatée rejaillit sur elle et aussi sur lui-même. Il continue donc à cultiver cette passion éthérée dans laquelle Ariane les enferme. Mais un sentiment si creux s'étiole vite; pour survivre il lui faut recourir à des perversions et s'il se veut fidèle à soi il aboutira à la mort. Là encore Cohen réussit un tour de force. Il nous offre de l'amour-passion une caricature cruelle et cependant il lui donne une dimension pathétique. Solal a une profonde affection pour Ariane. S'il la malmène parfois durement — se suppliciant lui-même — il est heureux de la soigner quand elle tombe malade, et il n'éprouve aucune répugnance pour les misères de son corps. C'est avec une infinie tendresse qu'il berce son cadavre avant de se donner la mort comme elle se l'est donnée.

Il m'est facile d'être prise par un roman dont les héros sont proches de mon cœur : c'est le cas du *Temps des parents* de Vitia Hessel. J'aurais pu avoir pour amie Doris, cette intellectuelle de gauche qui essaie d'équilibrer ses rapports avec son mari, ses enfants, son travail, la politique et, au sein de cette existence fragmentée, de se rassembler. Étroitement unie à son mari, ils traversent ensemble des époques qui ont été importantes pour moi : l'après-guerre, la guerre d'Algérie. Il me semble parfois évoquer des souvenirs avec de vieux camarades. Le cadre où se déroule l'histoire m'est familier : le quartier latin, le Luxembourg, les magasins du boulevard Saint-Michel, les quais. Il me plaît de me promener avec l'auteur dans cette ville qu'elle décrit comme un paysage : le ciel, les feuillages, la tache blanche d'un mur, la couleur d'une maison. La famille qu'elle met en scène ne ressemble en rien à la mienne et pourtant elle me fait rêver à ma propre enfance : c'est aussi un foyer, un cercle bien clos où des adultes et des enfants vivent dans une espèce de symbiose.

J'ai dit combien je me soucie à présent des problèmes du premier âge. Vitia Hessel en parle très bien. Elle montre comment les adultes ont été conditionnés par leur enfance et conditionnent celle de leurs enfants; le lecteur sympathise avec les parents qui tout en se dévouant à eux essaient de préserver leur vie personnelle — parfois, sans qu'ils le veuillent, au détriment des enfants; il sympathise avec les enfants qui font avec et contre leurs parents leur difficile apprentissage; Vitia Hessel parvient — ce qui est une rare réussite — à nous faire entendre leur monologue intérieur; elle nous fait même entrer dans la névrose d'un petit garçon, suggérant avec des mots ce qui existe en deçà des mots : le vide, l'Indicible, la Chose; nous vivons avec lui ses angoisses, puis la lente destruction de ses résistances et sa guérison. L'auteur peint aussi avec bonheur les désarrois de l'adolescence; elle sait de quel poids pèsent à cet âge les amitiés et la tristesse navrante des ruptures; elle réveille en nous le malaise des jeunes cœurs qui ne connaissent pas de mots pour se dire, leur horreur d'être devinés, même si le regard qui les transperce est intelligent et tendre. La vie intérieure de ses personnages se reflète dans le monde extérieur et celui-ci l'exprime : c'est souvent en notant la couleur du ciel qu'elle rend compte d'un état d'âme.

Tous les personnages du roman sont nettement caractérisés, Doris surtout qui, aux yeux de son mari, apparaît comme unique. Cependant elle est aussi une des innombrables mères de famille qui à la rentrée des classes courent les magasins pour acheter des souliers à leurs enfants. Le livre a une dimension sociologique : on pourrait le prendre pour l'étude d'une famille bourgeoise française du xxᵉ. Mais ce serait le ravaler : il a aussi une dimension métaphysique. Il ne s'agit pas seulement de savoir — comme l'ont cru trop de critiques — comment élever les enfants mais aussi : pourquoi? La plupart des parents rêvent d'avoir une progéniture exceptionnelle; ils en rabattent : former un individu simplement normal, c'est déjà une tâche ardue. Mérite-t-elle les soins qu'on y apporte? Qu'est-ce qui donne son prix à la vie? et que signifie l'idée de normalité? C'est toute la condition humaine qui se trouve mise en question.

Mais ce roman ne livre ses richesses que si on le lit avec soin : entre les lignes. Le discours explicite ne recouvre pas la réalité de l'expérience vécue : sentiments, impulsions, réticences. Le rapport des personnages entre eux est subtil parce que souvent à travers un langage plus ou moins mensonger ils entendent des paroles vraies mais qu'ils les traduisent à leur manière, avec plus ou moins de bonne foi. Entre l'idée que les êtres sont opaques les uns pour les autres et celle qu'ils peuvent se comprendre, Vitia Hessel ne prend pas parti. Plutôt, elle indique que la communication n'est jamais acquise, mais toujours à conquérir : et cette conquête exige beaucoup de bonne volonté et d'amour.

Bien que son univers me soit moins familier, les héroïnes de Claire Etcherelli m'inspirent aussi beaucoup d'amitié. J'ai dit déjà ce que j'appréciais dans ses romans.

Quand j'ai lu *La Gloire du vaurien* de Ehni, plutôt qu'au personnage central mon amitié a été à l'auteur. Je n'ai rien de commun avec le jeune snob plus ou moins homosexuel qui voyage à travers l'Europe en achetant éperdument des vêtements, des valises, des bibelots. Revoir avec lui des lieux que je connais — Munich et ses hideurs, l'île d'Héligoland — ne suffit pas à expliquer mon plaisir. Ce qui le suscite c'est l'adroite ironie avec laquelle Ehni dénonce la misère d'une existence tout entière vouée à la consommation. Mani, c'est le consommateur qui sait vachement bien consommer. Riche, éclectique, raffiné, il consomme du whisky, des foulards, des pull-overs, mais aussi des paysages, des anecdotes, des plats fins, de la littérature, de la musique, de beaux garçons. Il est sensible à toutes les nuances qui séparent un lainage tabac d'un pull cognac. Il sait retrouver sur un jeune corps le souvenir d'un tableau de maître, déchiffrer un tableau à travers le souvenir d'un corps, se réciter au moment voulu les vers qui conviennent. Il rêve sur des statues et sur des meubles Knoll. Il est sympathique, à cause de son horreur sincère de tout ce qui est laid, c'est-à-dire vulgaire et bête. Et aussi parce qu'il mesure avec une désinvolture insolente la piètre vanité de tous ces divertissements dont il s'étourdit : cette débauche de nourritures matérielles et spirituelles laisse un goût de cendre. Pour finir, à travers ses frivoles agitations il pose la question cruciale : mais que peut-on faire sur terre? pourquoi vit-on? « Voici ma vie : que faut-il en faire? Guidez-moi, je n'ai pas de qualité. » Ehni choisit pour son héros la réponse la plus facile : un jour sa main saisit un revolver.

J'avais beaucoup aimé les premiers livres de Soljenitsyne : *Une journée d'Ivan Denissovitch* et *La Maison de Matriona.* Bien que *Le Premier Cercle* m'ait intéressée, je n'y ai pas reconnu sa voix; beaucoup de passages sonnaient creux. Mais j'ai été tout de suite empoignée par *Le Pavillon des cancéreux*[1]. Il ne m'a pas appris grand-chose parce que j'étais déjà bien renseignée sur le vie soviétique; mais j'en avais une connaissance abstraite; Soljenitsyne en possède une expérience intime qu'il m'a fait partager. J'ai épousé ses dégoûts, ses révoltes; avec lui j'ai connu la pitié, la tendresse, l'espoir; j'ai participé à sa recherche d'une vérité que la mort n'ébranle pas.

1. Écrit entre 63 et 67 et inédit en U.R.S.S.

Le pavillon est un microcosme. Toute la réalité sociale, économique, politique de l'U.R.S.S. s'y trouve résumée. Le livre se situe en 1955, au début du « dégel ». Dans les lits sont couchés des travailleurs de force, des étudiants, des paysans, d'anciens déportés, un haut fonctionnaire. Autour d'eux s'affairent des docteurs, des infirmières, des filles de salle. Ils constituent un monde qui n'a de socialiste que le nom : l'inégalité des salaires et des niveaux de vie est flagrante. Les femmes n'ont pas secoué l'oppression masculine. Dontsova, médecin et chirurgien hautement qualifiée — l'équivalent d'un grand patron de chez nous — n'en doit pas moins, quand elle rentre chez elle, se charger de toutes les tâches ménagères, particulièrement lourdes en U.R.S.S. Les réactions individuelles à cette société sont très diverses : il y a des staliniens butés, des indifférents, des opportunistes; Kostoglotov, ancien déporté en qui l'auteur a mis beaucoup de lui-même, la répudie et va jusqu'à douter du socialisme.

Ce qui leur est commun à tous, c'est leur maladie : le cancer; tous y réagissent d'abord par un optimisme que chacun puise dans le sentiment de sa singularité. « Ça ne peut pas m'arriver à moi », dit le travailleur de force, Poddouïev, comme le cadre supérieur, Roussanov. Même la doctoresse Dontsova, lucide et courageuse, quand elle découvre qu'elle est atteinte, elle aussi hésite à le croire. L'optimisme est particulièrement têtu chez Roussanov : il est impliqué par la vision du monde que commandent ses intérêts idéologiques. Stalinien inconditionnel, profiteur, dénonciateur — il a fait déporter quantité d'innocents par commodité, vengeance ou méchanceté pure —, il est bardé d'arrogance; il a si bien intériorisé les privilèges de sa situation que son corps même lui semble immunisé : il serait sacrilège que le cancer osât s'y attaquer. C'est une des figures centrales du roman; tout en lui accordant de la pitié parce qu'il est une chair souffrante et rongée par la mort, Soljenitsyne s'attaque à travers lui à tout ce qu'il hait dans le stalinisme. Roussanov se vante de ses origines prolétaires et affiche un grand amour pour le peuple; mais il ne supporte pas d'avoir des contacts avec la population; grâce à ses privilèges, il s'en coupe radicalement. Il pense que n'importe quelle question comporte une réponse établie et tient pour subversive toute pensée libre. La belle époque pour

lui ç'a été la période 37-38 où, grâce aux « questionnaires »
qu'il était chargé de dresser, on purifiait l'atmosphère publique.
Il tremble lorsque l'Histoire se met en marche, lorsque les
déportés rentrent chez eux, qu'ils sont réhabilités : il a peur
qu'une de ses victimes ne le retrouve et ne lui fasse un mauvais
parti. Sa femme, qui vient le voir à l'hôpital, couverte de
renards argentés, partage ses indignations, ainsi que sa fille
Aviette. Malgré sa jeunesse, elle est aussi déshumanisée que
son père, totalement aliénée aux intérêts idéologiques de sa
famille. Elle est scandalisée par la « terrible » révision des
procès; tout en se réjouissant des progrès matériels réalisés
dans les domaines du logement, de l'ameublement, des vêtements, elle blâme la décadence des mœurs et les poèmes
d'Evtouchenko. Elle veut être écrivain et par sa bouche
l'auteur fait indirectement la satire de la littérature soviétique
officielle. Le sujet lui tient à cœur, et il l'aborde déjà au début
du roman, quand il nous montre Diomka qui dévore les prix
Staline et tous les « chefs-d'œuvre » reconnus mais qui y
découvre de déconcertantes contradictions. Aviette est émerveillée par les avantages dont jouissent les écrivains inscrits à
l'Union; ils sont riches, admirés, et ils travaillent à peine : en
trois mois ils pondent un roman. Il suffit d'un peu de doigté —
savoir prendre les virages, vivre avec son temps — pour réussir
une belle carrière. Diomka l'interrogeant sur la sincérité en
littérature, elle lui explique avec hauteur que la *sincérité
subjective* risque d'aller contre la vérité : la vérité c'est ce qui
doit être, c'est ce qui *sera demain*.

Soljenitsyne a visiblement pris plaisir à fustiger la bassesse,
l'égoïsme, la méchanceté de Roussanov : c'est que celui-ci s'est
montré activement nocif. Il a au contraire une indulgence qui
va jusqu'à la compassion pour les opportunistes qui n'ont fait
que subir la situation. Ainsi Chouloubine qui avoue : « J'ai
passé ma vie à avoir peur. » Kostoglotov se demande s'il ne vaut
pas mieux avoir supporté l'épreuve des camps que d'avoir vécu
dans la crainte et le dégoût de soi.

Les camps : de nouveau Soljenitsyne les évoque. Il montre
quel abîme séparait les détenus des citoyens libres : la nuit où
ceux-ci pleuraient Staline, ç'avait été chez les déportés une
explosion de joie que les gardiens n'avaient pas pu étouffer.
Même libéré, l'expérience qu'il a traversée isole Kostoglotov.

Il ne s'étonne pas qu'Aviette déclare que tous les condamnés avaient sûrement quelque chose à se reprocher; mais même des femmes de bonne volonté — l'intelligente Dontsova, la gentille Zoé — ne le comprennent pas quand il fait allusion à son passé. En revanche il s'entend d'emblée avec une fille de salle qui a été déportée avec toute sa famille quand en 1935 on a expulsé un quart de la population de Léningrad. Tout de suite ils se sont reconnus.

Sur ce fond historique et social se dessine la vie quotidienne de l'hôpital. La plupart des docteurs sont des femmes dont l'auteur parle avec une grande sympathie; faute d'un personnel assez nombreux, elles doivent assumer des tâches accablantes; elles y font face avec beaucoup de conscience professionnelle et de compassion humaine. Cependant beaucoup de malades entrent en conflit avec elles, entre autres Kostoglotov. Ce n'est pas traiter les malades en hommes libres, c'est d'une certaine façon les opprimer que de ne pas leur dire la vérité, pense-t-il; cependant, mis au pied du mur, il n'ose pas désespérer un camarade qu'il sait condamné et qui quitte l'hôpital en se croyant guéri. Il reproche aussi aux médecins de ne pas savoir ce qu'ils font; ceux-ci en sont conscients et cela leur pose des problèmes : les rayons guérissent les tumeurs mais produisent à retardement des lésions, des atrophies. Cependant faut-il s'abstenir de soigner parce qu'on ne peut pas prévoir toutes les conséquences d'un traitement? Il y a une autre source de litige. Les médecins veulent guérir à tout prix. Mais la vie vaut-elle d'être vécue dans n'importe quelles conditions? se demande Kostoglotov. Faut-il accepter d' « avoir la vie sauve au prix de tout ce qui en fait la valeur, le parfum, l'émotion »? Quand il apprend que certaines piqûres tout en améliorant son état le rendent impuissant, il commence par les refuser; il finit par s'y résigner. Face à la question posée, l'auteur ne prend donc pas parti. Il comprend le point de vue des médecins comme celui des malades. Ce qu'il nous montre, c'est qu'ils sont des deux côtés de la barricade. Cette distance apparaît avec une dramatique évidence quand Dontsova apprend qu'elle a le cancer. Alors « tout se retourne sens dessus dessous ». Son rapport à son corps, à la vie, à la mort, tout est bouleversé.

La plupart des malades se bercent d'espoir : un mot, un sourire du docteur les rassure. Ils rêvent à des remèdes miraculeux.

Mais par moments ils se sentent confrontés avec leur mort. Seul Roussanov se refuse à l'envisager tant il est incapable d'un effort de sincérité. En fait il est rongé par la peur, comme le montrent ses cauchemars, mais il s'accroche à l'idée qu'il va guérir et il juge morbides les discussions de ses camarades, il essaie de les interrompre. « Pourquoi empêcher un homme de réfléchir? » rétorque Kostoglotov. « Groupe ou pas groupe, sa mort est son affaire à lui. » C'est le sens même de leur vie que tous voient mis en question. Beaucoup croyaient, comme Poddouïev, savoir pourquoi ils vivaient : travailler, gagner de l'argent. Face au cancer, ces raisons ne tiennent pas le coup. Poddouïev en cherche une meilleure dans le livre de Tolstoï : « Qu'est-ce qui fait vivre les hommes? » et il est satisfait de la réponse : c'est l'amour. Soljenitsyne la reprend à son compte. Le pire fléau sur terre, c'est la méchanceté, symbolisée par le geste de ce visiteur du Zoo qui aveugla le singe rhésus en lui jetant du tabac dans les yeux. Un monde heureux serait celui qui se fonderait sur la bienveillance de l'homme pour l'homme. Alors chacun pourrait jouir de ce qui fait la beauté de la vie : un travail qui vous plaît, les amis, les bêtes domestiques, un abricotier en fleur. « Ce n'est pas le niveau de vie qui fait le bonheur des hommes, mais bien la liaison des cœurs et notre point de vue sur la vie. » L'auteur estime que l'ascétisme convient mieux à l'homme que la recherche du luxe.

Il y a dans la morale qu'il indique une religiosité qui m'ennuie. Et je n'accepte pas la formule — à laquelle il est évident qu'il ne peut pas croire entièrement — « l'homme est toujours heureux s'il le veut ». Mais je l'approuve quand il conseille de « faire avec ce qu'on a », quand il refuse les aliénations, les artifices, les mensonges qui déshumanisent l'homme. On vit d'autant mieux selon lui qu'on est plus intensément présent au monde et plus occupé à aider autrui. Je suis tout à fait d'accord avec ces conclusions.

Dans *La Leçon d'allemand* c'est un certain aspect du nazisme que Lenz [1] nous donne à voir : le nazisme tel qu'il a été vécu par

1. Romancier allemand de la même génération que Gunther Grass et qu'on rapproche souvent de lui.

des millions d'Allemands, dans une demi-ignorance et une totale adhésion, à travers le train-train de la vie quotidienne. L'histoire commence en 1943 et s'achève après la victoire alliée. Elle se situe dans un coin perdu du nord de l'Allemagne : une immense plaine battue des vents, des dunes, une digue, des mouettes, la mer au loin. La guerre est présente : les attaques aériennes, les fausses nouvelles déversées par la radio, les suppôts du régime, ses victimes. Lenz a choisi de nous la faire voir par les yeux d'un enfant — peut-être parce qu'il était lui-même un enfant, un peu plus âgé que son héros Siggi quand il a vécu la guerre et l'après-guerre. Dans la maison de jeunes délinquants où il est enfermé, on réclame de Siggi alors âgé de vingt ans une rédaction sur les « joies du devoir ». Il fait un saut de dix ans en arrière pour essayer de retrouver son passé car le mot devoir a aussitôt fait surgir devant lui la figure de son père.

Ce père, Jepsen, est agent de police et il occupe le dernier poste avant la frontière. Non loin de lui habite le peintre Nansen considéré en haut lieu comme un artiste « dégénéré » : le régime lui a d'abord fait des avances mais il les a repoussées; on a confisqué ses tableaux et fermé les galeries où il exposait. Il continue à peindre.

Jepsen se voit chargé d'abord de confisquer ses nouvelles toiles puis de l'empêcher de poursuivre ses activités. Dans leur enfance ils étaient amis et Nansen lui a même sauvé la vie : mais les ordres sont les ordres. « Je n'y suis pour rien et je ne peux rien y changer », dit-il au peintre. « J'ai mes ordres, je ne fais que les exécuter », dit-il une autre fois. Des ordres, quand il n'en reçoit pas du dehors, il les déchiffre en lui-même : il se sent obligé de fouetter Siggi pour des peccadilles; quand son fils aîné — qui s'est mutilé pour éviter d'aller au front et qui s'est enfui de l'hôpital — vient échouer chez lui, c'est lui qui décide de « faire ce qu'il a à faire » c'est-à-dire de le livrer à la police. Il n'est pas précisément méchant : son visage est gris quand il décroche le téléphone pour appeler les gendarmes. Mais il ne connaît d'autre raison d'exister que l'obéissance aveugle à ce qu'il considère comme la loi. Inerte, vide, il est capable de passer des journées sans rien faire et sans penser à rien, contemplant vaguement un pan de mur. Mais il n'est heureux que lorsqu'il est chargé d'une mission bien définie : alors il se sent utile et important, son allure devient martiale, sa vie prend un sens.

Ayant surpris Nansen en train de peindre, il le dénonce : « Je ne fais que mon devoir », déclare-t-il. « Quand vous parlez de devoir, ça me rend malade », dit le peintre. Il dit aussi : « Le devoir, je tiens cela pour de la prétention aveugle. On fait inévitablement des choses qu'il n'exige pas. » Et en effet : personne n'exige de Jepsen qu'il épie sans trêve Nansen, qu'il le persécute dans les plus petites choses. On trouve dans le pays qu'il va trop loin, qu'il fait de cette affaire une affaire personnelle. En un sens c'est faux : Nansen et ses tableaux lui sont indifférents; mais il est vrai qu' « éternel exécutant » l'accomplissement d'un « devoir » l'arrache à ses limbes et lui donne la fallacieuse impression de peser lourd sur la terre.

Cette illusion lui est si nécessaire que l'idée de devoir tourne chez lui à l'obsession. La guerre finie, Nansen est couvert d'honneurs. Rétabli dans ses fonctions après trois mois de prison, Jepsen s'entête à vouloir détruire ses tableaux; il fouille sa cabane et brûle en plein air ses cahiers d'esquisses. Soulevé de dégoût devant l'« inébranlable bonne conscience » de son père, Siggi pour la première fois s'insurge : « Tu n'as pas le droit! » crie-t-il. Son père le frappe : « On doit faire son devoir même quand les temps changent », répond-il. Mais il est hagard, et sous son attitude de défi on pressent un désespoir affolé. La déshumanisation à laquelle il a consenti est un processus irréversible; l'effondrement des valeurs dont il avait vécu ne l'a pas ouvert à la vérité mais l'a poussé à une fuite en avant forcenée; il est devenu la proie d'une rage aveugle : il met le feu au moulin où Siggi avait caché certaines toiles de Nansen.

Siggi n'élève la voix que lorsque la conduite de son père le pousse à bout. Il a été lui-même accoutumé à obéir; il accepte docilement les corrections qui lui sont infligées. Quand son frère lui demande de le cacher, il répond : « Père a le droit de savoir. » S'il garde le secret, c'est parce qu'il a toujours obéi à son aîné. L'œil aux aguets, il ne se permet cependant pas de jamais juger : il décrit les choses telles qu'il les voit. Son regard n'a pas la naïveté qu'on prête conventionnellement aux enfants. Très doué, précoce au point que le peintre entretient avec lui une véritable amitié, Siggi, produit d'une société malade, est légèrement névrosé; on relève dans ses descriptions des exagérations numériques analogues à celles des schizophrènes : la maison du peintre a quatre cents fenêtres, son salon pourrait contenir neuf cents personnes, le divan a trente mètres de long; il y a quelque chose de maniaque dans la précision méticuleuse de ses comptes rendus. Presque jamais il n'exprime ses sentiments. Cependant malgré l'apparente impassibilité des phrases, on devine les silencieuses émotions qui l'ont agité, l'expérience informulée qui lui a fait inventer des conduites imprévues : rassembler les morceaux d'un tableau déchiré par son père, s'emparer de certaines esquisses confisquées, cacher sa collection dans un moulin. Après l'incendie du vieux bâtiment il redoute de voir brûler d'autres œuvres de Nansen : dans l'atelier du peintre, dans les galeries il vole des toiles et les cache. Sans doute ce geste, dicté par l'angoisse, est-il aussi une protestation contre la légalité que son père lui a fait haïr. C'est ainsi que — malgré la bienveillance du peintre — il se retrouve dans une maison de rééducation.

A côté de l'enfer désertique dans lequel se débat Jepsen, l'auteur nous laisse entrevoir des joies qui pourraient illuminer la terre, si d'odieux fanatismes ne les étouffaient pas : il y a l'amitié, l'amour, la tendresse; Siggi, Nansen sont souvent comblés par la beauté du monde et chez le peintre le bonheur de voir se confond avec l'orgueil de créer. Le crime de Jepsen et de ses semblables, c'est d'anéantir les richesses capables de donner un sens à la vie humaine.

L'histoire est racontée avec une simplicité qui est en fait un très grand art. Le présent de Siggi et son passé, habilement entrelacés, s'éclairent l'un par l'autre. L'intérêt que nous portons à l'enfant se projette sur le jeune détenu de vingt ans et inversement.

Lenz a tenu la plus difficile des gageures : nous faire assister au travail créateur d'un peintre. En général les romanciers qui prétendent mettre en scène un artiste ou un écrivain se cassent les reins. Dans *La Leçon d'allemand*, quand Lenz nous montre Nansen en train de peindre ses toiles, nous le voyons, nous croyons en son inspiration, en ses hésitations. Son œuvre existe pour nous.

Sobre, presque neutre, le style est remarquablement efficace et vivant. D'un bout à l'autre du récit, l'auteur laisse parler les faits et se défend d'intervenir. A part deux ou trois phrases du peintre et un cri de Siggi, aucun commentaire ne souligne l'abjection de Jepsen : ses conduites semblent routinières et en un sens normales. Elles ne déchaînent pas de cataclysmes : mais elles expliquent comment les cataclysmes se déchaînent. Empêcher un peintre de peindre : l'entreprise frappe surtout par sa mesquinerie; mais quand l'agent de police déclare : « J'ai des ordres, je ne fais que les exécuter », on comprend qu'il aurait dit les mêmes paroles s'il avait été chargé d'exterminer des centaines de milliers d'hommes. L'hitlérisme a été possible parce que, à voix haute ou tout bas, des millions d'Allemands ont invoqué le même alibi que lui : « Je n'y suis pour rien et je ne peux rien y changer. » Lenz dénonce le mensonge de cette prétendue passivité; exécuter une consigne, c'est nécessairement la dépasser; toute neutralité est complicité. Comme tout le monde, je me suis souvent demandé, en face du nazisme, du stalinisme, des massacres commis au Vietnam par les Américains : comment est-il possible que tout un peuple, toute une armée consente à ces atrocités? Le roman de Lenz n'apporte pas une réponse neuve : mais il fait toucher du doigt ce que, à propos du procès Eichmann, Hannah Arendt appela la « banalité du mal », il en communique une compréhension plus riche qu'aucune connaissance.

Je ne lis guère de poésie : c'est pourtant un moyen de communication privilégié. Elle m'a été d'un grand secours dans ma jeunesse : j'aimais me réciter des vers. Quelques-uns se promènent encore dans ma tête, et il m'arrive assez souvent d'ouvrir un volume de Baudelaire, de Rimbaud, de Mallarmé. Je retrouve avec plaisir les auteurs chers à mes vingt ans : Laforgue ou Saint-Léger Léger. Mais je ne sais pourquoi — peut-être faute d'avoir fait l'effort nécessaire pour y pénétrer — la poésie actuelle n'éveille pas d'écho en moi. Peut-être y a-t-il là un cercle vicieux : comme je doute de m'y plaire, je n'essaie pas de la connaître. Je pense que j'ai tort. Mais tant d'autres œuvres me sollicitent que je n'espère guère me réformer.

Ouvrir un volume sans en attendre d'autre profit que de me divertir, cela m'arrive assez souvent, surtout en vacances. Autrefois je prenais plaisir aux récits de science-fiction. Il est amusant de rêver sur des variations possibles de notre univers et de notre condition, de se dépayser dans le temps et l'espace. Mais dans ces dernières années aucun livre de cette espèce ne m'a satisfaite. Peut-être le registre des situations imaginables était-il limité et s'est-il épuisé. Les auteurs que j'ai lus récemment manquaient de fantaisie. Ils faisaient évoluer de manière arbitraire dans des mondes trop voisins du nôtre, ou trop indistincts, des créatures dont les singularités se conformaient à des modèles usés. Jamais je ne réussissais à m'évader vers un ailleurs.

En revanche, je me prends facilement à un roman policier, à un roman d'espionnage ou d'aventure. Pourquoi au juste? et à quelles conditions?

Il faut d'abord que l'univers fictif où je pénètre ait assez de cohérence pour que je puisse m'y ancrer : il l'obtient parfois par une fidèle imitation de ce monde-ci. Ainsi dans le charmant roman de Japrisot, *La Dame dans l'auto avec des lunettes et un fusil*, l'aventure s'étire le long de la route qui conduit de Paris à Marseille; j'avais plaisir à me la remémorer en suivant des péripéties auxquelles elle prêtait un peu de sa réalité. Ainsi dans ses romans Patricia Highsmith commence par inventer une atmosphère, un milieu, des personnages assez vraisemblables pour que j'accepte leur existence; la suite de l'histoire bénéficie de ce crédit. Je remarque cependant que parmi les romans de cet auteur seuls me retiennent ceux où un meurtre est commis; sinon la psychologie de ses héros me paraît conventionnelle et je me désintéresse d'eux. Je ne m'accommode de ses insuffisances que s'il se crée un suspense : je veux découvrir la clé d'un mystère ou connaître les conséquences d'un événement lourd de menaces; alors seulement je fais comme si j'adhérais à l'univers qu'on me propose; j'accepte de jouer le jeu. Si dès le début un roman policier m'accroche — par un dialogue vivant, une énigme bien posée, un défi, un pari — l'intrigue peut être extravagante : il me suffit qu'elle soit bien construite, et je feindrai d'y croire; aiguillonnée par le désir de savoir quel est le coupable, si le hold-up réussira, comment s'y prendra l'agent secret pour accomplir sa mission, je consentirai à considérer comme un héros un agent de la C.I.A., à tenir les Chinois, les Soviétiques ou les Coréens pour des suppôts de Satan. Cependant pour que je sois vraiment prise il faut que je parvienne à m'identifier avec le héros et à désirer que l'histoire se termine bien pour lui. Cela m'a été facile pour la « dame » de Japrisot, pour les attachants criminels de Patricia Highsmith. J'épouse facilement les desseins du détective courageux ou malin qui mène une enquête. Je suis plus gênée quand le personnage auquel l'auteur veut m'intéresser est un flic et souvent alors je n'arrive pas à entrer dans son jeu.

C'est perdre mon temps, me dira-t-on : mais je n'en suis pas avare. Je joue volontiers aux dames, je fais des mots croisés, je cherche la solution d'un casse-tête. Pourquoi ne lirais-je pas une série noire ou un *giallo*? En général je préfère les livres qui tout en me divertissant m'enrichissent. Mais pas toujours. La fatigue parfois me fait choisir une lecture facile. Et puis un livre que je prends au sérieux m'absorbe, je m'oublie en lui; la feinte adhésion que j'accorde à un roman policier me laisse consciente de mon identité et de l'endroit où je me trouve : certains moments me sont si précieux que, tout en m'occupant, je veux rester présente. Par la gratuité du divertissement qu'ils me proposent, ce genre d'ouvrages réclame de ma part une grande disponibilité : si je suis préoccupée, ils échouent à fixer mon attention. Ils demandent à être lus d'un trait : à quelques exceptions près, si je les reprends après les avoir fermés, mon intérêt s'est refroidi et je ne peux plus le ranimer.

Il est rare que je me tourne vers des livres anciens que je n'ai jamais lus. Le fait même de les avoir jusqu'alors négligés les déconsidère à mes yeux : pourquoi soudain m'intéresseraient-ils? J'ignore l'œuvre de Paul-Louis Courier, elle est à portée de ma main mais rien ne m'incite à l'aborder. De toute façon, à Paris, je n'ai pas le temps d'entrer dans un monde qui m'est demeuré longtemps indifférent et à quoi rien ne me rattache. En vacances, parfois, je décide de m'y aventurer. J'y suis vivement incitée si je me prépare à aller voir un pays étranger avec lequel je souhaite me familiariser. A l'occasion de mon voyage au Japon, je me suis délectée du *Roman de Genji*, admirablement traduit en anglais et j'ai exploré l'œuvre de Tanizaki. Mais je peux aussi, en vacances, aborder des auteurs français mal connus ou oubliés. Une année, l'*Histoire de la Révolution française* de Michelet m'a passionnée; j'emporterais volontiers à Rome son *Histoire de France* quand elle sera rééditée. Bien qu'ayant étudié autrefois Mme de Sévigné, je la connaissais très mal : à travers les trois volumes de sa correspondance publiés par la Pléiade, j'ai pris le plus grand plaisir à la découvrir. Dernièrement, sur les conseils enthousiastes d'une amie, j'ai lu Barbey d'Aurevilly qui jusqu'alors existait à peine pour moi.

Je retrouve ici un problème dont j'ai déjà parlé : comment me donner aux écrits d'un homme dont je récuse les opinions? J'ai dit que la plupart du temps cela m'est impossible. Mais par son style, sa fougue, les audaces de sa plume et de ses inventions, Barbey d'Aurevilly m'a séduite. Les fantômes du passé, je n'en suis pas hantée comme lui, mais ils rôdent parfois autour de moi et je peux comprendre qu'on en soit obsédé. Je reste sensible à l'angoisse d'un crépuscule, au délaissement d'une lande : quand il évoque le Cotentin, sa solitude, ses brumes, je m'émeus avec lui. Il prend le parti des Chouans et des prêtres avec une conviction si passionnée que, piquant ma curiosité, il m'a amenée à me placer, le temps d'une lecture, dans la même perspective que lui. Certains de ses récits m'ont paru languissants. Mais quand son imagination l'emporte à bride abattue, c'est une joie de se laisser emporter avec lui. Amoureux de la fille du *prêtre marié*, un jeune noble décide, pour vaincre ses refus, de provoquer sous ses yeux un spectaculaire accident. Il attelle à une charrette deux chevaux sauvages, il les soûle; ils fauchent tout sur leur passage avant que l'équipage vienne se fracasser contre le perron de la jeune fille : je n'oublierai jamais cette course, plus fantastique qu'aucune des prouesses accomplies sur un écran de cinéma par les automobilistes les plus hardis.

Les anciens livres déjà lus, souvent je n'ai pas envie de les relire. Je parcours des yeux les volumes de la Pléiade que contient la bibliothèque de Sartre, et je me détourne. Certes, je suis loin de connaître par cœur Balzac, Zola, Dickens,

Dostoïevski, mais je sais qu'ils m'introduiront dans un monde dont le goût s'est éventé. Même s'il s'agit d'auteurs qui me sont particulièrement chers, comme Stendhal ou Kafka, j'hésite à rouvrir leurs livres. Je sais combien les souvenirs que j'en garde sont pauvres. Mais j'éprouve de la paresse à l'idée d'aller reconnaître ce que je ne suis plus capable d'évoquer : on se rappelle au fur et à mesure ce qu'on est en train de déchiffrer ou du moins on en a l'illusion; on est privé de ce qui fait la « joie de lire » : cette libre collaboration avec l'auteur, qui est presque une invention. J'ai pourtant pris beaucoup de plaisir à relire les lettres de Diderot à Sophie Volland. Et il y a deux écrivains que j'aime presque indéfiniment retrouver : le Rousseau des *Confessions* et Proust. J'attends certaines de leurs phrases comme Swann la petite phrase de Vinteuil et quand elles surgissent elles me donnent une délicieuse impression à la fois de miracle et de nécessité. Certains poètes me font éprouver le même plaisir; je l'ai dit : mon rapport avec la poésie c'est presque uniquement de relire.

Il m'arrive d'avoir radicalement oublié des ouvrages autrefois lus; je les découvre à neuf, sans qu'ils éveillent en moi aucune réminiscence. Il en a été ainsi, pendant ces dernières années, pour Lermontov, Gontcharov, Chtchedrine. Je m'étais enchantée jadis des *Mémoires* de Saint-Simon : je viens de les reprendre et à part quelques lignes souvent citées je ne m'en rappelais rien. J'ai trouvé dans les trois premiers volumes plus de passages fastidieux que je ne l'aurais supposé : trop de batailles, trop de généalogies. Le style, le rythme des phrases, les savoureuses peintures de mœurs, le piquant des anecdotes m'ont charmée sans m'étonner. Mais j'ai été surprise par la complexité des portraits; ils s'ouvrent souvent par des éloges que bientôt viennent contrebalancer des critiques tempérées par de nouvelles considérations flatteuses : il faut reprendre la peinture depuis le début pour trouver un juste équilibre entre ces différents traits; on s'aperçoit alors que loin de s'opposer, ils s'éclairent les uns les autres et qu'ils composent un personnage extraordinairement vivant.

Souvent mon jugement sur l'ouvrage que je relis coïncide avec celui que j'avais porté auparavant. Quelquefois je le comprends mieux parce que de bons articles critiques m'ont fourni d'utiles clés. Une biographie de Joyce par Ellman récemment traduite en français m'a indiqué quelles relations le livre soutenait avec le passé de l'auteur, avec divers endroits de Dublin et des environs; le sens de certains passages s'en est beaucoup enrichi. Il arrive aussi qu'un texte que je croyais fané acquière sous mes yeux une fraîcheur inattendue et qu'alors il me déconcerte. Ainsi ai-je dernièrement redécouvert la Bible. J'ai été stupéfaite de voir condensés en trois lignes des épisodes que je croyais longuement développés tant ils ont inspiré de tableaux, de drames, de poèmes : j'ai admiré que de si brefs récits aient ainsi proliféré dans l'imagination des hommes. Des personnages banalisés par ma mémoire m'ont ébahie par l'incongruité de leur conduite : entre autres Abraham quand il maquereaute cyniquement sa femme. Je savais Jéhovah sévère et colérique, mais je ne le pensais pas si mesquin. Je me rappelais bien que les Hébreux étaient belliqueux et chauvins, mais l'ampleur des massacres qu'ils ont perpétrés m'a stupéfaite. Bref, ce livre qui depuis mon enfance m'est si familier, je me suis aperçu que je ne le connaissais pas.

Parfois relire me déçoit. Ma mémoire avait résumé en une formule frappante des considérations filandreuses et contestables. Ou au contraire, sur quelques mots que j'avais retenus, j'avais brodé des développements qui n'existent pas. Il arrive qu'au cours d'une première lecture au lieu d'épouser le projet et la démarche de l'auteur, on laisse résonner en soi des mots auxquels font écho nos propres obsessions, nos fantasmes. C'est ainsi que je procédais, à vingt ans. J'essaie aujourd'hui d'être plus objective. Mais souvent une contre-épreuve me montre que je n'y ai pas tout à fait réussi. Tout comme mes souvenirs de la réalité, ceux que je conserve des livres sont incomplets et déformés.

Mon activité de lectrice ne consiste pas seulement à rassembler les moments d'un livre, mais aussi à mettre en relation divers ouvrages qui se corrigent les uns les autres, se complètent ou se correspondent. *La Leçon d'allemand* m'aide à comprendre le haut fonctionnaire du *Pavillon des cancéreux* et on pourrait donner pour épigraphe aux deux romans le mot de Wilde disant que la méchanceté n'est qu'un « manque d'imagination ». Je fais donc apparaître tout un monde livresque qui se superpose à l'autre, le déborde, l'éclaire et l'enrichit; il a par endroits plus de relief et d'éclat : Emma Bovary ou M. de Charlus

196

existent pour moi avec plus d'évidence que bien des gens que j'ai croisés. Ils existent aussi pour d'autres, qui les saisissent sous des profils différents, mais qui communiquent avec moi à travers eux. On a dit avec raison que la littérature était le lieu de l'intersubjectivité. Seule dans ma chambre avec un livre je me sens proche non seulement de son auteur mais à travers le temps et l'espace de l'ensemble de ses lecteurs.

*
* *

La lecture ne suscite en moi que des images incertaines; celles du rêve peuvent m'envoûter, mais elles aussi sont contradictoires et fuyantes. Les visions que le cinéma me propose ont la plénitude de la perception : ce sont des perceptions, saisies comme les *analogon* d'une réalité absente. En général — sauf dans les documentaires — elles s'organisent de manière à constituer un monde fictif; le metteur en scène raconte une histoire inventée, qui se déroule dans le temps, irréversible comme un morceau de musique. Comme dans la lecture, c'est ma présence qui lui donne son unité et son sens. Mais mon rôle est moins actif; je n'ai pas à interpréter des signes mais à subir l'impact d'images qui me sont immédiatement données. C'est pour cela que voir un film demande d'ordinaire moins d'effort que de lire un livre. Il me suffit d'être attentive pour que la gaieté, l'angoisse, la sympathie, le dégoût, s'imposent à moi. Les émotions qui m'affectent peuvent prendre une telle intensité qu'elles bouleversent mon corps : il arrive que devant des scènes sanglantes des spectateurs s'évanouissent, ce qui ne se produit pas au cours d'une lecture. (Colette s'est évanouie à quatorze ans en lisant dans Zola le récit d'un accouchement, mais le fait est exceptionnel.) On pleure aussi plus facilement au cinéma que sur un roman. Cependant un metteur en scène qui souhaite établir une vraie communication avec le public s'interdira de susciter en lui des troubles physiques qui obnubileraient sa vision : il fera, comme le bon écrivain, appel à sa liberté.
Le pouvoir des images vient de ce qu'elles me procurent l'illusion de la réalité, illusion que je subis avec une quasi-passivité. Même dans les moments de ma vie où je suis le plus disponible, des projets m'habitent, des souvenirs me hantent,

197

des actions s'ébauchent. En entrant dans un cinéma, je me quitte; certes, mon passé est derrière moi quand je réagis à un film, mais il n'est pas posé pour soi : mon seul projet est de contempler les scènes qui défilent sous mes yeux. Je les prends pour vraies sans qu'aucune intervention me soit permise; cette paralysie de ma praxis accentue en certains cas leur caractère intolérable, et les rend en certains autres fascinantes. Devant l'écran je m'abandonne comme dans mes rêves et c'est aussi par des images visuelles qu'il me captive : c'est pour cela que le cinéma éveille en chacun de nous des résonances oniriques. Quand un film m'atteint profondément, c'est qu'il remue en moi des souvenirs informulés, ou qu'il ranime des aspirations silencieuses. Les amis avec qui je suis toujours d'accord dans les autres domaines, il m'arrive d'avoir un avis tout à fait différent du leur quand nous parlons d'un film : c'est qu'il a touché en eux, ou en moi, ou en nous tous quelque chose d'intime et de singulier.

J'accorde beaucoup d'importance aux visages des interprètes. Les visages échappent à l'analyse, à la conceptualisation, aux mots : presque aucun écrivain ne sait nous montrer ceux de ses héros; Proust réussit à nous les suggérer, mais les contours en demeurent flous. Sur l'écran ils ont autant de présence que s'ils surgissaient en chair et en os sous mes yeux. C'est une présence ambiguë : à la fois celle de l'acteur et de l'individu qu'il incarne. Entre les deux, le rapport est variable. Si l'acteur colle à son personnage, celui-ci seul existe et je suis prête à croire à son histoire. J'ai peine au contraire à m'y prendre si à travers les gestes et les mimiques du héros j'observe le jeu d'un comédien. C'est ce qui se produit quand je le connais trop ou quand il y a un décalage entre son physique et son rôle. Des films m'ont été gâchés par une mauvaise distribution; d'autres m'ont séduite malgré certaines faiblesses parce que la physionomie d'un homme ou d'une femme m'allait au cœur. Un cas particulier, c'est celui où l'acteur a fait de lui-même une fois pour toutes l'*analogon* d'un certain personnage : sur l'écran, entre Charlie Chaplin et Charlot, toute distance est abolie.

Souvent le cinéma me découvre des morceaux de campagne ou des paysages urbains que j'ignorais : il enrichit ma connaissance de la terre. Souvent aussi, il me transporte dans des décors qui me sont familiers; j'ai grand plaisir à retrouver, intégrés à une œuvre d'art qui leur confère une nécessité, des endroits que j'ai aimés dans leur contingence : les rues de Londres, une place romaine. Parfois le cinéma me permet de satisfaire le désir enfantin d'être en un lieu dont ma présence ne détruit pas la solitude : le désir de voir de mes yeux mon absence. Il me semble presque le réaliser quand je survole en avion un îlot rocheux posé sur le bleu de la mer. Je peux avoir au cours d'un film une semblable illusion. Je n'appartiens pas à cette lande qui se déploie sur l'écran; elle demeure déserte tandis que mon regard l'explore.

Ce n'est pas seulement la nature que je surprends ainsi. Je me glisse subrepticement dans les maisons, je suis le témoin de scènes invisibles. Je m'assieds au chevet du lit où s'étreignent des amants, j'entre dans la chambre où un homme est venu cacher son visage ravagé de tristesse. Je détiens un autre privilège : celui de réunir en un seul spectacle des éléments épars. J'embrasse d'un regard cette foule où chacun de ses membres se perd. Traversant les murs ou planant dans le ciel, je suis dotée de pouvoirs surnaturels.

Comme les livres, ce que m'apportent les films est très varié. En tout cas, ils sont un divertissement et souvent je ne leur demande rien de plus. Rire me suffit. Le livre le plus drôle ne provoque que le sourire parce que le rire est une conduite collective [1]. Dans une salle de cinéma où les spectateurs sont juxtaposés et étrangers les uns aux autres, les conditions du rire sont réalisées. Encore faut-il pour que je partage l'hilarité commune que le film ne suscite pas en moi des réactions qui y fassent obstacle : à cause de leur vulgarité, j'évite soigneusement les films français qui se prétendent drôles.

Je me suis particulièrement amusée, pendant ces dernières années, à de vieux films de Buster Keaton : *Le Cameraman, Marin d'eau douce, Les Fiancées en folie, Le Figurant, La Croisière du Navigator* que je préfère à tous les autres. Le comique — Sartre l'a montré [1] — résulte souvent d'un contraste entre l'expérience intérieure du sujet et sa condition d'objet matériel. Le visage de Buster Keaton exprime la tension d'un homme réfléchi et maître de soi qui prétend à l'efficience; ce rêve est

---

1. Cf. Sartre, *L'Idiot de la famille*, p. 816-817.

sans cesse contredit par les mauvais tours que lui jouent les objets et les instruments mêmes dont il a cru régler ingénieusement les mécanismes; victime de chocs en retour inattendus, il perd cette dignité humaine que sa physionomie s'entête à signifier. Il a parlé des « calculs mathématiques qu'exige la confection d'un gag » et en effet ses films donnent le même plaisir esthétique que l'élégante solution d'un problème. Ce sont de merveilleuses petites machines aux rouages savamment agencés. Il y a moins de rigueur mais souvent d'amusantes trouvailles dans les films d'Harry Langdon qu'on a récemment repris : *Tramp, tramp, tramp, The strong man*. Je suis surtout sensible au charme ingénu de son personnage : son visage de bébé, ses gestes puérilement affectés.

Ç'a été une joie pour moi de revoir Charlot dans *Le Cirque* puis dans *Les Temps modernes* qui n'avaient rien perdu de leur fraîcheur. Dans le second de ces films surtout j'ai retrouvé tout ce que j'en avais aimé et j'ai été heureuse de voir que le public, composé presque uniquement de jeunes, l'appréciait comme moi.

J'ai été tenue en haleine par quelques films à suspense : *L'Homme de Rio* si gaiement interprété par Belmondo; de vieux films de Walsh : *La Femme à abattre, L'enfer est à lui* où James Cagney se surpassait; des westerns, entre autres ceux qu'ont tournés des Italiens, tels que *The good, the bad and the ugly;* les aventures de James Bond dans *Bons baisers de Russie* et dans *Goldfinger*. Je peux être captivée au cinéma par des histoires qui sur le papier me sembleraient absurdes : imprimées, les aventures de James Bond m'étaient tombées des mains. Le film est beaucoup plus rapide que le livre : d'un regard j'embrasse une situation qui serait longue à expliquer avec des mots; cependant si l'écrivain précipite outre mesure les événements, il échoue à les rendre convaincants. Les images sur l'écran sont beaucoup plus persuasives. Il y a un curieux décalage entre l'évidence immédiate de la vision — l'indestructible illusion de réalité — et l'invraisemblance des faits. Si le metteur en scène en joue adroitement, il peut en tirer les plus heureux effets. C'est là ce qui fait l'humour des westerns italiens et qui donne leur charme aux prouesses insensées de Sean Connery. Encore faut-il savoir l'utiliser. Si l'intrigue est incohérente, le rythme trop lent, le jeu des acteurs faux, je n'adhère pas à ce qui m'est montré. Si les inventions manquent de fantaisie et d'audace, cette platitude me décourage.

Souvent dans leurs comédies les metteurs en scène italiens allient ingénieusement l'invraisemblance et le réalisme. Il y a des gags très amusants dans *La Femme du prêtre* que jouent avec malice Sophia Loren et Mastroianni; et c'est aussi une attaque sérieuse contre la papelardise des prêtres et l'hypocrisie de l'Église. *Le Drame de la jalousie* déchaîne le rire. Cependant, les héros y sont peints avec beaucoup de justesse : une femme, deux hommes trop mal armés pour supporter les complexités de leurs cœurs, trop peu aidés par la société pour surmonter les catastrophes qui s'ensuivent. Les scènes où, après chacun de ses suicides, Monica Vitti est emmenée à l'hôpital sont à première vue très drôles, mais en fait féroces et navrantes. On voit évoluer sur l'écran le petit peuple romain : les décors de sa vie, son travail, ses loisirs, ses fêtes. La ville qu'il habite est bien différente de la Rome des touristes : au lieu d'un désert de ruines, Ostie nous apparaît comme un rendez-vous de prostituées.

Il y a des metteurs en scène ambitieux qui cherchent à me communiquer leur vision du monde. S'ils y réussissent, ils enrichissent la mienne. Il en a été ainsi avec *Médée* de Pasolini. Il a répondu à une question que je me posais : comment certaines civilisations ont-elles pu concilier un haut degré de culture avec les rites sauvages des sacrifices humains? Il n'apporte dans *Médée* aucun document neuf. Mais au prix d'un long travail, par le choix de paysages étonnants et de cette extraordinaire actrice qu'est ici la Callas, il a réussi à recréer l'univers du Sacré. Un magnifique jeune homme est exécuté, dépecé et consommé sous nos yeux : la cérémonie est d'une si grave beauté que nous n'en éprouvons aucune horreur. Quand dans sa course vers la mer Médée décapite son frère et en jette derrière son char les morceaux pantelants, sa haute figure n'en est pas souillée. Ensuite, transplantée dans la Grèce rationaliste, Médée perd ses pouvoirs magiques : j'ai trouvé cette seconde partie beaucoup moins réussie.

J'ai été aussi saisie par *Viva la muerte* où Arrabal évoque l'Espagne de Franco. J'aime beaucoup son théâtre — que je n'ai pas vu jouer, mais que j'ai lu — si bien que j'ai été curieuse de voir son premier film. Dans les scènes oniriques, malgré de grandes réussites, il cède un peu.à la facilité. Mais les scènes qui visent à montrer la réalité ont la noire et cinglante poésie d'un cauchemar contrôlé; d'étonnants décors, des acteurs qui collent exactement à leur rôle, et des images, au contraire, très « distanciées » entraînent le spectateur dans un monde sordide et sauvage, vu à travers le regard naïf et effrayé d'un enfant. Il découvre peu à peu que sa mère — si belle dans ses vêtements noirs — a livré son père aux fascistes : il meurt lentement de révolte et de haine.

Hara-Kiri de Masaki Kobayashi se propose de détruire une certaine image mythique de l'époque féodale japonaise. Les nobles ne constituent pas une caste héroïque : ce sont des profiteurs, indifférents à la misère du peuple et au dénuement des samouraïs. Le grand seigneur qui nous est montré est d'une affreuse cruauté : à bout de ressources, un samouraï vient — c'était une coutume répandue — lui demander son aide, jurant s'il ne l'obtient pas de s'ouvrir le ventre dans sa maison; il le condamne à un hara-kiri particulièrement atroce puisque dans sa misère le suicidé a vendu son sabre : l'arme qu'enferme son fourreau est en bois. La victime a un vengeur qui humilie mortellement les bourreaux avant d'en abattre plusieurs au cours d'un combat où il lutte seul contre toute une maisonnée. Une peinture simple et réaliste de la pauvreté contraste avec des scènes épiques d'une fougueuse beauté.

On a projeté à Paris pendant ces dernières années de beaux films hongrois. *Les Sans Espoir* de Jancso m'ont appris, mieux que n'aurait pu le faire aucun livre, comment se sont déroulées en Hongrie les révoltes au xixe siècle. J'ai moins goûté *Rouges et Blancs* où il donne davantage dans l'esthétisme. Avec les *Dix mille soleils* de Szabo j'ai vécu la réforme agraire dans les campagnes de Hongrie : là aussi la vision de la terre, des fermes, des visages m'en a mieux fait comprendre l'histoire qu'aucun texte imprimé.

Visconti avec *Les Damnés* a voulu lui aussi illustrer une page d'histoire : malgré sa somptuosité, son film m'a laissée froide. Bien exploitée, l'invraisemblance peut faire rire ou sourire : elle ruine les effets dramatiques. Malgré le grand talent de l'interprète je ne crois pas au personnage de Martin : il cumule trop de vices. L'orgie qui précéda la nuit des longs couteaux, l'arrivée à l'aube d'un bateau chargé d'hommes noirs, ce sont des spectacles magnifiques, mais qui ne correspondent pas à la vérité historique. La cérémonie funèbre, baroque et glacée, qui termine le film est d'une parfaite beauté plastique. J'y sens trop la présence du metteur en scène; je regarde à distance cette performance sans lui accorder de crédit.

Une œuvre qui est au contraire criante de vérité, c'est le *Z* que Costa-Gavras a tourné d'après le roman de Vassilikos. Yves Montand dont les traits me sont trop familiers a éclipsé un moment pour moi Lambrakis, mais ils se sont vite confondus. Les événements auxquels j'assistais, je les savais authentiques : c'était une expérience neuve de voir recréée imaginairement sur l'écran une copie de la réalité si fidèle qu'elle en conservait tout le poids tragique.

Je m'intéresse aux films qui ressuscitent des événements historiques. Et aussi à ceux qui me découvrent certains aspects de la société à laquelle j'appartiens. Dans *Les Cœurs verts*, Luntz m'a fait connaître autour d'une intrigue inventée, un gang de jeunes qui jouaient leurs propres rôles; ils m'ont fait partager leur long ennui, leur désarroi, leur amertume; sous un cynisme de commande pointent des sentiments qu'ils n'ont pas la possibilité d'articuler ni d'assumer : j'en ai souffert avec eux.

Il est rare que le cinéma mette en scène des prolétaires. Quelques films italiens ont décrit leur luttes ou dénoncé les crimes du capitalisme : le hasard a fait que je ne les ai pas vus. Mais j'ai vu en 1965 deux excellents films anglais qui avaient pour thème la révolte d'un jeune exploité. L'auteur des scénarios était Allan Sillitoe, fils de tanneur qui, devenu écrivain, a gardé des liens étroits avec son milieu d'origine. Les rôles étaient tenus par des acteurs que j'ignorais, ce qui m'a permis de les identifier exactement aux personnages. Dans *Samedi soir, dimanche matin*, un jeune ouvrier se rebelle contre sa condition; vainement essaie-t-il de profiter de ses week-ends pour y échapper; il sort avec des camarades, il traîne, il boit, il se bagarre : mais quand le travail est aliéné, les loisirs aussi le sont. Il a beau ruer dans les brancards, il ne se libère pas. A la fin, il se laisse prendre au piège de l'amour. On pressent que bientôt marié, père de famille, il cessera de se débattre. Dans *La Solitude du coureur de fond* le héros a refusé cette injuste exploitation, cette oppression dégradante qu'est à ses yeux le travail d'usine. Il a dévalisé une boulangerie et il se trouve à présent dans une maison de redressement. Excellent coureur, le directeur l'encourage à s'entraîner : on espère qu'il remportera la coupe que vont bientôt se disputer l'établissement et un collège privé. En effet; il devance de loin son concurrent, il est tout prêt de gagner quand soudain il prend conscience d'être de nouveau exploité : c'est à une institution détestée que profitera sa victoire. Il s'arrête et il laisse passer son rival étonné.

La lutte des classes est montrée de manière plus directe dans le très beau film suédois *Adalen 31* de Bo Widerberg. C'est l'été 1931, en Suède : un de ces étés émouvants des pays nordiques où explose comme un miracle la luxuriance des feuillages et des fleurs et où le soleil ne s'éclipse que pendant de très brèves nuits. « Quelle belle journée ce serait, si c'était un dimanche! » dit Thomas, l'ouvrier chez qui la caméra nous introduit au début du film. Mais c'est un jour ordinaire : c'est la grève, qui dure depuis des semaines, les ouvriers réclamant une augmentation de salaire. Ils travaillent dans des usines, à présent fermées, mais ce sont en même temps des ruraux; ils habitent des maisons disséminées dans la campagne. Thomas vit dans l'une d'elles avec sa femme — très belle par l'éclat de ses yeux bleus, de son sourire, mais dont la peau semble un peu rugueuse, les mains gercées — et deux fils d'environ quatorze et dix-sept ans, aux jolis visages. Lui-même, il donne une impression de force et de gaieté. Les enfants sont en vacances et les hommes semblent en vacances eux aussi : ils pêchent dans le lac voisin, ils se promènent, ils causent entre eux, ils jouent aux cartes; mais il n'y a presque rien à manger dans les maisons. Peut-être vont-ils obtenir satisfaction : après tout, l'augmentation qu'ils demandent n'est pas considérable, dit un patron paternaliste, on pourrait peut-être céder. Mais non. Le patronat décide d'embaucher des jaunes.

Alors la situation bascule; le drame s'amorce, se précipite. Les ouvriers s'attaquent aux jaunes, les molestent, mais sans aller jusqu'au lynchage : ils sont sans haine; ils ne soupçonnent pas celle que leur vouent leurs exploiteurs. Drapeaux rouges en têtes, ils se déploient en cortège le long d'une magnifique route de corniche, au-dessus du lac, pour aller discuter avec leur patron. Mais des soldats sont cachés dans les champs qui entourent sa villa : il a appelé la troupe. Des militaires montés sur des chevaux essaient d'arrêter les manifestants : ceux-ci passent outre, ils continuent d'avancer en chantant. On entend des coups de feu : l'officier a donné l'ordre de tirer. « Ils tirent à blanc », dit avec confiance l'ouvrier qui est en tête du défilé. Il s'écroule. D'autres s'écroulent, baignant dans leur sang. Une quantité de blessés. Trois morts. Thomas est mort. Le soir, le patron paternaliste reproche à l'officier d'avoir fait ouvrir le feu : « Les soldats ont tiré, mais les balles, c'est vous qui les payez », dit l'officier. Appeler la troupe, c'était prendre le risque qu'elle tire, c'était même l'y inciter : c'est ce que comprend le fils de Thomas. Ni lui ni ses camarades ne seront plus dupes. La haine monte dans les cœurs. Le lendemain c'était la grève générale en Suède. Le régime a été renversé.

Le film est d'une grande beauté, sans jamais glisser dans l'esthétisme. Il est poignant et convaincant, sans une ombre de didactisme. La grande réussite de Bo Widerberg c'est d'avoir admirablement montré la liaison de la vie publique avec la vie privée. Nous nous intéressons aux amours de Thomas et de sa femme — amours traversées par la crainte d'avoir un nouvel enfant qu'ils n'auraient pas les moyens d'élever. Nous sommes émus par l'idylle qui se noue entre le fils de Thomas et la fille du patron — la scène où ils découvrent leurs corps pour la première fois est d'une fraîcheur, d'une tendresse, jamais égalées au cinéma. La grève fait partie de l'existence quotidienne des travailleurs : ils ne souhaitent qu'élever un peu leur niveau de vie. Mais elle prend immédiatement une dimension politique, elle débouche sur la violence et la mort. L'antagonisme de classe peut être masqué un moment — comme il l'était cet été-là, dans cette région de la Suède — mais il existe, et à la moindre occasion il se révèle. Les bourgeois que nous montre le film — sans les caricaturer, sans les charger — sont de bons pères, de bons époux, des hommes de culture : mais, face à la classe qu'ils exploitent, ce sont des tueurs en puissance et parfois des tueurs en acte.

Du même metteur en scène, j'ai beaucoup aimé aussi *Joe Hill*, en partie à cause de l'admirable acteur qui interprétait le rôle du héros. Le film raconte les révoltes ouvrières dont Joe

Hill fut l'animateur, aux U.S.A., au début de ce siècle. On y sent le poids écrasant de l'exploitation, la sauvagerie des répressions. Mais il y a aussi beaucoup de gaieté et d'humour dans la manière dont Joe Hill mène le combat : dans les actions qu'il invente, ses discours, ses chansons. La scène de son exécution — cyniquement organisée sous le prétexte d'un crime qu'il n'avait pas commis — est d'une lugubre beauté. Cependant, du fait que l'intrigue s'étend sur des années, le film n'a pas l'unité, la sobre densité d'*Adalen 31*. Il est plus anecdotique et donne davantage dans l'esthétisme.

Parmi les nombreux films américains distribués en France, je me suis surtout intéressée à ceux qui décrivent l'Amérique d'aujourd'hui. J'ai aimé me promener à travers de vastes paysages avec les deux jeunes motocyclistes d'*Easy Rider;* la nature, l'amitié, quelques rencontres heureuses, un peu d'herbe le soir : une belle vie, libre et gaie. Leurs longs cheveux, leurs vêtements joyeux suscitent la haine chez les Américains robotisés, aliénés, rongés de ressentiment et prêts à tuer tous ceux qui ne leur ressemblent pas : les Viets, les nègres, les hippies. Les deux voyageurs sont sauvagement battus, leur compagnon poignardé; et à la fin du film ils sont assassinés.

Haine et violence, c'est aussi le thème de *Joe*. En apparence bien installés dans l'existence, le bourgeois comme l'ouvrier entretiennent en eux des fureurs névrotiques contre tous ceux qui les contestent : les Jaunes, les Noirs, les jeunes. Coupable au début de l'histoire du meurtre non prémédité d'un hippie, le bourgeois est encouragé par Joe, le prolétaire, à s'avouer sa vérité : ils sont tous deux des racistes, des lyncheurs. Il se laisse entraîner au massacre délibéré d'une bande de hippies au cours duquel il abat sa propre fille.

Le fossé qui sépare les générations, ce thème est traité beaucoup plus légèrement dans le *Taking off* que le metteur en scène tchèque Forman a tourné en Amérique. C'est un film cruel puisque tous les personnages sont perdus sans recours, aussi bien les adultes figés dans leurs rôles de parents que les enfants qui tentent de leur échapper mais qui ne trouvent pas de place sur terre. Le cœur sec, la cervelle vide, tous sont dévorés par l'ennui. Cependant d'un bout à l'autre de l'histoire, on rit. Là encore le comique naît du contraste entre l'intériorité des personnages et leur réalité extérieure. Ils parlent d'eux-mêmes, de leur vie avec sérieux, avec pompe : la vérité que nous en découvre l'écran contredit dérisoirement leurs discours. Les habitudes, les tics, les clichés, les prétentions de toute une catégorie d'Américains sont subtilement ridiculisés. Même quand un sentiment sincère perce en eux, il est aussitôt étouffé par des automatismes. Le clou du film c'est la cérémonie où les parents s'appliquent à fumer de la marijuana sous prétexte de comprendre la mentalité de leurs enfants : gonflés d'importance, affichant un sens profond de leurs responsabilités, ils ne font en réalité que se livrer à un jeu de société qui les distrait un moment.

C'est aussi un tableau de la vie américaine qui sert de fond à *Five Easy pieces*. Le héros nous apparaît comme condamné à la solitude. Dans l'entreprise pétrolifère où il travaille, il ignore tout de ses camarades qui ignorent tout de lui. Il se soucie peu de la jolie petite serveuse avec qui il est collé et elle ne le comprend pas. Dans la famille où il retourne pour voir son père qui a été un musicien célèbre et qui est aujourd'hui frappé d'hémiplégie, il n'a de vrai contact avec personne : attiré par la femme de son frère il ne réussit pas à se faire aimer d'elle parce qu'elle doute qu'il soit capable d'aimer. Il repart, désespérément seul, les mains vides, pour les forêts glacées du Nord où sans doute il mourra. Sa solitude s'explique en partie par son caractère, par son enfance. Mais aussi par la manière de vivre américaine. Elle n'est pas seulement son lot, mais celui des autres personnages — en particulier de l'auto-stoppeuse psychotique obsédée par les problèmes de la pollution, qui fuit vers les neiges de l'Alaska. Et il ne suffit pas pour la combattre de recourir aux mécanismes de la psychanalyse, comme le prétend une pédante verbeuse. Elle est le fruit amer d'une certaine civilisation.

Ce qui fait le prix de ce film, ce sont les relations que soutiennent entre eux les divers personnages. Contrairement à ce qu'on pensait autrefois, le cinéma excelle à rendre des nuances et des subtilités psychologiques. J'ai trouvé saisissants les rapports du valet avec son jeune maître dans *The Servant* de Losey; ceux des deux frères entre eux et avec le *care-taker* dans le film qui porte ce nom; ceux de *Pétulia* avec l'homme qui l'aime sans espoir; ceux de Mia Farrow et d'Elisabeth Taylor dans *Cérémonie secrète*; ceux du jeune Anglais et du Jamaïquain dans *Two gentlemen;* ceux des personnages de *Ma nuit chez Maud,* ceux des héros d'*Un dimanche comme les autres.* Un livre qui raconterait ces histoires devrait d'abord nous familiariser avec les héros et avec leur environnement et peut-être, trop largement développée, l'anecdote nous semblerait-elle mince. Sur l'écran, tout nous est tout de suite présent, les visages, les décors, et notre intérêt peut surgir aussitôt. Un geste, une expression, une intonation en disent plus et plus vite que des pages imprimées.

Beaucoup de films jouent sur tous les registres que je viens un peu arbitrairement de distinguer : ils ressuscitent une époque ou une société, ils racontent des aventures, ils nous montrent quels sentiments attachent entre eux des individus.

Bonnie and Clyde illustrait une époque : 1929, le temps de la grande récession; c'était un récit à suspense; c'était aussi l'histoire étonnamment fraîche du difficile amour entre un jeune homme impuissant et une jeune femme. *More* — qu'accompagnait une excellente musique — peignait, sur un fond de magnifiques paysages, la faune qui peuple Ibiza : anciens nazis, hippies qui fument du haschich, drogués; le film racontait l'aventure d'un jeune garçon assoiffé de toutes les joies de la vie, d'une manière si exaspérée, si outrancière, qu'on le sentait perdu dès le départ; amoureux d'une charmante intoxiquée, elle le persuadait de se piquer à l'héroïne; il devenait esclave de la drogue, il en mourait : cette escalade créait du début à la fin un « suspense » angoissant.

Honeymoon Killers montre le crime dans sa hideur physique : l'agonie des victimes est répugnante, les tueurs doivent s'y reprendre à plusieurs fois pour les achever; ils forment un couple monstrueux; l'intérêt du film est de nous convaincre qu'un monstre est tout autre chose qu'un monstre : il est « mon semblable, mon frère ». L'héroïne est physiquement disgraciée : une énorme masse de chair dans laquelle se dessine cependant un joli visage. Sensuelle, boulimique, d'une implacable dureté, et par surcroît antisémite elle nous touche pourtant par la passion exclusive qu'elle porte à Ray, par la confiance ingénue qu'elle lui accorde. Elle tue — deux fois par jalousie frénétique, une fois de sang-froid — mais sa vie n'a pas beaucoup plus de prix à ses yeux que celle des autres. Elle est prête à s'en défaire si elle ne peut avoir Ray tout à elle, sans partage, et dans un accord absolu : elle choisit de se faire condamner à mort avec lui plutôt que d'accepter des compromis. Ce radicalisme la rend bien supérieure aux créatures minablement normales que Ray prend à ses pièges; comme elle, nous les méprisons pour leurs absurdes coquetteries ou leur sordide avarice ou leurs mensonges à soi. Plus médiocre, plus frivole Ray est cependant capable d'aimer tendrement cette femme sans beauté. Je ne sais si les criminels qui périrent à Sing Sing sur la chaise électrique en 1951 ressemblaient à ce couple : mais celui-ci réussit à nous attacher sans que le film dissimule la brutale horreur de ses forfaits.

Rares sont les metteurs en scène qui aient un univers à eux et qui me séduise. Deux d'entre eux seulement ont produit dans cette décennie des œuvres qui m'ont touchée : Bergman et Buñuel. L'intérêt que Bergman porte aux femmes me charme : ce ne sont pas pour lui des objets mais des sujets intelligents et sensibles; il peint avec bonheur leurs rapports entre elles : amitié, complicité, haine; leur seule faiblesse à ses yeux, c'est le penchant qui les pousse vers ces êtres piteux, les hommes. J'ai retrouvé cet univers féminin, avec ses violences, ses orages, ses frénésies dans *Le Silence* et j'en ai été saisie. En revanche le côté mystique de Bergman, son obsession du Mal, m'ennuient. Il y avait de beaux paysages dans *Une passion* et des personnages attachants, douloureusement murés dans leur solitude intérieure; mais les partis pris de l'auteur étaient trop manifestes : la présence du mal dans le monde — la méchanceté des hommes — il la symbolisait par le meurtre des moutons, par le lynchage d'un innocent. Je ne suis pas entrée dans cette histoire.

Buñuel — dont j'aime si fort tant de films — m'ennuie lui aussi quand il se fascine sur des thèmes religieux. Malgré de très belles images et quelques scènes prenantes, je ne me suis pas intéressée à *La Voie lactée*. Mais j'ai aimé *Tristana* : seul le cinéma pouvait rendre ces étranges relations d'une belle jeune femme infirme avec un séducteur vieillissant. Buñuel excelle à démasquer ce que les honnêtes gens couvrent du nom de Bien : la bigoterie, l'hypocrisie. Il lui suffit de montrer des prêtres aux visages reposés dégustant du chocolat avec un peu trop de complaisance pour nous les faire détester. Il y a plus de vérité et d'humanité dans les « vices » du vieil homme, de Tristana, du petit sourd-muet.

Un film que je tiens pour un chef-d'œuvre — et je l'ai dit en son temps — c'est *Les Abysses*, réalisé vers 1963 par Nicos Papadakis avec des dialogues de Vauthier. Il s'est inspiré de l'histoire des sœurs Papin et, tout en s'interdisant de jamais agir sur les nerfs des spectateurs, il en a poussé au paroxysme la violence. Le drame se déroule dans la maison de campagne isolée où Monsieur, Madame et Mademoiselle mènent leur sordide existence de petits bourgeois avares et d'ailleurs à demi ruinés : nous la voyons à travers la haine que les deux sœurs — admirablement incarnées par les sœurs Bergé — portent à leurs patrons; entrer avec elles dans la cuisine, c'est pénétrer dans une chambre de torture : sans recourir à aucun artifice, Papadakis se borne à nous montrer les couteaux, les fourchettes, les hachoirs, les crochets, le réchaud à gaz et ces ustensiles familiers semblent effrayants. La haine grandit cependant que l'amour mutuel des deux sœurs fait pressentir une vie « autre », où le bonheur, la poésie, la liberté seraient possibles. Pendant un moment les deux servantes persécutent cruellement la famille, qu'elles tiennent sous leur coupe parce que depuis des années elles n'ont pas touché de gages. Mais finalement vaincues par la coalition bourgeoise, déguisées en soubrettes de comédie, elles servent docilement le café au salon. Elles apprennent alors qu'elles vont être chassées et séparées l'une de l'autre : elles redeviennent des furies et tuent Madame et Mademoiselle à coups de fer à repasser.

On a dit qu'en racontant cette révolte sauvage Papadakis avait pensé à la guerre d'Algérie. En 63, il en gardait en effet un souvenir cuisant et un certain schéma de la lutte anti-coloniale se retrouve dans cette tragédie privée. Il s'agit là d'une de ces situations extrêmes qu'a décrites Fanon [1] dont l'opprimé ne peut s'arracher que par le massacre de l'oppresseur : par le terrorisme. Monsieur et Madame ont la bonne conscience, c'est-à-dire l'inconscience et l'ignorance, des colons qui se croyaient tolérés et même aimés par les Arabes et que le dévoilement de leur haine a stupéfaits. Mademoiselle incarne le paternalisme de ce que nous appelions à l'époque la « gauche respectueuse » et qui prétendait octroyer aux colonisés ce que ceux-ci voulaient conquérir. C'est elle qui, blessée de voir

---

1. *Les Damnés de la terre.*

dédaigner sa belle âme et repousser ses avances, déclenche la tragédie. (Le film est si riche qu'aujourd'hui Mademoiselle fait penser à certain recteur, comme elle compréhensif et bienveillant au point de supporter toutes les avanies, et qui a fini par appeler la police et faire matraquer les étudiants.) Ayant vu ce film en projection privée, nous avons été plusieurs écrivains à le recommander au public [1].

Il est rare que je voie avec plaisir des documentaires. Ils m'assènent des connaissances, en dehors de tout contexte, à des moments où je n'ai pas envie de les ingurgiter. Dans ces dernières années, un seul m'a captivée : un reportage en couleurs sur Bénarès. C'est un mot sur lequel j'avais rêvé et les images assouvissaient une très ancienne curiosité.

En revanche un montage qui tente de faire revivre une époque m'intéresse. J'ai tout de suite été voir *36, le grand tournant* qui ressuscitait l'aventure du Front populaire. Les commentaires m'ont souvent irritée; mais j'ai eu plus vivement que jamais l'impression de récupérer ma propre existence. J'avais assisté en 36 à certains événements mais dans l'ensemble je les avais surtout connus par les journaux, par des conversations. L'écran m'en offrait une totalisation. Grâce à l'impact des images, je me sentais transportée dans mon passé et en mesure d'en réunir sous mon regard les divers aspects.

Le Chagrin et la pitié ne m'a pas du tout donné la même impression. Je n'y ai pas retrouvé l'atmosphère de l'occupation telle que je l'ai connue : il y avait beaucoup plus d'angoisse dans l'air. D'ailleurs très peu d'images évoquaient directement le passé : des survivants parlaient d'une époque déjà lointaine et dont cette distance neutralisait les déchirements. Avoir été résistant ou collabo, cela semblait une affaire d'opinion : alors que des monceaux de cadavres séparaient les deux camps. Cependant il y avait de bons passages : le témoignage de Mendès France, les propos odieux et dérisoires du comte de Chambrun,

1. Papadakis a tourné depuis un autre film, *Les Pâtres du soleil* qu'on m'a dit très beau mais que les circonstances ne m'ont pas permis de voir.

le récit du paysan résistant. Les paroles de l'Allemand étaient si conformes à ce qu'on pouvait prévoir qu'on trouvait à les entendre de ses oreilles un plaisir intellectuel un peu grinçant.

Depuis 1962, j'ai vu, souvent avec plaisir, d'autres films que ceux que j'ai cités. Cependant je sais que j'en ai manqué beaucoup d'intéressants. Je ne vais plus qu'assez rarement au cinéma. Je répugne à me déranger, à faire la queue, à subir les Actualités et la publicité. Et puis, il est facile d'interrompre une lecture ou l'écoute d'un disque; au cinéma, surtout si j'y vais avec une amie, une fois installée dans mon fauteuil, je me sens obligée d'y rester même si le film m'ennuie.

Ces inconvénients ne pèseraient guère si le cinéma m'apportait plus qu'aucun autre mode d'expression : ce n'est pas le cas. C'est l'évidence de l'image qui donne aux films leur force ou leur séduction : mais aussi par sa plénitude inéluctable la photographie arrête ma rêverie. C'est une des raisons pour lesquelles — on l'a dit souvent — l'adaptation d'un roman à l'écran est presque toujours regrettable. Le visage d'Emma Bovary est indéfini et multiple, son malheur déborde son cas particulier; sur l'écran je vois un visage déterminé, et cela diminue la portée du récit. Je n'ai pas ce genre de déception quand l'intrigue a été conçue directement pour l'écran; il me plaît que *Tristana* ait les traits de Catherine Deneuve : c'est que je suis d'avance résignée à ce que cette histoire n'ait que la dimension d'une anecdote. Souvent aussi l'importance que prend l'image visuelle appauvrit les lieux qu'elle me découvre. Sur le papier, l'« absente de tout bouquet » l'est par son parfum, par la texture de ses pétales autant que par sa couleur et sa forme : c'est à travers les mots la totalité d'une fleur qui est visée. Un paysage de cinéma, je le vois, j'en entends les rumeurs : mais je ne sens pas l'odeur salée de la mer, je ne suis pas éclaboussée par les embruns. Le cadrage des photographies les isole souvent du reste du monde. Si je lis le mot Tolède, toute l'Espagne m'est présente; dans *Tristana* les rues de Tolède, par la perfection même avec laquelle elles sont photographiées, ne me donnent rien d'autre qu'elles-mêmes. Parfois l'art du metteur en scène lui permet de dépasser ces limitations : cette campagne est si vivante que je crois en sentir sur ma peau la fraîcheur; je ne me promène pas dans une rue, mais à Londres avec toute l'Angleterre autour de moi. Mais dans le meilleur des cas aucun film ne saurait atteindre à un certain degré de complexité. Moins expressive que l'image — et donc, quand on se borne à donner à voir, moins rapide —, l'écriture est hautement privilégiée quand il s'agit de transmettre un savoir. Quand une œuvre est riche, elle nous communique une expérience vécue qui s'enlève sur un fond de connaissances abstraites : sans ce contexte, l'expérience est mutilée ou même inintelligible. Or, des images visuelles ne suffisent pas à le fournir : si elles essaient de le suggérer c'est grossièrement et en général avec maladresse. On s'en est aperçu quand Costa Gavras a tourné *L'Aveu*. Il a réussi *Z* parce que l'intrigue était très simple, le contexte connu : une machination policière parmi d'autres. Mais *L'Aveu* n'a de sens que dans une situation qui renvoie à toute l'histoire de l'après-guerre en U.R.S.S. et dans les pays de l'Est. Les personnages n'existent pas seulement dans le moment du procès : chacun a toute une vie politique derrière soi. Dans le livre, on savait exactement à qui on avait affaire et on connaissait les raisons de chaque agissement. Réduit à un spectacle, le drame de London perdait son poids et son sens.

Ma préférence pour les livres vient surtout, je pense, du fait que depuis mon enfance c'est dans la littérature que j'ai investi. Je suis plus sensible aux mots qu'aux images.

Un des lieux communs qu'on rabâche dans certains milieux, c'est que désormais la littérature n'aura plus à jouer qu'un rôle secondaire; l'avenir est au cinéma, à la télévision : à l'image. Je n'en crois rien. Quant à moi je n'ai pas de poste de télévision et je n'en aurai jamais. L'image sur l'instant nous envoûte; mais ensuite elle pâlit et s'atrophie. Les mots ont un immense privilège : on les emporte avec soi. Si je dis : « Nos jours meurent avant nous », je recrée en moi avec exactitude la phrase écrite par Chateaubriand.

La présence en chaque homme des autres hommes, c'est par le langage qu'elle se matérialise et c'est une des raisons qui me font tenir la littérature pour irremplaçable.

*
* *

Je vais beaucoup plus rarement au théâtre qu'au cinéma. Au cinéma, il y a une parfaite homogénéité du matériau utilisé : des images visuelles perçues comme *analogon* de la réalité dont elles ont l'évidence. Je peux m'installer dans l'imaginaire et suivre le film sans en être un instant délogée. Au théâtre, le rapport de l'imaginaire à la réalité me semble boiteux. Jamais les acteurs ne jouent tous parfaitement : à travers le personnage qu'ils incarnent j'aperçois le comédien. Le décor, les costumes, les accessoires sont présents dans leur contingence matérielle : ils me ramènent à cette vie quotidienne dont, d'une manière ou d'une autre, le texte prétend m'arracher. Il m'entraîne un moment dans un univers fictif, mais bientôt je me retrouve dans ce monde-ci : au spectacle. Même si la pièce me satisfait pleinement, même si la mise en scène est une réussite, je me sens toujours en porte à faux [1].

Malgré ces réserves j'ai pris plaisir à voir certaines pièces. Dans *La Vie d'A. Geai* de Gatti, jouée à l'Odéon en 1964, il y avait une bonne idée théâtrale : nous montrer le même personnage à quatre âges différents. La littérature s'y est essayée parfois, mais l'effet de simultanéité est beaucoup plus saisissant quand je vois de mes yeux sur le plateau l'adolescent, l'homme jeune, l'homme mûr, le futur vieillard, qui sont un seul individu. Au lever du rideau l'éboueur, âgé d'une quarantaine d'années, vient d'être blessé au cours d'une manifestation et se débat contre la mort sur un lit d'hôpital. Il revoit son passé cependant qu'assis sur le seuil d'un coquet petit pavillon le retraité qu'il rêve de devenir le supplie — en vain — de rester en vie. Si son destin ne nous touchait pas, il n'y aurait là qu'un artifice scénique sans portée. Mais Gatti a su nous attacher à l'éboueur Auguste Geai, en qui il a résumé en grande partie, dans la tendresse et la révolte, l'existence déshéritée de son père.

Les Jouets de Georges Michel sont une satire, cruelle et drôle, de notre société de consommation, de l'environnement qui nous est imposé, des slogans dont l'O.R.T.F. nous infecte. La réussite du spectacle venait de la parfaite homogénéité du texte — bâti à coups de lieux communs — avec le jeu des

---

1. Je parle ici du théâtre occidental. Il y a des formes de théâtre qui échappent à cette critique. J'en parlerai plus loin.

acteurs que leurs mimiques et leurs voix déshumanisaient. Le décor, la mise en scène contribuaient à cette distanciation à travers laquelle on reconnaissait avec évidence une trop quotidienne réalité.

La distanciation : c'est, on le sait, le ressort de l'art de Brecht. C'est le seul auteur dont j'aime mieux voir jouer les pièces que les lire; le texte semble généralement terne, il ne prend son éclat que sur la scène. Je m'en suis rendu compte une fois de plus en voyant au T.N.P. *Maître Puntila et son valet Matti* que j'avais lu sans enthousiasme. Ingénieusement mise en scène, admirablement servie par Wilson, Denner, Judith Magre, la pièce faisait beaucoup rire et laissait un goût amer.

J'ai vu aussi, au petit T.N.P., *Chêne et lapins angora* de Walser [1]; j'en ai aimé le sobre pathétique. Déporté pour antinazisme, le personnage poétique et déchirant qu'incarnait Dufilho avait été si bien transformé par une opération du cerveau suivie de rééducation qu'il continuait à crier : Vive Hitler! au moment où tous ses compatriotes criaient à pleins poumons : Vive l'Amérique! En proie à un désespoir impuissant il se voyait peu à peu dépouillé de tout ce qui avait fait la douceur de sa vie; cependant que l'ancien nazi, joué par Wilson, prospérait de jour en jour davantage. Dense, tendue, sans jamais tomber dans le symbole ou dans l'allégorie, l'œuvre éclairait d'une sombre lumière toute cette Allemagne d'après guerre où les bons ont été punis et les méchants récompensés.

Dans un cirque transformé en théâtre, Mnouchkine a monté *La Cuisine* de Wesker. Le décor était d'une soigneuse exactitude : on se croyait dans une véritable cuisine, on croyait deviner derrière la porte la salle du restaurant. Cependant les victuailles et la plupart des ustensiles faisaient défaut : les gestes des acteurs y suppléaient. Les mitrons rôtissaient des viandes invisibles, brassaient une pâte fantôme, vidaient des poissons absents. Cette alliance du mime avec le réalisme des expressions, des intonations, des mouvements, faisait l'originalité du spectacle et lui donnait sa force. On se sentait solidaire de ces hommes et de ces femmes harassés par un travail au rythme infernal. On mesurait quel fossé les séparait du patron incapable de comprendre leur révolte. J'ai regretté seulement que l'in-

---

1. Romancier et dramaturge allemand.

trigue tournât au mélodrame. Dans ce cas-ci, la mise en scène l'emportait de loin sur l'œuvre écrite.

Un peu plus tard, Mnouchkine a présenté dans le même cadre *Le Songe d'une nuit d'été*. Ce n'est pas la comédie de Shakespeare que je préfère et la plupart des acteurs avaient été choisis pour leurs qualités plastiques : les danses et les pantomimes étaient exécutées avec beaucoup de grâce, mais le texte était mal servi. Ce qu'il y avait de plus réussi, c'était le décor : une fourrure recouvrait toute la scène, épaisse comme la mousse d'un sous-bois, et qui paraissait éclairée par la lumière d'un ciel nocturne, filtrant à travers des ramures.

Deux pièces de Sartre ont été montées au T.N.P. En 65 Cacoyanis a mis en scène *Les Troyennes* que Sartre avait adaptées d'Euripide, en respectant fidèlement le texte tout en lui donnant un accent très moderne. Podromidès, qui avait fait à New York une musique de scène pour *Les Troyennes* reprochait aux paroles de ne pas s'accorder à ses rythmes. Sartre, grippé, ne put assister aux répétitions. La première fois que nous nous sommes rendus au théâtre, peu de jours avant la générale, nous avons été atterrés : une musique fracassante couvrait la voix des acteurs. Ils jouaient bien; Judith Magre était une remarquable Cassandre. Mais les chœurs étaient très mal réglés. Quand Hécube dit : « Frappe-toi la tête! », tous les figurants se battaient la poitrine avec des gestes qui faisaient penser à une leçon de gymnastique rythmique. « Erreur d'anatomie », a murmuré le décorateur, un Grec âgé et très drôle qui avait brossé de beaux décors. Sartre a obtenu qu'on supprimât quelques effets scéniques désastreux. Le soir de la générale le public a beaucoup applaudi mais nos amis manquaient comme nous d'enthousiasme.

En revanche la mise en scène que Wilson fit du *Diable et le bon Dieu* au cours de l'automne 68 fut excellente. A un décor construit, il avait substitué un ingénieux dispositif qui permettait aux acteurs d'entrer, de sortir, de se mouvoir avec une grande liberté. Le choix des interprètes était heureux. Au premier acte, dans le rôle de Gœtz, Périer, sans le surpasser, égalait Brasseur; et avait dans le second acte beaucoup plus de sincérité. L'ensemble du spectacle était très supérieur à celui qu'avait dirigé Jouvet. Les circonstances donnaient à la pièce un ton très moderne : les leçons ânonnées par les habitants de la

Cité du Soleil faisaient penser aux récitations collectives du petit livre rouge de Mao. Les jeunes qui chaque soir remplissaient la salle découvraient dans le texte quantité d'allusions aux événements présents et applaudissaient à tout rompre.

Malgré des innovations, tous ces spectacles restaient assez classiques. J'en ai vu d'autres par la suite qui rompaient beaucoup plus nettement avec les traditions.

En octobre 1968 j'ai assisté, au petit théâtre de l'Épée-de-Bois, à une représentation d'*Akropolis*. Au XIXe siècle, un dramaturge polonais qui voulait exalter notre culture humaniste a imaginé que les héros de scènes homériques ou bibliques représentées sur les tapisseries d'un château descendaient des murs et venaient les jouer sous nos yeux. Le metteur en scène polonais Grotowski s'est inspiré de cette pièce, mais pour tourner l'humanisme et la culture traditionnelle en dérision. Il a supposé que le spectacle était monté dans un camp de concentration par des déportés en costume rayé. Ils se livraient à des travaux pénibles et absurdes, transportant de lourds tuyaux, assemblant des échafaudages. Puis soudain ils évoquaient par leurs gestes et leurs paroles les grandes figures qui se dressent au fond de notre passé : et il y avait un contraste grotesque entre leur abjection et la noblesse légendaire des héros qu'ils incarnaient. Cette noblesse, en fait, ils la bafouaient. L'idylle d'Hélène et de Pâris devenait curieusement pédérastique du fait que les deux acteurs étaient des hommes. L'épisode le plus saisissant, c'était le mariage de Rachel; il n'était pas du tout conforme au récit biblique; Jacob au lieu de se soumettre à Laban le tuait d'un coup de pied et il enlevait Rachel. Celle-ci était figurée par un tuyau habillé de matière plastique blanche comme un voile de mariée. Jacob faisait le tour du théâtre en lui donnant le bras, suivi de toute une noce qui psalmodiait des chansons. Les spectateurs étaient assis sur des gradins, autour de la scène et souvent les acteurs se mêlaient à eux. Ce que j'ai regretté, c'est de ne pas comprendre le texte. Notre ami tchèque, Liéhm, qui sait le polonais, nous en indiquait brièvement le sens et il nous a dit qu'il était très beau. La double transposition — de faux prisonniers jouant le rôle de héros antiques — déréalisait radicalement le spectacle, supprimant le gênant décalage entre le monde imaginaire et celui-ci.

En 1970, Ronconi a présenté à Milan sur la place du Dôme

un spectacle populaire et gratuit; tiré de *Roland furieux*. Il l'a transporté à Paris en Mai, dans un des pavillons désaffectés des Halles : les places étaient payantes et le public plus restreint. Le soir où je m'y suis rendue, le cadre d'abord m'a enchantée : une harmonieuse architecture de fer, ouverte de partout sur le ciel. Les spectateurs, debout, participaient à l'action; ils figuraient la foule à travers laquelle fonçaient des guerriers et des guerrières montés sur des chevaux de fer; ils se poursuivaient, se défiaient, se battaient par-dessus nos têtes car leurs destriers avaient été hissés sur des cages de bois; celles-ci étaient munies de roulettes et à l'intérieur de chacune d'elles un homme était accroupi qui la poussait en courant. Toute la machinerie avait la même ingénieuse simplicité : on pouvait se croire transporté dans une de ces fêtes du xvıe siècle où le merveilleux était évoqué avec les moyens les plus frustes. Des scènes étaient dressées aux deux extrémités du hall et des tréteaux contre les murs. Par moments une seule action concentrait toute l'attention; à d'autres, deux, ou trois, ou quatre épisodes se déroulaient en même temps. On pouvait choisir l'un d'entre eux, ou passer de l'un à l'autre, ou se détendre en fumant une cigarette. Ce foisonnement d'aventures disparates qui m'étourdit et m'ennuie dans beaucoup de vieux romans me charmait ici : leur vrai rapport temporel, c'est la simultanéité, alors que la lecture impose un déroulement fastidieux. Je sais mal l'italien, le texte m'a échappé, mais les intrigues étaient faciles à comprendre et se passaient de mots. La fougue et la beauté des acteurs — hommes et femmes — l'éclat des costumes, la gaieté, la rapidité des mouvements, tout contribuait à mon bonheur : un bonheur analogue à ceux que j'ai connus dans mon enfance, moins au théâtre que lorsque je lisais des contes fantastiques dont les illustrations me transportaient.

Je me suis sentie plus comblée encore quand, en février 71, j'ai assisté à *1789*, monté par Mnouchkine et joué par les quelque quarante acteurs du Théâtre du Soleil. Là aussi, le cadre était admirablement choisi : dans la solitude du bois de Vincennes, la cartoucherie où se fabriquait jadis un gaz mortel, la vincennite. C'est un immense hangar où se dressaient cinq estrades reliées par des praticables. Le public pouvait s'asseoir sur les gradins disposés contre un des murs, mais aussi se tenir debout au milieu de la salle, ou s'installer sur les passerelles ou sur les tréteaux dans les moments où ils restaient vides. L'argument de la pièce — composée collectivement par toute la troupe après une longue et sérieuse étude de la Révolution — c'est qu'au lendemain de la fusillade du Champ-de-Mars, en 1791, des bateleurs jouent l'histoire des deux années qui viennent de s'écouler : ils la représentaient telle que le peuple pouvait se l'imaginer, ce qui autorisait toutes les exagérations, toutes les bouffonneries, les plus libres interprétations des événements. Tantôt des scènes se déroulaient simultanément sur les cinq estrades, tantôt une seule action remplissait massivement le théâtre, les passerelles permettant des courses d'un point à un autre et le public figurant la foule.

Après un début un peu lent qui décrivait la misère du pays, le spectacle prenait un rythme précipité qui ne devait plus se ralentir; il utilisait les procédés les plus divers. Les bateleurs évoquaient la convocation des états généraux à l'aide de marionnettes, qu'ils manipulaient à visage découvert, et qui tout de suite se mettaient à vivre d'une vie autonome, dans leur propre univers. Cependant Marie-Antoinette, Polignac, Lamballe grossièrement caricaturées dansaient autour de Cagliostro. Soudain il se faisait un grand silence. D'un bout à l'autre de la salle les acteurs dispersés parmi les spectateurs se mettaient à murmurer à leurs oreilles l'histoire de la prise de la Bastille. Soutenu par une très belle musique, ce n'était d'abord qu'un chuchotement, imparfaitement synchronisé, si bien qu'on entendait le même mot, Necker, à différents moments, en différents endroits : il semblait voler à travers le théâtre. Les voix s'enflaient, elles se confondaient tout en restant distinctes, c'était la voix du peuple triomphant, pulvérisée à travers le temps et l'espace; c'était une rumeur savamment orchestrée, nécessaire et bouleversante comme une cantate de Bach; sur un ton de confidence et d'enthousiasme toutes les bouches, ensemble et tour à tour, clamaient : et c'est ainsi que nous avons pris la Bastille! C'est un des plus grands moments théâtraux qu'il m'ait jamais été donné de vivre. Il avait en moi d'intimes résonances car je reconnaissais dans ce récit celui que souvent nous nous sommes fait entre amis aux soirs de manifestations que nous croyions réussies et riches de promesses. Une immense kermesse éclatait alors, les tréteaux devenant des baraques foraines où se déroulaient des scènes de lutte, des jeux, des danses, des pantomimes, accompagnés des flonflons d'une musique de bastringue.

On pouvait craindre qu'après ce paroxysme le spectacle ne retombât. Mais non. A d'étonnantes inventions succédaient d'autres inventions tout aussi inattendues. Il y a eu le strip-tease de la nuit du 4 août, où les Nobles dans une frénésie de générosité arrachaient leurs chapeaux à plumes, leurs beaux habits, se dénudaient presque entièrement; puis mesurant soudain leurs sacrifices et consternés, ils se hâtaient de ramasser leurs effets et de les emporter. Les femmes de Paris, en robes blanches et agitant des rameaux verts, ont fendu la foule pour ramener le roi, la reine, figurés par des baudruches qui flottaient au-dessus de leurs têtes. Dans une pantomime burlesque, au son d'une marche nuptiale, les nantis se sont disputés les biens du clergé. Une des dernières scènes s'inspirait de Guignol. Les bourgeois s'asseyaient sur une estrade pour assister à une farce; en face d'eux, sur une autre scène, entre un grand seigneur et un cardinal ridiculement accoutrés, il y avait une grande boîte : un bateleur en faisait sortir le Peuple qui abattait prestement les Privilèges et la Superstition. Les bourgeois applaudissaient et davantage encore lorsque le bateleur renfermait le Peuple dans la boîte; ils s'affolaient en voyant le couvercle se soulever et ils criaient comme les enfants à Guignol : « Attention! Attention! » Mais le Peuple surgissait dans le dos du manipulateur et l'étranglait. Succès sans lendemain. Après la fuite du roi — illustrée par une des séquences les plus brillantes — comme le Peuple réclamait sa déchéance, la garde nationale tirait sur la foule, et l'Ordre des nantis triomphait.

Il y avait dans ce spectacle une double transposition puisque les acteurs se présentaient comme des bateleurs qui eux-mêmes jouaient des rôles. Grâce à cet artifice, aucune caricature, aucune parodie ne paraissait outrée. Et en fait elles étaient au service de la seule vérité valable : la vérité populaire. Ce n'est pas une calomnie de montrer le roi et la reine goinfrant, se soûlant, titubant pendant que le peuple crève de faim; car même si on se tient bien à table, manger à sa faim en temps de disette c'est bâfrer. A travers des charges, des gags d'une étourdissante gaieté c'est une histoire tragique que Mnouchkine et sa troupe déployaient sous nos yeux : l'étranglement de la Révolution par la classe montante qui n'a détruit la noblesse que pour lui prendre ses prérogatives, l'aristocratie de la richesse remplaçant celle de la naissance. Elle a utilisé en le mystifiant le Peuple qui n'y a rien gagné. Cette démonstration était menée, sans presque qu'on s'en aperçoive, avec une remarquable exactitude dans les détails de son développement. On a contesté que ce spectacle eût une valeur révolutionnaire parce que l'entrée était payante; il en avait une pourtant par l'émotion et l'indignation qu'il soulevait.

En juin 71, on a pu voir à Paris un spectacle tout à fait insolite : *Le Regard du sourd* de Robert Wilson, une suite de tableaux où s'enchaînaient en silence des images immobiles ou animées; c'est une lente évocation onirique des fantasmes d'un enfant noir sourd-muet : l'auteur y a projeté aussi son propre univers. Comme presque tous les gens qui y ont assisté, j'ai été — malgré des longueurs, des redites — envoûtée par cette fantasmagorie. Mais je me suis vite aperçue que je n'en avais rien retenu. Les images se sont effacées sans qu'il s'en dégage un sens dont j'aurais du moins gardé quelque souvenir. Ce « fleuve de silence », comme l'appelle Renée Saurel, pour moi a coulé en vain.

*
* *

La musique occupe toujours une grande place dans ma vie. Je ne vais jamais au concert : j'en déteste la cérémonieuse solennité. Je préfère attendre que l'œuvre qui m'intéresse soit enregistrée. J'ai cependant été deux fois à l'Opéra. Depuis longtemps j'aime le *Wozzeck* de Berg et je n'ai pas voulu manquer l'exécution qu'en a dirigée Boulez; je l'ai trouvée magnifique et j'ai en outre apprécié les beaux décors de Masson, l'excellente mise en scène de Barrault qui s'était très heureusement inspiré de Brecht. Il est rare qu'un opéra réalise cette synthèse artistique à laquelle ce genre prétend. J'ai vu aussi en 69 *Boris Godounov* présenté par l'Opéra de Moscou. C'est une œuvre que je connais bien. Les chœurs étaient admirables et les acteurs non seulement chantaient mais aussi jouaient avec un art consommé. Le faste des costumes faisait oublier le côté conventionnel des décors.

Mais ce sont là des exceptions. Mes vrais rapports avec la musique sont beaucoup plus quotidiens. Pendant les soirées que je passe avec Sartre, nous écoutons des disques. À présent, ils ne m'apportent que rarement des révélations exaltantes parce que je me suis familiarisée avec les grands compositeurs d'autrefois. Mais c'est une joie de réentendre les œuvres que j'aime, d'en découvrir qui n'avaient pas encore été gravées et qui complètent la connaissance que j'ai d'un musicien ou d'une époque : ainsi, en 1970, j'ai pu écouter les admirables *Madrigaux* de Gesualdo dont j'ignorais même le nom. Je ravive mes connaissances, j'en acquiers d'autres, je saisis certains morceaux sous un jour nouveau, mes jugements, mes goûts se modifient plus ou moins. C'est un de mes soucis aujourd'hui, je l'ai dit déjà, de récapituler mon passé et de faire le point.

Un autre — je l'ai dit aussi — c'est de me tenir au courant. Je suis avec attention les créations de mes contemporains. Je dois quelques grandes émotions neuves à Stockausen, Xenakis, Penderecki, Ligety; j'aime aussi Boulez, Berio, Nono, Henze et quelques autres. C'est une curieuse expérience d'écouter des musiciens encore jeunes, sachant que c'est dans une maturité avancée ou même dans leurs vieux jours que les compositeurs réalisent le plus souvent leurs chefs-d'œuvre. Lequel ira le plus loin? Lequel à la fin de ce siècle sera tenu pour le plus grand? Leur avenir, vécu et posthume, m'intrigue. D'autres créations — pour eux, pour moi imprévisibles — modifieront rétrospectivement le sens de leur œuvre, de même que ceux-ci m'aident à comprendre les recherches de leurs prédécesseurs. A la lumière de Xenakis, je déchiffre d'une autre manière certains morceaux de Beethoven, de Ravel, de Bartok.

Parfois, je tente la petite aventure qui consiste à tourner le bouton de mon transistor pour capter un programme de France-Musique. Il m'arrive de tomber sur un morceau que j'aime vraiment : mais c'est rare et ce n'est pas ce que je cherche. Une amie me disait autrefois que l'agrément des cocktails mondains, c'est qu'on y rencontre des gens qu'on n'a pas envie de rencontrer; de même, avec la radio, je m'amuse à écouter de la musique que je n'ai pas envie d'entendre. Mais c'est un plaisir qui ne me retient pas longtemps. Je préfère revenir à mes disques.

*
* *

Je redoute la cohue des grandes expositions. Et puis, coupés de leurs racines, les objets qui s'y exhibent perdent beaucoup de leur prix. L'exposition d'art nègre qui a eu lieu en 66 au Grand Palais était très riche, on pouvait y admirer des pièces magnifiques mais elles étaient disposées dans un ordre assez arbitraire qui n'en éclairait pas le sens. C'était aussi le défaut de l'exposition de l'Europe gothique [1]. Les salles étaient bien éclairées, le public clairsemé et j'ai pu y flâner à ma guise. Venues de tous les coins de l'Europe, les œuvres qui s'y côtoyaient donnaient un peu l'impression d'un bric-à-brac. Les gisants, couchés dans des halls impersonnels, étaient beaucoup moins émouvants qu'à Saint-Denis, à Bourges, à Dijon, dormant dans l'ombre de l'église où ils avaient prié de leur vivant. La plupart des sculptures ressemblaient trop à celles que je connaissais et se ressemblaient trop entre elles. Il y en avait d'insolites, en bois peinturluré, qui m'ont étonnée : mais elles étaient presque toutes très laides. Ce que j'ai vu de plus saisissant c'est un immense Christ, tout noir, et crucifié sur des fourches patibulaires. Il venait de Westphalie. Il avait un visage de brigand et un corps qui n'en finissait pas. Il me faisait penser à tous ces infortunés qui furent en Allemagne atrocement torturés, cloués aux troncs des arbres ou pendus à leurs branches lors des révoltes paysannes. Dans l'ensemble je préfère à ces grandes manifestations la modestie d'un musée de province qui offre au visiteur un ensemble homogène : ceux de Provins, d'Autun, de Dijon et tant d'autres.

J'ai été heureuse cependant de raviver au Grand Palais [2], en 71, mes souvenirs de Yougoslavie. Des photographies en couleurs, projetées sur un écran, m'en ont rappelé les monuments. J'ai retrouvé en reproductions les belles fresques des églises byzantines. Et j'ai découvert beaucoup d'œuvres que j'ignorais : des statues en pierre trouvées au bord du Danube qui représentent en traits grossiers des hommes poissons et qui remontent sans doute à la préhistoire; un ravissant petit chariot votif, en terre cuite traîné par des canards qui date de l'âge de bronze; une tête de jeune fille en marbre, au visage

1. Au Louvre, en 67.
2. Je n'ai pas eu à visiter l'exposition Tout Ankh Amon où les Parisiens se sont rués : j'étais au Caire et le musée n'avait envoyé à Paris qu'une infime partie des objets trouvés dans la tombe.

pur, aux cheveux minutieusement tressés, sculptée au IIe siècle de notre ère. J'ai été charmée aussi par la galerie de statues slovènes, en bois peint : des saintes aux visages naïfs, figées dans des attitudes inattendues.

Aimant la peinture, j'évite les vernissages mais chaque année je passe quelque temps dans des galeries ou des musées. En 64, j'ai vu une exposition de Nicolas de Staël, ce grand peintre qui a ouvert à son art tant de chemins et qui ne voulut se satisfaire d'aucun : elle était moins riche que celle qui me l'avait révélé, quelques années plus tôt, mais elle offrait de très beaux tableaux.

Je connaissais assez bien Dubuffet. J'avais beaucoup aimé les *Matériologies* des années 50-60 où il étudiait sur ses toiles le matériau nu : pierres, caillou, humus, herbes, sable. Avec *Paris Circus* il était revenu ensuite à des thèmes anciens. J'ai été voir *L'Hourloupe* : il souhaitait dans cette série de tableaux « entourlouper » le public en lui jouant une « comédie des erreurs ». Ils étaient tous composés à partir de cellules plates, aux couleurs tranchées, où dominaient le rouge et le bleu, enfermées dans des contours aussi précis que les plombs d'un vitrail et souvent remplies de hachures noires. Leur justaposition donnait à l'espace un caractère abstrait. L'ensemble, tourbillonnant, était équivoque : il paraissait figuratif ou non, selon la manière dont on le regardait. Une volonté d'artifice éloignait cet univers de la réalité; cependant, à travers les découpes bleues et rouges de l'espace plat, on percevait des silhouettes gesticulantes, des danses, des farandoles dont la gaieté contrastait avec le ridicule affligeant des visages et des corps. C'était, en deçà de ce monde, un autre monde, dérisoire et pourtant joyeux.

Un peu plus tard, en 66, j'ai aimé les tableaux patients et subtils de Bissière; les compositions puissantes de Pignon; les toiles de Singier, non figuratives, mais dont les couleurs magnifiques, les transparences et les opacités évoquaient des eaux bleues, des coraux, des profondeurs aquatiques.

En 67, une grande partie de l'œuvre de Bonnard a été exposée à l'Orangerie. Je le connaissais assez bien. Cette fois encore, c'est à ses dernières œuvres qu'a été ma prédilection, celles qui sont, selon les mots du peintre « une suite de taches qui se lient entre elles ». Certaines, dépouillées à l'extrême, sont un jeu presque abstrait de jaunes lumineux et de blancs délicats; les contours s'effacent. Cependant la nature y est suggérée, dans sa silencieuse solitude ou dans sa luxuriance.

Mon goût pour les récapitulations a été satisfait par l'exposition qui m'a restitué, dans ses grandes lignes, l'œuvre de Picasso, depuis ses débuts jusqu'à aujourd'hui. Elle n'a fait que confirmer mon admiration et mes réserves. La virtuosité de Picasso est étourdissante, il fait ce qu'il veut : mais je n'approuve pas toujours ses intentions. A mon avis, il atteint son apogée dans les années qui vont — en gros — de 1930 à 1950. Il s'est alors pleinement trouvé et il ne cesse pas de se réinventer. Ensuite il se répète davantage. Souvent encore ses réussites sont éclatantes, mais elles deviennent plus mécaniques.

J'ai été heureuse aussi de revoir au Grand Palais l'ensemble de l'œuvre de Chagall. Un peu monotone, parfois un peu mièvre, elle s'approfondit avec le temps. « J'ai dû attendre jusqu'à ce que je sois un vieil homme... pour comprendre l'importance du tissu », a-t-il dit. C'est très sensible quand on confronte ses récents tableaux aux plus anciens. Ils ont la même poésie, mais la matière en est plus riche, les couleurs plus recherchées, le « tissu » plus précieux. La grande originalité de cette œuvre, c'est son caractère autobiographique. Chagall peint sa ville natale, Vitebsk, ses maisons, ses neiges, et les animaux qui lui furent familiers dès son enfance : poisson, coq, vache, cheval; il peint Paris tel qu'il l'a découvert avec amour : les quais, les toits, la tour Eiffel. Pénétré par la culture qu'il a reçue, il illustre des proverbes hébreux, il évoque des scènes de folklore. Paysages, bouquets, animaux fabuleux, saltimbanques, amoureux sont vus comme à travers un rêve; souvent une fenêtre est ouverte et le dormeur s'envole; s'il n'est pas représenté, le peintre ne nous convie pas moins à entrer dans ses songes où les poissons sont bleus, les chevaux verts, les violonistes perchés sur des toits, les mariés couchés dans le ciel. Il y a une douceur sensuelle dans ce monde aux formes naïves, aux couleurs chatoyantes.

Un autre grand plaisir, ç'a été de voir à Strasbourg en 1968 une rétrospective de la peinture des années 1918-1920. C'est la période à laquelle, avec quelques années de retard, mon cousin Jacques m'avait initiée. Je me souviens des réticences et des enthousiasmes de mes vingt ans devant des peintres qui me sont devenus si familiers. J'ai été contente de les retrouver encore une fois mais ils ne m'ont pas surprise. Ce qui m'a étonnée, c'est de m'apercevoir que je connaissais à peine un peintre que je place à présent parmi les plus grands : Robert Delaunay. Il a eu une influence considérable sur son époque, et entre autres sur Klee. Ses compositions rigoureuses ont des couleurs si généreuses, si franches, si éclatantes qu'on éprouve une joie physique à les regarder.

J'aime beaucoup les tableaux de Vieira da Silva; pendant l'automne 69, au musée d'Art moderne, il y a eu une grande rétrospective de son œuvre. Je suis particulièrement sensible aux tableaux de sa deuxième période : des tableaux très blancs ou très gris qui évoquent par des lignes droites et dures l'angoisse des paysages urbains d'aujourd'hui.

J'avais souvent entendu parler de Delvaux, mais on le connaît mal en France; je n'avais vu que quelques reproductions de ses toiles. La rétrospective de juin 69, au musée des Arts décoratifs, a été pour moi une révélation. Je me suis tout de suite retrouvée de plain-pied avec cet univers onirique, si loin de mes propres rêves et soudain mystérieusement proche : un univers d'une sérénité inquiète, où l'insolite semble familier, où le monde quotidien devient troublant. Il est peuplé de délicieux corps féminins : sous leurs strictes robes noires ou leurs blanches guimpes montantes, les jeunes femmes sont aussi nues que leurs sœurs, chastement dévêtues, qu'habillent un grand chapeau, un collier, un immense nœud de ruban ou leur seule toison. Elles évoquent des tableaux — souvent la Lucrèce de Cranach — ou des bustes de marbre et elles sont en même temps une tendre chair savoureuse. Elles habitent des faubourgs dont les chaussées, faites de sombres petits pavés, sont sillonnées de rails : d'antiques tramways y brinquebalent; assises, nues, dans une petite gare, elles regardent passer les trains. L'une d'elles est assise, nue, au milieu d'une allée, devant une table recouverte d'un tapis vert et éclairée par une lampe à pétrole semblable à celles de mon enfance. Des messieurs à lorgnons, coiffés de chapeaux melons, les côtoient sans les voir dans une rue où tremblent des flammes de bougie, ou à travers des ruines. Car dans le monde de Delvaux, les bourgades enfumées du Nord voisinent avec des paysages de marbre, où de noirs cyprès poussent sous des ciels très bleus. Là aussi, vêtues ou dévoilées, des femmes de marbre et de chair rêvent gravement sous leurs chapeaux empanachés tandis que passent avec indifférence des savants myopes et des messieurs aveuglés par leur importance. Comme beaucoup de peintres, Delvaux en vieillissant n'a pas cessé de progresser. Les toiles qu'il a exécutées entre 60 et 69 sont parmi celles que je préfère : ses couleurs n'ont jamais été si profondes, la réalité qu'il nous donne à voir aussi proche et aussi lointaine. J'aime entre toutes *Les Extravagantes d'Athènes* qu'il a peintes à soixante-douze ans : des femmes nues ou demi-nues se tiennent debout ou couchées dans un paysage antique où passe un petit tramway. Beaucoup de ces images, auxquelles le temps a ôté leurs richesses mais non leur séduction, hantent encore ma mémoire.

Pendant l'hiver 69-70 j'ai visité longuement, à plusieurs reprises, l'exposition Klee. J'avais déjà vu à Paris des expositions de ses œuvres, entre autres celle de février 1948; à Bâle et dans d'autres musées, j'étais tombée en arrêt devant ses toiles. Déjà je le considérais comme le plus grand de tous les peintres modernes. Je n'en ai pas moins été éblouie. Chez lui, la peinture, c'est d'abord la couleur : « La couleur et moi sommes un. Je suis peintre! » a-t-il dit un jour dans un élan. Ses tableaux sont un festival de couleurs vives et de nuances subtiles. Villes, maisons, jardins, faune et flore lui servent de prétexte pour pulvériser l'arc-en-ciel et en rassembler les morceaux à sa guise : ce qu'il nous offre, dans ces créations, c'est le bonheur même rendu accessible au regard. Il s'inspire de la réalité mais il la découvre à neuf. Il aimait les dessins d'enfants : « Il y a une sagesse à la source de leurs dons », disait-il. Il a gardé cette sagesse. Jamais les perceptions pratiques et sclérosées des adultes ne déforment sa vision. C'est avant tout la vision d'un monde en gestation, qu'engendrent des vecteurs, des flèches, des tourbillons. « Aventures de la ligne », a dit justement Michaux. Il suffit d'un trait habilement modelé pour faire naître sous nos yeux le merveilleux *vieillard calculant*. Ce qui charme dans le *Saltimbanque*, le *Fou dansant*, le *Créateur* et tant d'autres toiles, c'est la sarabande endiablée des lignes et des couleurs. Même le tableau intitulé *Intériorité* n'est qu'un jeu de lignes. L'homme d'ailleurs n'occupe pas dans cet univers une place privilégiée. Les animaux, les plantes, toutes les formes vivantes ont le même prix. Entre les uns et les autres il y a de constants passages. Un visage peut être construit avec des coquillages, des insectes, des fleurs, tel celui de « *la cantatrice dans le rôle de Fiordiligi* ». Dépouillé de ses prétentions, ramené à sa simple vérité, l'être humain a quelque chose de comique, de dérisoire et d'attendrissant, parfois aussi de mystérieux : ainsi *Senecio* dont le nom évoque la vieillesse et la fleur de séneçon et qui tourne vers nous une face enfantine et lunaire.

On peut rêver sur ce nom car si la peinture de Klee n'a rien de littéraire, les mots y jouent un grand rôle : il introduit dans ses tableaux des caractères imprimés, des graphismes et il en choisit avec soin les titres; ceux-ci s'y incorporent, et en infléchissent le sens. Ces échanges entre le langage écrit et celui de la peinture, entre les diverses créatures terrestres, entre la nature et l'architecture donnent à l'univers de Klee sa poésie. Sa démarche est l'inverse de celle de Picasso dont le pinceau décompose et analyse la réalité. Klee la saisit comme une présence globale qui déborde ses apparentes limites; chaque chose est liée à l'ensemble du cosmos et il appartient à l'artiste de rendre cette liaison visible en dégageant les analogies que toutes soutiennent entre elles.

Dans les derniers tableaux de Klee, on ne retrouve plus la gaieté, l'humour de son œuvre antérieure; ils ne parlent plus de bonheur. Je ne les en aime pas moins. L'année 39-40, il était très malade, il le savait et les temps étaient sombres. On sent dans la *Germination pathétique*, dans les sobres et inquiétants *Signes sur fond blanc*, dans le *Labyrinthe détruit* la présence de la mort; au fond de toutes les toiles, elle guette. Mais elle est surmontée et sublimée par la beauté qu'elle inspire.

Quand il sortait d'une exposition de peinture, Giacometti se sentait tout heureux, m'a-t-il dit, de plonger dans la diversité contingente de la réalité : contrastant avec la nécessité limitée de l'œuvre d'art, cette profusion l'éblouissait. Klee me produit l'effet contraire. Ni peintre pur ni seulement poète, mais l'un et l'autre à la fois il me donne le monde par-delà ce que mes yeux en peuvent voir : ce que j'en connais, ce que j'en ignore, tout ce qui sur terre est nommé et tout ce qui n'a pas de nom. Chaque fois que je l'ai quitté, la rue m'a paru bien terne.

Vers la même époque, une centaine de toiles de Goya ont été exposées à l'Orangerie : elles ne se trouvent pas au Prado, c'était la première fois que je les voyais. Goya est un des peintres que j'admire le plus et j'ai été heureuse de compléter la connaissance que j'avais de lui. Travaillant à mon essai sur la vieillesse, j'avais lu plusieurs ouvrages sur lui et regardé des reproductions de ses dernières œuvres : c'était pour moi une chance de pouvoir contempler les originaux de ses terribles portraits de vieilles femmes. Mais beaucoup de ses toiles m'ont donné un plaisir plus direct : j'ai été saisie par leur beauté.

C'est aussi à l'Orangerie qu'un peu plus tard j'ai découvert l'œuvre de Max Ernst. J'avais vu des tableaux de lui, à New York surtout, en 1947. Je gardais le souvenir d'un surréaliste inspiré et qui peignait. Je me suis trouvée devant un grand peintre, influencé par le surréalisme.

J'avais malheureusement manqué en 1969 l'exposition de Rebeyrolle, *Les Guérilleros*. Sartre m'en avait parlé avec chaleur et j'avais vu de très belles reproductions de certains tableaux. Des amis communs le mirent alors en rapport avec Sartre et nous avons été le voir dans son atelier, qui se trouvait alors à Montrouge. Il nous a montré ses anciennes toiles et j'ai enfin vu *Les Guérilleros*. Contre les murs étaient appuyés des tableaux récents. Je les ai retrouvés à la galerie Maeght où Rebeyrolle a exposé une nouvelle série, « Coexistences », pour laquelle Sartre a écrit une préface. En 69, Rebeyrolle avait dénoncé les forfaits de l'impérialisme; cette fois il s'attaquait au socialisme, coupable non seulement des crimes perpétrés à Prague, à Moscou, mais responsable aussi de ceux qui se commettent au Brésil, en Grèce, au Vietnam, puisque, au nom de la coexistence, il ne tente pas de les empêcher. Le rouge du drapeau, porteur jadis de tant d'espoir, se confond sur ces toiles avec la couleur du sang versé, des chairs béantes. Ces corps broyés, Rebeyrolle ne les évoque pas abstraitement : c'est dans leur matérialité qu'il impose à notre regard l'horreur, la colère qui l'habitent. Si ces sentiments, tout en nous empoignant, demeurent supportables, c'est grâce à ce que Sartre appelle l' « alacrité » de ces tableaux; la joie, qu'à travers sa fureur, Rebeyrolle a éprouvée à peindre, il nous la fait aussi partager.

On ne connaît guère Francis Bacon en France et je l'ignorais. En novembre 71, j'ai été voir au Grand Palais l'exposition qui lui était consacrée, et j'ai reçu un choc. « Nous sommes des carcasses potentielles. Chaque fois que je vais chez un boucher, je pense qu'il est étonnant que ce ne soit pas moi qui sois à la place de l'animal », a dit Bacon dans une interview. Je me suis trouvée entourée de quartiers de viandes saignantes et de carcasses torturées. Sur les tableaux intitulés « crucifixions » les corps sont soumis à des mutilations et à des distorsions presque insoutenables. D'autres toiles sont en apparence plus calmes; un homme, une femme sont étendus ou assis sur un canapé : mais leurs membres se convulsent, leur chair pantèle, le canapé est un chevalet de torture, les murs ceux d'un cachot. Bacon a peint beaucoup de portraits : on dirait que les visages ont éclaté; les bouches s'ouvrent dans un cri. Quelques tableaux sont plus sereins : deux très belles corridas, des paysages d'herbes grises. Mais l'ensemble propose une image tragique et parfois même horrible de la condition de l'homme : c'est un corps martyrisé, c'est un prisonnier qui étouffe dans sa cage, il vit dans la terreur, il a envie de hurler. Le choix des couleurs — des lie-de-vin, des gris, des jaunes sales — renforce cette impression angoissante. « Je n'ai jamais essayé d'être horrible, a dit Bacon. Je pense qu'il n'y a qu'à observer les choses et qu'à penser à la vie dans son ensemble pour s'apercevoir que tout ce que j'ai pu faire ne semble vraiment pas grossir ce côté de la vie. » Il n'y a qu'à parcourir un journal pour se convaincre qu'il a raison. En cette minute même des milliers de bouches hurlent, des corps saignent et agonisent. L'étonnant c'est qu'en nous découvrant impitoyablement des vérités affreuses les tableaux de Bacon nous donnent de la joie à cause de ce qu'il faut tout de même appeler leur beauté.

Je laisse rarement échapper une grande exposition de peinture, une rétrospective importante. Mais je connais moins bien les peintres contemporains que les musiciens et les écrivains. Le temps me manque pour courir les galeries. Et souvent je m'y ennuie. J'apprécie le « sadisme optique » de Vasarely, mais non les centaines de tableaux qui s'en inspirent. Il y a déjà longtemps que Duchamp a inventé les « ready made » : je ne trouve aucune originalité à ceux qui pullulent aujourd'hui. A quelques exceptions près, l'anti-art m'intéresse peu. Or il prolifère tandis que la peinture proprement dite se fait rare.

**

Ainsi je continue à me cultiver. Suis-je plus ou moins ins-truite qu'autrefois? Je ne cesse pas d'apprendre, mais les connaissances se développent si vite qu'en même temps mon ignorance grandit. Et ma mémoire laisse échapper une grande partie du savoir que j'ai emmagasiné. C'est surtout entre vingt-cinq et cinquante ans que j'ai beaucoup perdu : à peu près tout ce que je savais en mathématiques, en latin, en grec. Les systèmes philosophiques que j'ai étudiés autrefois, je ne m'en rappelle que les grandes lignes et je n'ai pas lu les ouvrages qui leur ont été consacrés pendant ces vingt dernières années. En littérature, je me sens toujours très proche des auteurs que j'aime. Sur la peinture, sur la musique, je n'ai pas cessé d'enri-chir ou de consolider mes connaissances : même pendant ces dix dernières années, j'ai beaucoup acquis. Dans l'ensemble je me situe dans le monde plus clairement que lorsque j'avais quarante ans. Je comprends mieux la structure de la société et le déroulement de l'Histoire; je déchiffre mieux les intentions et les réactions des individus.

Mais quel prix possède aujourd'hui à mes yeux la culture que je détiens? J'avoue ne pas être de ces intellectuels que Mai 68 a profondément ébranlés. La contradiction que Sartre a dénoncée [1] entre les visées universelles de l'intellectuel et le par-ticularisme où il est enfermé, j'en étais déjà consciente en 1962 quand j'achevais *La Force des choses*. De nouveau elle m'a gênée lorsque j'ai commencé ce livre. Je me sers d'un instrument universel, le langage, je m'adresse donc en principe à tous les hommes : mais je ne suis entendue que par un public restreint. Parmi les jeunes, que je souhaite particulièrement toucher, beaucoup à présent trouvent vain de lire. Écrire ne m'apparaît donc plus comme un moyen privilégié de communiquer. Et cependant j'ai mené jusqu'au bout ce livre et j'en ferai sans doute d'autres : je peux bien contester l'écrivain que je suis, mais non m'arracher à sa peau. Je ne peux pas larguer mon passé et renier tout ce que j'ai aimé. J'ai appris pendant la guerre d'Algérie à me méfier de la musique, de la peinture, de tous les arts qui dissimulent en les sublimant les peines des hommes; néanmoins je leur garde une grande place dans ma vie. Je ne crois pas à la valeur universelle et éternelle de la culture occiden-

1. Dans un entretien avec *L'Idiot international* reproduit dans *Situations VIII*.

tale, mais je m'en suis nourrie et je lui reste attachée. Je souhaite qu'elle ne s'anéantisse pas mais que, dans une large mesure, elle se transmette aux générations montantes. Je comprends que la plupart des adolescents en refusent certains aspects et qu'ils se soient insurgés contre la manière dont elle leur était inculquée. Mais n'y a-t-il pas moyen de leur communiquer ce qui en demeure valable et pourrait les aider à vivre?

C'est difficile, je le sais. Beaucoup de mes amis sont des enseignants : Bianca, Sylvie, Courchay, d'autres encore, et nous avons souvent discuté ensemble leurs problèmes. Leur situation est bien différente de ce que fut la mienne, dans les années 30. Sur quelques points, elle a des avantages. Un professeur est autorisé à traiter beaucoup plus librement les sujets qui l'intéressent, à mordre sur l'actualité. Il n'a pas, comme autrefois, des tabous sexuels à respecter. Mes élèves de quatrième ricanaient quand dans un texte latin elles lisaient le mot « fémur » et je me souviens de ma gêne lorsque j'ai dû expliquer en classe de philosophie le vers de Valéry : « Les cris aigus des filles chatouillées. » Pour exposer la psychanalyse, j'étais obligée de la prendre de biais et de l'affadir. On aborde aujourd'hui ces questions avec beaucoup plus de franchise et de simplicité. Mais le bénéfice est mince, me disent mes amis, étant donné la résistance qu'opposent les lycéens à la transmission du savoir, particulièrement de la philosophie.

Les classes sont plus nombreuses qu'autrefois, et cela rend plus malaisé de connaître personnellement chaque sujet, plus malaisé aussi de susciter des discussions qui ne dégénèrent pas en criailleries confuses. Quand j'avais devant moi de vingt à trente élèves je pouvais les laisser s'exprimer à leur guise; elles s'arrachaient la parole, elles s'affrontaient bruyamment : mais je n'avais aucune peine à les reprendre en main; avec quarante élèves, maintenir l'ordre est plus épineux. Mais le facteur numérique n'est pas seul en jeu, loin de là. Il m'est arrivé d'avoir des classes chargées qui se montraient cependant à la fois vivantes et disciplinées. C'est l'attitude de l'auditoire qui a radicalement changé et qui fait obstacle à tout dialogue.

Ce qui me plaisait, quand j'enseignais la philosophie, c'était de trouver devant moi des esprits en ce domaine tout à fait vierges; peu à peu je les voyais s'éveiller, s'ouvrir, s'enrichir et si parfois des élèves me contredisaient, c'était au nom de ce que je leur avais moi-même appris. Aujourd'hui il n'en va plus du tout de même. Plus âgés que de mon temps, suivant depuis des années les émissions de la télévision et lisant les journaux, les lycéens des classes terminales croient tout savoir ou — ce qui revient au même — croient qu'il n'y a rien à savoir sur rien. De toute façon l'homme est conditionné, disent certains d'entre eux : alors, à quoi cela peut-il servir d'étudier, de réfléchir? Ils se méfient des adultes et tout ce qu'un professeur peut leur dire est d'avance déconsidéré. Ils ne se rendent pas compte que les évidences qu'ils lui opposent, ce sont en fait des adultes qui les leur ont inculquées, à travers les mass media. Sans doute par réaction contre cette société technocratique, ce qui les intéresse le plus ce sont les sciences occultes, les mondes extra-terrestres. Mais dans l'ensemble ils manquent de curiosité. Selon les lycées, le tableau que me font mes amis est plus ou moins sombre. Mais tous déplorent l'inertie de leur classe, son absence de participation. Ceux qui enseignent en sixième, en cinquième, ont de meilleurs contacts avec leurs élèves; ils réussissent à capter leur attention, à susciter chez eux des réactions; mais c'est à condition de ne pas s'enfermer dans des programmes qui ne leur conviennent pas et d'inventer avec eux des rapports neufs, sans tenir compte de la discipline ni du règlement. Il en résulte des conflits avec l'administration et avec les parents. Bref l'enseignement qui était pour moi un plaisir est devenu un travail à tout le moins ingrat et souvent épuisant. C'est qu'il y a une radicale inadéquation entre les besoins des jeunes et la nourriture qui leur est offerte; le lycée est devenu un lieu de contrainte, aussi bien pour ceux qui sont obligés d'avaler cette pâture que pour ceux qui doivent la leur administrer. La situation est si pourrie qu'aucune réforme ne saurait l'améliorer; c'est une véritable révolution qui serait nécessaire pour donner aux jeunes le désir et les moyens de s'insérer dans la société : il faudrait que ce fût une société différente où la formation des générations nouvelles par les plus anciennes fût conçue tout autrement.

Dans l'état actuel des choses, je comprends que la plupart des jeunes n'attachent plus aucun prix au savoir : cependant je le regrette. Quant à moi, je l'ai dit, ma curiosité reste ouverte. J'ai indiqué la plupart des domaines où elle s'exerce. Je vais en aborder un autre : les voyages.

CHAPITRE IV

Autant qu'autrefois, j'aime voyager. J'en avais perdu le goût en 1962, mais il m'est revenu. J'ai vu et revu beaucoup d'endroits pendant ces dix dernières années. Que m'apportent ces explorations?

D'abord elles s'intègrent au projet plus vaste qui me tient encore à cœur : connaître. Certes, voir ne suffit pas; on peut traverser des villes et des campagnes sans rien en comprendre. Pour m'éclairer sur un pays des lectures et des conversations sont nécessaires mais à elles seules, elles ne sauraient me donner l'équivalent de la présence des choses, en chair et en os. Si je marche dans des rues, que je me mêle à la foule, la ville et ses habitants se mettent à exister pour moi avec une plénitude que des mots sont impuissants à me donner. Par la suite, je m'intéresse bien davantage aux lieux qui ont été liés à ma vie qu'à ceux que je n'ai évoqués qu'à travers des phrases.

Dans l'ensemble, mes voyages d'information obéissent à des programmes qu'ont établis pour moi les personnes qui m'ont invitée ou qui s'offrent à me servir de guide; il arrive alors que par moments les activités qui me sont imposées me pèsent. Mais le plus souvent j'ai l'agréable impression de recevoir des cadeaux sans avoir d'autre effort à faire que de les accueillir. En d'autres cas, il s'agit plutôt pour moi de me promener que de m'instruire et j'agence moi-même mes itinéraires; j'éprouve alors le même plaisir qu'autrefois au cours de mes voyages à pied : le plaisir de la création. Et je suis toujours joyeusement étonnée par la rencontre de sites ou de monuments qui n'étaient sur la carte que des signes abstraits.

Un voyage, c'est aussi une aventure personnelle : un changement vécu dans mes rapports au monde, à l'espace et au temps. Elle commence souvent dans l'égarement : la nouveauté des lieux et des visages m'affole et je suis débordée par la quantité de désirs qui m'habitent et que j'ai hâte d'assouvir. J'aime cette confusion. J'ai des amis que le premier contact avec une grande ville inconnue jette dans l'anxiété; moi j'en éprouve un sentiment d'exaltation. Grâce à mon habituel optimisme, je suis convaincue que je réussirai bientôt à dominer cette réalité qui me submerge. Son foisonnement m'arrache à moi-même et me donne une illusion d'infini : pendant un moment s'abolit la conscience que j'ai de mes limites et de celles des choses. C'est pourquoi ces instants me sont si précieux.

Des heures privilégiées, ce sont celles où je roule en auto ou — beaucoup plus rarement — en train. Un livre, un film me dévoilent le monde sans que j'intervienne me semble-t-il : j'oublie ma propre existence. En voiture, je suis là et j'ai l'impression de susciter moi-même, par le déplacement de mon corps, les visions qui s'offrent à moi : il y a dans le mouvement quelque chose de grisant quand il fait coïncider avec l'écoulement du temps le déroulement d'un espace riche de sens. C'est le souvenir du passé, c'est la promesse de l'avenir qui donnent le plus sûrement à l'existant l'illusion de rejoindre son être. Glissant sur une route, je suis sans cesse à la limite du souvenir et de l'apparition; je retiens encore une dernière image tandis que ma curiosité m'entraîne vers de nouvelles découvertes; je suis mémoire et attente, intensément présente à ce qui me quitte et à ce qui s'annonce.

A la longue, cette perpétuelle fuite en avant devient lassante; le regret d'oublier au fur et à mesure l'emporte sur le plaisir de se souvenir. Je souhaite une halte et cette autre grande joie des voyages : celle de la contemplation. Elle aussi me donne l'illusion de rejoindre l'être : je me fonds avec l'objet que je regarde; je lui emprunte sa permanence et l'épaisseur de sa réalité. Je vis dans un instant qui enferme l'éternité.

Quand je m'arrête devant un tableau, une statue, l'abside d'une église — ce qu'on appelle une œuvre d'art — j'essaie de saisir l'intention de son créateur et de comprendre par quels moyens il l'a réalisée; il me faut donc situer l'objet dans son contexte historique et social et être au courant des techniques utilisées : je fais appel à ma culture que cette nouvelle expérience esthétique enrichit. C'est d'une manière plus furtive et plus difficile à définir que me sont donnés les spectacles contingents : paysages, rues, foules, et les œuvres d'art elles-mêmes quand je les considère comme les éléments d'un décor, au même titre que le ciel et les arbres. En ce cas, aucune intention n'a organisé cet ensemble qui me captive : c'est moi qui le dote d'un sens en le prenant pour l'*analogon* d'autre chose que soi. Il faut être indifférent à ses semblables ou même les détester pour promener délibérément sur la terre un regard d'esthète. Cependant elle serait bien morne si nous n'y déchiffrions pas des allusions, des symboles, des correspondances qui nous renvoient à son histoire, à la nôtre, à l'art, à la littérature, si elle n'éveillait pas en nous des réminiscences, si elle ne nous proposait pas des évasions, si elle ne nous suggérait pas des créations. Parfois dans la contingence du donné j'entrevois la nécessité d'une œuvre d'art. Par ces belles journées d'hiver où jusqu'au soir s'attarde une aurore, il semble qu'un Breughel se soit matérialisé. Ou au contraire, dans ce bouquet, j'invente un tableau qui n'a jamais été peint. Ces deux hommes qui marchaient dans l'herbe salée, le long de l'estuaire de la Seine, je les suivais des yeux, penchée à la fenêtre de mon hôtel, et j'assistais au début d'un très beau film. La nuit, derrière les vitres illuminées, rouges, orange, jaunes, dans l'intimité voilée des lourds rideaux, s'achève la journée de personnages de roman. Le sifflet du train qui file à travers la campagne enténébrée m'arrive du fond d'un univers fictif. C'est pourquoi je peux être charmée, à distance, par des lieux, des objets que je ne souhaite pas habiter ni posséder. Une place de province : pendant un instant, il me plaît de me promener chaque jour sous ses platanes, de fréquenter ses cafés; je serais consternée si je devais m'y exiler. Quand je passe en voyage devant de très jolies maisons — manoirs à la française, mas provençaux, chalets tyroliens — j'éprouve une nostalgie; je voudrais m'asseoir dans ce jardin, m'accouder à ce balcon et être chez moi; je le voudrais, mais je ne le veux pas du tout. Ces délices rêvées, pour de bon je ne les désire pas.

C'est ce qui me séduit dans les voyages : la vie rêvée l'emporte sur la vie vécue; je me raconte des histoires et je joue à changer de peau. Cependant depuis longtemps je ne me satisfais plus de ces miroitements d'apparences. Je ne m'y complais que de loin en loin. Avant tout, sur les endroits que je traverse je veux savoir la vérité.

Sur ce point, il y a beaucoup de différences entre les deux espèces de voyage que j'ai distinguées plus haut. J'y goûte en tout cas les plaisirs que je viens d'indiquer. Mais quand je veux m'informer sur un pays, je le visite avec méthode, je rencontre beaucoup de gens, je me renseigne sur ses problèmes politiques, économiques, sociaux; quand je me promène, c'est généralement dans des contrées que, sur un plan théorique, je connais assez bien. Cela m'intéresse de saisir sur le vif, en certains points particuliers, cette réalité. Mais je m'attache surtout à découvrir des sites et des monuments. C'est de ces explorations plus ou moins capricieuses que je vais d'abord parler.

Autrefois, j'étais avide d'incessantes révélations. Aujourd'hui — et depuis bien des années — revoir m'est un bonheur. Revoir : au sourire de la nouveauté, mêler la douceur fanée du souvenir; dans le passé ressuscité, sertir l'éclat doré des découvertes. Presque jamais les choses ne sont exactement conformes à l'idée que j'en avais gardée; ou elles m'offrent un profil différent. Parfois, la confrontation me rend mélancolique : je regrette la paix de vieux villages de Provence, la solitude de sites envahis à présent de constructions hideuses, la tranquillité de petites places romaines qui se sont transformées en parkings, l'âpre douceur d'une campagne où maintenant se dressent des ceintures de béton.

Mais le temps n'est pas toujours destructeur; en France, en Italie, en Yougoslavie j'ai vu ressusciter des fresques, des architectures que des négligences ou des cataclysmes avaient masquées ou détruites.

J'ai connu jadis en voyage le plaisir d'organiser ma solitude. Aujourd'hui, je préfère de loin partager mes expériences avec quelqu'un qui me tient à cœur : en général Sartre, parfois Sylvie. Dans les pages suivantes je dis indifféremment *je* ou *nous;* mais en effet, sauf pendant de brefs moments, j'étais toujours accompagnée.

* *

Nous avons continué Sartre et moi à passer une grande partie de nos étés à Rome. L'Albergo Nazionale, situé au fond de la place Montecitorio, à côté de la Chambre des Députés, a fait installer l'air conditionné : c'est là que nous sommes descendus désormais. J'avais aimé vivre à la lisière de la ville mais je préférais encore en habiter le cœur. De nouveau nous prenions chaque matin notre petit déjeuner à côté du Panthéon en lisant les journaux. C'est de cette place que nous sommes partis à la découverte de Rome, voici près de quarante ans. Nous avons logé dans plusieurs de ses hôtels ou dans d'autres, très proches. Le décor n'avait pas changé et c'était le même garçon qui nous servait nos cafés : ses cheveux blonds étaient devenus blancs. Cependant chaque année quelques détails modifiaient un peu le visage de la ville. En 64, l'obélisque de la place Montecitorio était camouflé par des échafaudages et entouré de balustrades : il menaçait de s'effondrer et on le consolidait. Un nouveau bar, le Navona, venait de s'ouvrir sur la place du même nom; le soir, ses petites lampes rougeoyaient sous des abat-jour en soie.

L'après-midi, nous nous promenions un peu. Nous revoyions nos endroits préférés, nous en redécouvrions certains que nous avions un peu oubliés : l'intérieur du château Saint-Ange; la Maison Dorée, les stucs et les décorations dont s'inspirèrent les artistes de la Renaissance pour peindre ce qu'on a appelé les « grotesques »; Sainte-Agnès et Sainte-Constance dont les naïves mosaïques nous avaient charmés il y a bien longtemps. Nous avons revu les Caravage qu'enferment diverses églises et que nous aimons plus qu'autrefois. Parfois nous explorions en auto les faubourgs qui ont envahi à une vitesse vertigineuse la campagne romaine, atteignant le pied des monts Albains. « Une ceinture de béton : même le climat de Rome en est changé », nous disait Pajetta. Ou nous poussions plus loin, jusqu'à Ostie, Tarquinia, Cerveteri, les Castelli romani. En 64, nous avons suivi l'autostrade toute neuve qui traversait la Sabine, au pied de villages haut perchés dont parfois elle frôle les maisons basses. Nous avons déjeuné à Orvieto et revu les Signorelli. Que la mémoire est déficiente! De ces fresques, que j'ai vues plusieurs fois, je me rappelais seulement la Résurrection des corps; et certes, c'est un morceau saisissant; mais l'enfer ne l'est pas moins, avec ses démons aux fesses bleues qui torturent joyeusement les damnés, et ses archanges en armes qui ressemblent aux chevaliers teutoniques d'Alexandre Newski. Les anges aux ailes aérodynamiques qui piquent vers la terre à la vitesse d'un jet semblent sortir d'une science-fiction. Et comment avais-je oublié l'Antéchrist, son visage faux et méchant, tandis qu'il discourt devant une foule mystifiée ? Autre surprise : voyageuse méthodique, j'ai dû visiter autrefois ce puits où s'enfoncent deux escaliers en spirales, que des ânes pouvaient descendre pour aller chercher de l'eau, à soixante-trois mètres de profondeur. D'en haut, c'est une vision surprenante et je n'en avais aucun souvenir.

Cependant, nous passions de nombreuses heures dans nos chambres. Généralement, je ne travaillais pas. Comme d'autres s'abandonnent à la chaleur du soleil et aux rumeurs de la mer, je baignais dans Rome. De ma fenêtre je voyais des toits de tuile, des charmilles, des terrasses couvertes de pots de fleurs que chaque matin une religieuse arrosait. Parfois je regardais ce gracieux paysage urbain. Le plus souvent étendue sur mon divan, bercée par le ronronnement de l'air conditionné, j'apercevais derrière la vitre entre deux pages d'un livre le bleu du ciel. Je lisais beaucoup à Rome. J'emportais tous les ouvrages intéressants qui avaient paru dans l'année sans que j'aie eu le temps d'en prendre connaissance ; ou des œuvres anciennes que j'avais négligées ou oubliées. Et aussi je dévorais des romans policiers, en français, en anglais, et surtout en italien. C'est une manière de m'occuper sans m'absenter. Je n'y crois pas assez pour m'éloigner de Rome ; et cependant le déroulement des aventures remplit le temps.

Les moments qui avaient le plus de prix à mes yeux, c'étaient les soirées que nous prolongions tard dans la nuit. Nous dînions puis nous buvions quelques verres dans les endroits que nous aimions. Nous délaissions la place Saint-Eustache où trop de rires et de criailleries entouraient le marchand de bébés pisseurs. Nous préférions la place Navona, la place Santa Maria du Trastevere. Malheureusement — jusqu'en 67 — elles étaient envahies par des autos, des cars de tourisme, des marchands de ballons rouges, des caricaturistes. La place du Panthéon où s'était ouvert un nouveau bar était beaucoup plus paisible et c'est souvent là que nous nous installions. Bien que mes émotions se soient assagies avec l'âge, il m'est encore arrivé que la beauté

240

des nuits romaines me prenne à la gorge. Sur la place Navona, entre les fontaines de pierre et les maisons rousses, deux fiacres étaient rangés le long du trottoir; contre la carrosserie d'un noir luisant, le rouge des roues faisait des taches violentes et j'ai ressenti une joie aussi inexplicable et aussi poignante qu'une angoisse : « C'est une angoisse inversée », ai-je dit à Sartre. La présence du monde, en m'éblouissant, révélait en creux ma future absence.

Parfois, quand nous étions à une terrasse, des gens nous saluaient ou nous demandaient des autographes. Ils le faisaient avec beaucoup de grâce. Dans une petite rue, proche de l'hôtel — où on mange les meilleures glaces de Rome, mais si étroite qu'au passage les autos frôlent presque les tables — une voiture rouge s'est brusquement arrêtée. Une élégante jeune femme, toute vêtue de rouge, s'est élancée vers moi : « C'é lei o non c'é? » J'ai souri sans répondre. Alors elle a dit en français : « Vous êtes Simone de Beauvoir? — Oui. » Elle m'a saisi le poignet et l'a secoué un grand moment en riant et elle est repartie en courant vers la voiture. Quelquefois des jeunes gens demandaient à Sartre un rendez-vous, en particulier des révolutionnaires d'Amérique latine.

Quand des amis français traversaient Rome, nous passions quelques moments avec eux. Et aussi nous voyions des Italiens. Carlo Levi avait déménagé. Il habitait, au milieu d'un parc semi-public, un vaste atelier plein de livres et de tableaux : il nous y invitait souvent à déjeuner. Nous rencontrions aussi des responsables communistes : Pajetta; jusqu'à l'année où il mourut, Alicata; Rosana Rossanda qui du temps de Togliatti dirigeait la politique culturelle et avec qui nous nous entendions très bien. Nous aurions bien voulu qu'en France la culture fût, à l'intérieur du P.C. en d'aussi bonnes mains.

L'été 64 fut marqué par la mort de Togliatti. A quelques jours de distance les journaux ont annoncé que Segni, le président de la République et Togliatti avaient eu une attaque. Du premier, qui peu à peu s'est rétabli, on a à peine parlé, mais chaque jour il y avait de grosses manchettes et de longs articles sur la santé de Togliatti. Il s'était écroulé au cours d'un voyage en U.R.S.S. et il était dans le coma. Un matin les murs de Rome se sont couverts d'affiches : *E morto Togliatti. Togliatti é morto.* Sartre l'avait rencontré plusieurs fois; il trouvait remarquable que, tout en étant un homme d'action, il fut demeuré un intellectuel; et aussi qu'il ait su garantir au P.C.I. une assez grande indépendance par rapport à Moscou. Le peuple l'adorait. L'attentat dont il avait été victime quelques années après la guerre avait failli déclencher de sanglantes représailles. C'est lui qui avait murmuré de son lit des paroles d'apaisement : « Pas d'aventures, camarades, pas d'aventures. » Sa mort bouleversa les travailleurs italiens. Son corps fut ramené à Rome; il fut exposé et veillé par des camarades au siège du parti, via delle Botteghe oscure. La rue était barrée et toute la journée, une immense foule défilait devant le cercueil : beaucoup d'hommes pleuraient. Le matin de l'enterrement, des cars ont déversé place du Panthéon des cohortes de paysans; la plupart tenaient à la main des bouteilles de rouge dont ils buvaient de grandes lampées. Claude Roy et Loleh Bellon sont arrivés de San Gimignano; dans leur car étaient entassés une centaine de paysans qui chantaient *Bandiera rossa*. L'un d'eux venait à Rome pour la seconde fois de sa vie : la première, ç'avait été pour manifester contre l'attentat dont avait été victime Togliatti. Bientôt, nous avons vu défiler dans toutes les rues des groupes qui portaient, encore enroulés autour de leurs hampes, des drapeaux rouges. Ils les appuyaient contre les murs, tandis qu'ils buvaient aux terrasses des cafés ou qu'assis au bord des trottoirs ils pique-niquaient. Beaucoup s'étaient installés place de Venise, sous le balcon d'où parlait autrefois Mussolini. Un grand soleil brillait sur cette kermesse funèbre. Nous nous sommes plantés en haut d'un petit escalier, au pied de la colonne Trajane, pour attendre le passage du cercueil. Un immense cortège se déployait jusqu'au Colisée et par-delà, les drapeaux rouges flottant au vent. Des groupes débouchaient de partout pour y prendre la place qui leur avait été assignée. Derrière le corbillard se tenaient la compagne et la fille adoptive de Togliatti, puis les membres importants du parti, suivis d'une grande foule. Le défilé a duré jusqu'à la nuit, mais nous sommes partis avant la fin. Toutes les rues, toutes les places de Rome étaient en effervescence, et les terrasses des cafés envahies par des hommes en noir.

L'année suivante, pendant notre séjour, de grandes inondations ont dévasté l'Italie. Entre Orvieto et Florence des torrents ont déferlé sur l'autostrade; ils ont emporté des autos :

huit touristes ont été noyés. A Rome, si on se promenait dans le centre, on n'apercevait aucun signe du cataclysme. Mais l'île du Tibre était à moitié submergée. Le pont Milvio était interdit : c'était un fleuve tempétueux et menaçant qui s'engouffrait sous son arche. Le faubourg de Porta Prima avait été presque entièrement détruit : les habitants avaient perdu tous leurs biens et s'étaient retrouvés sans toit.

C'est cet été-là que j'ai été pour la première fois à Bomarzo. Les monstres baroques qu'inventa au XVIIIe siècle un sculpteur sadique ont stupéfait ceux qui les découvrirent, inattendus, dans la sauvagerie de la nature. Je les ai trouvés curieux; mais à présent, le parc où ils se trouvent est aménagé pour les touristes; beaucoup de Romains y pique-niquaient et ils m'ont moins surprise qu'on ne me l'avait prédit.

De Rome, avant de rentrer à Paris, nous avons fait un petit tour en auto et revu quelques villes d'Italie. C'était à la fois une récapitulation et une redécouverte : la réalité coïncidait avec certains de mes souvenirs mais elle m'apportait toujours quelque nouveauté. A Pérouse, nous nous sommes assis sur la terrasse où trente ans plus tôt je m'étais délectée d'un sorbet à l'abricot et le même paysage s'étendait à nos pieds; mais j'avais oublié le curieux aqueduc qui traverse la ville basse; et je ne connaissais pas la rue souterraine, bordée de maisons du XVIe siècle, qui perce de part en part la Rocca Paolina. J'ai bien retrouvé Bologne, si souvent visitée; mais j'en ignorais une des plus grandes beautés que j'ai découverte seulement alors : la place S. Stefano, bordée de palais et d'églises; deux d'entre elles remontent au XIe siècle. L'église du Calvaire construite en forme de rotonde date du XIIe siècle et l'architecture en est d'une émouvante pureté. A Padoue les Giotto m'étaient familiers, mais je ne me souvenais pas des très beaux Mantegna. Mantoue, Vérone, Crémone étaient pareilles à elles-mêmes : mais la richesse et la fraîcheur de leur présence submergeaient les vieilles images que j'en conservais.

En 66 nous sommes restés à Rome un peu moins longtemps que d'habitude parce que nous devions aller au Japon; j'y étais déjà en pensée; du matin au soir je lisais des livres sur ce pays et Rome m'était moins présente que les autres années.

L'année suivante nous avons abordé l'Italie par Venise. J'aime toujours le moment où pour la première fois la gondole s'engage dans un petit canal : la ville se livre tout entière, avec ses roses sales, ses gris rosés, le délabrement de ses briques et de ses pierres. J'ai passé des moments particulièrement heureux à l'exposition des *Vedutisti* : tandis que je me promenais dans une Venise peinte, je sentais que Venise s'étendait, bien réelle, tout autour de moi. J'ai pris grand plaisir aux Canaletto et — comme toujours — davantage encore aux Guardi. Le jeune Canaletto — celui dont les toiles ont aidé à reconstruire Varsovie — m'a transportée en Allemagne et en Autriche. J'ai beaucoup goûté aussi les peintures qui s'intitulent *Fantasia* ou *Capriccio*, où l'artiste regroupe à son gré des ruines disparates, et dont certaines mêmes n'existent pas; une colonne voisine avec un arc de triomphe et un mur à demi écroulé, dans un foisonnement de feuillages; ce site est né de la fantaisie du peintre, il ne l'a rencontré nulle part.

De Rome cette année-là je me rappelle surtout de grands orages. L'un d'eux a éclaté une nuit de septembre tandis que je me trouvais sur la place Navona. D'un premier étage j'embrassai du regard dans sa pureté baroque la place abandonnée des hommes et dont l'asphalte luisait sous la pluie.

Nous sommes retournés à Venise pour le festival : Sartre voulait assister à la projection du *Mur* parce qu'il estimait le film que Serge Roulet avait tiré de sa nouvelle. Pour la première fois, j'ai survolé la ville en avion : nous avons crevé le plafond de nuages juste au moment où nous arrivions au-dessus d'elle. On voyait avec précision la digue, la lagune, les îles puis, l'avion descendant et tournoyant, j'ai distingué, comme sur une maquette, le Grand Canal, le Campanile, les petits canaux, les rues : en un seul coup d'œil, on saisissait Venise tout entière. Roulet nous attendait à l'aéroport; nous avons fendu en horsbord la lagune. Immergés jusqu'aux genoux, des pêcheurs rangés en demi-cercle tendaient une grande nasse, rattachée en face d'eux à des barques : leurs gestes s'harmonisaient si bien avec le ciel et l'eau qu'on aurait cru un spectacle concerté par un metteur en scène de génie.

Nous avons déjeuné à la Fenice avec les Roulet et Goytisolo. Celui-ci assistait depuis plusieurs jours au festival. Il était excédé par la quantité d'enfants qui peuplaient les films, et aussi par toutes les coucheries si identiquement conventionnelles dans leurs audaces mesurées. A la projection de *La Chinoise* de

Godard, il s'est trouvé assis à côté du critique soviétique. « Quand sur l'écran la petite Vietnamienne s'est mise à crier : Au secours monsieur Kossyguine! j'étais tellement gêné pour lui que je n'osais pas le regarder », nous a-t-il dit. Mais le Soviétique était demeuré tout à fait impavide.

Chiarini qui dirigeait le festival était très attaqué parce que sa sélection avait été sévère et qu'il avait misé sur les qualités intellectuelles des films plutôt que sur les appâts des starlettes. Il nous a amenés en vedette au Lido. Au débarcadère nous avons pris un fiacre pour aller retrouver Maheu, le directeur de l'Unesco : ancien camarade de Sartre, pendant un temps, ils s'étaient perdus de vue mais à présent ils se rencontraient assez souvent. Il logeait à l'hôtel des Bains, où Thomas Mann a situé *La Mort à Venise* et dont le côté désuet nous a charmés. Nous avons pris un verre sur une terrasse qui donnait sur un grand jardin. Il nous a beaucoup intéressés en nous expliquant pourquoi Venise est menacée de dégradation. Les digues qui la protégeaient ont été détruites, au XVIIIe siècle, et quand il fait du vent, la mer envahit la lagune. La ville est bâtie sur pilotis et repose sur une couche de matière spongieuse que l'eau gonfle quand elle fait pression sur les fondations; alors le sol éclate : ainsi s'expliquent les geysers qui, les jours de grande pluie, jaillissent entre les dalles de la place Saint-Marc. D'autre part, les poussières et les déchets provenant des usines de Mestre se sont accumulés, et la terre a mordu sur la lagune. Et puis les canaux reçoivent tant de détritus que d'année en année le fond s'élève : à la moindre crue, l'eau envahit les caves et même les rez-de-chaussée. Contre tous ces dangers, on peut envisager des palliatifs : reconstruire des digues, entre autres. Mais il y en a un autre auquel on ne connaît pas de remède; les gaz qui émanent des usines attaquent, non la brique, mais la pierre et d'autant plus sévèrement qu'elle est de plus belle qualité : c'est surtout le marbre qui s'effrite; tant qu'on ne saura pas pourquoi, on ne pourra rien faire pour conjurer ce péril.

En fin d'après-midi nous avons vu *Le Mur*. Les acteurs jouaient très bien, surtout Castillo qui a passé son enfance dans un camp de déportés et qui s'est mis sans peine dans la peau d'un prisonnier. Le rôle du médecin belge était tenu par un représentant de commerce qui composait avec un parfait naturel son personnage dont il n'avait pas saisi le caractère odieux. La mise en scène était sobre et efficace. Seule la fin du film m'a gênée; dans la nouvelle elle se réduit à dix lignes et on l'accepte comme un artifice littéraire qui ne tire pas à conséquence; elle dure longtemps au cinéma et les images ont trop de poids.

Quel caravansérail, le hall de l'Excelsior, à huit heures du soir! Dans la foule se coudoyaient des vieillards, de jeunes gens, des femmes en toilettes de ville, d'autres qui semblaient déguisées dans de longues robes d'une extrême sévérité ou immodérément décolletées. J'ai aperçu Christiane Rochefort, rieuse et amicale; Moravia dont les cheveux avaient beaucoup blanchi; Odette Joyeux qui est restée étonnamment fraîche et gracieuse. Nous avons dîné sur la terrasse avec Basso et sa femme qui viennent chaque année au festival. Notre table était dressée contre le parapet et je pouvais contempler à loisir la grande étendue d'eau lisse qu'attendrissait la tombée du soir.

Quelques jours plus tard, nous étions assis après le dîner place Navona quand un jeune homme s'est approché : « Je suis Michel del Castillo. » Mince, jeune, souriant, il était très différent du Pablo qu'il avait si bien interprété : « Ç'a été facile pour moi de jouer ce rôle, nous a-t-il dit, je n'ai eu qu'à me souvenir. » Il nous a brièvement raconté cette enfance qu'il a évoquée dans son premier livre, *Tanguy* : sa mère, communiste espagnole, dénoncée par son père qui était un bourgeois français, les années passées dans des camps, en France, en Allemagne, puis dans une maison de correction espagnole d'où il s'est enfui à seize ans. Il était en train d'écrire un livre sur l'Espagne : nous en avons publié plus tard dans *Les Temps modernes* un intéressant chapitre où il montrait comment la notion d'honneur a été liée en Espagne à celle de Vieux Chrétien [1].

Les deux étés qui ont suivi, nous n'avons pas quitté Rome et jamais elle ne nous a paru plus délicieuse. Nous étions installés au dernier étage de l'hôtel, dans des chambres qui donnaient sur une terrasse; de là on avait une immense vue sur les toits de Rome et ses collines, et c'est à peine si les bruits de la ville montaient jusqu'à nous. Nous y prenions le petit déjeuner le

1. Il a écrit ensuite sur Gabrielle Russier un beau livre que la famille du jeune homme a fait saisir.

matin : égaillées autour de nous, cinq à six équipes de maçons et de couvreurs réparaient des cheminées, bâtissaient des appentis, rafistolaient des toitures. On avait l'impression qu'ils se tournaient les pouces, et pourtant peu à peu le travail avançait. Dans la journée il faisait trop chaud pour se tenir dehors. Mais presque chaque soir j'allais regarder le soleil se coucher derrière Saint-Pierre dans un ciel de feu. Souvent, après le dîner, nous revenions chez nous. Nous avions un frigidaire que nous approvisionnions en glace et en boisson : nous restions tard sur notre terrasse, à boire et à causer. Dans la nuit silencieuse brillaient les monuments illuminés : celui de Victor-Emmanuel, hélas! mais aussi le Capitole, le Quirinal, le château Saint-Ange, Saint-Pierre.

Nous nous promenions moins que les autres années parce que nous avions l'impression d'être dans toutes les rues de Rome et sur toutes ses places à la fois. Cependant nous aimions aussi nous attarder le soir sur la place Navona. Grâce à une heureuse innovation, elle était interdite aux autos. Le soir même de notre arrivée le patron du bar Navona — un beau garçon brun, qui portait un pantalon de velours côtelé vert émeraude, une chemise violette et une large ceinture de cuir cloutée — nous a fait signer une pétition demandant que la mesure ne soit pas rapportée; certains commerçants la contestaient; la police aurait voulu s'y opposer : elle craignait, en cet été 68, qu'une jeunesse subversive ne prît possession de la place et quelques jours auparavant elle avait suscité des bagarres. Quant à nous, nous étions enchantés : plus de bruit, plus d'odeur d'essence, plus de voitures bouchant la rue le long des trottoirs. Il y avait beaucoup de jeunes sur le grand terre-plein central. Des gauchistes qui se réunissaient au bar Navona; près de la fontaine centrale, des hippies, des minets, des homosexuels, des joueurs de guitare; près d'une autre fontaine, des peintres qui étalaient sur le sol d'affreuses croûtes très académiques. Il y avait quelques belles filles en minijupes, mais c'étaient surtout les mâles qui paradaient moulés dans de la soie, du satin, du lamé aux couleurs éclatantes : on se serait cru revenu au temps de Pinturicchio. La drogue circulait, mais guère plus sans doute qu'autour de la fontaine de Trévi ou sur les escaliers de la place d'Espagne. Une nuit, il a plu. D'une terrasse de café abritée, nous avons vu partir filles et garçons pieds nus, traînant leurs guitares, leurs sacs à dos, leurs sacs de couchage. (Au fait, où couchaient-ils ?) D'autres se sont aplatis contre un mur, sous des balcons : rouges, roses, orange, violets, à travers le rideau de pluie, leurs vêtements brillaient contre l'ocre des pierres.

Cet été-là, nous avons eu beaucoup de conversations avec nos amis italiens. Rosana Rossanda n'était plus la responsable culturelle du P.C.I.; elle avait le temps de se consacrer à des travaux théoriques. Nous avons commenté avec elle le mouvement de Mai, les mouvements d'étudiants en Italie et dans le reste du monde : elle connaissait très bien la question. Basso qui était un des dirigeants du P.S.I.U.P. discutait avec nous la politique du P.C.I. Il nous a parlé d'une affaire qui faisait grand bruit à ce moment-là : un homosexuel était convaincu d'avoir commis contre deux jeunes garçons un crime de « plagia » et on l'avait condamné à neuf ans de prison. En Italie, il y a a « plagia » — c'est-à-dire « envoûtement » — quand un individu capte la volonté d'un autre pour l'amener à ses fins. Si une jeune fille, fût-elle majeure, ou une femme mariée quitte son foyer pour suivre un amant, la famille peut accuser le séducteur de « plagia ». Basso aurait voulu faire supprimer cette loi d'un autre âge mais l'ensemble de la magistrature s'y refusait. Après le 21 août, le sort de la Tchécoslovaquie nous a tous préoccupés.

L'été 69 s'est si exactement superposé au précédent qu'il me sembla par moments que l'année qui les séparait n'avait pas eu lieu. Quelques changements pourtant s'étaient produits. Place Navona, la police avait opéré de grandes rafles parmi les trafiquants de drogue; les jeunes étaient moins nombreux et moins fringants. Tout un côté du terre-plein était envahi le soir par des peintres qui essayaient de vendre leurs toiles, par des marchands de ballons rouges : on y voyait même un avaleur de feu. Heureusement l'autre moitié de la place appartenait à la solitude et au silence. La place Santa Maria du Trastevere était elle aussi devenue une « isola pedonale » : on pouvait tranquillement contempler la belle fontaine baroque et l'or des mosaïques, du fronton de l'église. Malgré l'afa les Romains, cette année-là, n'ont guère quitté Rome. Le 12 août, sous un ciel blanc, par une chaleur moite les rues étaient encore embouteillées. Nous avons beaucoup vu Rosana Rossanda qui, avec des amis, venait de fonder une revue, *Il Manifesto*. Elle était très préoccupée par le problème du rapport entre les masses et l'organisation du parti et le P.C.I. ne jugeait pas ses thèses orthodoxes. Elle craignait une exclusion, qui la frappa en effet un peu plus tard.

L'été 70 a ressemblé aux précédents. A son tour la place Farnèse avait été décrétée *isola pedonale* et on pouvait goûter à loisir la beauté des fontaines et du palais. Mais la place Navona était envahie de peintres et de touristes, c'était presque la même cohue que sur la place du Tertre. La grande attraction, cette année-là, c'était la campagne pour le divorce. Un camion stationnait à l'une des entrées de la place Navona, couvert d'affiches, de caricatures, de slogans qui exhortaient les sénateurs à voter la loi du divorce. Des hommes et des femmes se promenaient devant le sénat, portant des pancartes : « Courage, sénateurs. Ne vous laissez pas intimider par les curés. Votez la loi du divorce. » Des militants faisaient une grève de la faim. D'autres tenaient des meetings ou récoltaient des signatures. Basso et Levi pensaient que la loi passerait en octobre mais qu'en fait le divorce serait très dur à obtenir; tandis que pour une somme modique l'Église annule très facilement les mariages religieux. Si on veut se réserver une porte de sortie, on a donc avantage à se marier religieusement plutôt qu'au civil.

Nous avons fait une très belle excursion à Fara in Sabina perché sur une colline au milieu de la Sabine : c'est un très vieux village d'où on a une vue sur un vaste paysage ondulé. J'ai vu Rieti que je ne connaissais pas et revu Aquila. Je comptais revenir par l'autostrade qu'annoncent à la sortie de Rome des panneaux verts. Mais il n'en existait encore qu'un tronçon. Nous voyions ouvriers et bulldozers s'affairer loin au-dessus de notre tête tandis que nous suivions dans un fond de vallée une petite route encombrée.

En 71, notre terrasse avait été en partie transformée en un studio qu'une baie vitrée séparait de la surface découverte : c'était encore plus agréable que les années précédentes car on pouvait s'y tenir même pendant les heures chaudes. Nous passions là, à l'abri ou en plein air, la plus grande partie de nos journées. Je ne connais rien de plus beau que cette ville, au soir tombant, quand les étoiles s'éveillent au-dessus des toits sombres et que noyés dans des brumes de feu les contours de Saint-Pierre semblent en cerner le fantôme immatériel.

Pendant la guerre d'Algérie, il m'était devenu impossible de me promener en France. Maintenant, sans que j'aie retrouvé beaucoup de sympathie pour mes compatriotes, leur présence ne m'oppresse plus. Ce pays où j'ai mes racines, je l'ai de nouveau reconnu pour mien et j'ai eu envie de le récupérer. Les environs de Paris, je les avais sillonnés, à bicyclette pendant la guerre, en voiture quand j'ai appris à conduire. Mais grâce aux autoroutes, ils s'étendent aujourd'hui beaucoup plus loin qu'en ces temps-là. Par petites randonnées d'un ou deux jours, j'ai redécouvert l'Ile-de-France et les provinces qui l'entourent. Sur ces terres souvent dévastées par les guerres, il ne reste pas beaucoup de vieux villages ni, dans les villes, de vieux quartiers. De-ci de-là on aperçoit encore d'anciennes maisons à colombages, aux fenêtres encorbellées, décorées de bois sculpté : à Troyes il y a des rues moyenâgeuses aux façades étroites et hautes, surmontées de pignons qui se rejoignent presque au-dessus d'étroites ruelles. On voit sur quelques places des halles en bois, aux toits de tuiles. Bâtis en pierre ou en brique, les hôtels particuliers ont mieux résisté au temps. A Sens, à Chartres, à Meaux, il y a des rues où j'ai pris grand plaisir à flâner. Mais — à moins de deux heures de Paris — le seul paysage urbain qui m'ait vraiment saisie, c'est l'ensemble que forment à Arras la grande et la petite place, admirablement restaurées. Voilà un des cas où le temps, au lieu de détruire, rénove. Enfant, quand j'allais à Arras où mon père avait de la famille, on m'avait montré des photographies de la ville, telle qu'elle était avant 1914 : il ne restait du centre que quelques pierres calcinées. Récemment j'y suis revenue. J'ai vu le beffroi, les places à arcades conçues par des architectes flamands sous l'influence de l'Espagne : cette alliance a produit un chef-d'œuvre.

Cependant, la plupart des monuments qui — dans l'Ile-de-France et dans ses parages — ont survécu aux dévastations, ce sont des châteaux et des églises. Les châteaux, leur décoration intérieure me laisse indifférente; je m'intéresse à l'édifice et à son environnement. Même ainsi réduite, cette curiosité n'est pas toujours facile à satisfaire. L'entrée du parc est souvent interdite. Il m'est arrivé alors de me glisser sur la pointe des pieds sur le terrain défendu en me cachant ou en me mêlant à un groupe de touristes autorisés. Une fois, au beau château de la Grange Bléneau qu'habita La Fayette, un concierge furieux a lâché, contre moi, heureusement avec beaucoup de retard, un chien minuscule. En d'autres cas, le gardien ne demandait pas mieux que de se laisser soudoyer. Souvent enfin la visite est officiellement autorisée ou du moins tolérée. D'une manière ou d'une autre j'ai réussi à voir beaucoup de très beaux châteaux que j'ignorais : celui du Marais, bâti au xviiie, dont l'élégante façade s'enlève tout au bout d'un immense plan d'eau rectangulaire; Boni de Castellane y donna des fêtes célèbres. Celui de Vaux dont Le Nôtre dessina le parc magnifique et pour lequel Fouquet dépensa 18 millions. Le donjon et les tours de Septmonts, abandonnés au fond d'un jardin rempli d'orties et de mauvaises herbes. Les murs de Vivier en Brie, où fut relégué Charles VI, envahis par le lierre, se reflètent dans un grand étang. Intact le château de la Grange-le-Roi bâti en brique et en pierre à la fin du xvie est entouré de douves, de vastes pelouses et d'arbres aux épais feuillages. Mais à tous ceux-là que je cite, et à tant d'autres que je ne cite pas, j'ai encore préféré le château de Champ-de-Bataille, construit lui aussi au xvie, en brique et en pierre. Au milieu d'une plaine herbeuse, deux corps de logis se font face; ils délimitent une cour d'honneur que ferme d'un côté une muraille monumentale où s'ouvre un magnifique portail, de l'autre une sorte d'arc de triomphe. Au soleil couchant, les longues lignes basses des façades roses, l'immensité de la cour bordée de grilles et de portiques, composaient un décor d'une émouvante grandeur.

La visite des églises comporte moins d'aléas; il y a toujours une petite porte qui finit par s'ouvrir. On plonge dans le froid, et dans une odeur de cierge et d'encens; la nef s'orne de lis fanés, de fleurs artificielles poussiéreuses. L'architecture en est souvent simple et belle. J'ai aimé entre autres les petites églises fortifiées qui s'égrènent au sud de Laon, qui se ressemblent toutes mais que certains détails différencient. Toujours, même dans les édifices les plus modestes, quelque curiosité retenait mon attention : des stalles, des miséricordes, un retable, un jubé, des statues de bois ou de pierre, des dalles gravées. A Houdan, une fresque d'une naïveté charmante représente des pèlerins en marche vers le lointain monastère de Montserrat. A Villemaur, le clocher est recouvert du haut en bas d'« essente » de chêne : on dirait un animal préhistorique, bardé d'écailles. Sur le sol de la belle église collégiale d'Écouis, j'ai relevé cette inscription : « Ci-gît l'enfant, ci-gît le père, ci-gît la mère, ci-gît le frère, ci-gît la femme et le mari; ce ne sont que deux corps ici. 1502. » Je me demande qui a inventé la rocambolesque histoire à laquelle ce texte fait allusion : Berthe, fille du comte de Châtillon, épousa le châtelain d'Écouis. Elle en eut un fils qui suivit Charles VII en Italie. A Bourges, il rencontra sa mère sans la reconnaître et lui fit une fille. Dix-huit ans plus tard la fatalité voulut qu'il épousât cette fille qui était aussi sa sœur. Ils découvrirent la vérité et moururent de douleur!

Un des plus curieux sanctuaires que je connaisse, c'est la crypte de Jouarre qui date du viie siècle. Elle enferme deux oratoires funéraires, l'un dédié à sainte Thelchilde, l'autre à saint Ébrégisile. Le premier est le plus beau monument mérovingien qui nous soit resté. Les voûtes reposent sur six colonnes antiques, taillées dans des marbres de couleur, et ornées de magnifiques chapiteaux d'inspiration byzantine. Un sarcophage décoré de feuilles de nénuphar enferme les restes de sainte Thelchilde. Dans d'autres reposent saint Agilbert, sainte Ozane, et d'autres petites saintes aux noms étranges : la Vénérable Mode; sainte Balde.

Valéry avait raison de comparer l'architecture à la musique. En entrant dans la cathédrale de Soissons — exactement reconstruite après la guerre 14-18 — j'ai éprouvé une joie analogue à celle que parfois me donne la musique. Qu'il est harmonieux cet hémicycle dressé dans un des croisillons! Avec le même bonheur j'en ai retrouvé le pendant à Noyon. La cathédrale de Reims, que je connaissais par des photographies, je l'ai trouvée trop chargée; mais j'ai découvert Saint-Rémi avec émerveillement. De la célèbre cathédrale de Laon — qui servit de modèle à tant d'autres — j'ai admiré l'intérieur; mais la façade m'a paru grêle. (Je l'avais vue, au temps où Sartre était professeur à Laon : je ne m'en rappelais absolument rien.) J'ai visité aussi des abbayes dont les bâtiments s'éparpillent dans la nature : Bec Hellouin qui fut du XIᵉ au XIIIᵉ siècle le foyer intellectuel de l'Occident. Royaumont, dont j'avais tant entendu parler. J'aime que leurs tours, leurs cloîtres, leurs pierres, se mêlent à l'herbe, aux arbres, à l'eau d'un ruisseau.

Les paysages traversés pendant ces randonnées — forêts, vallées, collines et plateaux — en gros je les connaissais. Cependant j'ai été saisie ce jour où, roulant dans la belle forêt de Saint-Gobain sur d'étroites routes encaissées, j'ai vu apparaître soudain, encerclé par les bois, un étang mélancolique au bord duquel se dressait un monastère abandonné : le Tortoir. C'était une vision qui semblait se situer hors du monde : aucun chemin ne pourrait jamais m'y ramener. Un vieux gardien qui vivait là en solitaire m'a montré les anciens logis des moines, une chapelle, un hôpital délabré. C'était jadis un lieu de pèlerinage qui accueillait de nombreux visiteurs. On va le restaurer, paraît-il. Il ne sera jamais aussi émouvant que dans cette déréliction.

J'ai fait un tour un peu plus long dans les Ardennes. La forêt des Ardennes : à cause de Shakespeare, je rêvais d'un endroit enchanté. C'était un endroit enchanté. Dans la jeune gaieté d'un matin très bleu, la neige tapissait le sol, elle vêtait de ses cristaux étincelants les terres et les ramures des arbres, les buissons, les herbes des sous-bois. La voiture glissait dans la solitude et le silence. Je descendais, j'entendais crisser sous mes pas le sentier qui menait à un belvédère d'où mon regard embrassait à l'infini d'ensorcelantes blancheurs. Au sortir de ce lieu magique, j'ai remonté la vallée de la Meuse, j'ai vu ses eaux sombres, ses ardoisières, Givet dont les toits sont coiffés d'ardoises d'un rose violacé, Charleville et sa place ducale presque aussi belle que la place des Vosges.

Je souhaitais connaître la Champagne. Verdun, où ma mère a vécu sa vie de jeune fille est une ville assez triste, mais peuplée des souvenirs qu'elle m'a si souvent racontés. Aux alentours, j'ai visité les lieux dont les noms avaient éveillé tant d'angoisse dans mon cœur d'enfant : Apremont, le Mort-Homme, la crête des Éparges, l'Argonne. A présent, les arbres étaient couverts de feuilles, les buissons verdoyaient; mais partout on vendait de vieilles photos qui montraient des paysages calcinés, des arbres brisés, des bosquets déchiquetés : images que des films de guerre m'avaient rendues familières. Des écriteaux indiquaient l'ancienne existence de villages dont il ne restait pas une trace. Je voyais des « cotes », des « buttes » qui me rappelaient de vieux communiqués : combien d'hommes étaient morts pour prendre ou pour défendre ces bribes de terrain! Fort de Vaux, fort de Douaumont, son cimetière, son immense ossuaire, la Tranchée des baïonnettes où fut ensevelie vivante une section de Bretons : on ne voit que des pointes rouillées qui émergent du sol. Lieux héroïques de mon enfance : Rosalie, nos vaillants poilus, debout les morts. Lieux dont l'horreur m'a bouleversée pendant mon adolescence, quand je sanglotais devant les films ou sur les livres qui racontaient cette énorme boucherie. Encore aujourd'hui, je suis secouée de dégoût et de révolte quand je pense aux 500 000 morts de Verdun.

Les jours suivants ont été plus sereins. J'ai vu sous le soleil Domrémy, Vaucouleurs, de petites routes forestières, des églises aux lignes pures et qui presque toutes enfermaient de belles statues de la Vierge ou de diverses saintes. A Avioth, dont le style est intermédiaire entre le gothique du XIVᵉ et le flamboyant, il y a un curieux petit monument, la Receveresse, où on recevait les aumônes des pèlerins. Je me suis promenée dans la ville haute de Bar-le-Duc où presque toutes les maisons sont anciennes et bien conservées; dans l'église Saint-Étienne j'ai contemplé un chef-d'œuvre que j'ai honte d'avoir si longtemps ignoré : Le Décharné de Ligier Richier. Mi-écorché, mi-squelette, c'est un cadavre que l'esprit anime encore, c'est un homme vivant et déjà momifié. Il se dresse en tendant son cœur vers le ciel [1]. J'ai vu dans la région d'autres sculptures de Ligier Richier. Dans une église de Saint-Mihiel où il est né, treize statues plus grandes que nature entourent le Saint-Sépulcre. Champenois influencé par l'Italie il allie avec bonheur le goût macabre du XVᵉ siècle au réalisme de la Renaissance.

Je me suis arrêtée à Langres; des remparts j'ai contemplé la grande vue sur la vallée de la Meuse; j'ai aimé ses tours

_____

1. J'ai vu à Laon, dans la petite chapelle romane des Templiers un gisant dont le cadavre est aussi sur le point de se réduire en squelette. C'était impressionnant, mais moins que cette charogne dressée.

imposantes, ses beaux hôtels particuliers, la cathédrale Saint-Mammès où le roman bourguignon se mêle au gothique naissant, l'ensemble étant curieusement influencé par les ruines gallo-romaines qui sont nombreuses dans les environs. J'ai traversé Châteauvillain. Il ressemblait tout à fait à l'image que j'en avais gardée, avec ses petites maisons soignées, les contre-vents de couleurs vives, les crampons en forme de petits person-nages qui les plaquent aux murs. J'ai retrouvé la maison de Jacques, le mail, la porte du grand parc où couraient des daims. Mais non la tour enguirlandée d'églantines.

Le charme de ces promenades m'a incitée à faire un assez long voyage en France, pendant l'été 69. Il y avait une région que je connaissais mal : celle qui s'étend à l'ouest, de la Loire aux Pyrénées. C'est elle que j'ai choisie. Moi qui avais toujours négligé les plaines, les calmes paysages du sud de la Loire m'ont enchantée; les ombres des nuages disputaient au soleil les verts et les ors des prairies; au-dessus de ma tête le ciel immense et tourmenté était un spectacle changeant comme une mer; des nuages y flottaient, ils se rassemblaient, ils s'effilo-chaient; la lumière se voilait, elle déferlait par rafales. Je ne me lassais pas de suivre du regard ces jeux, ces fêtes. Plus loin j'ai aimé le moutonnement du bocage vendéen, ses petites routes encaissées entre des haies qui s'ouvraient soudain en haut d'une colline sur un vaste panorama. On voit encore au sommet du mont des Alouettes les moulins à vent qu'utili-saient les Vendéens pour signaler les mouvements des Bleus. J'ai glissé avec ravissement sur les eaux calmes du marais poitevin : c'était difficile d'imaginer que le dimanche c'est un tohu-bohu de barques qui embouteillent les canaux. Ce matin-là j'étais seule avec le batelier à voguer sur les longs chemins d'eau bordés de peupliers, parmi des nuées de libellules bleues. Quelques vaches — qu'on transporte en barque, tremblantes de peur — paissaient dans les prairies que l'eau entoure de tous côtés. De loin en loin, les canaux se croisent, formant alors de vastes ronds-points liquides. Quel silence qu'animait seule-ment le léger clapotis des eaux fendues par la rame! La terre ferme semblait très loin.

J'ai visité Nohant. J'étais justement en train de lire la correspondance de George Sand qui par-delà sa vie ressuscite toute son époque. La petite place est charmante, et surtout la minuscule église qui ressemble à un jouet, avec son porche qu'abrite un auvent. Ce qu'il y a de plus intéressant dans la maison, ce sont les deux théâtres : surtout le théâtre de marionnettes et la collection de poupées, fabriquées par Maurice, habillées par George Sand. J'ai vu aussi certains des sites qu'elle aimait : ces grosses roches grises qu'on appelle les « pierres jaumâtres », Gargilesse où elle avait une maison, le château de Crozant, toute la vallée de la Creuse. Je l'avais parcourue vingt ans plus tôt à bicyclette et elle n'a pas éveillé dans mon passé le moindre écho. Plus au sud, je suis tombée en arrêt, en haut de la forteresse de Blaye, devant la Gironde couleur de plomb qu'on découvre à perte de vue.

Mais plus encore que les rivières et les herbages, que les forêts et les secrets de leurs étangs, les fresques des églises romanes m'ont retenue. Je les ignorais. J'ai découvert celles de Montoire, de Vic, de Lavardin, de Gargilesse; dans la crypte de Tavant les personnages vêtus de couleurs vives ont l'air de danser au-dessus des piliers. Les peintures les plus belles sont celles qui décorent l'admirable voûte en berceau de Saint-Savin; elles datent du début du xiie siècle; elles racontent, avec des raccourcis poétiques et naïfs, l'histoire de la Création, celles d'Abraham et de Moïse.

A travers le Poitou, la Saintonge, l'Angoumois, j'ai découvert les trésors d'une architecture que je connaissais mal. Pour affirmer son originalité contre le Nord où le gothique s'était mis à fleurir, le sud de la Loire est demeuré fidèle au roman jusqu'à la fin du xiiie siècle. Mais les architectes voulaient que leurs églises puissent rivaliser avec les vastes cathédrales gothiques : il leur a fallu inventer des techniques nouvelles permettant au roman d'atteindre lui aussi à la grandeur, comme à Saint-Savin, à Poitiers, à Angoulême, à Aulnay. Il existe aussi des nuées de toutes petites églises — on en compte six cents rien qu'en Saintonge — dont beaucoup étonnent par leur grâce raffinée, l'harmonieuse richesse de leurs portails, les broderies de leurs absides, l'originalité de leurs chapiteaux. En les comparant entre elles j'ai admiré qu'on pût, à partir de quelques principes simples et rigoureux, inventer tant de délicates variations; la liaison du fonctionnel et de l'esthétique m'est devenue évidente quand j'ai compris la différence — dans le rôle qu'elles jouent et les conséquences qu'elles entraînent — entre la voûte en berceau et les files de coupoles. En se multipliant, les confrontations auxquelles je me livrais m'intéressaient de plus en plus. J'ai appris à distinguer le roman poitevin du périgourdin, à en reconnaître les variantes saintongeaises et angoumoises; j'ai noté les différences entre les coupoles à pendentifs et les coupoles à trompes, entre les clochers en pomme de pin et les clochers classiques, entre les porches en arc de triomphe et ceux qui comportent un tympan. J'ai identifié l'arc en plein cintre, les arcs surbaissés, surhaussés, brisés, outrepassés, polylobés. J'ai beaucoup mieux vu du moment où j'ai pu nommer.

Je rencontrais ces églises dans des villes, dans des bourgades, au cœur de petits villages endormis et parfois même dans une absolue solitude, au bout d'un sentier, entourées de forêts, de prés et de silence. Une de celles que j'ai préférées, c'est l'église, toute ronde, de Neuvy Saint Sépulcre, qui enferme un « rond-point » complet, c'est-à-dire un ensemble de colonnes formant un cercle parfait. Dans beaucoup d'autres se trouvent des « ronds-points » ouverts sur le devant. Une de mes plus fortes émotions, je l'ai eue à Salignac. Grâce au système des files de coupoles, les architectes ont réussi à construire des églises à une seule nef, très large et très haute. Quand j'ai pénétré dans celle de Salignac, je me suis trouvée en haut d'un escalier de douze marches, dominant une longue nef d'une imposante majesté. Au fond de ce vaste espace, étaient assis en demi-cercle des moines vêtus de noir qui tournaient leurs visages vers l'entrée; debout, leur faisant face, un prêtre psalmodiait. Je me suis crue rejetée au fond des siècles : on aurait dit un tribunal de l'Inquisition.

J'ai revu, étirées comme des Greco, les admirables statues dressées aux portails de Beaulieu, de Moissac. Familières, intimes, il y avait dans beaucoup d'églises des figurines en bois peint; les petites saintes coloriées de Saint-Junien entre autres m'ont charmée, surtout la ravissante sainte Barbe. Sur les chapiteaux, l'exiguïté de l'espace oblige le sculpteur à d'ingénieux raccourcis; ils sont décorés parfois de monstres inspirés de l'Orient ou de symboles mais souvent aussi de scènes réalistes : par exemple Dalila coupant les cheveux à Samson. Souvent l'artiste s'est amusé et son œuvre touche au burlesque; dans le cloître de Cadouin, parmi des bas-reliefs assez étonnants, on voit un cul-de-lampe qui représente « Aristote chevauché par une courtisane ».

Dans certains villages se dressait à côté de l'église un monument que jusqu'alors je n'avais jamais rencontré : une lanterne des morts. C'est une haute tour effilée, creuse, s'achevant par un lanternon dans lequel on plaçait chaque soir un fanal. A Fernioux, un tout petit hameau perdu dans la verdure, elle semblait un gracieux reflet du clocher de l'église.

Jamais non plus je n'avais entendu parler des « églises monolithes » taillées à même le roc d'une falaise. L'une d'elles est creusée dans une muraille de pierre que baignait jadis la Charente et qu'aujourd'hui des prairies séparent de la rivière; les moines qui habitaient cet ermitage troglodyte faisaient passer en bac les pèlerins qui se rendaient à Saint-Jacques-de-Compostelle. (Beaucoup des églises et des monastères de la région s'échelonnent sur la route de Compostelle; on retrouve, sculpté sur leur porche, le thème de la coquille.) A Saint-Émilion il y en a une autre, très grande, où on a abrité pendant la dernière guerre les vitraux de Chartres. Celle d'Aubeterre, creusée au XIIᵉ siècle, a été utilisée jusqu'au XVIIIᵉ. Ce sont de curieux édifices. On dirait de vastes grottes naturelles, et cependant la main de l'homme a taillé dans le rocher des piliers, des voûtes, des autels.

J'ai été émue le jour où j'ai abordé le Limousin. Dans les monts Blond, dans les monts d'Ambazac que je ne connaissais pas, j'ai retrouvé les fougères, les châtaigneraies, les rochers gris, les étangs, les lointains bleutés, et toutes les odeurs de mon enfance. En ce temps-là, La Souterraine, Salignac, le Vigan, Saint-Sulpice-Laurière, c'était des noms qui ne désignaient rien d'autre que des gares : cela m'a déconcertée de constater qu'ils appartenaient à de petites villes aussi réelles qu'Uzerche et Saint-Germain-les-Belles. Il s'y trouvait souvent de belles églises austères, en pierre sombre. J'ai revu Beaulieu, Collonges la rouge dont la beauté est demeurée intacte, Uzerche dont le centre n'a pas changé mais dont les faubourgs sont devenus si vastes que maintenant le panneau portant le nom de la ville se dresse à l'entrée de l'avenue de Meyrignac.

J'ai visité Oradour. Les choses y sont demeurées telles que le massacre les avait laissées; la petite gare, les rails du petit chemin de fer sont toujours là; dans les cours gisent des carcasses d'auto, de vieilles bicyclettes; dans la boulangerie, dans la boucherie, chez le chaudronnier on voit, brûlés, rouillés, les ustensiles familiers et dans les cheminées des crémaillères et des marmites. Comme dans certains coins de Pompéi, la vie quotidienne est présente, abruptement pétrifiée par la mort.

Descendant vers le sud, j'ai vu apparaître dans les villes les «cornières» : des galeries aux colonnes de bois et recouvertes de tuiles entourent les places où parfois se trouvent de vieilles halles, en bois et en tuiles. La plus belle est peut-être celle de Monpazier mais j'aime aussi, plus rustique, celle d'Auvillar avec ses halles rondes; et la grande place de Montauban, somptueusement rouge.

La région était moins riche en églises, mais que de beaux châteaux! Nous en avions rencontré déjà de magnifiques, entre autres en Limousin celui de Rochechouart dont une salle est ornée de charmantes fresques du xvie représentant des scènes de chasse. Dans le château de Labrède, entouré de toutes parts de larges douves d'eau vive, nous avions visité la chambre de Montesquieu. Mais aucun n'était aussi saisissant que la forteresse féodale de Bonaguil : avec son donjon effilé et ses treize tours il ressemble à ces châteaux peints sur les miniatures des « Très Riches Heures » du duc de Berry. Dans le Gers, beaucoup de villages ont résisté au temps : ils ont gardé leurs fortifications, leurs halles, leurs vieilles maisons. A Castres aussi, tout un ancien quartier est intact : de chaque côté du Tarn, des rangées de vieilles maisons se mirent dans l'eau.

J'ai revu cette grande merveille qu'est la cathédrale d'Albi, et puis Toulouse, Mont-Louis, beaucoup d'autres endroits déjà vus autrefois. Mais jamais je n'étais montée à la ravissante église de Serrabone. Pour y arriver, il faut suivre la route la plus terrifiante que j'aie jamais empruntée, abrupte, hérissée de cailloux, aux tournants vertigineux et si étroite qu'on ne peut s'y croiser qu'en de rares endroits et difficilement; sept kilomètres; et une fois engagé, impossible de faire demi-tour. En haut, dominant un paysage magnifique se dresse le prieuré de Serrabone, bâti au xie siècle et qui fut abandonné au xive. C'est une sévère église de schiste mais qui enferme une «tribune » d'une grâce extraordinaire : elle est soutenue par des colonnettes de marbre rose dont les chapiteaux sont décorés de fleurs, d'animaux, de têtes humaines.

Les monts de Lacaune, la route de l'Espinouse : peu de paysages en France sont aussi beaux. Le Minervois : j'avais couché à Minerve voici quarante ans, pendant mon premier voyage à pied; bâti au confluent de deux torrents, sur une plate-forme que seule une étroite bande de terre rattache au plateau, cette étonnante petite ville est restée exactement semblable à elle-même. J'ai aussi reconnu les petites routes du Minervois, l'odeur de la garrigue pierreuse, brûlante et dorée. J'ai un peu flâné dans les paysages rocailleux des Corbières, revu Perpignan où j'ai pu visiter le palais des rois de Majorque qui dans ma jeunesse était interdit au public. Et j'ai filé vers l'Italie.

La Rochelle, Poitiers, Saintes, Périgueux, Angoulême, le Limousin, Bordeaux, Albi, Toulouse : j'ai revisité beaucoup d'endroits déjà connus. Je m'en rappelais parfois presque tout, parfois rien. Le plus souvent des réminiscences se mêlaient à des visions neuves et j'aimais ce va-et-vient du présent au passé. J'ai découvert aussi beaucoup de sites et de monuments dont j'avais seulement entendu parler ou même dont je ne soupçonnais pas l'existence. Je n'en ai cité qu'un très petit nombre. J'ai passé sous silence tant de lacs, d'étangs, de mares, de marais, de canaux, de rivières, de fleuves, de ruisseaux dont aucun ne ressemblait aux autres mais dont les mots auraient trahi la diversité. J'ai vu des forêts, des vallées, des montagnes dont chacune avait son visage à soi. Aucune ville n'avait les mêmes couleurs qu'une autre. Le rouge de Montauban n'est pas celui d'Albi. Tout m'était toujours surprise.

Le plaisir de se souvenir et d'apprendre je l'ai de nouveau connu à la fin de l'hiver 70 quand j'ai emmené Sylvie en Bourgogne : le pays est presque aux portes de Paris maintenant que l'autoroute du Sud est achevée. Dijon : il y a longtemps que je ne m'y étais pas arrêté. C'est une ville laïque : l'architecture religieuse y est intéressante, mais elle y tient beaucoup moins de place que les beaux hôtels particuliers bâtis du XIIIe au XVIIIe siècle, que les vieilles maisons à colombages souvent coiffées de pignons; le cœur de la ville, c'est un monument civil, le palais des ducs dont la cour s'ouvre sur une belle place en hémicycle datant du xviie siècle. J'y ai visité d'anciennes cuisines qui datent du xve siècle et l'immense salle des gardes où se trouvent le tombeau de Philippe le Hardi, celui de Jean sans Peur et de Marguerite de Bavière. J'ai revu les belles statues de Claude Sluter, groupées sous le nom de Puits de Moïse. Mais surtout je me suis plu à flâner dans le Musée archéologique où je n'étais jamais entrée. Dans le sous-sol à l'odeur de vieille cave est exposé le « trésor » découvert aux sources de la Seine entre 1933 et 1963. Il y a des statuettes en bronze, belles et frustes, qui font penser à celles qu'on voit en Sardaigne; d'autres sont en pierre et en bois. Elles représentent des pèlerins, des têtes humaines, des animaux. Le plus curieux ce sont les ex-voto déposés dans le sanctuaire de la déesse Sequana par les malades à qui elle avait rendu la santé : bustes de malades, organes humains qu'elle avait guéris, cœurs, poumons, foies. Il y a aussi une belle galère votive.

J'ai revu Autun, et le magnifique tympan où trône le Christ en Majesté. Dans la salle capitulaire de la cathédrale on peut regarder de tout près les chapiteaux qui en proviennent; c'est une rare aubaine; dans les églises il faut se dévisser le cou pour discerner de loin, et assez mal, le détail des sculptures. Là, elles s'offraient à hauteur des yeux. J'ai aimé entre toutes les trois rois mages endormis, couronne en tête, sous un grand manteau finement plissé et qu'éveille un ange.

De Beaune, je me rappelais l'Hôtel-Dieu : les célèbres toits en tuiles vernissées, aux dessins verts et rouges sur fond doré; et aussi les cuisines, la vieille pharmacie. J'ai douté de ma mémoire quand je suis entrée dans la grande salle au plafond de bois polychromé en forme de carène renversée : des deux côtés s'alignaient des lits à baldaquins dont les rideaux rouges tranchaient sur les draps très blancs. Comment avais-je pu oublier ce saisissant décor? En fait, je l'ignorais : avant guerre la pièce n'était pas ouverte au public.

Nous avons visité, toute jaune et très belle, l'église romane de Paray-le-Monial, sa haute nef voûtée en berceau brisé et le gracieux déambulatoire qu'on appelle « le promenoir des anges ». Et puis nous avons vu un chapelet de petites églises romanes; sur l'une d'elles, toute petite, une pancarte annonçait fièrement : ici tous les personnages du tympan ont conservé leur tête. En effet, sur tous les autres portails les statues ont été décapitées pendant la Révolution. Elle a ruiné Cluny dont les moines étaient haïs par les gens du pays qu'ils exploitaient : l'abbaye a dû être d'une extraordinaire beauté; les restes en sont encore magnifiques.

Accidentés et tranquilles, vastes et intimes les paysages de la Bourgogne me touchent. Nous sommes montées sur le mont Beuvray, dont le sol était encore verglacé. Du mont Dun, on apercevait d'un côté une grande plaine et des horizons bleus, de l'autre les monts du Lyonnais qui couverts encore de neige semblaient de hautes montagnes.

Ce qui m'a le plus charmée ce sont deux bourgs fortifiés que le passage des siècles n'a presque pas touchés. A Brancion perché sur un promontoire, battu des vents, le château fort, l'église romane sont intacts; on aperçoit un grand paysage de forêts qui semblent encore sauvages. Châteauneuf a .gardé, outre son château aux tours imposantes, beaucoup de jolies maisons anciennes. A ses pieds s'étendent des prairies que traverse avec indolence le canal de Bourgogne bordé d'une double rangée d'arbres.

Nous avons complété ce voyage, un an plus tard, par un bref séjour à Lyon. Quarante ans déjà s'étaient écoulés depuis que mes cousins Sirmione me l'avaient montrée; trente ans, depuis qu'au cours d'une randonnée à bicyclette je m'y étais arrêtée avec Sartre. Par la suite, je l'avais souvent traversée en auto, quand je me rendais dans le Midi : j'avais envie de m'y promener à loisir. J'ai marché le long des quais, j'ai flâné dans les rues commerçantes, je me suis attardée sur la belle place Bellecour; sur la place des Terreaux j'ai admiré le magnifique hôtel de ville. J'ai beaucoup aimé l'église romane de Saint-Martin d'Ainay et ses chapiteaux sculptés. Du haut de la colline où se dresse la hideuse basilique de Fourvière, j'ai contemplé les toits sombres des maisons et les deux fleuves aux eaux grises. J'ai visité en détail le vieux Lyon, habité jadis par les plus riches familles de la ville. Les façades ont été rénovées : on a mis à nu leurs vieilles pierres qu'ornent des bas-reliefs, des sculptures, des modillons. J'étais d'autant plus surprise quand — alléchée par l'inscription : *cour, tour, traboule* — je franchissais la porte d'entrée. Un boyau sombre, au plafond bas, me conduisait à une cour; une tour s'y dressait, qui enfermait un escalier à vis ou en colimaçon; l'architecture était d'une élégante simplicité, mais une couche de crasse noircissait les hautes murailles jaunes où s'encastraient des fenêtres aux vitres sales : on devinait, par-derrière, des appartements humides et sombres.

Cependant, malgré leur déchéance, ces demeures anciennes sont des palais si on les compare aux maisons de la Croix-Rousse. Je suis descendue du haut en bas de la colline en empruntant les « traboules ». Ailleurs, ces passages qui relient une rue à une autre à travers un pâté de maisons sont de simples corridors; mais là, à cause de la dénivellation, c'était un système compliqué de couloirs et d'escaliers à ciel ouvert, qu'entouraient des galeries sur lesquelles donnaient des chambres. Par la hauteur des façades et le nombre des galeries superposées, un de ces ensembles évoquait certaines des *Prisons* de Piranèse; mais l'impression qui dominait c'était celle d'un délabrement et d'une saleté tels que je n'en ai jamais rencontrés en France, sur une si vaste échelle, à l'intérieur d'une ville. J'ai croisé dans des cours, dont le sol était jonché d'ordures, des hommes qui allaient vider dans les waters des seaux hygiéniques : pas de waters dans les logements, ni même à l'étage. Les murs étaient encore plus encrassés que dans le vieux Lyon. Le linge qui séchait aux fenêtres était abrité par un dais de plastique : sur cet écran protecteur s'amoncelaient des retombées de fumées, des poussières, toute espèce de détritus. Dans ces taudis habités jadis par les canuts sont parqués aujourd'hui les Nord-Africains.

J'ai fait un tour dans le musée des Beaux-Arts, une ancienne abbaye où il y a quelques tableaux remarquables et beaucoup d'ennuyeux. J'ai été beaucoup plus intéressée par le musée des Hospices : il permet d'imaginer ce qu'était un hôpital entre le XVIe et le XIXe siècle, et c'est une vision qui fait frissonner. J'ai vu un de ces lits à quatre places où couchaient côte à côte, étroitement serrés, malades et cadavres. J'ai vu les instruments utilisés par les médecins et par les chirurgiens et qui semblent destinés à des séances de torture : seringues à clystères, spéculums, forceps, trépans, pinces aux dimensions monstrueuses. Les tables opératoires, les chaises pour accouchements évoquaient d'effroyables supplices. Je suis tombée en arrêt devant une figure fantastique, exposée dans une vitrine : un mannequin, grandeur nature, habillé du costume que revêtaient les médecins pour visiter les pestiférés; il portait une longue robe noire, un chapeau noir aux larges bords, et un masque : deux ronds de cristal à la place des yeux et un long bec crochu dans lequel on plaçait des parfums qui devaient le préserver de la contagion.

Le site de Lyon est privilégié : délimité par deux collines, il est traversé par deux fleuves; il y a un très bel ensemble architectural : les quais de la Saône. Mais, en dépit d'un ciel très bleu, la ville m'a laissé une impression de tristesse : elle est si vétuste et si peu soignée qu'elle paraît malsaine.

Ces trois dernières années nous avons renoué avec une ancienne tradition : au printemps, nous avons passé une quinzaine de jours en Provence. La première fois ce fut à Antibes, les deux autres à Saint-Paul-de-Vence. De Saint-Tropez à San Remo, de la côte aux neiges de Valberg et du col de Turini, j'ai revu ce pays où se superposent pour moi tant de souvenirs. Certains ne correspondent plus à la réalité : à Juan-les-Pins, la villa de Mme Lemaire, transformée en clinique, est prise dans un ensemble de constructions neuves et laides. Une immense bâtisse, qu'on aperçoit de partout, posée au bord de la mer comme une grosse verrue, défigure la baie des Anges. Mais des remparts d'Antibes et du haut des collines, j'ai retrouvé, semblables à eux-mêmes, les beaux paysages de montagnes descendant doucement vers le bleu de la mer : en cette saison, elles étincelaient de blancheur sous leur capiton de neige. Le chemin de crête qui mène de Gassin à Ramatuelle et que j'ai si souvent parcouru est à présent carrossable : mais il est encore silencieux et solitaire et le dessin de la presqu'île n'a pas bougé. J'ai retrouvé inchangées les gorges du Cians et du Daluis aux belles couleurs rouges, et cette « route aérienne » — selon l'expression du Guide bleu — que j'avais suivie à pied avec Olga : prolongeant la corniche du Var elle court à mille mètres d'altitude, et des deux côtés elle domine de magnifiques panoramas. Dressé sur un piton au-dessus des gorges du Loup, Gourdon a fait des concessions au tourisme; le long des rues s'alignent des boutiques où l'on vend de la pacotille. A Cagnes, à Cabris les terrasses des cafés sont envahies par des visiteurs; mais le cœur de ces petites villes est demeuré intact. J'ai retrouvé mon passé à Broc, sur la corniche du Var; à Sainte-Agnès, d'où l'on voit des orangeraies déferler vers Menton; Saint-Paul-de-Vence même ressemble à son ancienne image lorsque au soir tombant les touristes l'ont désertée; sombre, silencieuse, toutes ses boutiques fermées, on n'y entend que le bruit de ses pas et le murmure d'une fontaine. En face, une colline s'illumine; j'ai été intriguée la première nuit par cette fête étincelante : ce sont des serres violemment éclairées à l'électricité.

Tout en ressuscitant des temps plus ou moins lointains, j'ai aussi fait quelques découvertes : dans les Maures, une route de corniche qui serpente à travers des pinèdes; des routes de montagne, entre San Remo et Vintimille, jalonnées de merveilleux villages. Près de Tende, dans un site solitaire, une étonnante chapelle dont un peintre italien a entièrement recouvert l'intérieur de fresques naïves : le Guide les qualifie de « réalistes » mais ce sont des évocations fantastiques de l'enfer et de ses supplices.

J'ai aussi visité la galerie Maëght que je ne connaissais pas. J'ai pu y contempler mieux que nulle part ailleurs les hommes en marche de Giacometti. Et beaucoup de très beaux tableaux.

Mais bien souvent je me contentais de rester assise sur mon balcon, et de lire sous le ciel bleu en respirant le paysage familier.

Un des amusements et parfois des agacements du voyage, ce sont les guides qui font visiter les monuments. Dans les églises, on se promène librement; mais dans les abbayes et les châteaux, généralement non. Il y a des guides agréables; par exemple la jeune paysanne qui dans un hameau perdu m'a montré la belle abbaye de Villesalem; elle s'indignait des déprédations dues, non pas à la Révolution, mais aux religieuses qui par la suite avaient installé dans l'édifice leurs appartements.

Celui du château de Rochechouart donnait des explications intéressantes qu'il soulignait toujours de la même petite phrase : « Du moins à ce que disent les compétences. » Un mot de la gardienne du musée de Provins, la Grange-aux-Dîmes aurait ravi Proust. Comme je déplorais que l'église — une belle église romane — fût coiffée d'un hideux clocher du xviiie, elle m'a répondu avec conviction : « C'est vrai qu'il n'est pas beau. Mais d'en haut on a une vue é-pou-van-table. »

Assez souvent, c'était de vieilles femmes gâteuses qui me donnaient des explications; celle qui avait en charge l'ermitage troglodyte de Mortagne était une gâteuse douce, aux beaux cheveux blancs, à la mise soignée : elle débitait d'une voix mécanique le petit discours qu'elle avait appris par cœur; dès qu'elle l'avait terminé, elle le recommençait, en termes identiques; tout le temps qu'a duré la visite, elle l'a répété.

La propriétaire de l'abbaye de Flaran [1], qui recevait elle-même les touristes, était une folle hargneuse : boiteuse, elle frappait rageusement le sol de sa canne et elle parlait avec colère; elle est presque entrée en transes quand, désignant une tache noire sur le sol, elle a affirmé qu'à cet endroit des moines avaient été brûlés pendant la Révolution.

A Charroux dont l'abbaye est en morceaux et où des travaux en cours empêchent d'approcher ces débris, un guide debout dans un corridor devant un plan de l'édifice décrivait en détail à un jeune couple médusé tout ce qu'il aurait dû et ne pouvait pas leur montrer. Je me suis esquivée. Mais là où je me suis vraiment irritée c'est à Bonaguil; il a fallu attendre une demi-heure un guide déguisé en artiste montmartois : longs cheveux blancs, lavallière, pantalon de velours; il a annoncé que la visite-conférence durait deux heures; j'ai franchi la porte derrière lui, pour avoir, de l'intérieur, une vue d'ensemble du château et au bout de dix minutes j'ai tourné les talons, au grand scandale des auditeurs.

Il y a un plaisir auquel je suis sensible quand je me promène en France : celui de la table. La cuisine et souvent les vins expriment à leur manière la province qui les produit : c'est une agréable manière d'en compléter l'exploration. Les plats

---

1. En janvier 72, cinq personnes ont été condamnées pour avoir mis le feu à cette abbaye, dont le petit-fils de la propriétaire : il voulait toucher l'assurance.

régionaux sont toujours bien meilleurs sur place que les imitations qu'on en fait à Paris : j'ignorais ce qu'est une quiche avant d'en avoir mangé une à Verdun, consistante comme une tarte et légère comme un soufflé; j'ignorais la quenelle avant d'avoir déjeuné à Dijon. C'est seulement dans les auberges de campagne qu'on trouve encore des truites pêchées dans des torrents, des écrevisses à profusion. Quand je me mets à table en fin de matinée, en fin d'après-midi, saturée de spectacles, affamée de nourritures terrestres, j'ai le cœur en fête; cela m'amuse de chercher sur la carte des plats inédits ou du moins typiques.

Au soir de ces journées qui passent si vite mais que rétrospectivement leur plénitude fait paraître très longues, j'aime l'arrivée à l'hôtel. C'est souvent, au fond d'une cour, ou dans un jardin, ou au bord d'une rue paisible, une jolie vieille maison; ou à l'écart de la ville c'est au milieu d'un parc un ancien château, c'est un moulin au bord de l'eau. J'avance, dans le tiède silence des corridors, bordés de portes closes sur des vies étrangères, curieuse d'ouvrir celle de ma propre chambre. Le décor inattendu, souvent charmant, dans lequel je m'installe, est dans ma vie comme une parenthèse; je suis chez moi, dans la solitude et le silence d'un intérieur protégé par des murs, avec quelques objets qui m'appartiennent; et pourtant mon vrai foyer est loin, je suis ailleurs. Je regarde de ma fenêtre une place provinciale, des murs couverts de lierre, ou des parterres, ou une rivière qui n'appartiennent pas à ma vie. Je me réveille dans un lieu qui m'est déjà familier, mais qu'aussitôt je quitte. Le départ ouvre une journée que clôturera une autre arrivée : il me semble que c'est moi qui déroule la suite des heures au lieu d'être assujettie à leur cours.

Dans ces dernières années, je n'ai pas seulement revisité la France; je suis aussi retournée dans certains pays que je connaissais. Il y en a un qui s'est transformé entre mon premier voyage, en 1953, et le second : c'est la Yougoslavie que j'ai en outre vue sous un angle très différent.

En 53, je n'avais pas été à Dubrovnik où j'ai atterri avec Sartre en mars 68 et où nous attendait notre ami Dedijer. Il nous avait retenu des chambres dans un hôtel situé sur la côte, à peu de distance de la ville : c'était chaque matin un enchantement de découvrir la blancheur des hautes tours dressées sur un promontoire rocheux que baignent des eaux bleues. De toutes parts, des remparts entourent Dubrovnik. Nous avons suivi le chemin de ronde, dominant les toits dorés des maisons, embrassant du regard les rues, les places, les cours, les jardins. Il est interdit aux autos d'entrer dans cette enceinte où l'on se promène aussi tranquillement qu'à Venise. On y trouve quelques monuments intéressants; mais la plus grande beauté de la ville, ce sont ses rues. Aucune au monde ne peut rivaliser avec la *Placa* qui traverse de part en part la vieille cité. Celle-ci ayant été détruite en 1667 par un tremblement de terre, des architectes inspirés l'ont reconstruite en lui imposant une rigoureuse unité. La chaussée de la Placa est faite de dalles polies par le temps et c'est la même pierre patinée qu'on retrouve dans les façades des maisons, toutes bâties dans un même style mais qui se distinguent par la diversité de leurs sculptures. D'un côté, des rues en escaliers escaladent la colline. Elles butent dans une artère parallèle à la Placa, plus étroite, mais elle aussi dallée et bordée de vieilles demeures en pierre taillée, qu'embellissent des balcons ouvragés. La nuit, quand ces lieux étaient déserts et silencieux, on se croyait dans une ville d'un autre âge, miraculeusement illuminée par des réverbères. Nous aimions nous asseoir sur le quai du vieux port, qui s'encastre dans les remparts, et où sont amarrées des barques de pêcheurs. Nous prenions nos repas dans les petits restaurants de la ville, ou sur la terrasse de notre hôtel, en regardant, toute proche, la petite île de Lokrum.

Dans une voiture de location j'ai fait, avec Sartre et Dedijer, ou seule, de grandes randonnées. Ensemble nous avons été aux bouches de Kotor, sorte de fjord profond, qu'entourent des falaises nues. L'auto les a escaladées : d'en haut, à mille quatre cents mètres au-dessus de la mer, on découvrait un désert de pierres convulsées derrière lesquelles s'enlevait une haute chaîne neigeuse. Nous sommes descendus sur Cetinje, une minable petite ville de deux mille habitants dont il est difficile de croire qu'elle fut jadis une capitale. Au retour nous avons vu Kotor et Budva; moins grandes, moins ordonnées que Dubrovnik, elles sont aussi entourées de remparts; l'entrée en est interdite aux voitures; leurs rues plates et dallées sont bordées de maisons aux façades de pierre. La côte que nous avons suivie à l'aller et au retour était plantée de cyprès et d'oliviers.

Je suis retournée à Sarajevo, et cette fois je ne me suis pas du tout crue en Europe centrale parce que je suis entrée dans la ville par son côté turc : j'ai revu la mosquée, le caravansérail, le bazar grouillant, les petites boutiques spécialisées qui vendent l'une des brochettes, une autre des feuilletés à la viande, une autre des feuilletés au fromage; j'ai bu un café turc dans un petit bistrot. L'hôtel s'était transformé : il avait échangé son lourd mobilier contre un décor à l'italienne. Mostar, je l'ai bien reconnu : ses coupoles, ses minarets, son pont en dos d'âne, la blancheur des maisons turques, les petits cafés aux plateaux de cuivre. Au bord de la route, j'ai mangé en plein air du mouton rôti : un ingénieux dispositif permettait d'utiliser une petite chute d'eau pour faire tourner les broches.

Avec Dedijer nous avons été voir la nécropole bogomile de Radimlje dont il nous avait souvent parlé. Les bogomiles ou patarins étaient des manichéistes dont l'hérésie a gagné au XIIe siècle le midi de la France. Le plus vaste de leurs cimetières est celui que nous avons visité. A partir du XVe siècle ils décoraient leurs sarcophages de sculptures assez frustes, mais curieuses : des armes, des tournois, des danses, des invocations au soleil.

La côte dalmate est une des plus belles du monde : un chapelet d'îles dorées étincelle sur fond d'azur. En 53, je n'en avais vu qu'une partie car de grands tronçons de la route étaient impraticables. C'est maintenant une magnifique corniche, où la circulation est intense alors qu'autrefois on n'y rencontrait pas une âme. Fini le temps des « portiers » qui détenaient les clés des pompes à essence et des chambres. Les stations-service et les hôtels abondent. Ma plus grande surprise a été Opatija. En 53, pour accueillir le touriste, il n'existait sur le petit port qu'un unique et très modeste restaurant. Maintenant, tous les anciens hôtels sont ouverts, on en a construit une quantité de nouveaux, c'est une vaste et luxueuse station qui évoque un peu Menton parce qu'elle enferme beaucoup de jardins et de villas qui datent de la fin du XIXe.

Si la Dalmatie semble si prospère, c'est en grande partie

parce que le pays a fait un effort touristique considérable. Mais, aussi, dans les villages et hameaux yougoslaves j'ai constaté que les paysans étaient beaucoup mieux vêtus qu'en 56, quand nous avions traversé le pays pour nous rendre en Grèce et que leur misère nous avait consternés. A présent les enfants portaient de confortables lainages aux couleurs gaies. Dans la plupart des restaurants la nourriture est frugale. Les magasins sont médiocrement approvisionnés; les vêtements, les tissus, les souliers sont monotones et n'ont rien d'alléchant. On est loin de l'abondance italienne. Cependant un énorme progrès a été réalisé.

J'ai écrit dans un de mes livres qu'en vieillissant on ne perçoit pas les changements du monde : son nouveau visage nous semble aussitôt aller de soi. C'est vrai pour les lieux ou les choses qu'on voit souvent. Mais à l'étranger quand, entre deux voyages, beaucoup d'années se sont écoulées, la confrontation du passé et du présent est parfois saisissante. Alors le déroulement du temps devient une réalité aussi tangible que celui de l'espace, quand vous roulez en auto et que la route fuit derrière vous. De ce point de vue, ce mois de mars en Yougoslavie a été une expérience frappante.

Un des plaisirs de ces voyages c'est de me promener en auto. J'aime conduire, par petites étapes et parfois aussi sur de longs trajets. Souvent j'ai fait seule la descente de Paris à Rome qui ennuie Sartre : il me rejoignait en avion. Un soir, au temps où la place Navona était encore ouverte aux autos, j'y ai vu arriver une D.S. immatriculée 75 et couverte de boue. Une femme en est descendue, l'air épuisée. Elle s'est assise à une terrasse et a ouvert un livre sur Michel Leiris. J'ai cru apercevoir dans un miroir mon image un peu brouillée. Bien souvent je suis arrivée ainsi à Rome, seule, recrue de fatigue après avoir roulé toute la journée et j'allais m'asseoir place Navona et je lisais.

J'aimais pendant ces trajets en voiture me sentir à la fois si contrainte et si libre : mon temps était limité et j'en disposais à ma guise. Je suivais chaque fois des itinéraires un peu différents qui cependant de loin en loin se recoupaient : je goûtais à la fois les charmes de la répétition et ceux de la nouveauté. Même sur les chemins connus, il y avait place pour l'imprévu; tout en suivant une routine, je vivais une aventure. Conduire était par moments un travail astreignant qui réclamait toute mon attention et je prenais alors aux paysages un plaisir d'autant plus vif qu'ils m'étaient donnés par surcroît, presque furtivement.

Je me rappelle avec prédilection un de ces voyages. J'étais attendue le vendredi soir par ma sœur à Trebiano, petit village proche de La Spezia où elle a une maison et où je n'avais jamais été. Je suis partie le jeudi à deux heures de l'après-midi par l'autostrade qui s'interrompait alors avant Fontainebleau; elle était noire de voitures; doubler, se rabattre, doubler : il fallait sans trêve surveiller mes arrières dans le rétroviseur. La route n'était pas moins encombrée. Heureusement un nouveau tronçon d'autostrade venait de s'ouvrir entre Auxerre et Avallon et la plupart des automobilistes répugnaient à payer deux francs de péage. J'ai roulé sur une chaussée déserte, découvrant pour la première fois de magnifiques vues sur le Morvan onduleux, sec et doré en cette fin de juillet. Autre nouveauté : aux portes de Dijon un lac artificiel bordé de plages où s'entassaient des baigneurs. J'ai fait halte dans un café de la ville et je suis arrivée, satisfaite et dispose, à Pontarlier où j'ai couché.

Comme d'habitude, je suis repartie tôt le matin. J'aime cette heure où les villages dorment encore, où dans la campagne le soleil commence à pomper la rosée. A travers la Suisse, à Lausanne et le long du lac, le trafic est devenu intense. Des amis m'avaient conseillé d'emprunter le tunnel qui venait de s'ouvrir sous le Grand-Saint-Bernard; c'était une erreur : sur la route escarpée qui monte au col se traînait une file d'autos et je me traînai derrière elles. Maintenant le soleil brûlait; le ciel, la campagne étaient ternis par des brumes de chaleur. De l'autre côté du tunnel, la route du Val d'Aoste était encombrée par des caravanes d'autos de tourisme et de poids lourds. Je voulais arriver chez ma sœur avant la nuit pour ne pas l'inquiéter et pour ne pas conduire aux phares sur des routes de montagne inconnues; donc je devais avancer à tout prix; doubler, me rabattre, doubler, et sans prendre de risques ne laisser passer aucune chance; c'était une tension d'autant plus dangereuse que je sentais grandir ma fatigue et que celle-ci m'interdisait de me reposer : il m'aurait fallu plus d'énergie pour décider de m'arrêter que pour continuer sur ma lancée. Je continuais. En passant devant Ivrea, vers une heure de l'après-midi, j'ai fait un effort, je me suis contrainte à entrer dans la ville. Pendant un moment, j'ai roulé la tête vide dans les rues brûlantes. Dès que j'ai aperçu un café, je me suis garée. Assise sur une petite place devant un sandwich et un café, j'ai savouré cette pause : l'immobilité des pierres, la démarche tranquille des passants suffisaient à m'enchanter. J'ai continué de me reposer en roulant sur une autostrade déserte. Mais il m'a fallu faire péniblement le tour de Milan avant de rejoindre l'autostrade du Soleil. Je l'ai quittée pour suivre la route tortueuse qui monte au col de la Cisa, qui en redescend abruptement et qu'empruntent de nombreux poids lourds. J'étais fatiguée, mais sûre à présent d'arriver avant la nuit et j'ai fait une nouvelle pause dans un village devant un verre de bière. J'ai repris le volant. A Pontremoli, la circulation a été interrompue dix minutes par un enterrement : des hommes en noir tenaient à la main des torches qui brûlaient lugubrement dans le soir tombant. Enfin je suis arrivée dans la bourgade d'où je devais monter à Trebiano : d'en bas, le village avait grande allure avec son château, sa majestueuse église baroque, ses murailles à pic. Mais je me suis un peu perdue avant que quelqu'un m'indique le départ de l'étroit chemin qui y conduit. A l'entrée du village, quelques voitures parquées sur une place herbeuse; j'ai laissé la mienne et j'ai franchi à pied la porte voûtée. Quelle récompense de me retrouver avec ma sœur assise sur une terrasse en regardant la campagne et la mer! Je n'aurais pas si bien goûté l'immobilité, le silence, le bruit des glaçons dans mon verre, s'il n'y avait pas eu cette journée d'effort derrière moi. J'ai dîné, dormi avec l'heureuse conscience d'une tâche bien accomplie.

Toute la matinée, je me suis promenée avec ma sœur dans des ruelles escarpées, entre des murs blancs : ce village, encore ignoré des touristes, n'est habité que par des paysans; tels devaient être Èze et Saint-Paul-de-Vence, dans les anciens temps. Je suis partie pour Rome après le déjeuner, j'ai suivi la côte. Il y avait des nuées de corps demi-nus sur le sable des plages, des nuées d'autos sur la route. Conduire m'absorbait tout entière. Mais j'ai eu, par surprise, quelques moments de grand bonheur. Un courant d'air moite et salé s'est engouffré par ma fenêtre, chargé de réminiscences confuses. (A Copacobana, le matin, l'air avait cette même odeur.) Plus loin des pins sombres se détachaient sur la crête bleue d'un promontoire qui fendait la mer. De l'Aurelia, au milieu d'un trafic intense j'ai aperçu brusquement, très haut au-dessus de ma tête, les murailles et les tours de Tarquinia, toutes blanches contre le ciel blanc. Je venais de voir au bord de la route deux voitures fracassées quand m'est apparu, lui aussi très blanc contre le ciel blanc, le dôme de Saint-Pierre : jamais sa beauté ne m'avait si fort touchée. J'ai traversé Rome, gagné mon hôtel, et échoué sur la place Navona, un peu moulue mais le cœur en fête.

Je me souviens d'une autre descente sur Rome, un jour d'orage : il tombait une pluie épaisse, aveuglante qui a duré presque toute la journée. Le soir, un peu avant Annecy, je suivais, au milieu d'une file de voitures, une route de montagne. Le vent soufflait en tornades. Brusquement, l'auto qui me précédait s'est arrêtée : une énorme branche venait de s'abattre devant son capot. Tous les automobilistes ont mis pied à terre; des camionneurs ont brisé la branche à coups de hache : en deux minutes, la chaussée a été déblayée.

Deux fois en revenant de Rome il m'est arrivé des mésaventures. Un dimanche pluvieux j'allais voir ma sœur en Alsace, je suivais la route de Colmar. J'ai entendu derrière moi le hurlement d'une sirène mais je n'y ai pas pris garde : au bout d'un certain temps, je me suis arrêtée à un stop et une voiture de police s'est rangée à côté de moi; elle me suivait depuis dix kilomètres et j'étais accusée de trois infractions graves. La première, je ne l'avais pas commise : j'avais attendu pour doubler d'être arrivée au terme de la ligne jaune. Les autres — avoir dépassé dans deux villages la vitesse limite de 40 à l'heure — je m'en étais sûrement rendue coupable : mais elles n'auraient pas été relevées si je n'avais pas eu des policiers à mes trousses. (Un conducteur de soixante-dix ans, qui n'avait pas eu de contravention de sa vie, pris en chasse par des gendarmes fut convaincu d'avoir commis en une demi-heure dix délits.) J'ai essayé de discuter le premier chef d'accusation et de guerre lasse j'ai signé le procès-verbal. A cinq kilomètres de là, comme je traversais un village à l'allure réglementaire, un gendarme m'a demandé mes papiers. J'ai compris alors pourquoi la police m'avait poursuivie; mon auto était une Simca bleue : on recherchait une femme seule, roulant dans une Simca bleue, qui avait enlevé un enfant.

La seconde alerte fut plus grave : un accident. C'était en 65. Après avoir fait un tour avec Sartre dans le nord de l'Italie, je l'ai quitté un matin à Milan, lui donnant rendez-vous à Paris le lendemain soir vers sept heures. Il faisait très beau. J'ai passé le col du Mont-Cenis, traversé Chambéry, déjeuné à une terrasse au-dessus du lac du Bourget. J'ai dîné et dormi à Chalon-sur-Saône, dans un de ces hôtels accueillants qui sont un des charmes de la province.

Le matin, le brouillard était si épais que j'ai hésité à partir : j'avais tout mon temps. Mais la ville était rébarbative et j'ai pensé que loin de la rivière les brumes se dissiperaient. En fait j'ai roulé pendant deux heures à travers d'aveuglantes vapeurs, tous feux allumés, rasant le talus. Par moments, un morceau de paysage se dévoilait, doré par le soleil, et il me semblait beau, simplement parce qu'il était visible. Et puis la lumière a brillé. J'ai suivi l'autostrade, d'Avallon à Auxerre que j'ai dépassée. Il était tôt, je n'allais pas vite, j'étais contente de rentrer et j'organisais mon après-midi : soudain, comme après un tournant j'abordais une côte, j'ai vu un camion-citerne, d'un rouge agressif, qui dévalait vers moi : j'étais à gauche de la route. A peine avais-je eu le temps de penser : « Il va faire quelque chose », le choc avait eu lieu, et j'étais indemne. Le camionneur est descendu et m'a fait de violents reproches : j'avais pris mon tournant trop vite; heureusement qu'il allait lentement et qu'il avait pu se déporter sur sa gauche, sinon il m'aplatissait. Tout un rassemblement s'était déjà formé autour de moi. Je n'avais qu'une idée en tête : « Je trouverai bien un train qui m'amènera à Paris avant sept heures. » Des infirmiers sont arrivés, portant une civière; j'ai refusé de m'y étendre, ils ont insisté; j'avais un peu mal dans le dos et j'ai pensé qu'il serait prudent de me faire examiner; ça ne serait sûrement pas long. On m'a emportée. J'ai constaté que mes bras et mes genoux étaient en sang. Une fois étendue sur un lit, la tête a commencé à me tourner. On m'a radiographiée : j'avais, dans le dos, quatre côtes cassées. Un docteur m'a fait un point de suture à la paupière et, après anesthésie locale, plusieurs au genou. Je me suis sentie vraiment fatiguée, j'ai un peu vomi. Je ne pensais plus à rentrer immédiatement à Paris mais je voulais prévenir moi-même Sartre, afin qu'il ne s'inquiète pas. Une infirmière m'a annoncé que Lanzmann et Sartre venaient de téléphoner : ils avaient appris mon accident par la télévision et ils arrivaient. Peu de temps après, ils sont entrés dans ma chambre; je me rendais compte que mon visage avait enflé. J'avais un œil complètement fermé. Je leur ai raconté mon histoire avec une volubilité qui prouvait que j'avais subi un choc. Le speaker avait dit que je n'étais que légèrement contusionnée, mais Lanzmann avait tout de même foncé sur l'autostrade à 160 kilomètres à l'heure. Pendant que nous causions, le commissaire de police est venu m'apporter mes valises et me rendre les papiers qu'on m'avait confisqués. Presque chaque jour, a-t-il dit, on transporte à l'hôpital des automobilistes qui ont eu un accident au même endroit que moi; il y a eu des morts. C'est un tournant dangereux parce qu'il est précédé d'une longue ligne droite et qu'il est plus abrupt qu'il ne le paraît. Je pense que si je l'ai abordé sans prudence, c'est parce que je ne roulais pas vite; sinon j'aurais été plus tendue et plus vigilante.

J'ai su un peu plus tard que ma sœur et certains de mes amis ont eu un coup au cœur en entendant à la radio l'annonce de mon accident : on devrait commencer par dire que la victime n'est que légèrement atteinte avant de donner son nom et de rapporter les faits.

Sartre m'a ramenée à Paris le lendemain dans une ambulance qui roulait à 140 à l'heure. Étendue ou assise, je ne souffrais pas. C'est pour passer d'une position à une autre que j'avais besoin d'aide. J'ai gardé le lit environ trois semaines. Je lisais, je recevais des visites, je ne me suis pas ennuyée. Il semble qu'un accident soit un événement mondain : jamais je n'ai reçu autant de lettres, de télégrammes, de coups de téléphone, de gerbes de fleurs envoyés souvent par des gens que je ne connaissais que par ouï-dire.

Réflexion faite, le camionneur m'avait sauvé la vie et je lui ai écrit pour le remercier. Se déporter à gauche, c'était pour lui prendre un sérieux risque car si une voiture était arrivée sur lui à ce moment-là, il se serait trouvé dans son tort. Malgré sa manœuvre, tout l'avant de l'auto — une robuste 404 — a été pulvérisé : quand je l'ai vue en photo, j'ai admiré de m'en être tirée à si bon compte.

A présent les aller et retour entre Paris et Rome sont sans histoire. L'autoroute du Sud s'est allongée. Le tunnel du Mont-Blanc est achevé et de l'autre côté on trouve presque tout de suite l'autostrade du Val d'Aoste qui rejoint celle de Turin à Milan d'où on s'engage sans difficulté sur l'autostrade du Soleil. Je ne suis pas de ces gens que les autostrades ennuient. J'aime flâner sur de petites routes, dans des coins choisis. Mais si je me transporte d'un point à un autre, il me plaît d'arriver vite. J'ai jubilé quand pour la première fois j'ai « fait » Milan-Bologne en deux heures et demie. Ensuite s'est ouvert le tronçon qui relie Bologne à Florence à travers les Apennins. J'ai attendu avec impatience que fût terminé celui qui rattache Florence à Rome puis que s'ouvre l'autostrade du Val d'Aoste. C'est un de mes grands plaisirs, venant de France, de m'arrêter vers deux heures dans un des « Pavesi » qui enjambent la chaussée et de retrouver le jambon, les pâtes et les vins italiens.

Je prends rarement le train; parce qu'il est devenu insolite, ce mode de transport me charme; les odeurs, le rythme des roues, la rumeur des gares traversées dans la nuit me renvoient à mon enfance.

Mais quand je vais à l'étranger je voyage la plupart du temps en avion. Voilà déjà longtemps que j'y suis montée pour la première fois : en 45; et je ne me lasse pas de contempler la terre du haut du ciel. J'aime en découvrir les montagnes, les lacs, les fleuves avec une précision géographique. Mais surtout je suis fascinée par les paysages que les nuages composent sous mes pieds. Ce sont de vastes plaines polaires, creusées de noires crevasses; ce sont des banquises où moutonnent des congères et où foisonnent de blancs arbustes bourgeonnants. Des fils de la Vierge flottent entre les rochers qui les hérissent : aiguilles, pitons si solides que l'appareil, semble-t-il, va s'y fracasser. Quand il survole de près le plancher neigeux, il me paraît très lent, très lourd, et tout prêt à s'y écraser. Il plonge vers ce sol, il le traverse, des rafales de soleil battent ses ailes. J'aperçois par échappées une plaine dorée et le secret d'un château de bois épais, au bord d'un étang. Ces visions, tant d'autres, je n'aurais pas même été capable, jadis, de les imaginer. J'ai toujours autant de joie à explorer cette planète que j'habite, et sur ce plan, le temps m'a apporté autant et plus peut-être qu'il ne m'a pris.

CHAPITRE V

Certains des voyages que je fais avec Sartre ont un sens politique; certaines de nos activités politiques exigent de notre part des déplacements. Je parlerai plus loin de ces entreprises complexes qu'ont été nos voyages en U.R.S.S., en Tchécoslovaquie, en Égypte, en Israël, et nos séjours à Stockholm et à Copenhague à l'occasion du Tribunal Russell. Mais je vais d'abord raconter notre voyage au Japon. Nous nous sommes sérieusement informés de tous les aspects de ce pays, nous avons rencontré des intellectuels de gauche et il y a eu entre eux et nous des échanges très intéressants. Mais nous n'étions concernés que d'une manière très indirecte par ses problèmes. C'est surtout pour enrichir notre connaissance du monde que nous l'avons parcouru et cette visite n'a pas entraîné de notre part de prise de position politique. Je la range donc à la suite des randonnées que j'ai accomplies par pur plaisir.

Notre éditeur japonais, M. Watanabé, et l'université de Keio nous ont invités, Sartre et moi, à venir au Japon au cours de l'automne 66 pour le visiter et y donner quelques conférences. J'ai soigneusement préparé ce voyage. M. Watanabé m'avait apporté au printemps une énorme pile de revues et de livres écrits en anglais qui traitaient de l'histoire du Japon, et surtout des problèmes économiques, sociaux, politiques qui s'étaient posés à ce pays depuis la guerre. Je me suis procuré à peu près toute la littérature ancienne et moderne qui a été traduite en français ou en anglais — entre autres, en anglais, l'admirable roman de Genji. C'est alors que j'ai découvert le grand écrivain japonais qui venait de mourir, Tanizaki.

C'est en grande partie la lecture de son roman *Les Quatre Sœurs* qui m'a initiée aux mœurs japonaises. Je me suis aussi renseignée auprès de ma traductrice, Tomiko Asabuki, qui était une amie de ma sœur qui est devenue aussi la mienne. Elle était née et elle avait été élevée dans une riche famille aristocratique qui possédait au cœur de Tokyo une belle maison entourée d'un grand parc. Elle avait poussé très loin ses études — particulièrement en français — avant de se marier. Elle avait passé une grande partie de la guerre à Tokyo que ravageaient les bombardements et les incendies. En 45, elle s'était trouvée enceinte, et complètement ruinée comme toute sa famille. Elle avait vendu tous ses kimonos pour s'acheter au marché noir un peu de nourriture. Après la naissance de sa fille, elle a tenu un salon de thé. Très adroite de ses mains, cousant elle-même ses robes, elle a pensé à s'établir comme couturière. Elle a divorcé, elle est partie pour la France avec l'idée de s'initier à la grande couture parisienne. Le voyage a été long et intéressant, à travers des pays plus ou moins dévastés par la guerre. Elle l'a raconté dans un reportage qui a eu beaucoup de succès. Elle a renoncé à la couture pour faire du journalisme et ensuite des traductions. Elle est restée à Paris pendant quinze ans et s'est mariée avec un Français; mais elle a gardé son nom de jeune fille. Elle avait environ quarante-cinq ans et parlait parfaitement le français. C'est elle qui devait nous servir de guide et d'interprète pendant notre voyage. Elle connaissait bien son pays et elle y avait de nombreux amis. Elle y est retournée au début de l'été.

Nous nous sommes embarqués le 17 septembre, avec une heure de retard, à 3 heures de l'après-midi sur un avion de la compagnie japonaise. Deux ravissantes hôtesses, vêtues de somptueux kimonos, nous ont aidés à nous installer. Les sièges étaient recouverts d'un très joli brocart, assorti aux porte-documents où étaient rangés nos billets. Huit sénateurs U.D.R. occupaient les fauteuils voisins. Après un déjeuner tardif, mais excellent, nous nous sommes posés à Hambourg, entièrement reconstruite mais qui semblait morne sous le ciel gris. De là nous nous sommes envolés vers l'Alaska. Les hôtesses ont distribué aux passagers des peignoirs de cotonnade que les sénateurs ont endossés avec de gros rires; ils plaisantaient bruyamment et ils essayaient leur charme français sur les hôtesses qui les tenaient à distance avec beaucoup de grâce. Je ne suis pas encore blasée : j'ai trouvé extraordinaire de survoler le pôle Nord; pendant des heures je n'ai vu au-dessus de moi qu'une immensité blanche, rayée de craquelures noires Après un dîner somptueux, nous sommes descendus sur Anchorage : de hautes montagnes neigeuses dominaient une plaine semée d'étangs sombres et couverte de maigres arbustes couleur d'or. On se sentait aux confins de la terre, loin de toute civilisation. (J'ai appris depuis que les habitants d'Anchorage possèdent presque tous de petits avions qui les relient au reste du monde.) L'aérogare était un grand bâtiment rond, peu accueillant mais entièrement vitré et d'où l'on embrassait ce beau paysage insolite. On y vendait en guise de souvenirs des objets en ivoire et en peau de phoque. Aussitôt repartis à cinq heures du matin, heure française, on a servi un énorme repas à base de filets mignons : les sénateurs l'ont englouti. Nous avons seulement pris un whisky. C'est ahurissant, ces heures qui se bousculent, se chevauchent, se catapultent. Depuis notre départ, il n'y avait pas eu de nuit, seulement un long crépuscule suivi d'un bref lever de soleil. Et soudain, alors qu'à Paris il était onze heures du matin, la nuit est tombée. Nous avons atterri au milieu des ténèbres.

Les Japonais lisent énormément. Grâce à l'enseignement obligatoire instauré en 1871, dès 1910, 98 % de la population allait à l'école. En 1966, 99 % des enfants faisaient au moins neuf ans d'études; il n'y avait pratiquement pas d'illettrés; les couches populaires étaient avides de culture. Les Japonais dévorent les journaux, les magazines et pour la production des livres ils occupent le troisième rang dans le monde : juste après les U.S.A. et l'U.R.S.S. En 65, le nombre des ouvrages publiés a atteint vingt-cinq mille, le nombre des volumes, environ deux cent quatre-vingts millions. Les collections de livres de poche se sont multipliées. Ils traduisent énormément de littérature étrangère. Et en particulier, pour se défendre contre l'influence de l'Amérique, dont le gouvernement épouse la politique mais qui est très impopulaire, surtout chez les intellectuels, ils font une large place à la culture française. Tous les livres de Sartre, tous les miens ont été traduits. En 65, *Le Deuxième Sexe*, paru en édition de poche, a été un bestseller. Nous savions cela et cependant je n'aurais jamais imaginé pareil accueil. Plus de cent photographes guettaient, au bas de l'escalier. On a d'abord fait descendre les sénateurs, puis Sartre et moi. « Rien pour nous; et Simone de Beauvoir et Sartre, on les mitraille », a dit l'un d'eux avec fureur, au grand amusement de Mme Asabuki. Elle m'a abritée sous son parapluie car il pleuvait à verse. Les photographes marchaient devant nous, à reculons, nous éblouissant de leurs flashes : aveuglés, nous pataugions dans les flaques d'eau. De l'autre côté de la douane, des centaines de jeunes faisaient la haie. D'abord ils se sont bornés à sourire en silence; puis ils se sont mis à crier nos noms, à nous saisir la main, le bras, tirant, poussant, nous étouffant. On nous a fait entrer dans une pièce minuscule, où une centaine de journalistes, en sueur, nous ont bombardés de questions tandis que photographes et cameramen braquaient sur nous des projecteurs.

Nous avons suivi une autoroute qui traverse Tokyo au-dessus du niveau des rues. Ces voies express qui sont à présent très nombreuses datent seulement de 1962 : on a commencé à les construire pour faciliter la circulation en vue des Jeux Olympiques qui ont eu lieu en 1964; depuis on a continué. On roule tantôt au-dessus des toits, tantôt dans des tunnels qui remplacent d'anciens canaux. Ensuite l'auto a emprunté des avenues, des rues où la circulation était intense et nous sommes arrivés à un charmant hôtel, de style occidental, mais dont la décoration était d'inspiration japonaise : j'ai remarqué dans le hall et dans les corridors ces merveilleux bouquets dont la composition est un art minutieusement codifié. Nous avons tranquillement dîné avec Tomiko Asabuki et son frère qui a travaillé longtemps à Paris, à l'Unesco, qui a traduit plusieurs de nos livres et qui parle français aussi bien qu'elle. La nourriture était occidentale, mais j'ai bu du saké, un vin de riz très peu alcoolisé, qu'on sert tiède, dans de petits bols et qui ressemble au vin de riz chinois. A minuit nous sommes montés nous coucher et — bien qu'à Paris il ne fût que quatre heures de l'après-midi — je n'ai pas eu de mal à m'endormir.

Le lendemain, Tomiko et son frère nous ont promenés dans Tokyo, à pied et en voiture. La ville compte onze millions d'habitants. Les quartiers du centre, très modernes, font penser aux U.S.A. : des gratte-ciel, d'immenses buildings, des rues grouillantes de gens vêtus à l'occidentale, une circulation automobile intense. Nous avons contourné l'enceinte du palais impérial qu'on était en train de reconstruire et auquel le public n'avait pas accès. Au fond d'un parc immense qui sentait l'automne nous avons vu un majestueux temple shintoïste, le temple de l'empereur Meiji. Nous avons marché dans les rues riantes et colorées de la Ginza qui est le quartier commercial élégant. Il y a de grands magasins, analogues au Louvre, au Printemps, mais beaucoup plus accueillants parce que, outre des vendeuses empressées, des hôtesses souriantes s'offrent à vous informer, à vous guider; on y trouve les objets les plus modernes et des marchandises traditionnelles, entre autres de somptueux kimonos. Mais le long des trottoirs s'alignent aussi une étonnante quantité de boutiques de petites dimensions, qui rappellent un peu celles du faubourg Saint-Honoré. Dans les vitrines des nombreux restaurants, j'ai examiné avec curiosité d'étranges plats aux couleurs vives. Quant à nous, nous avons déjeuné dans une toute petite salle, qui ne contenait que trois ou quatre tables en bois, extrêmement propres : nous y avons mangé d'excellentes brochettes de volaille.

Dès six heures, nous nous sommes rendus au dîner que le recteur de l'Université avait organisé pour nous dans le restaurant le plus réputé de la ville. Nous avons été accueillis par la patronne et par les serveuses qui se sont prosternées devant chaque invité, en touchant le sol de leur front. Nous nous sommes déchaussés avant de poser le pied sur les tatamis couleur de blé mûr : ces nattes rectangulaires sont parallèles ou perpendiculaires si bien que le sol monochrome ressemble à un tableau abstrait; il était assorti à la chaude blondeur des murs : on aurait cru que la pièce baignait dans un grand soleil d'été.

Le recteur avait invité des professeurs, des écrivains, des metteurs en scène et il avait fait venir des geishas. Nous nous sommes tous assis à même le sol devant une longue table basse. Les femmes qui portaient des kimonos — la femme du recteur, les geishas — se sont assises à la japonaise, sur leurs talons, ce qui est extrêmement fatigant m'a dit Tomiko qui s'était habillée à l'occidentale : on a recouvert d'une étoffe ses genoux et les miens. Chaque convive était encadré de deux geishas ni belles ni jeunes, qu'on avait recrutées parmi les plus cultivées. Quelques-unes ont joué de la musique et chanté, mais leur rôle était surtout de remplir de saké le verre de leur voisin et de lui parler, ce qui rendait à peu près impossible une conversation plus générale. Ma voisine m'a demandé dans un français appliqué si je préférais l'art ancien ou l'art moderne. Une autre a fait dédicacer par Sartre une pile de livres appartenant à son mari. Cependant se succédaient sur la table des plats difficilement identifiables. Les poissons frits étaient agréables; mais j'ai souffert quand il m'a fallu avalu du thon cru, rouge comme du sang, et encore plus en sentant glisser dans ma gorge des lamelles blanches et visqueuses qui étaient, je crois, de la daurade crue. Sartre — qui pourtant éprouve la même répugnance que moi pour tous. les coquillages crus — semblait s'accommoder de toutes les nourritures qu'on lui offrait : il souriait et riait d'un air très détendu.

Le repas a duré trois heures. Nous nous sommes retrouvés à l'hôtel, épuisés d'avoir absorbé tant d'aliments bizarres en écoutant et en débitant des niaiseries. Nous avons fait monter une bouteille de whisky japonais, qui est très bon. Sartre n'a pas touché à son verre; soudain il a pâli; il a tâté son pouls qui battait à 120 : deux fois plus vite que d'habitude. Que lui arrivait-il? Jamais il ne s'était senti aussi mal. C'était la catastrophe car il devait faire une conférence le lendemain. Brusquement, il s'est précipité dans la salle de bains : n'ayant paradoxalement jamais de sa vie eu la nausée, il n'en avait pas reconnu les symptômes. Le dégoût qu'il avait surmonté par politesse, ressuscitant rétrospectivement, lui fit rendre tout son dîner. Pendant deux jours, il a été incapable de rien avaler.

Cela ne l'empêchait pas de bien se porter et le lendemain après-midi nous nous sommes rendus ensemble à l'Université. Était-ce pour nous assurer exactement le même nombre d'auditeurs? Ma conférence a toujours eu lieu aussitôt après ou avant celle de Sartre. Dans la cour de l'Université, les étudiants nous ont accueillis avec autant de chaleur qu'à l'aéroport : ils brandissaient des pancartes de bienvenue, ils nous entouraient et nous empoignaient en criant nos noms. Cependant, quand Sartre a eu fini de parler, quand je me suis tue, ils n'ont que très modérément applaudi : là politesse exige cette discrétion, nous a-t-on expliqué. Et en effet, nous avons été souvent frappés par le contraste entre la violence spontanée des Japonais et leur réserve un peu compassée lorsque leurs conduites sont réfléchies et codifiées.

Les journées que nous avons passées à Tokyo ont été bien remplies. Nous avons interrogé des hommes politiques et des intellectuels sur la situation du Japon, discuté avec des écrivains, avec des professeurs et complété ainsi les connaissances que nous avions tirées de nos lectures. Nous avions étudié la révolution Meiji et nous savions quelles circonstances ont permis au Japon d'échapper à l'emprise de l'Occident. Mais c'était surtout au Japon d'aujourd'hui que nous nous intéressions : celui qui, tragiquement dévasté en 45, est devenu la troisième grande puissance économique du monde.

Le début de cette histoire a été paradoxal. Soucieuse de démocratiser le pays, l'Amérique a fait sortir de prison les adversaires du régime militariste — les communistes, les socialistes — et s'est appuyée sur eux; elle a imposé une réforme agraire, dissout les trusts et encouragé la formation des syndicats. Mais elle a rapidement renversé la vapeur : en 47, la grève générale souhaitée par les travailleurs a été interdite. Le pouvoir politique est tombé dans les mains du parti conservateur qui ne l'a plus lâché. Les trusts se sont reconstitués. Les syndicats groupent un assez grand nombre de travailleurs — le Sohyo qui s'inspire vaguement du marxisme mais rejette le communisme en comprend quatre millions — mais ils n'influencent guère la vie économique du pays.

Le premier souci des Japonais ç'a été, étant donné l'espace restreint dont ils disposent, de freiner une natalité galopante. Ils ont lancé de vastes campagnes en faveur de la contraception et rendu l'avortement pratiquement libre. L'accroissement de la population a été néanmoins d'environ un million d'individus par an. D'après le recensement qui avait eu lieu l'année précédente, en 65, le Japon comptait 98 211 935 habitants.

Comment ce pays dont le revenu national brut était en 1950 de dix milliards de dollars a-t-il réussi à atteindre en 1966 le chiffre de cent milliards? On explique ce « miracle » en grande partie par l'imagination et l'audace des nouveaux managers qui remplacèrent en 45 les trusts démantelés par l'Amérique. Ils n'ont pas hésité à s'endetter lourdement : et les banques n'ont pas hésité à les financer, en dépit des risques. Ils ont aussitôt réinvesti leurs bénéfices, créant ainsi un « cercle vertueux » selon l'expression d'économistes japonais : dans aucun pays du monde les investissements n'ont pris une telle importance. Ce qui a permis aux banques de faire de considérables avances, c'est que dans l'ensemble de la population le taux d'épargne est très élevé, peut-être parce que c'est un pays jeune : seulement 8,5 % des habitants ont plus de soixante ans. Aucun investissement étranger n'a été autorisé. Le boom est dû aussi en grande partie à la quantité et la qualité du travail fourni par les travailleurs et aux bas salaires qu'ils reçoivent.

Nous touchons là au trait le plus caractéristique de l'économie japonaise. Au Japon, l'industrialisation n'a pas été précédée par la destruction totale des structures féodales. La révolution Meiji fut accomplie par les samouraï; transformés en bureaucrates, ils ont maintenu les valeurs, les comportements, les relations sociales de type féodal; ils ont imposé aux travailleurs leur morale d'abnégation : ceux-ci se doivent à l'entreprise comme le vassal se devait à son seigneur.

En fait, ils n'ont aucun moyen d'y échapper; ils lui appartiennent corps et âme. La permanence de l'emploi est au Japon une règle universelle. En entrant dans une firme, l'employé, l'ouvrier s'y engage pour la vie. Ils graviront échelon après échelon jusqu'au jour de la retraite. Si l'un d'eux était congédié, il ne retrouverait pas de travail : il n'existe pratiquement pas de marché du travail. En fait il n'arrive presque jamais qu'un membre du personnel soit licencié : mais cette menace qui pèse sur sa tête le contraint à la docilité la plus absolue. On lui impose des heures supplémentaires; les congés auxquels il a droit, il ne les réclame pas, sinon il serait « mal vu » c'est-à-dire qu'il risquerait sa place : à peine prend-il de-ci de-là deux ou trois jours de vacances. Même les Zengakuren [1], farouchement révolutionnaires dans leur jeunesse, se plient à ces mœurs dès qu'ils prennent un emploi.

Celui-ci est très mal rétribué, surtout dans les petites et moyennes entreprises. Car une autre caractéristique de la vie économique japonaise c'est la « double structure ». Dans le secteur industriel, seulement 30 % de la main-d'œuvre appartient à des usines de plus de trois cents personnes; 33 % travaillent dans des usines de moins de trente personnes. Si on

1. Membres de l'association des étudiants.

considère en outre le commerce et les affaires, alors 90 % des entreprises se classent dans la catégorie ayant moins de trente ouvriers et employés; 6,4 % dans celles qui comprennent de trente à cent personnes; 2,9 % dans celles qui en comptent entre cent et mille. Cinq cent cinquante seulement, soit 0,1 % ont un personnel de plus de mille personnes.

Les petites et moyennes entreprises sont de deux espèces. Il y en a qui produisent les biens de consommation traditionnels : tatamis, chaussettes blanches, kimonos, socques, sauce de soja, lanternes, ombrelles, etc. Elles sont généralement de type familial. Les journées y commencent tôt et s'achèvent tard : vers dix heures et demie ou onze heures; les bénéfices y sont très minces. D'autres sont des entreprises sous-traitantes, travaillant pour de grandes firmes; elles sont extrêmement nombreuses car elles permettent d'abaisser le coût de la production. Les travailleurs n'y profitent pas des avantages qui, dans les firmes importantes, pallient un peu la modicité des salaires : cantines, facilités de logement, primes, etc. Souvent ils n'ont pas même un jour de congé par semaine; les conditions d'hygiène sont défectueuses; ils sont sous-payés et la sécurité sociale n'existe pas pour eux. Dans les grandes entreprises mêmes, les salaires sont bas; et il y a des catégories tout à fait déshéritées : les femmes, et les « temporaires » embauchés à court terme.

Dans l'ensemble, la population japonaise a un niveau de vie très bas; elle se nourrit très frugalement et elle est mal logée, les programmes de construction étant tout à fait insuffisants. Si le Japon se classe parmi les trois premiers pays du monde par son revenu national, il se place au vingt et unième rang — au même niveau à peu près que le Venezuela — si on considère quel est par tête le revenu de ses habitants. Il faut ajouter que les équipements collectifs ont été négligés; il n'y a pas assez de routes, pas assez de moyens de transports, pas assez de trains : pour entasser, matin et soir les voyageurs dans les wagons on a recours à des « pousse-derrières » qui sont des spécialistes du karaté. Il y a donc chez la majorité des Japonais un grand mécontentement, qui se cristallise et se manifeste dans les révoltes des étudiants.

C'est à partir de ces renseignements basiques que nous nous sommes attachés à découvrir le Japon. Et d'abord nous nous sommes beaucoup promenés dans Tokyo. La ville n'est pas belle. Sur les grandes avenues bruyantes déferlent des flots de voitures et il s'y produit constamment des embouteillages. La circulation y est bien entendu réglementée par des feux et des agents de police. En outre, à de certains endroits, de petits drapeaux jaunes sont disposés dans une corbeille, au bord du trottoir. Si on veut traverser, on en saisit un que l'on brandit devant les voitures qui doivent alors s'arrêter. On le dépose de l'autre côté de la chaussée dans une corbeille symétrique. L'odeur de l'essence infecte l'air qui est en outre pollué par toutes sortes de retombées. Le réseau des égouts et les services de voirie sont d'une telle insuffisance que chaque jour la rivière Sumida qui traverse la ville charrie un million trois cent mille tonnes de déchets et d'ordures.

Nous évitions le plus possible les grandes artères. Nous aimions les quartiers plus paisibles où se dressent encore les traditionnelles maisons de bois; certaines de leurs rues étaient très animées : elles étaient bordées d'échoppes auxquelles servent d'enseignes des lanternes de papier ou des banderoles couvertes de beaux caractères japonais; devant celles qui viennent de s'ouvrir se dressent d'énormes couronnes de fleurs artificielles aux couleurs joyeuses. Les petites boutiques foisonnent car, si le Japon est devenu une grande puissance industrielle, qui se situe à la pointe du progrès, il conserve des aspects archaïques et l'artisanat y fleurit. Cette coexistence du passé traditionnel avec la vie moderne était très sensible dans le vaste marché couvert où nous a amenés Tomiko. Au-dessus de l'entrée est suspendue une énorme lanterne ronde, en papier rouge; dans les boutiques alignées des deux côtés de l'allée sont mélangés produits artisanaux et produits usinés : des éventails, des ceintures, des kimonos, des cotonnades, des corbeilles mais aussi de la quincaillerie, des ustensiles et des vêtements fabriqués en série. En sortant de là, nous avons débouché sur un temple bouddhiste qui se dressait au milieu d'un terrain de jeu. Les jours suivants nous avons visité le port, les Halles, le quartier de l'Université, une très belle église, de style ultra-moderne, aux toits et aux murs métalliques : c'est l'œuvre d'un jeune architecte, Kanso Tange, qui a construit aussi une piscine couverte, d'une remarquable élégance. Nous avons flâné dans les jolies rues calmes du vieux quartier résidentiel où se trouve un intéressant musée folklorique. Nous avons passé plusieurs heures au musée des Beaux-Arts.

Le soir, Tokyo resplendit. Sur tous les toits, contre toutes les façades brillent des enseignes au néon. Elles ont des couleurs que je ne leur ai vues nulle part ailleurs : des violets profonds, des oranges, des jaunes soleil, des bleus nuit. Elles sont composées comme des tableaux : souvent elles s'encadrent dans un cartouche rectangulaire. Elles ne scintillent pas comme à New York; elles explosent puis s'évanouissent; ou bien elles s'éploient et se replient avec lenteur. Dans les rues commerçantes, c'est la fête des lanternes de papier, en forme de ballon, ou de poisson, rouges ou blanches et portant souvent des inscriptions. (Certains Américains, venus s'initier au *Zen*, en ont acheté qui leur semblaient une parfaite expression de l'âme japonaise et sur lesquelles était en fait tracé le mot : *Nouilles*.)

L'heure la plus plaisante, c'est onze heures du soir, le moment où la vie s'arrête, car les Japonais se lèvent tôt : à six heures et demi du matin, 80 % des habitants de Tokyo sont debout. A onze heures du soir, les dernières échoppes ferment; les bars, les restaurants, les cabarets de la Ginza se vident et la rue se remplit de jeunes femmes, vêtues à l'occidentale ou portant des kimonos, dont beaucoup sont ravissantes. Ce sont les hôtesses des bars, les entraîneuses des dancings, beaucoup plus jolies que les geishas. On entend des rires, des voix menues. Après ce gracieux et rapide envol, le silence tombe sur la ville.

Cependant dans le district de Shinjuku, qui évoque à la fois Saint-Germain-des-Prés et le Quartier Latin, certains endroits demeurent ouverts beaucoup plus tard. Le centre du quartier, c'est une gare géante qui groupe tout un réseau de lignes de chemin de fer et de métro. Son immeuble enferme un grand magasin, des bureaux, des restaurants, des cinémas, et une quantité de boutiques. Dans les rues larges ou étroites de Shinjuku, c'est une profusion de bars, de boîtes de nuit, de boîtes de strip-tease, de music-halls : certains ont de vastes dimensions, d'autres sont minuscules. J'ai été frappée par la quantité de salles où on joue au pachinko : c'est un billard électrique mais disposé verticalement et non horizontalement comme le nôtre. Il y a des halls où ils s'alignent par centaines le long d'étroites allées; pas une place de libre; les joueurs manipulent les flippers avec une calme frénésie. On trouve aussi dans ces rues de nombreux restaurants; la plupart sont étroitement spécialisés : ici on mange du poisson, là des brochettes de volaille, là des langoustines frites. Nous avons dîné dans un restaurant où l'on servait exclusivement de la viande de porc. Des gens nous ont reconnus car la presse, la télévision, les Actualités avaient diffusé nos photos. Une jeune fille a baisé la main de Sartre et lui a tendu un paquet de biscuits : c'est un cadeau classique, nous a dit Tomiko; elle a ajouté qu'au Japon on échange tout le temps des cadeaux et ce sont en général des nourritures : une amie ou une voisine lui fait apporter un plat de spaghettis; le lendemain, Tomiko lui envoie des fruits ou un gâteau. Dans la rue, un jeune homme m'a tendu silencieusement une fleur. Et nous avons été poursuivis par une nuée d'étudiants qui nous demandaient des autographes. Tous les Japonais cultivés possèdent un arsenal de grands cartons carrés, blancs d'un côté, gris de l'autre, aux tranches dorées; ils s'y exercent à la calligraphie ou ils y écrivent des poèmes de leur composition. Ils les utilisent aussi pour récolter des autographes.

Nous sommes entrés dans un bistrot très populaire où un homme chantait des chansons folkloriques. Nous avons bu de la bière. Les serveuses portaient des kimonos de cotonnade aux manches retroussées. C'était de robustes gaillardes. Quand un client pris de boisson devenait trop bruyant, elles l'empoignaient et l'expulsaient en riant. Ensuite, nous sommes descendus dans une cave qui évoquait un peu l'ancien Tabou : dans une atmosphère enfumée de très jeunes gens écoutaient du jazz et dansaient. Ils nous ont reconnus, mais sur un mot de M. Asabuki ils ont discrètement détourné de nous leurs regards. Nous avons fini la soirée dans une boîte de pédérastes, très joliment décorée. Derrière le bar, il y avait une grande photo d'homme nu et une réclame pour une pièce de Genet : le barman a demandé à Sartre d'y inscrire sa signature.

Nous sommes retournés dans ce quartier un dimanche après-midi : Tomiko nous a emmenés dans une espèce de cabaret populaire; c'était une pièce nue où se dressait une estrade; le public était assis par terre; certains dormaient, d'autres somnolaient, d'autres buvaient du thé en écoutant un conteur d'histoires, fort grivoises, nous a dit Tomiko.

Un soir nous avons été dans un grand music-hall de la Ginza. Le programme comprenait des danses, des numéros de strip-tease, des sketches comiques. L'un d'eux tournait en dérision les bonzes avec un irrespect qui m'a surprise. On voyait un bonze à l'air lubrique qui traçait sur un mur des dessins obscènes; quand un passant s'approchait, il les modifiait d'un trait habile; dès qu'il était seul il les transformait d'un coup de crayon en nouvelles obscénités.

Nous avions envie de nous initier au théâtre japonais traditionnel; cela n'a pas été très facile car il n'attire plus guère le public : celui-ci préfère des pièces de style occidental, écrites par des auteurs japonais ou étrangers. M. Watanabé a organisé pour nous dans un petit théâtre une séance privée de *nô* où il avait convié une centaine de personnes. La scène était recouverte d'un toit soutenu par quatre piliers; sur la cloison du fond était peinte l'image d'un vieux pin : cette image, inséparable du *nô* en est devenue le symbôle. Le plateau se prolongeait par une sorte de « pont », recouvert d'un toit, et très long qui courait le long du mur jusqu'à un rideau qui le séparait des coulisses. C'est par là que les acteurs faisaient leur entrée.

Le spectacle a commencé par une saynète comique — le *kyogen*, qui accompagne classiquement le *nô* — qui m'a paru insipide. Le *nô* proprement dit est une sorte d'oratorio funèbre qui a atteint sa forme parfaite au XIVe siècle; c'était un spectacle de cour, réservé à l'aristocratie et influencé par le bouddhisme *zen*.

D'abord l'orchestre s'est installé sur la scène : une flûte et deux tambours. Les musiciens portaient le costume de ville de l'époque Tokugawa (XVIIe au XIXe siècle) : une robe de soie sombre par-dessus laquelle on enfile un pantalon jupe très large, et un survêtement sans manches aux larges épaules remontantes; un chœur, habillé de vêtements modernes, s'est assis à la droite de la scène.

La pièce, *Aoinoue*, était tirée d'un épisode du roman de Genji. Aoinoue, épouse du prince Genji, est gravement malade. Elle était représentée par un kimono, étendu sur le sol, sur le devant de la scène. Rokujo, ancienne maîtresse du prince, lui a jeté un sort. L'orchestre créait une atmosphère tragique, les musiciens accompagnant les tambours de cris aigus. Alors apparaissait le mauvais esprit de Rokujo : c'était l'acteur principal, le *shite*. Le *shite* est souvent un fantôme qui revient de l'autre monde, mais il peut être aussi l'incarnation d'une passion :

remords, colère ou jalousie comme c'était le cas ici. Il était somptueusement vêtu d'une tunique de soie aux riches broderies et d'un pantalon largement évasé vers le bas. Il portait un masque en bois, retenu par deux cordons noirs noués sur la nuque, et un peu plus étroit que le visage, ce qui fait paraître la silhouette de l'acteur plus élancée. Les ouvertures ménagées pour les yeux sont si petites qu'il ne saurait se déplacer sans les points de repère que constituent les piliers supportant le toit. Soutenu par les musiciens et par les cris aigus qui accompagnent les tambours, le *shite* se plaint d'avoir été abandonné par Genji. Sa jalousie s'exaspère. Il se penche sur la malade et la frappe furieusement de son éventail. (Nous avons constaté avec étonnement que, comme on nous en avait assurés, les expressions du masque varient selon l'inclinaison du visage et la manière dont il est éclairé.) Le chœur exhale son indignation; il envoie un serviteur appeler un prêtre très estimé qui conjurera le mauvais esprit. Le prêtre arrive : c'est le classique protagoniste du *shite*, le *waki* qui n'a pas de masque et qui porte une simple robe noire. (En général, il entre en scène le premier et c'est lui qui provoque la venue du *shite*.) Il se met à prier. Le *shite* s'enfuit puis revient sous sa véritable figure : il porte un masque de démon. Il s'approche du prêtre et le provoque en duel : un duel verbal où il vocifère pendant que le prêtre prie. A la fin il s'enfuit, vaincu. Contrastant avec le hiératisme des gestes, le rythme obsédant de l'orchestre, les cris stridents des musiciens, les voix passionnées des choristes créent d'un bout à l'autre du drame une tension qui nous a tenus en haleine. Il paraît qu'au XIVe siècle la représentation d'un *nô* était deux fois plus rapide qu'aujourd'hui mais celle-ci ne nous a pas paru longue. On dit que le *nô* est difficile à comprendre pour les Occidentaux; il nous a semblé qu'il suffisait de se laisser aller pour être captivé.

Il n'a pas non plus été facile de voir ce spectacle de marionnettes qu'on appelle le *bunraku*. La troupe était en tournée : il a fallu nous contenter de deux saynètes à un seul personnage jouées dans un salon de l'hôtel Impérial devant un public presque entièrement occidental. La représentation nous a fait cependant une forte impression et deux ans plus tard quand le *bunraku* s'est produit à l'Odéon, nous nous sommes empressés d'y aller, accompagnés de Tomiko qui se trouvait à Paris.

C'est un art d'une beauté si singulière que je veux en parler ici. Le *bunraku* s'est développé surtout au XVIIIe siècle, dans la bourgeoisie montante d'Osaka. C'est le seul théâtre de poupées pour lequel ont été composés des chefs-d'œuvre littéraires; les pièces, qui datent en général du XVIIIe, racontent souvent des légendes féodales; souvent aussi c'était des drames bourgeois mais où les beaux sentiments étaient poussés au paroxysme : un serviteur tuait son propre fils pour sauver celui de son maître; deux amoureux à qui il était interdit de s'épouser se donnaient ensemble la mort. Les poupées évoluent sur une scène étroite. Derrière se trouve une fosse où les hommes qui les manipulent sont à moitié cachés. Un décor peint sur le fond suggère un paysage ou un intérieur. D'abord arrivent un joueur de samisen et un chanteur qui s'installent à côté de la scène; ce dernier a un très grand rôle : il situe l'action et prête sa voix aux personnages. Ensuite viennent les opérateurs, portant les poupées qui sont censées marcher sur la scène. Leur taille représente les deux tiers de celle d'un être humain mais la tête n'est pas proportionnée, elle est plus petite. Il y a trois opérateurs par poupée : le principal a les deux mains à l'intérieur du corps, il fait bouger la tête, le corps et le bras droit; son visage est découvert mais rigoureusement immobile; un autre fait mouvoir le bras gauche, un autre les jambes : ils portent des cagoules. Tous trois sont vêtus de longues robes noires. J'ai toujours aimé les marionnettes, mais jamais elles ne m'avaient entièrement satisfaite; ou elles étaient trop stylisées pour que je me prenne au jeu, ou c'était des prodiges techniques où l'art n'avait plus sa part. Les Japonais ont su trouver un parfait équilibre entre le réalisme et la distanciation. Quand au XVIIIe siècle les frustes poupées d'autrefois sont devenues tout à fait vivantes, que le visage même s'est animé et que les textes se sont inspirés de la vie quotidienne, alors on a montré au public les opérateurs, le joueur de samisen et le chanteur qui étaient jusqu'alors cachés. Très vite on entre dans le monde des poupées; elles ont un peu l'air d'infirmes qui auraient constamment besoin de recevoir des soins : mais les hommes qui s'affairent autour d'elles cessent vite de compter. Ils appartiennent à un autre monde : ce sont des dieux invisibles, les forces du destin, l'*envers* de l'aventure que vivent dans la passion et la liberté ces êtres qui seuls existent pour le spectateur et qui ignorent qu'ils sont manipulés. Ils s'expriment avec une extrême violence : quand un personnage se désole le chanteur pousse des cris qui n'ont rien d'humain. Il souligne par des mimiques grimaçantes le sens des mots et des intonations. On a l'impression que ses paroles, ses sentiments émanent des poupées et que celles-ci commandent elles-mêmes leurs mouvements. À Paris on a joué entre autres un épisode de la célèbre histoire des quarante-sept ronin (la version complète dure douze heures). À la fin, l'un d'eux se fait hara-kiri. Il ôte lentement de nombreuses tuniques superposées pour apparaître vêtu de sa seule robe blanche. Quand il prenait son sabre et qu'il s'ouvrait le ventre, on était plus ému qu'on ne l'aurait été devant un acteur de chair et d'os parce que dans l'univers où nous étions transportés, la mort était aussi plausible que la vie. Pour la première fois au théâtre, j'ai vu un cadavre qui était vraiment un cadavre. Abandonné sur le devant de la scène, plus un souffle ne l'animait.

Pourquoi est-ce que j'aime tant le *nô* et le *bunraku?* Je l'ai dit déjà : dans le théâtre occidental, le rapport de l'imaginaire à la réalité me semble boiteux [1]. Dans le *nô* et dans le *bunraku,* on se situe d'emblée dans un univers *autre* et parfaitement homogène. Les psalmodies, les chants, les cris ne ressemblent pas aux manifestations ordinaires du langage. Les visages — masqués ou sculptés dans, du bois — sont inhumains. Les émotions ne s'expriment pas par les mimiques ou les gestes habituels, mais par des indications conventionnelles; celles-ci sont très discrètes dans le *nô* : en proie au malheur le plus déchirant, le héros se touche rapidement le front avec un pan de sa longue manche; elles sont outrées dans le *bunraku :* le chanteur roule des yeux fous. Dans les deux cas, on se refuse à imiter la réalité. C'est en la pulvérisant radicalement qu'on réussit à dégager dans une éclatante pureté le sens du drame.

Le théâtre *kabuki* est né du *bunraku* : les pièces écrites pour des marionnettes ont été jouées au XVIIIe siècle par des acteurs de chair et d'os. En 1955, une troupe japonaise étant de passage à Pékin, nous en avions vu un échantillon qui nous avait séduits. A Tokyo nous y avons consacré une soirée. Le principal acteur, un homme âgé et corpulent, très célèbre, nous a invités

1. Cf. p. 214.

à venir dans sa loge pendant qu'il se maquillait. Sur le seuil, nous nous sommes déchaussés — nous avions vite pris l'habitude de vivre sans souliers la moitié de la journée — et nous nous sommes assis par terre. Nous l'avons regardé enduire son visage de céruse, mettre une perruque, revêtir son kimono, ce qui est une opération longue et compliquée pour laquelle plusieurs habilleurs l'ont aidé. La transformation achevée, à la place d'un homme vieux et laid nous avons eu sous les yeux une vieille femme hideuse. La pièce amalgamait sans aucun style du comique grossier, du réalisme plat, et du fantastique sans fantaisie. Je me suis beaucoup ennuyée.

Je n'ai aucun goût pour les estampes japonaises, assez vulgaires, qui ont fait fureur en France à la fin du siècle dernier. Mais il y a au musée de Tokyo des œuvres d'une tout autre qualité : on y retrouve cet équilibre de stylisation et de réalisme qui caractérise le *bunraku*. Quelques traits suffisent pour évoquer un paysage de montagnes et de nuages; dans ce décor, des personnages dessinés et peints avec une extrême précision vivent des moments de leur vie quotidienne. Il en est ainsi dans les belles peintures sur soie du XIe siècle qui représentent des disciples de Bouddha; et sur les rouleaux du XIIe où se déroule une légende inspirée par l'incendie du palais impérial : deux cent vingt-sept personnages tracés à l'encre de Chine et délicatement colorés fuient en panique. Sur un beau paravent en papier du XVIIe des scènes du roman de Genji sont peintes sur un fond d'or : une voiture à deux roues tirée par une vache se dirige vers une tour. C'est aussi sur un fond d'or qui les distancie que se détachent les portraits très étudiés de certains ministres.

Le soir où nous avons assisté à un *nô*, le souper qui a suivi la représentation a été écourté : un typhon était annoncé et tout le monde avait hâte de se retrouver chez soi. Nous étions déjà couchés quand vers une heure du matin le vent s'est mis à hurler. Au réveil, nos chambres étaient pleines de poussière : elle s'était engouffrée par les fenêtres que l'ouragan avait entrouvertes. Dehors, des arbres déracinés gisaient sur les trottoirs. La mère de Tomiko, certains de ses amis, qui habitaient à Tokyo des maisons basses, de style japonais, avaient passé une nuit angoissée : les murs et les vitres tremblaient. Aux environs, le typhon avait fait des morts. Un village situé au pied du Fuji-Yama avait été englouti par un torrent de boue. Ces catastrophes sont à peine considérées comme des accidents : elles font normalement partie de la vie japonaise. Pendant l'occupation, on donnait aux typhons des noms de femmes américaines. Maintenant, ils ont des numéros. Ils viennent généralement du Sud et remontent vers le Nord. Tomiko se rappelait en avoir subi un, plusieurs années auparavant, à la campagne, qui l'avait terrorisée : on aurait dit un nouveau déluge; l'eau entrait dans la maison, son matelas était trempé. Des arbres énormes avaient été déracinés.

Nous avons fait la connaissance d'une belle-sœur de Tomiko, Yoshko. Fille du ministre de la Justice, c'est une des plus célèbres chanteuses du Japon : chaque fois qu'elle se produit à la télévision, c'est un événement. Elle a vécu longtemps à Paris où elle chantait — « Je chantais seulement », a-t-elle précisé — au Cabaret des Nudistes. Elle a été très amie avec Giacometti. Elle est aussi entrepreneuse de spectacles et le soir où nous l'avons rencontrée elle était un peu affolée parce qu'elle attendait, la semaine suivante, soixante-dix chanteurs de l'Armée rouge. Elle nous a invités à déjeuner dans un restaurant luxueux qui ne comprenait que des salons particuliers; nous nous sommes assis par terre devant la table basse et nous avons découvert qu'une fosse s'ouvrait sous nos pieds, ainsi avions-nous l'air d'être installés à la japonaise, à même le sol, et les inconvénients de cette position nous étaient épargnés : nous avons apprécié ce truquage. On nous a servi des steaks délicieux : il est rare au Japon de manger de la viande de bœuf, car elle est extrêmement chère. Cependant, le poisson cru n'était plus qu'un lointain souvenir. Dans les hôtels de Tokyo, nous mangions de l'excellente cuisine française. Il y avait aussi des brasseries allemandes : dans l'une d'elles, de blondes serveuses étaient déguisées en Tyroliennes.

Nos amis ont voulu nous montrer la campagne environnante. Par le train, puis en auto nous avons gagné la petite ville de Hakone, puis un hôtel, au-dessus d'un lac entouré de collines. La végétation était à la fois luxuriante et ordonnée. J'ai été frappée, dans les villages, par la propreté des maisons et des chemins, par l'élégance des fleurs que les paysans cultivent autour de leurs potagers bien soignés. Nous avons vu la maison de campagne de Tomiko, celle d'un de ses amis chez qui nous avons dîné : j'aime ces intérieurs nus où luit doucement la blondeur des tatamis et que le paysage envahit de tous les côtés. C'était Yoshko qui avait préparé le dîner, de style chinois, délicieux.

Le lendemain nous avons roulé, au-dessus du lac, sur une belle route à flanc de coteau; c'était celle que suivaient jadis les marchands pour aller de Tokyo à Kyoto. Entre les territoires rattachés à ces villes se trouvait une douane. On l'a transformée en musée; on y voit, grandeur nature, des samouraïs dans le costume qu'ils portaient au xviiie et dans les attitudes qui étaient les leurs au poste de garde où ils se tenaient.

Un des plus grands plaisirs des Japonais, c'est la fréquentation des établissements de bains. A Atami, où nous nous sommes arrêtés, on ne se baigne pas dans la mer mais dans les Bains, qui sont très nombreux, où l'on trouve des piscines, des étuves, des salles de massage. Parfois hommes et femmes se baignent séparément, parfois en commun : généralement très réservés sur le chapitre sexuel, les Japonais ne voient aucun mal à exhiber leur nudité dans les salles de bains familiales ou publiques. J'ai jeté un coup d'œil sur une salle réservée aux femmes, et Sartre sur le bain des hommes. Ensuite nous avons visité la forteresse qui domine la ville et d'où le regard embrasse un grand morceau de la côte. Nous avons déjeuné dans un hôtel dont la pelouse, plantée de rhododendrons, de pins et de palmiers nains aux formes capricieuses, descendait en pente douce vers la mer. Dans le hall, j'ai vu à la télévision un combat de *sūmo* : les Japonais goûtent beaucoup ce sport; les combattants sont d'énormes et hideuses masses de chair; torses nus, ils s'affrontent deux par deux; le gagnant est celui qui éjecte son adversaire hors du cercle à l'intérieur duquel ils s'empoignent. Moi, j'ai trouvé ce spectacle extrêmement ennuyeux parce que chaque lutte était précédée d'un long cérémonial et qu'elle durait en général moins d'une minute.

Revenus à Tokyo, nous sommes presque aussitôt partis pour Kyoto par le train le plus rapide du monde, le train lumière qui dévore 525 kilomètres en trois heures, atteignant par moments la vitesse de 250 kilomètres à l'heure. Sa voie électrifiée et surélevée ne comporte ni passage à niveau ni aiguillage; il n'y passe aucun convoi de marchandises, elle est réservée aux voyageurs. La circulation y est réglée par des machines électroniques. Nous avons bien failli manquer notre train, parce que des embouteillages nous ont arrêtés et que Tomiko s'est un peu perdue dans l'immensité de la gare. Nous serions facilement montés dans un autre : il en part de Tokyo environ cinquante-cinq par jour. Mais nous avions rendez-vous avec des amis dans celui-ci et nous avons beaucoup couru pour l'attraper : on l'a fait attendre trois minutes, ce qui était une grande faveur. Nous avons aperçu des rizières verdoyantes, des villages gracieusement groupés au pied des collines; mais le Fuji-Yama était noyé dans les brumes. Nos amis nous ont fait remarquer que pas plus dans ce train-ci que dans celui que nous avions pris auparavant les voyageurs n'avaient de valise; un baluchon leur suffit car ils ne quittent jamais leur travail pour plus de deux ou trois jours.

Kyoto est si célèbre par sa beauté que les Américains ne l'ont pas bombardée. Elle a conservé ses anciens quartiers et dix-sept cents temples. Des fenêtres de notre hôtel nous découvrions de vieilles maisons basses aux toits sombres, la petite rivière qui traverse la ville, des rues bordées d'échoppes. Dès le premier regard nous avons aimé Kyoto. Nos amis nous ont dit avec rancune que Gabriel Marcel qui nous y avait précédés de peu ne l'avait pas appréciée. Devant la rivière il a grommelé : « Peuh! ça ne vaut pas la Seine. » Il détestait le Japon parce qu'on y encourage officiellement la contraception.

Nous avons donné chacun une conférence dans un grand hall. Les Japonais ont un sens du décor si raffiné que même une estrade de conférencier est un plaisir pour les yeux. Ils disposaient à côté de la chaire un de ces admirables bouquets dont ils ont le secret; derrière nous se déployait un paravent doré au-dessus duquel nos noms étaient inscrits en beaux caractères noirs.

Nous avons rencontré beaucoup de monde : des écrivains, des spécialistes d'histoire de l'art, des philosophes, des étudiants, des professeurs. Les conversations se déroulaient souvent au cours d'un repas. A Kyoto, il y avait beaucoup de restaurants-jardins charmants : derrière une paroi de verre, quelques arbres, quelques bambous sont disposés de manière à donner l'illusion d'un vaste paysage; on y mangeait, par petites tables, des plats nationaux dont j'ai oublié les noms : du bœuf qu'on faisait cuire soi-même sur de petits réchauds, ou en le plongeant du bout d'une fourchette dans un bouillon brûlant.

Comme Sartre en arrivant au Japon avait dit pendant une conférence de presse qu'il estimait beaucoup les livres de Tanizaki, sa veuve nous a invités. Avant d'épouser l'écrivain, qui déjà dans sa jeunesse avait écrit des romans érotiques, elle était la femme d'un de ses amis; pendant quelque temps elle a été avec le consentement de son mari la maîtresse de Tanizaki qui était lui-même marié; il a envoyé sa femme vivre avec un autre de ses amis et il a épousé l'actuelle Mme Tanizaki. L'histoire a fait un petit scandale dans les milieux littéraires. Dans *La Confession impudique* et dans les *Mémoires d'un vieux fou* l'auteur décrit les expériences érotiques de sa vieillesse; dans le premier roman, sa partenaire est sa femme; dans le second, sa bru. Nous étions curieux de les rencontrer.

Mme Tanizaki habitait aux environs de Kyoto; elle nous a reçus, vêtue d'un kimono, sur le seuil de sa maison. Elle a longuement échangé avec Tomiko de profondes salutations. Elle nous a conduits au cimetière où s'élève la tombe de l'écrivain puis elle nous a invités à prendre le thé dans un temple Comme certains monastères autrefois, les temples sont souvent des « hostelleries » où l'on peut manger et dormir : certains ne comportent même pas de sanctuaire. Un bonze nous a accueillis dans une sorte de salon; il nous a fait servir dans de grands bols une purée verte, horriblement amère, qu'on nous a dit être du thé japonais. Il jouait avec un chapelet tandis que Sartre interrogeait discrètement la veuve sur la vie sexuelle de son époux : ressemblait-elle, à ce qu'il en avait raconté? Le fait est qu'il avait voulu expérimenter avec elle certaines des pratiques décrites dans son récit sur la musicienne aveugle; au début elle avait refusé mais ensuite elle avait consenti, parce qu'elle l'admirait tant. Mais c'était un artiste, il vivait surtout les choses en imagination, ses mœurs étaient très pures. Tout en parlant, elle essuyait de temps en temps avec le coin de son mouchoir une larme imaginaire : exactement le geste du vieil acteur que nous avions vu incarner une héroïne éplorée. Quelques jours plus tard Mme Tanizaki nous a invités dans une « maison de geishas » : il y a eu des danses et des chants, sans grand intérêt. Elle était accompagnée de sa bru, mais nous n'avons pas parlé avec celle-ci.

Tous les soirs nous flânions dans le vaste marché couvert :

des souks illuminés au néon; on y vendait de tout : produits de l'artisanat local et produits manufacturés, vêtements, nourritures de toutes espèces. Nous nous promenions aussi dans les rues des geishas qui sont nombreuses à Kyoto et habitent un vieux quartier charmant. On y trouve beaucoup de restaurants, beaucoup de bars qui paraissaient accueillants. Avec Tomiko et Sartre, je suis entrée dans l'un d'eux : aussitôt deux « hôtesses » se sont assises à nos pieds. Elles se taisaient mais leur présence était si pesante que nous sommes partis presque tout de suite. Même si on sort entre femmes, nous a dit Tomiko, on est la proie des hôtesses. Notre seule ressource, c'était les salons de thé où heureusement on sert aussi bien du whisky que des infusions.

La villa impériale est très belle : des bâtiments d'un seul étage, couverts de tuiles vertes et s'étirant sur de longues distances. Le parc qui l'entoure est encore plus beau. Partout les jardins font corps avec l'architecture. La nature y est travaillée : la forme, la dimension des arbres leur ont été imposées par des traitements savants; chaque caillou, chaque pont, chaque massif a été soigneusement étudié ainsi que l'emplacement des lanternes de pierre. Ce sont des microcosmes dont chaque élément a un sens symbolique : cependant ils n'ont rien de mignard ni de tarabiscoté et ils charment immédiatement le regard. La plupart du temps ils s'enlèvent sur un fond de « paysage emprunté », c'est-à-dire que les montagnes et les forêts des lointains semblent leur appartenir.

Il y a aussi des « jardins de rochers » où sont rassemblées dans un espace étroit de grosses pierres aux formes baroques. Le plus remarquable c'est le jardin zen que j'ai vu à l'intérieur d'un temple. Le zen est une forme très dépouillée du bouddhisme qui tend à donner à l'homme une parfaite maîtrise de son esprit et de son corps par un détachement quiétiste. Il a influencé tous les arts : le tir à l'arc, le théâtre, la peinture. Il y a un style de jardin qui relève du zen. Le célèbre « Jardin de pierres » des environs de Kyoto est une cour rectangulaire, dont le sol est recouvert de sable blanc; le râteau y a tracé des lignes, des stries, des cercles; et quinze rochers noirs, de différentes tailles, y sont posés. Ils sont placés de telle sorte qu'on ne peut jamais en apercevoir plus de quatorze à la fois. Dans son austérité, ce spectacle nous a captivés : nous l'avons contemplé longtemps.

On peut y voir des îlots émergeant de la mer ou s'y engloutissant; ou, survolés par un avion, des pics crevant un plafond de nuages; ou le délaissement de l'être au sein du néant; ou simplement des cailloux noirs sur un fond de sable blanc.

Nous avons visité à Kyoto, dans ses environs, et à Nara, l'ancienne capitale située à quarante kilomètres, un grand nombre de temples. Il y en a de deux espèces : les shintoïstes et les bouddhistes. Le shintô considère que les dieux, les hommes et toute la nature sont nés des mêmes ancêtres; il tenait l'empereur pour la réincarnation de l'Être suprême; il y avait donc entre cette religion et l'État une liaison profonde que les Américains ont brisée après la guerre. Ils jugeaient le shintô responsable du nationalisme et du bellicisme japonais et une « Directive » imposa une séparation totale entre le shintô et l'État. Le résultat fut que les prêtres privés de l'appui financier du gouvernement se tournèrent vers le peuple et une vague d'enthousiasme populaire se déclencha pour le shintô. Ainsi cette religion prospère. Elle honore la divinité telle qu'elle se manifeste à travers les forces naturelles. Le bouddhisme rend un culte au Sauveur qui a arraché l'homme au cycle infernal des réincarnations pour lui permettre de goûter un jour la paix du nirvâna ou les délices du paradis. Les Japonais pratiquent les deux religions. Les prêtres bouddhistes s'occupent surtout de théologie, les shintoïstes célèbrent les cérémonies, en particulier les mariages; les rites mortuaires sont accomplis par des prêtres bouddhistes. Ceux-ci participent aux cultes shintoïstes et inversement.

Les temples shintoïstes ont un caractère populaire. Ils sont largement ouverts au public. Ils peuvent être aussi petits qu'une ruche mais le plus souvent ils sont vastes comme un village. Pour y entrer, on passe sous un *torii*, un portail sans porte constitué par deux piliers de bois qui supportent deux poutres horizontales. D'autres *torii*, des ruisseaux, des palissades, délimitent dans l'enceinte du temple différentes zones. Les édifices et les *torii* sont en bois, souvent peints de couleurs violentes : rouge ou orange vif. Ils sont presque toujours entourés d'un jardin où se trouve un lac et où se dressent de hautes lanternes de pierre. Il y a souvent des poissons rouges dans le bassin et dans le parc des animaux vivants : l'un d'eux était peuplé de daims qui venaient manger dans la main des visiteurs. Un temple comprend le plus souvent de nombreux bâtiments : les logements des moines, les pavillons où ils accueillent les visiteurs, les sanctuaires qui sont fermés aux laïcs. La porte de ces « horden » est gardée par des animaux fantastiques. Sur le parvis, des marchands vendent des amulettes : des feuilles de papier, des grelots, de petits animaux. Les fidèles offrent aux dieux de petites branches auxquelles sont attachés des morceaux de papier blanc : on les dépose à l'extérieur du sanctuaire. Les prêtres shintoïstes donnent souvent, dans les cours ou dans certains pavillons, de grandes fêtes, avec de la musique et des danses sacrées.

Les temples bouddhistes ont des lignes et des couleurs plus sobres. Leur enceinte est d'ordinaire moins vaste, leurs jardins plus austères. Mais à l'intérieur ils possèdent souvent de belles fresques et surtout d'admirables sculptures : en bronze ou en bois, des statues de Bouddha, de Kannon, de guerriers, de musiciens. J'ai vu à Nara d'antiques statues de Bouddha belles comme les Koraï grecques.

Une merveille architecturale c'est, à Kyoto, le Pavillon d'or. Cet ancien palais, devenu plus tard un temple zen, comprend trois étages : les deux plus élevés sont recouverts d'or. Il se reflète dans un petit étang, semé, comme tous les bassins japonais, de minuscules îlots. On l'a reconstruit en 1955, après un incendie allumé, pour de mystérieuses raisons, par le jeune prêtre qui en avait la garde : l'incident a inspiré un roman, célèbre au Japon, à l'écrivain Mishima.

Dans tous ces temples il y avait des nuées d'écoliers et d'écolières qui riaient et jacassaient; ils avaient tous, si jeunes fussent-ils, des appareils photographiques et ils n'arrêtaient pas de prendre des photos.

Nous avons quitté Kyoto. A travers de magnifiques paysages nous sommes montés en auto sur la montagne Koya. Elle est couverte d'une forêt de sapins : à leurs pieds s'étend sur des kilomètres un très ancien cimetière; il est enveloppé de silence et d'une ombre épaisse où joue de temps en temps un rayon de soleil. Les monuments funéraires sont très simples : des stèles, des colonnes. Souvent ils figurent les cinq éléments : des sphères superposées symbolisent l'eau, la terre, le feu, l'air, le ciel. Ils sont tantôt isolés, tantôt groupés. De loin en loin, on aperçoit le petit dieu rieur qui veille sur l'enfance : il porte un bavoir blanc ou rouge et des fleurs rouges dans les bras; c'est là la seule touche de couleur parmi les troncs sombres des arbres, et les pierres grises. (On voit souvent ce petit dieu à la porte des temples : il n'est pas admis à l'intérieur du sanctuaire.) Nous avons été promenés parmi les tombes par un bonze au crâne rasé, vêtu d'une robe noire. Tous ceux que nous rencontrions s'intéressaient à l'œuvre de Sartre d'une manière qui m'a surprise : en lui serrant la main celui-ci a eu des larmes d'émotion aux yeux. Un autre, ailleurs, m'avait parlé chaleureusement du *Deuxième Sexe*. Il avait conclu en riant : « Mais vous savez, selon notre religion, une femme ne peut pas aller au paradis; il faut d'abord qu'elle se réincarne sous la forme d'un homme. » Visiblement il n'en pensait pas un mot.

Notre guide nous a installés dans une des salles du temple, abritée mais ouverte sur un jardin, et nous y avons mangé le repas froid que nous avions apporté. Puis par une route de montagne toute neuve qui au départ domine de très haut la mer nous sommes descendus sur Shima, au bord du Pacifique. Nous y sommes arrivés de nuit et ç'a été une surprise, le matin, de découvrir le paysage. Nous étions au fond d'une baie dont la, côte déchiquetée était couverte d'une végétation foisonnante et sèche; sur les étroites bandes d'eau qui coupaient les terrains boisés flottaient des claies de bois qui étaient des parcs à huîtres : une vaste armada toute plate. Par-delà cette espèce de fjord, on devinait au loin l'Océan. Malgré la pluie, un bateau nous a promenés sur l'eau. Dans des baraques flottantes, des femmes fabriquaient des perles de culture : elles entrouvrent l'huître vivante, glissent un fragment de nacre sous sa chair, la referment. Ensuite on installe les huîtres dans des paniers attachés au-dessous des radeaux et qui baignent donc dans la mer. On obtient des perles d'autant plus grosses qu'on leur laisse plus de temps pour se former mais le risque d'une tempête qui détruirait les parcs est aussi plus grand : en général, la « culture » dure cinq ans. A Shima personne ne ramasse au au fond de l'Océan les huîtres perlières; mais nous avons vu plonger une femme qui allait chercher sous l'eau ces gros mollusques à la chair réputée et aux belles coquilles nacrées qu'on appelle en anglais *abalone*.

J'ai déjeuné à l'hôtel d'une langouste pêchée dans la baie

et nous nous sommes rendus au temple d'Isé : c'est le plus ancien du Japon et le plus vénéré. C'est un temple shintoïste, d'une architecture austère et dont le bois n'est pas peint. A travers lui s'accomplit l'union de l'humanité avec les forces naturelles; mais pour que celles-ci restent éternellement vivaces, il doit demeurer toujours jeune, et on le reconstruit tous les vingt ans. A côté de l'édifice actuel s'étendait un terrain sur lequel s'ébauchait le bâtiment futur. Le temple est situé au milieu de ces sapins aux hautes cimes, aux larges troncs qui sont une des beautés naturelles du Japon. C'est un lieu de pèlerinage et il y avait beaucoup de visiteurs. On n'entre pas dans le sanctuaire; mais dans un pavillon voisin un prêtre avait organisé pour nous des danses sacrées.

De retour à Kyoto, Tomiko a tenu à nous faire descendre dans une auberge japonaise. Elle avait choisi la meilleure de la ville, mais nous ne nous y sommes pas plu. La chambre était agréable, entièrement vide, mais prolongée par une véranda où se trouvaient en contrebas une table et deux fauteuils; à travers la paroi de verre on apercevait un grand bouquet de bambous. Seulement il fallait se déchausser pour entrer dans l'hôtel; le personnel se prosternait à notre arrivée, à notre départ; notre porte ne fermait pas à clé, la gérante entrait chez nous à l'improviste : le premier jour elle voulait absolument nous faire prendre un bain à cinq heures de l'après-midi. Nous préférions l'impersonnalité des hôtels « occidentaux ». Nous ne sommes d'ailleurs restés que deux jours; nous avons revu les coins de Kyoto que nous aimions le mieux.

Nous avons passé un après-midi à Osaka. Nous y avons vu un quartier populeux où beaucoup de visages nous ont semblé moroses. Après le dîner nous sommes partis en taxi pour Kobe, d'où nous devions nous embarquer sur la mer intérieure. Pendant quarante kilomètres, la route traversait un paysage d'usines. Tomiko a recommandé au chauffeur de rouler doucement. Il ne conduisait pas trop vite, mais avec une brusquerie et une maladresse inquiétante. Les chauffeurs de taxi japonais sont dangereux. Ils sont surmenés, parce qu'ils commencent leur journée à huit heures du matin et la terminent dans la nuit, à deux heures. Ensuite ils se reposent plus de vingt-quatre heures; seulement, comme ils gagnent très peu, ils font du travail noir pendant leur journée de repos. Ils ont

souvent des accidents. D'une manière générale le taux des accidents d'auto est extrêmement élevé au Japon : ce pays bat le
record du monde. On compte 3,3 morts pour 1 000 voitures en
circulation. C'est dû aux insuffisances du réseau routier. Mais
aussi à la manière de conduire des Japonais qu'on a appelés
les *Kamikazes* du volant. Téméraires, violents, ils ignorent
résolument le code de la route. J'ai donc été bien soulagée quand
nous sommes entrés dans Kobe et que j'ai aperçu notre hôtel.
Le taxi se dirigeait vers lui quand j'ai vu, sur notre droite, une
auto qui fonçait vers nous. Indifférent, notre chauffeur a
continué à rouler. J'ai crié : « L'imbécile! — ça devait arriver! »
Et bang : les deux voitures se sont rentrées dedans. Notre
chauffeur avait brûlé un stop. A l'arrière, Tomiko, Sartre et
moi, nous n'avons pas subi un gros choc. Mais un jeune collaborateur de M. Watanabé, assis à l'avant, saignait abondam-
ment et il avait l'air sonné. Une voiture de police appelée par
un passant l'a conduit à l'hôpital. Il n'avait rien de grave et il a
pu repartir le lendemain pour Kyoto. Mais les voitures étaient
fracassées. La nouvelle s'est aussitôt répandue; toute la nuit
des journalistes nous ont guettés et Tomiko a reçu une quantité
de coups de téléphone.

Le lendemain, installés dans un grand bateau confortable,
nous avons glissé sur la mer intérieure : une mer tranquille,
semée d'îlots rocheux, entre des côtes déchiquetées. Nous avons
fait plusieurs escales dans de petits ports. Pour la première fois
de sa vie Sartre avait emporté en voyage un appareil photographique et il s'en servait avec autant d'ardeur qu'un Japonais.

Nous avons couché à Beppu, une station thermale. De
l'hôtel, situé en haut d'une colline, nous apercevions à nos pieds
la ville d'où montaient les vapeurs de différentes sources.
Nous avons été les voir le lendemain matin. Il y en avait une
dont l'eau était rouge; une autre où giclait périodiquement un
geyser bouillant; une autre était couverte de nénuphars aux
feuilles si larges qu'on aurait pu s'asseoir dessus. De là nous
sommes partis pour le mont Aso, dans une auto prêtée et
conduite — avec adresse et prudence — par un ami de Tomiko;
au début du voyage, pour ne pas nous importuner il a poussé
la délicatesse jusqu'à se faire passer pour un chauffeur profes-
sionnel : elle a fini par nous révéler la vérité.

Le mont Aso est un volcan à la croûte boursouflée, dont le

vaste cratère crache des fumerolles et d'épaisses fumées; ses parois plissées, crevassées, tourmentées ont des couleurs infernales : vert-de-gris, gris blanchâtre, gris noir. Il lui arrive souvent de vomir de la lave et des pierres. Ses alentours sont un désert de cendres. En descendant on voit naître peu à peu une végétation rabougrie, puis de l'herbe et de beaux chardons roses.

Nous avons couché dans la petite ville de Kumamoto. De la fenêtre de ma chambre, je pouvais voir, sur la pelouse de l'hôtel, de petites tables autour desquelles étaient assis des hommes flanqués de geishas. Il est habituel que les épouses ne soient pas conviées aux banquets et les rôles féminins sont tenus par des geishas. Celles-ci étaient moins guindées que celles que nous avions rencontrées. Elles chantaient des chansons lestes, riaient beaucoup et acceptaient qu'on les frappât familièrement sur les fesses.

Le lendemain nous avons fait une admirable promenade dans un paysage insolite : un archipel dont les îles étaient reliées entre elles par cinq immenses ponts. La route venait d'être ouverte. Nos amis étaient heureux de nous la faire admirer : jusqu'à ces toutes dernières années les routes japonaises étaient parmi les plus mauvaises du monde. Je l'ai indiqué déjà : cette société en expansion a négligé les besoins collectifs. Mais l'État venait de reprendre en main la construction des voies de communication et les autoroutes à péage se multipliaient. Celle-ci était étonnante. On se croyait tantôt sur des lacs entourés de terre, tantôt sur des îles entourées d'eau.

Le soir nous sommes arrivés à Nagasaki. C'est par cette ville que l'Occident a pénétré au Japon et elle a été durablement marquée par les prédications des missionnaires; elle compte encore beaucoup de catholiques; on y vend des poupées habillées en religieuses. Nous avons visité la « maison de Mme Butterfly » : au milieu d'un jardin d'où on a une grande vue sur le port, c'est une villa où un Anglais a vécu de longues années avec une Japonaise. Nous nous sommes promenés sur le port et dans les quartiers occupés au siècle dernier par les marchands européens. Au centre de la ville s'étend un vaste marché couvert; c'est un dédale de rues bordées d'échoppes où on vend de tout : des poissons rouges, des ballons, des masques, des oiseaux, des fleurs artificielles, des lanternes, et tous les ustensiles, vêtements et nourritures imaginables. Nous sommes remontés vers les temples qui s'alignent au sommet de la colline, dans de beaux jardins. Et nous avons été voir le « parc du souvenir », situé dans un faubourg, à l'endroit où est tombée la bombe atomique. On y a dressé une statue géante et hideuse.

A la fin de la journée nous avons pris un petit avion qui pendant vingt-cinq minutes a survolé un beau panorama de montagnes, de rizières et de villages : les vertes cultures recouvraient la plaine et montaient à l'assaut des vallées, se brisant tout au fond contre des rocailles infertiles. Nous avons atterri à Fukuoka, une ville industrielle très laide, mais que transfigurait la nuit le ruissellement du néon. Nous y avons dîné avec une femme écrivain qui a choisi d'habiter avec son mari dans un village des environs, à proximité d'une entreprise minière, pour aider les ouvriers dans leur lutte. Leur condition est en effet abominable. Ceux qui travaillent directement pour la mine sont protégés par un syndicat. Mais la plupart sont des *koumifou*, fournis par des embaucheurs, les *koumi*. Le syndicat ne se soucie pas d'eux. Ils reçoivent à peine la moitié d'un salaire normal et n'ont pas droit à la sécurité sociale. Ils sont chargés des travaux les plus dangereux : beaucoup sont tués ou blessés dans des éboulements. Ils logent dans des camps que surveillent la nuit des gardes armés, recrutés généralement dans les prisons parmi les criminels de droit commun. Il est impossible à ces parias de s'évader. Quand on attend un inspecteur du travail, on les cache dans une galerie pour qu'ils ne puissent pas l'aborder. La jeune femme qui nous parlait et son mari vivaient parmi eux et les encourageaient à se grouper pour résister. Au début, les mineurs se méfiaient d'eux mais peu à peu ils ont pris l'habitude de leur demander des conseils. Avec le secours financier d'intellectuels de gauche, ils ont édifié ensemble une « maison de la solidarité ». Celle-ci a aidé les chômeurs à se reconvertir quand la direction ferma un certain nombre de galeries.

Ce système de travail forcé est répandu au Japon : les dockers, les journaliers, les ouvriers de la construction constituent un sous-prolétariat soumis à un intermédiaire qui sert l'entreprise. Ils viennent généralement des campagnes d'où la mécanisation les a chassés. Ils vivent parqués dans des espèces de ghettos, à côté de leur lieu de travail et le patron engage des hommes de main qui les empêchent de s'en éloigner.

Le lendemain, nous avons roulé en train pendant une heure à travers une zone industrielle pour gagner un port où des femmes sont affectées à la décharge des marchandises : je devais en interwiever quelques-unes pour la télévision. Un canot automobile nous a amenés au pied d'un grand bateau où nous nous sommes hissés par une échelle. Tout au fond de la soute, dans un nuage d'une âcre poussière, on apercevait des fourmis : des femmes qui avec des pelles remplissaient d'un engrais chimique des sacs qu'une grue emportait. Elles sont montées sur le pont : elles étaient en sueur; il y en avait une de plus de soixante ans. Je les ai interrogées. L'une d'elles a déclaré d'un ton revendicant qu'elle aurait beaucoup à dire si elle voulait vider son sac; en fait elles se sont toutes exprimées avec timidité; mais la dureté, l'injustice de leur condition n'en était pas moins flagrante; elles travaillent huit heures par jour, dans des conditions épuisantes, tous les jours, même le dimanche. (C'était justement un dimanche.) Malgré les lois officielles elles sont moins payées que ne le seraient des hommes. En outre ce sont elles — comme dans tous les pays — qui assument toutes les tâches ménagères. Elles s'en plaignaient, ainsi que de l'inégalité des salaires. C'est un phénomène très général au Japon. Une statistique officielle indiquait, en 1962, que le salaire moyen des femmes était de seize mille yen par mois contre trente-cinq mille yen pour les hommes. 35 % de la main-d'œuvre japonaise sont des femmes.

Le soir nous avons atterri à Hiroshima. Un dépliant touristique, que j'ai lu dans l'avion, commence par ces mots : « Hiroshima est surtout célèbre par les cinq rivières qui la traversent. » On mentionne accessoirement que la ville a été détruite. Entièrement rebâtie, ses larges avenues se croisent à angles droits; le soir elle étincelle et c'est la ville du Japon où on compte le plus grand nombre de restaurants, de bars, de boîtes de nuit. Nous étions invités ce soir-là dans un somptueux restaurant de style occidental où un orchestre jouait du jazz et j'avais peine à me convaincre que je me trouvais à Hiroshima.

En fait — en dépit du dépliant touristique — le Japon a gardé un souvenir horrifié des bombardements atomiques et c'est à présent un pays profondément pacifiste. Vers 1951, les Américains l'ont autorisé et même incité à réarmer : il a refusé. Le gouvernement — et l'ensemble de la population le lui a vivement reproché — a seulement consenti à créer une Force de police de réserve, devenue depuis Force d'autodéfense, mais qui ne comptait en 66 que deux cent cinquante mille hommes répartis dans l'armée de terre, la flotte et l'aviation.

Personne au Japon n'envisagerait la fabrication d'une bombe atomique. Une grande partie du pays — entre autres le plus important des syndicats, le *Sohyo* — préconise le neutralisme. En fait, c'est grâce aux bases japonaises et à l'aide économique du Japon que les Américains ont pu mener la guerre de Corée et la guerre du Vietnam : mais la politique pro-américaine du gouvernement a suscité de violentes oppositions.

Il y a au Japon deux Mouvements de la paix; l'un condamne toutes les armes atomiques; l'autre, exclusivement les armes atomiques américaines. Ils sont tous les deux très actifs, et particulièrement à Hiroshima qu'on a baptisée la « ville de la paix ». Au matin, le hall de notre hôtel était plein d'émissaires des deux organisations : comme Sartre ne voulait blesser personne, il a refusé toutes leurs invitations. Nous sommes partis à travers la ville, guidés par M. Tanabé : c'est le responsable de la « Fondation destinée à aider les victimes de la bombe » qu'a créée l'Américain Morris. Il nous a d'abord montré la ruine qui perpétue le souvenir de la catastrophe : c'est celle d'un grand édifice de style autrichien — une banque ou un grand magasin, je ne sais plus — si solidement bâti qu'il a seul échappé à la destruction. Cette relique n'avait rien de bien saisissant, sauf à la réflexion : c'est en effet l'unique *ruine* que nous ayons vue au Japon. Quand ils s'écroulent, on rebâtit à neuf les vieux monuments de bois qui demeurent ainsi éternellement jeunes. A côté se trouve le *Mémorial* dans lequel on enterre encore chaque année de nouvelles victimes : elles meurent généralement de leucémie. Ensuite nous avons été au musée. Dans les vitrines sont exposées des vues d'Hiroshima dévastée : d'immenses étendues calcinées. Des photos montrent des hommes mutilés, des dos brûlés, des corps couverts de ces affreuses tumeurs cutanées qu'on appelle des chéloïdes. Je craignais que les moments qui allaient suivre cette visite ne fussent encore plus pénibles : un taxi nous a conduits à l'hôpital. En chemin quelqu'un l'a fait arrêter pour acheter un bouquet qu'on m'a mis dans les bras. Le directeur nous a reçus dans son bureau, rempli de journalistes et de photographes. Quand ils sont malades, nous a-t-il expliqué, on accueille ici gratuitement les gens qui le jour du bombardement se trouvaient dans un certain rayon. En ce moment il y en avait deux cent cinquante, pour la plupart leucémiques. Il nous a demandé : « Voulez-vous aller voir la malade ou préférez-vous qu'elle descende? » Nous sommes montés, suivis par la troupe des reporters et nous sommes entrés dans une chambre à deux lits; dans le premier était couchée sur le dos une vieille femme dont la main, posée sur le drap, tremblait sans arrêt. Une femme d'une quarantaine d'années, au visage morne, était assise dans le lit du fond. On m'a poussée vers elle et je lui ai donné les fleurs, mitraillée par les photographes. Cette ridicule cérémonie frisait l'indécence. Nous n'avons accepté de voir d'autres malades qu'à condition de nous rendre auprès d'eux sans escorte. Et nous avons abrégé le plus possible cette déplaisante expédition.

L'après-midi nous nous sommes rendus à la Fondation. C'est un petit pavillon modeste où les victimes de la bombe peuvent se réunir ou solliciter des secours. Nous devions en rencontrer quelques-unes. Nous pensions que l'entretien aurait un caractère privé. Nous avons été désagréablement surpris en découvrant que nous devions nous installer sur une estrade, devant des micros, et que nos interlocuteurs étaient assis par terre, à nos pieds. Au fond de la salle il y avait une équipe de télévision, des photographes, des journalistes. Engager la conversation n'a pas été facile. Nous l'avons fait pourtant. Et là encore nous avons été étonnés. Nous nous attendions à ce que ces rescapés fussent amers et revendicants : ils étaient humbles et résignés. Et même ils avaient honte : de leurs infirmités, de leurs cicatrices, de leur incapacité à travailler. Certains ont émigré dans d'autres villes et dissimulent leur malheur comme une tare : s'ils disaient la vérité, ils ne trouveraient pas d'emploi. Le gouvernement ne leur verse aucune pension, sauf à ceux qui étaient fonctionnaires; il n'indemnise aucune des victimes civiles de la guerre : elles ont été aussi nombreuses à Tokyo qu'à Hiroshima. A Hiroshima, beaucoup des survivants vivent dans un quartier misérable qu'on ne nous a pas montré.

C'est avec soulagement que le soir nous avons pris le train

pour Kurashiki, une des rares villes du Japon qu'aient épargnées les guerres et les tremblements de terre. Toute la journée du lendemain nous nous y sommes promenés. Au milieu coule entre deux rangées de saules une étroite rivière qu'enjambent de petits ponts. Les vieilles rues sont bordées de maisons basses, aux toits de tuiles vertes; dans les échoppes largement ouvertes on voyait des artisans fabriquer des ombrelles, des lanternes, des éventails; de belles enseignes, en caractères noirs, décoraient les magasins plus importants. Un marchand de tissus nous a fait visiter sa maison : elle comprenait plusieurs cours intérieures et des jardins dans lesquels se dressaient des pavillons en bois. Nous avons été voir un village à quelques kilomètres de là; la ferme où nous sommes entrés était remarquablement propre et confortable.

Dans certaines régions, les paysans sont encore très pauvres. Mais dans l'ensemble leur condition s'est beaucoup améliorée. Depuis la réforme agraire, 90 % sont propriétaires. Leurs récoltes, sur un même terrain, sont deux ou trois fois plus abondantes qu'au début du siècle grâce à l'irrigation du sol, à la mécanisation du travail agricole, à la quantité d'engrais qu'ils utilisent : pour une même surface, cinq fois plus qu'un paysan français. En outre, les membres des familles paysannes ont en général un emploi annexe dans la ville la plus proche : travailleur manuel, petit employé. Leur niveau de vie est donc meilleur qu'autrefois : ils se nourrissent convenablement, ils soignent leur intérieur, leur jardin, leurs vêtements, ils lisent.

De retour à Tokyo, nous avons participé à un grand meeting contre l'intervention américaine au Vietnam. L'attitude des Japonais à l'égard de l'Amérique est ambivalente. Économiquement, ils acceptent une alliance dont ils tirent profit; mais sur le plan politico-militaire, ils la trouvent dangereuse; elle les expose en cas de conflit à être traités non comme un peuple neutre mais comme des adversaires; ils protestent contre l'occupation d'Okinawa, contre la présence de bases aériennes. La gauche est résolument antiaméricaine : c'est par des manifestations antiaméricaines que les Zengakuren se sont fait connaître en 1960. La plupart des étudiants et des intellectuels japonais se sentent extrêmement concernés par la guerre du Vietnam : une étroite solidarité les rattache à ce petit morceau d'Asie; la criminelle ingérence américaine ne heurte pas seulement leur pacifisme et leur sens de la justice : ils se savent directement menacés par l'impérialisme des U.S.A. Les manifestations contre la guerre du Vietnam sont fréquentes. En 65 un mouvement pour la paix au Vietnam s'est créé à l'appel de vingt-huit intellectuels. A sa tête se trouve l'écrivain Oda que nous avons souvent rencontré. Le meeting auquel il nous avait conviés s'est tenu dans un amphithéâtre curieusement situé au dernier étage d'un grand magasin. Sartre et moi nous avons dit quelques mots. Des professeurs, des écrivains ont parlé. Le public, très nombreux, écoutait avec une grande attention mais conformément aux mœurs japonaises il n'applaudissait que très discrètement.

On m'a dit qu'à Tokyo même il existe plusieurs de ces camps de travail où croupit le sous-prolétariat : il n'était évidemment pas question de les visiter. Il y a aussi des faubourgs misérables où dans des baraques de bois sans eau, sans chauffage, sans lumière, des gens sont entassés à trois ou quatre par pièce : on nous en a parlé sans proposer de nous y conduire. D'une manière générale les Japonais sont très mal logés. Visitant dans une H.L.M. des environs d'Osaka l'appartement d'un professeur, j'ai été frappée par son exiguïté et sa laideur; les jolies maisons qui m'ont charmée au début de mon voyage appartenaient à des privilégiés; encore sont-elles très inconfortables l'hiver : il est impossible de les chauffer.

Toutes nos rencontres nous l'ont confirmé : si le Japon est riche, les Japonais sont pauvres. Les enseignants, même les universitaires, sont très mal payés. Il y a beaucoup d'étudiants et presque tous décrochent des diplômes : mais ceux-ci ne leur servent à rien; ils deviennent de petits employés dont le niveau de vie est très bas. Les vingt millions d'artisans qui exercent un métier en famille dans une échoppe réussissent à peine à survivre. Dans les grandes entreprises, les salaires des ouvriers sont décents : mais on a vu quel faible pourcentage elles représentent dans l'ensemble de l'industrie. Une bonne partie de la population est non seulement pauvre, mais misérable : 20 % des foyers — donc environ vingt millions d'individus — vivent « au niveau de subsistance » c'est-à-dire qu'ils sont sous-alimentés.

On nous a aussi parlé de la curieuse condition de ces rebuts de la société qu'on appelle les Eta. Ils sont trois millions et bien qu'appartenant à la même race que les Japonais ils constituent une caste méprisée. On connaît mal l'origine de cette discrimination mais elle est rigoureuse. Un petit nombre d'Eta sont riches; on m'en a cité qui possèdent de grands magasins : pas un Japonais ne leur accorderait la main de sa fille; les mariages entre Japonais et Eta sont strictement interdits. Presque tous sont extrêmement pauvres parce que les Japonais refusent de les embaucher. Ils vivent dans des ghettos, sans eau, sans lieux d'aisance.

Je n'ai rien compris à notre voyage de retour. Il était onze heures à Tokyo quand nous nous sommes envolés et il faisait nuit; la pendule marquait onze heures et il faisait grand jour quand nous nous sommes posés à Anchorage : le paysage était plus enneigé, plus désolé qu'un mois plus tôt. Il faisait de nouveau nuit quand nous avons survolé le Pôle et grand jour quand nous avons atterri à Paris.

CHAPITRE VI

Pendant notre voyage de 1962 en U.R.S.S., il nous avait semblé assister à un « dégel » encore plus définitif que celui de 1954. Sartre était retourné à Moscou au début de juillet 62 pour participer à un congrès du Mouvement de la Paix. Il y avait abordé le problème de la culture. Prenant en exemple Kafka, il avait montré comment dans les pays de l'Est la culture avait été utilisée à des fins partisanes. Mais la culture n'est pas une arme, avait-il dit. Au lieu de rejeter en bloc la culture occidentale, les Soviétiques auraient eu intérêt à l'intégrer. Khrouchtchev, sur le plan politique, affirmait la nécessité d'une coexistence basée sur une compétition pacifique. Ainsi, sans cesser de s'opposer, les deux cultures devaient coexister et non chercher mutuellement à s'anéantir. Cette idée d'une unité dans la lutte avait séduit ceux des intellectuels qu'on appelait libéraux ou progressistes et qui combattaient le conformisme. Ils souhaitaient poursuivre un dialogue avec Sartre. Et ce fut une des raisons qui nous décida à retourner souvent en U.R.S.S. Jusqu'en 66 nous y avons passé quelques semaines chaque été. Nous étions curieux d'en suivre l'évolution; nous étions attirés par la diversité de ses paysages, par la beauté de ses anciennes richesses culturelles. Surtout nous nous étions fait des amis; nous souhaitions d'autant plus garder des liens avec eux que, dans leur lutte contre les conformistes, ils perdaient d'année en année du terrain. Sartre disposait à Moscou de droits d'auteur importants et réglait tous nos frais. Nous obtenions un visa grâce à une invitation de l'Union des écrivains; elle mettait à notre disposition une interprète — ce fut toujours Léna

315

Zonina — qui se chargeait à travers l'Intourist de toute l'organisation matérielle.

Nous avions de très cordiales relations avec Ehrenbourg. C'était lui surtout qui nous mettait au courant de la vie culturelle russe et qui nous en révélait les dessous. Il venait souvent à Paris. De Moscou, nous allions le voir dans sa datcha : une jolie maison, très simple, entourée d'un jardin où il se plaisait à cultiver lui-même des fleurs et des légumes; il était très fier d'avoir importé une plante inconnue en Russie, l'artichaut. Nous le rencontrions aussi dans son appartement, près de la rue Gorki. C'était un musée. Il avait longtemps vécu à Paris, avant guerre, comme correspondant des *Izvestia* et il avait connu à Montparnasse tous les peintres de l'époque; il possédait une immense collection de tableaux dédicacés dont ils lui avaient fait cadeau : entre autres, beaucoup de toiles, de dessins et de lithographies de Picasso; il y avait aussi aux murs des Chagall, des Léger, des Matisse et des œuvres russes : des Falk, des Tishler. Il s'y connaissait en peinture et il soutenait à Moscou les artistes qui représentaient l'« avant-garde ». En littérature, il était moins ouvert. Il condamnait Kafka, Proust, Joyce et n'appréciait que très partiellement les livres de Sartre. Cependant, en vieillissant, il devenait de plus en plus tolérant et sur n'importe quel sujet la discussion était toujours possible. En U.R.S.S., il protégeait les jeunes écrivains considérés comme anticonformistes. La jeunesse l'aimait. Il était moins élégant qu'à Helsinki et physiquement il avait vieilli : il ne lui restait qu'une seule dent. S'il ne s'était pas fait faire de prothèse, c'est certainement parce que les Russes ont peur de leurs dentistes : par manque de technique ou par indifférence ceux-ci font beaucoup souffrir leurs patients. Intellectuellement, il gardait tout son charme; il racontait avec art des anecdotes bien choisies.

A chacun de nos séjours nous dînions deux ou trois fois chez les Cathala. Ancien camarade de Sartre à l'École normale, Cathala avait été gaulliste pendant la guerre et il était devenu communiste en 45. Il s'occupait de publication d'ouvrages russes en français et c'était un excellent traducteur. Sa femme était russe, très brune, vive et charmante; elle travaillait dans une revue. Ils habitaient un très joli appartement : beaucoup de livres, de gravures, une remarquable collection de pipes.

C'était tous deux des esprits ouverts et libres, dotés d'un sens critique mordant. Ils étaient très bien informés de tout ce qui se passait dans le pays. Ils connaissaient aussi beaucoup de monde et nous en faisaient profiter.

Nous avions aussi beaucoup d'amitié pour Doroch, dont j'ai parlé dans *La Force des choses*; spécialiste en histoire de l'art, il s'intéressait à l'agriculture et il écrivait sur la question des textes qui paraissaient dans *Novy Mir*. Il était intellectuellement plus ouvert qu'Ehrenbourg : dès qu'il les a connus, il a aimé Brecht et Kafka. Malheureusement, il ne parlait pas français et la conversation était un peu lente.

Nous connaissions d'autres écrivains, et aussi des traducteurs, des interprètes, des fonctionnaires de l'Union des écrivains. Notre plus intime amie, c'était Léna, une belle femme brune, d'une quarantaine d'années, d'une culture et d'une intelligence exceptionnelles. Elle nous a raconté beaucoup de choses sur sa vie. Son père, sa mère, ses oncles avaient été d'ardents bolcheviks : on les voit sur une photo, groupés autour de Lénine. La mère de Léna avait alors vingt ans : sa fille est — avec vingt ans de plus — son vivant portrait. Peu après sa naissance, les parents de Léna se sont séparés; elle voyait souvent son père mais elle habitait chez sa mère. Elle a fait ses études à Moscou, elle est entrée à l'Université où elle s'est spécialisée dans la langue et la littérature françaises : ses professeurs lui prédisaient un brillant avenir; elle souhaitait devenir elle-même professeur et écrire. Quand la guerre éclata, elle s'engagea et fut envoyée au nord de Léningrad : elle travaillait dans des bureaux. Une petite photo la représente en uniforme, coiffée d'un calot, l'air martial. Comme nous étions assis sur un banc du Champ-de-Mars, à Léningrad, elle nous a raconté comment, pendant une permission, elle l'avait traversé pour aller se « faire un permanent »; soudain un bombardement avait éclaté; elle essayait, en bon soldat, de garder la tête haute et une allure digne, tout en hâtant le pas pour arriver au plus vite chez le coiffeur. Souhaitant se rapprocher du front, elle s'était fait envoyer à Pskov. Après la victoire, elle avait repris ses études à l'Université.

Elle était alors farouchement stalinienne : Staline incarnait à ses yeux à la fois la révolution et la patrie; il venait de sauver le pays. Sa meilleure amie l'ayant critiqué, Léna la menaça de la tuer de sa main si jamais elle devenait contre-révolutionnaire, et elle ne la revit plus jamais. Quelques mois plus tard, elle rencontra dans la rue un ami de son père : il lui annonça que celui-ci venait d'être envoyé dans un camp. Elle fut si saisie qu'elle perdit pendant trois jours l'usage de la parole. Peu après on lui signifia que la déportation de son père lui fermait l'Université. Pour une autre raison, sa mère fut exclue du parti communiste : un de ses amis occupait un poste à l'étranger et, selon la logique de l'époque, cela suffit pour qu'un beau jour il fût considéré comme un ennemi du régime et arrêté. Elle en devint elle-même suspecte. Léna fut bouleversée de devoir renoncer à ses études, et plus encore d'être victime d'une telle injustice. Elle ne se releva jamais tout à fait de ce coup. Sa foi en Staline était morte.

Elle apprit qu'Ehrenbourg cherchait une secrétaire : elle se proposa; elle le prévint que son père était dans un camp : il l'engagea. C'était un acte de courage dont elle lui fut très reconnaissante. Elle avait beaucoup d'affection pour le « vieux », comme elle l'appelait. Elle travailla chez lui pendant plusieurs années. Puis il lui fit avoir un poste à l'Union des écrivains.

Après la mort de Staline, les camps s'ouvrirent, le père de Léna rentra chez lui : il mourut peu après. Sa mère réintégra le parti.

Léna avait épousé un architecte avec qui elle ne s'entendait pas intellectuellement. Elle divorça et se maria avec un critique qu'elle estimait beaucoup. Mais il ne pouvait pas avoir d'enfant et au bout de quelques années, elle en souhaita un. Elle eut une liaison avec un autre écrivain. A la naissance de sa fille, elle divorça, mais elle déclara le nouveau-né sous son seul nom — ce qui est courant en U.R.S.S. — et n'alla pas vivre avec le père. Elle souhaitait son indépendance et — comme beaucoup de femmes soviétiques — elle avait à l'égard des hommes un vif sentiment de supériorité. Elle s'installa avec le bébé et sa mère dans un petit appartement proche de l'Union des écrivains. Sa mère qui, étant malade, ne travaillait pas, l'aida à élever Macha. Léna était très occupée; elle passait des heures à son bureau; elle faisait quelques traductions et elle écrivait dans les revues des articles de critique très appréciés.

Vers 1960 sa fille tomba si malade qu'elle craignit pour sa vie. L'enfant guérie, elle fit un voyage en France. Elle découvrit avec émotion ce pays qui représentait beaucoup pour elle; mais pendant tout son séjour elle se sentit mal à l'aise; elle avait en horreur le système capitaliste mais l'opulence occidentale tout en l'écœurant la fascinait : elle souffrait, par contraste, de l'austérité à laquelle ses compatriotes étaient condamnés. De retour en U.R.S.S. elle eut une crise de diabète due sans doute à la peur qu'elle avait eue de perdre Macha et au choc qu'elle éprouva en arrivant à Paris; elle s'alita et le mal empira parce que les médecins ne surent pas tout de suite établir un diagnostic exact. Ils la sauvèrent de justesse. Désormais, elle fut obligée de se faire chaque matin une piqûre d'insuline et de prendre de nombreuses précautions.

Nous avions tout de suite sympathisé et par la suite mon estime pour elle n'a fait que grandir. J'admirais sa force de caractère. On avait brisé sa carrière et la vie qu'elle menait n'était pas celle qu'elle avait souhaitée : jamais elle ne s'apitoyait sur elle-même. Elle n'esquivait aucune responsabilité et se refusait à tout compromis. Quand, avant 62, elle emmenait des écrivains français visiter le Mausolée où se trouvait encore Staline, elle n'y entrait jamais. Rien de tiède en elle. Elle avait la passion de la justice et de la vérité. Mais elle ne donnait ni dans le dogmatisme ni dans le pédantisme : elle était gaie, ironique, et parfois très drôle. Surtout il y avait entre nous ce lien mal définissable, une entente : une manière de se comprendre au quart de mot, de porter spontanément les mêmes jugements sur les choses et les gens, d'être sensible aux mêmes nuances, de rire ou de sourire au même instant. C'était un grand plaisir de se promener avec elle ou de causer en buvant un verre de vodka dans son petit appartement.

Pendant l'automne 1962, la libéralisation de la culture se poursuivit. En octobre, la *Pravda* publia avec l'assentiment de Khrouchtchev le poème d'Evtouchenko intitulé *Les Héritiers de Staline* qui dénonçait la survivance du stalinisme : le poète demandait qu'on triplât le nombre des gardes veillant sur le tombeau de Staline afin que celui-ci ne ressuscite pas. Khrouchtchev autorisa aussi la publication dans *Novy Mir* du livre où Soljenitsyne décrivait son expérience des camps staliniens, *Une journée d'Ivan Denissovitch*. Dans ses *Mémoires*, qui paraissaient dans la même revue, Ehrenbourg parlait très librement de l'art occidental. Nekrassov dans un article racontait son voyage aux U.S.A. et celui qu'il avait fait en Italie : c'était une relation impartiale où beaucoup d'éloges se mêlaient aux critiques. Voznessenski fit paraître un recueil de poèmes, *La Poire triangulaire* qui n'avait rien de conformiste. Nous l'avons rencontré à Paris [1] ainsi que Nekrassov et Paoustovski et tous les trois se félicitaient du nouveau climat qui régnait à Moscou. Cela a achevé de nous décider à nous y rendre pour les fêtes de Noël. En décembre cependant les choses se gâtèrent un peu. Dans le bâtiment qu'on appelle le Manège une grande exposition réunissait des peintures et des sculptures modernes. Khrouchtchev l'ayant visitée condamna en termes violents le formalisme et l'art abstrait. Ilyitchev, chef de la Propagande, fit un discours contre la « coexistence idéologique » : il le parsema de remarques antisémites et attaqua particulièrement Ehrenbourg.

Cependant, à notre arrivée à Moscou, l'exposition n'était pas fermée, nous avons pu la visiter. Il y avait beaucoup d'œuvres académiques, mais aussi des toiles de ces peintres des années 20 qu'aimait Ehrenbourg : Falk, Tishler. Et des œuvres d'artistes contemporains qui cherchaient des chemins nouveaux : le peintre Weisberg, le sculpteur Neizvestni entre autres. Peu de temps après, elles furent retirées. Ehrenbourg se demandait si les peintres conformistes n'avaient pas invité ceux d'avant-garde à exposer par pur machiavélisme : ainsi serait mis en lumière le caractère décadent de leur art qui serait interdit plus sévèrement que jamais.

Comme Moscou était gaie sous la neige et le ciel bleu! Les branches des arbres, leurs fines ramures étaient poudrées d'une étincelante blancheur. Beaucoup de gens marchaient sur des skis, et se laissaient joyeusement glisser sur les rues en pente. Tous les passants, emmitouflés, avaient les bras chargés de paquets; dans leurs douillettes capitonnées aux couleurs vives les enfants semblaient se rendre à un bal déguisé. Sur les places se dressaient de grands sapins neigeux. Toutes les rues avaient

---

1. Nous avions fait sa connaissance à Moscou en 62.

un air de fête. Simonov et sa femme nous ont invités à réveillonner au foyer d'un théâtre proche de la place Maïakovski. Il faisait moins 20 degrés. A l'arrivée, on voyait se précipiter au vestiaire de grosses jeunes femmes enveloppées de fourrure; elles ôtaient leur manteau, leurs bottes, leurs épais jupons de laine; elles réapparaissaient, minces et élégantes dans leurs légères robes du soir et leurs escarpins. Presque tous les convives étaient jeunes; il y avait beaucoup de très jolies filles : des actrices, des mannequins. Tout en soupant à une petite table, nous avons regardé les couples qui dansaient, très bien, des danses modernes sur d'excellents disques de jazz. Il s'agissait là d'une petite élite privilégiée. Mais cela nous paraissait un bon signe qu'il lui fût permis de porter ces toilettes élégantes, d'écouter cette musique occidentale.

Par comparaison avec Moscou, Léningrad nous a paru triste : le soleil ne se levait qu'à dix heures, il éclairait chichement des rues grisâtres; on le voyait décrire un arc dans le ciel, il disparaissait vers trois heures. Mais la Neva gelée était très belle : entre des palais à l'italienne, une banquise polaire où de loin en loin palpitait timidement un mince filet d'eau vivante.

En 1958 s'était créée en Italie une organisation, la C.O.M.E.S. [1] qui se proposait de favoriser les échanges entre les écrivains européens de l'Est et de l'Ouest. L'entreprise était tout à fait conforme au programme culturel que Sartre avait proposé à Moscou en juillet 62, aussi avions-nous récemment accepté d'en faire partie. Elle avait pour président le poète italien Ungaretti, pour secrétaire général l'écrivain italien Vigorelli que nous connaissions depuis 1946; il fut décidé qu'elle tiendrait un congrès à Léningrad en juillet 63. Depuis son intervention de juillet 62, Sartre était considéré par l'Union des écrivains comme un interlocuteur valable : elle nous invita. (Elle invita aussi, pour d'autres raisons, André Stil.) La délégation française, conduite par Frénaud, comprenait Robbe-Grillet, Nathalie Sarraute, Pingaud; Caillois représentait

1. Communauté européenne des écrivains.

l'Unesco. Parmi les Anglais se trouvaient Angus Wilson, John Lehman, Goyen; parmi les Italiens, Piovene, Vigorelli. Il y avait aussi Enzensberger, un jeune Allemand, charmant, du Groupe 47, le vieil écrivain hongrois Tibor Dery, des Polonais, des Roumains; et beaucoup de Soviétiques, entre autres Simonov, Fédine, Cholokhov, Léonov, Ehrenbourg, Sourkov, Axionov, Granine, Tvardovski.

La situation culturelle s'était détériorée, depuis l'hiver. Le 8 mars 63, devant les dirigeants du Parti et du gouvernement, devant des écrivains et des artistes, Khrouchtchev avait fait un discours de 20 000 mots où il avait pris la défense de Staline et attaqué avec véhémence l'abstractionnisme et le formalisme, en littérature et dans les beaux-arts. Il avait tiré à boulets rouges sur Ehrenbourg, Nekrassov, Evtouchenko et même Paoustovski. Des amis nous avaient dit le plus grand bien d'un film sur le conflit des générations, *La Barrière de Lénine*, qu'ils avaient vu en projection privée. Khrouchtchev le mit en pièces. De tous les écrivains, Ehrenbourg était le plus visé. Dans une conversation privée, Khrouchtchev lui reprocha d'avoir eu sur Sartre une mauvaise influence : il l'avait incité à quitter le parti communiste. En vain Ehrenbourg objecta-t-il que Sartre n'y avait jamais appartenu. Khrouchtchev resta sur ses positions. La situation d'Ehrenbourg était assez inquiétante. On ne l'autorisait pas à publier la suite de ses *Mémoires* et l'édition de ses œuvres complètes était suspendue. Il avait des consolations; quand il allait parler devant des étudiants, ceux-ci l'acclamaient. Mais matériellement, le coup était très dur. Il n'avait pas d'autres ressources que ses droits d'auteur pour vivre et faire vivre sa femme et deux vieilles sœurs qui habitaient dans sa datcha. S'il n'était plus imprimé, c'était la misère. Il nous dit qu'il calmait ses anxiétés en passant beaucoup de temps à cultiver son jardin mais il n'en était pas moins assez sombre.

Sans doute est-ce à cause du discours de mars que la séance inaugurale du congrès fut si déroutante. Les écrivains soviétiques commencèrent par traîner dans la boue la littérature occidentale, en particulier Proust, Joyce, Kafka. Contre ces « décadents » ils défendirent le réalisme socialiste. On ne pouvait guère espérer que ce fanatisme permît par la suite des « entretiens » fructueux.

En fait, le ton des autres séances fut plus modéré mais il n'y eut entre l'Est et l'Ouest aucun échange : ce fut un dialogue de sourds. A l'Ouest, les Français surtout intervinrent et ils défendirent le « nouveau roman »; à l'Est, sauf Tvardovski, Ehrenbourg et deux ou trois autres, tous les orateurs réclamèrent une littérature qui servit à « embellir la vie des hommes ». Fédine compara l'écrivain à un aviateur qui doit conduire ses passagers à bon port. Robbe-Grillet lui répondit que « le roman n'est pas un moyen de transport... l'écrivain par définition ne sait pas où il va ». Mais les Soviétiques reprirent indéfiniment la comparaison de l'écrivain avec le pilote. Le plus véhément, ce fut Leonov qui mit en accusation non le capitalisme, mais l'Occident pourri : « L'Occident en est arrivé à la pleine réalisation de la thèse de Dostoïevski : tout est permis », déclara-t-il. Ensuite il dénonça, chez les Occidentaux, l'abâtardissement de la personnalité littéraire, l'augmentation des délits, la décadence des principes sociaux, la dégénérescence des anciens tabous, le cynisme pourri. Il a fustigé tous nos vices, et en particulier notre passion pour le strip-tease.

Pour que le congrès ne s'achevât pas en queue de poisson, Sourkov a demandé à l'improviste à Sartre, au cours de la dernière séance, d'en tirer des conclusions cohérentes. Pendant que les derniers orateurs parlaient Sartre — sans quitter sa place mais après s'être débarrassé de ses écouteurs — a hâtivement mis sur pied un exposé. Il s'en est bien tiré et a été très applaudi. Cette hâtive conciliation ne changeait rien aux faits : l'attitude des écrivains soviétiques était beaucoup plus fermée que nous ne l'avions escompté. La consigne venait probablement d'en haut.

Cependant Sourkov avait obtenu que Khrouchtchev reçût dans sa propriété de Géorgie une délégation de la C.O.M.E.S. Après deux jours passés à Moscou, nous nous sommes embarqués un matin dans un avion spécial. Il y avait Sartre et moi-même, Ungaretti, Vigorelli, Angus Wilson, Lehman, Enzensberger, le Polonais Putrament, un Roumain, et un grand nombre de Soviétiques, entre autres Sourkov et Tvardovski. Cholokhov se trouvait déjà chez Khrouchtchev. Nous sommes partis à sept heures, l'estomac vide, et dans l'avion on ne nous a même pas servi une tasse de café. Rien non plus à l'aéroport. On nous a enfournés dans un car qui tanguait dangereusement le long d'une corniche aux tournants abrupts. J'étais étonnée par la chaleur méridionale, par la luxuriance de la végétation qui dégringolait jusqu'à une mer très bleue. Et je défaillais de faim. Vers onze heures le car s'est arrêté : dans la salle à manger d'un grand hôtel était dressée une table couverte de poissons fumés, de viandes froides, de blinis. Nous étions presque arrivés, nous allions bientôt déjeuner et je me suis bornée à avaler quelques tasses de café. Une heure plus tard, nous débarquions dans la propriété de Khrouchtchev : c'était un grand bois planté des arbres les plus beaux et les plus rares de toute l'Union soviétique. Khrouchtchev nous a aimablement accueillis. Il portait un costume clair et une chemise ukrainienne au col montant. Il nous a emmenés voir la piscine qu'il avait fait installer au bord de la mer; elle était immense et entourée d'une paroi de verre qu'on pouvait escamoter en appuyant sur un bouton : il a complaisamment répété plusieurs fois la manœuvre.

Et puis nous avons pris place devant de petites tables dans la salle de conférences et avec une surprise grandissante nous avons écouté Khrouchtchev. Puisqu'il nous avait invités, nous imaginions qu'il allait se montrer cordial. Pas du tout. Il nous a invectivés comme si nous avions été des suppôts du capitalisme. Il a exalté les beautés du socialisme; il a revendiqué la responsabilité de l'intervention soviétique à Budapest. Après cet éclat, il s'est arraché quelques mots de politesse : « Enfin, vous aussi vous êtes contre la guerre. Alors nous pouvons tout de même boire et manger ensemble. » Sourkov lui a dit en aparté un peu plus tard : « Vous y avez été fort. — Il faut qu'ils comprennent », a-t-il répondu sèchement.

Par une belle allée fleurie qui longeait la mer, nous nous sommes acheminés vers la maison d'habitation. Des costumes de bain avaient été préparés pour nous : Vigorelli et Sourkov ont nagé un moment pendant que les autres causaient. Puis nous sommes montés au premier étage d'une belle vieille demeure de style géorgien : là un magnifique repas nous a été servi. Khrouchtchev est demeuré très renfrogné, il n'a pour ainsi dire pas desserré les dents.

Au dessert, à la demande de Khrouchtchev, Tvardovski a sorti de sa poche un poème et a commencé à le lire; alors Khrouchtchev s'est mis à rire à gorge déployée et tous les Soviétiques l'ont imité. Tous nos amis nous avaient parlé de Tvardovski avec beaucoup d'estime. Il avait le teint rose, des yeux bleus très clairs, quelque chose de poupin dans le visage. Il avait cinquante-trois ans. Il avait écrit de longs poèmes humoristiques et lyriques qui lui avaient valu le prix Staline; il devait surtout sa célébrité à un poème composé en 42 sur le brave soldat Tiorkine, homologue russe du brave soldat Chveik. A la mort de Staline il y avait donné une suite, *Tiorkine dans l'autre monde*, qui avait été considérée comme impubliable. Des amis avaient pensé que le moment était venu de le lire à Khrouchtchev et je suppose que celui-ci avait accepté de l'entendre en connaissance de cause. Il s'agissait, me chuchota un interprète, d'une satire du socialisme et nous trouvâmes piquant que Khrouchtchev s'en divertît de si bon cœur après nous avoir fait du régime un éloge effréné. J'ai su plus tard que Tvardovski se moquait surtout des lenteurs de l'administration; mais il parodiait aussi avec mordant les clichés de la propagande soviétique [1]. Le camp « libéral » se réjouissait de l'amitié que lui portait Khrouchtchev car en littérature son influence était considérable. Il dirigeait *Novy Mir* qui était la plus intéressante et la plus ouverte des revues littéraires. Il soutenait avec un grand courage les auteurs qu'il aimait, entre autres Doroch : comme lui, il s'intéressait tout particulièrement aux problèmes de la paysannerie. Mais tout texte de qualité trouvait en lui un défenseur.

Nous ne nous en sommes pas moins beaucoup ennuyés pendant cette lecture qui dura trois quarts d'heure sans que nous comprenions un mot. Nous avons pris congé de Khrouchtchev tout de suite après le repas : il a embrassé les Soviétiques et gratifié les autres d'un sourire. Au moment où Sartre allait monter dans le car, Cholokhov, qui ne partait pas avec nous, l'a fougueusement embrassé. Personne ne mettait plus de zèle que lui à dénoncer la littérature « subversive » et son grand talent d'autrefois n'était plus qu'un souvenir. Nous ne l'aimions pas du tout.

A Moscou, un ami nous a expliqué pourquoi Khrouchtchev nous avait fait un accueil si glacial : il avait reçu le matin la visite de Thorez qui passait ses vacances à quelques kilomètres

---

1. Le poème a paru dans *Novy Mir* au mois d'octobre suivant. *Les Temps modernes* en ont publié une traduction.

de là. Thorez l'avait mis en garde contre ces dangereux anti-communistes qu'il se préparait à recevoir; il fallait d'autant plus se méfier d'eux qu'ils prétendaient se situer à gauche. Khrouchtchev avait tenu compte de cet avertissement. Nous eûmes un autre étonnement : les journaux donnèrent de notre rencontre un compte rendu enthousiaste. Depuis la veille, d'autres influences avaient-elles agi? Nous ne nous sommes jamais expliqué ce revirement.

Moscou sentait l'été. Des gens faisaient la queue derrière les camions-citernes qui débitaient de la bière ou du kwas, ils se pressaient auprès des appareils aux couleurs vives qui crachent, contre une pièce de monnaie, des sodas parfumés ou simplement de l'eau fraîche. Il y avait de nouveaux cafés; c'était en général des pavillons vitrés, meublés de manière très fruste; on n'y servait pas de vodka : parfois du cognac, parfois aucun alcool. Les restaurants étaient plus accueillants; beaucoup nous plaisaient; malheureusement, le soir on y dansait et les orchestres étaient si bruyants que nous avions beaucoup de mal à nous entendre. Après le dîner, nous ne savions trop que faire de notre peau, sauf quand nous allions chez des amis, ce qui était fréquent. Nous avons revu la plupart d'entre eux. Ils étaient avides de savoir ce qui se passait en Occident et ils nous tenaient au courant des changements survenus en U.R.S.S.

Nous savions qu'un certain nombre de disciplines y étaient prohibées à cause de leurs origines occidentales. Les savants utilisaient subrepticement la cybernétique, indispensable à leurs recherches. Mais les psychiatres proscrivaient la psychanalyse. Quelles étaient leurs méthodes? quels résultats obtenaient-ils? Nous avons demandé à visiter l'Institut de psychiatrie.

Une équipe de médecins nous a reçus et a commencé par rendre un chaleureux hommage à la psychiatrie française, à Kraeppelin, à Clérambault. Puis ils nous ont fait visiter les laboratoires, tous consacrés à l'étude de la schizophrénie. On nous a montré des encéphalogrammes, et les machines qui permettent de les obtenir; nous avons vu des chats à qui on avait implanté des électrodes dans la tête; des chercheurs manipulaient des éprouvettes et effectuaient des analyses. Les médecins déploraient de n'être pas parvenus à isoler l'élément chimique commun à tous les cas : ils ne mettaient pas en doute qu'il en existât un. Leur échec nous a d'autant moins étonnés qu'ils classaient sous une seule étiquette toutes les maladies mentales.

Ensuite nous avons vu l'hôpital. Dans tous les pays, je crois; on traite à présent les malades avec des drogues qui les calment et les abrutissent : assis sur des bancs, errant dans les couloirs ou dans les dortoirs, ceux-ci avaient l'air de zombies. Une femme cependant vociférait et sanglotait : c'était une nouvelle arrivée qu'on n'avait pas encore eu le temps de soigner.

Les médecins ont eu devant nous une conversation avec une malade qu'ils tenaient pour guérie et qui allait sortir. C'était un ancien professeur d'une quarantaine d'années, mariée et mère de famille; les cheveux tirés, strictement vêtue, elle avait des yeux pâles et glacés. D'une voix morte, elle a remercié les docteurs de l'avoir si bien soignée : elle se rendait compte aujourd'hui de ses erreurs passées. Elle parlait sans aucune conviction : on aurait dit un accusé débitant devant un tribunal des aveux préfabriqués. Les psychiatres lui ont posé quelques questions et elle a docilement débité des réponses qu'elle semblait connaître par cœur. A la suite d'une maladie et de surmenage, elle s'était mise à soupçonner son mari de la détester et de chercher à lui nuire. Elle se méfiait de tout le monde. Quand elle faisait sa toilette, elle imaginait que son père l'épiait à travers le trou de la serrure. Elle ne faisait plus rien, elle pleurait, elle dépérissait. Son mari l'avait amenée à l'hôpital; on l'avait traitée pour dépression nerveuse due à du surmenage et maintenant elle ne se pensait plus persécutée : c'est du moins ce qu'elle affirmait et les médecins la croyaient mais je n'en étais pas du tout sûre. Il me semblait plutôt qu'ayant compris ce qu'elle devait dire pour être relâchée, elle le disait.

Comme les psychiatres nous accompagnaient vers la sortie, Léna m'a dit à mi-voix : « Demandez-leur s'il n'y a pas un facteur sexuel dans sa maladie. — Ah! non. Je ne veux pas passer pour une Occidentale pourrie. Vous, demandez-le. » Elle l'a fait et plus tard elle nous a raconté la conversation. Sa question avait fait sursauter le médecin : « Un facteur sexuel! Quelle idée! Cette femme est mariée, elle a deux enfants, sa vie est tout à fait normale. — Une femme mariée n'est pas toujours satisfaite sexuellement. — Elle s'entend parfaitement avec son mari. — Tout de même : le père qui l'épie par un trou de serrure. — Et alors? elle était persécutée, elle pensait que ses moindres gestes étaient surveillés; elle l'a dit : elle se méfiait de tout le monde. Qu'est-ce que vous allez chercher là! » Léna n'a pas insisté.

Nous avons quitté Moscou pour la Crimée. Une voiture de l'Intourist nous attendait à Simféropol, mais le chauffeur n'était pas au volant : « Il se rase », nous a-t-on dit et Léna a ri : « C'est le Midi. » Le Midi : la Tauride; je parvenais mal à associer ce nom à celui de l'U.R.S.S. Il faisait chaud. Nous avons roulé entre des maisons basses et plates qu'ombrageaient chichement de faux acacias et des eucalyptus; nous avons dépassé un lac artificiel d'un bleu dur, enchâssé dans un anneau de pierres rousses; et ce fut la côte : une belle route en corniche taillée dans du roc blanc, la mer bleue, de grands cyprès noirs. C'était le Midi mais non la Méditerranée : il n'y avait pas d'oliviers. Yalta : encore un de ces noms qui appartiennent trop intimement à l'Histoire pour que je leur suppose une vérité géographique. Pourtant voilà que je voyais Yalta de mes yeux, que je m'y promenais. C'était un jardin plutôt qu'une ville : les allées serpentaient entre des bosquets, et des massifs de fleurs. Dès le premier soir je l'ai beaucoup aimée. Sur la promenade qui longeait la mer des gens marchaient lentement; d'autres, assis sur des bancs bavardaient ou rêvaient. Ils ne ressemblaient pas aux estivants qu'on voit sur la Côte d'Azur : leurs visages sans apprêt, leurs vêtements modestes faisaient un contraste, pour moi déconcertant, avec le luxe de la mer soyeuse et des fleurs aux riches couleurs.

Le lendemain nous avons visité la ville. Elle s'étage sur une colline. Les hauteurs semblent entièrement recouvertes d'arbres, mais quand on s'y promène, on y découvre, cachées dans des fouillis de sèches verdures, d'antiques maisons de bois aux façades capricieusement travaillées, flanquées de balcons et de vérandas, souvent ornées de vitraux colorés. Elles appartenaient jadis à des gens riches. Maintenant plusieurs familles se les partagent mais elles ont gardé tout leur charme. Chacune d'elles, invisible à toutes les autres, semble perdue dans une jungle. Nous sommes entrés dans celle de Tchekhov où sa présence demeure très vivante.

Il y avait à Yalta même une plage publique jonchée de corps

nus : pas un pouce de terrain n'était inoccupé. Les femmes avaient des formes d'une assez affligeante opulence; seules les très jeunes soignaient leur ligne. Nous allions à la plage de l'Intourist, presque déserte. Pour nous y amener, la voiture suivait une belle route en corniche (où de loin en loin se dressait, un sourire courageux aux lèvres, une kolkhozienne de pierre) puis elle descendait à travers des vignobles. Les Tatars jadis savaient les cultiver et ils donnaient un vin délicieux. Pour collaboration avec les Allemands, Staline les a tous fait déporter en Asie centrale où une grande partie d'entre eux sont morts. La Crimée est maintenant peuplée d'Ukrainiens qui sont de très médiocres viticulteurs.

En passant par Simféropol — car la route directe était interdite aux étrangers — nous avons été voir l'ancienne capitale des Tatars : c'est aujourd'hui une bourgade aux maisons basses, aux rues étroites pavées de petits cailloux. Le palais est rustique et charmant : il est bâti en bois et en stuc, orné de décorations mauresques; il a des fenêtres grillagées, une fontaine qui a inspiré Pouchkine, de maigres jardins : un Alhambra pour prince fauché. Sur les murs, de grands tableaux représentaient les batailles où les Cosaques et les Tatars s'affrontèrent : ceux-ci furent finalement vaincus.

Nous avons fait beaucoup d'autres excursions. Nous avons suivi toutes les routes de corniche, visité tous les petits ports. J'aimais beaucoup ces montagnes blanches et nues qui dégringolaient abruptement vers la mer. Sur ses bords, se dressaient, entourés de vastes jardins, des palais, des villas qui avaient appartenu à des nobles ou à de riches marchands : maintenant des ouvriers, des employés venaient s'y reposer. A chacune de ces maisons était annexée une plage où souvent s'alignaient des rangées de lits : pendant cette saison si douce qu'on l'appelle la « saison de velours » les pensionnaires passaient souvent la nuit à la belle étoile. Nous avons été regarder le palais où fut signé le pacte et qui est lui aussi une maison de repos; le public se promène librement dans le parc magnifique : des parterres de fleurs, des plantes rares, des fontaines, des sentiers et des escaliers qui descendent de terrasse en terrasse jusqu'à la plage.

Notre séjour a duré une semaine. Nous prenions notre petit déjeuner en plein air dans un self-service, à côté de l'hôtel.

On se disputait les tables et il fallait faire vingt minutes de queue avant de garnir son plateau. Tous les repas posaient des problèmes. On mangeait très mal, cette année-là; même le caviar avait un goût terreux. A Yalta, si on ne retenait pas sa table, on ne trouvait pas de place dans les restaurants. Il y en avait deux qui nous plaisaient. Dans la ville même, celui de l'hôtel Tauride. C'est là que Tchekhov allait souvent dîner, après avoir traversé la ville en calèche : l'endroit ne devait guère avoir changé depuis cette époque. Du grand hall surchargé de décorations, on passait dans un patio couvert, rempli de plantes vertes, qui servait de salle à manger; des escaliers intérieurs reliaient des terrasses superposées, le bâtiment étant adossé à une colline. Sur la plus haute était aménagé un bar où nous buvions le soir des cocktails bizarres, en regardant clapoter les lumières du port. Nous préférions encore nous faire conduire en taxi sur une hauteur où se dressait un faux temple grec; nous y dînions, sur une terrasse d'où l'on dominait toute la ville, ses lumières, les enseignes au néon, l'eau sombre. Parfois un projecteur tournant arrachait à l'obscurité une barque ou un grand bateau qui brillait un instant avant de se fondre dans les ténèbres. Nous redescendions à pied par un sentier rapide.

Chaque soir, au crépuscule, entrait dans le port un grand bateau blanc aux hublots illuminés : il portait des noms différents, mais il semblait que ce fût toujours le même. Un soir nous sommes montés à bord : nous quittions Yalta pour Sochi.

C'était une ville moderne, sans intérêt, aux plages surpeuplées. Ce qui m'y a le plus frappée, c'est un homme en maillot de bain qui marchait sur la jetée en bombant un large torse sur lequel était tatoué d'un côté le portrait de Lénine, de l'autre celui de Staline.

A travers de beaux paysages de montagne, un train nous à conduits à Tbilissi, la capitale de la Géorgie. Nizan nous avait décrit avec enthousiasme cette ville semi-orientale qu'il avait visitée avant la guerre, au temps où elle s'appelait Tiflis. Située sur les deux rives de la Koura et sur trois côtés entourée de montagnes, elle conserve de beaux monuments et un vieux quartier très plaisant : des rues étroites, en pente raide, bordées de maisons de bois aux balcons ouvragés. Mais elle a perdu son

caractère exotique; les rues où vivent les Musulmans sont tor-
tueuses et sales, leurs maisons sont misérables. Nous avons
aperçu aux portes de Tbilissi une espèce de bidonville. Nous ne
nous sommes pas beaucoup promenés dans la ville. Le président
de l'Union des écrivains qui nous avait pris en charge nous en
éloignait le plus possible parce que, cet été-là, c'était la disette
en Géorgie : de longues queues s'étiraient devant les boulange-
ries, les ménagères grognaient, et pendant deux ou trois jours le
pain fit défaut. Un soir, les écrivains nous invitèrent à dîner
dans le restaurant situé sur le mont Mtatsminda qui domine la
ville; nous avons admiré la vue : les rues illuminées, les églises,
la rivière. Et nous avons attendu deux heures avant de nous
asseoir devant la table où nous fut servi un repas minable :
le chef ne s'était procuré qu'à grand-peine un peu de ravitaillement. A notre hôtel, il arrivait qu'on ne nous servît à
déjeuner qu'une maigre portion de poisson.

Si nous avons mal vu la capitale, nous avons fait dans le pays
d'intéressantes excursions. La première ce fut à Mtskhéta,
l'ancienne capitale, à vingt kilomètres de Tbilissi. Elle est située
au confluent de deux rivières, et entourée de remparts construits
à la fin du Moyen Age. On y voit de belles églises : la plus belle
c'est Djvari (la Croix) édifiée au VIe siècle, en forme de croix et
très bien conservée; elle est ornée de bas-reliefs qui représentent
ses fondateurs, divers personnages, et des symboles religieux.
Une autre fois, par une jolie route qui serpentait au pied de
coteaux couverts de vignes — elle me rappelait celle qu'on
nomme en Alsace la « route des vins » — nous avons été visiter
un centre vinicole; en entrant dans le grand hall j'ai eu un choc;
des têtes émergeaient du sol, comme si des hommes y avaient
été enterrés vivants; en fait ils étaient en train de nettoyer
certaines des fosses creusées à même la terre dans lesquelles on
fait fermenter le vin. Il y en avait qui étaient pleines et leur
aspect n'était pas engageant : une couche graisseuse et boueuse
s'étendait à la surface. Un de nos hôtes a plongé une pipette
à travers cette lie, et il l'a ressortie remplie d'un joli vin ambré.

Le soir qui a précédé notre départ le président de l'Union
des écrivains — qu'on appelait le Prince parce qu'il descendait
d'une famille princière — a donné pour nous un grand dîner.
Nous y avons été accompagnés par Alexia, la Géorgienne que
j'avais connue à Paris et qui faisait une thèse sur Sartre :

elle nous était très sympathique. Je ne sais comment le Prince s'était débrouillé mais le repas fut somptueux. Il nous avait promis de faire venir des musiciens; en Géorgie il y a des chœurs d'hommes à six voix, sans instrument, qui sont admirables : râpeux comme du flamenco sur un fond d'ancien plain-chant. Je les ai entendus en disques. Il n'avait pas pu rassembler une de ces formations. Il avait seulement invité deux jeunes femmes qui ont chanté des chants nationaux. Une vieille actrice a déchaîné des fous rires mal réprimés en déclamant des morceaux de son répertoire. La soirée n'a pas été désagréable mais en général ces banquets m'excédaient. Les Géorgiens ont l'habitude de nommer un « tamada », qui préside la table, porte des toasts, fait des plaisanteries, raconte des histoires. Ce rôle est très recherché et c'était presque toujours le Prince qui le remplissait. Les adages et les anecdotes que débitait avec entrain le tamada nous ennuyaient d'autant plus qu'ils exigeaient une double traduction, beaucoup de Géorgiens ne parlant pas le russe et Léna ignorant le géorgien. Sans doute s'agit-il là d'une tradition paysanne : des gens peu habitués à parler avaient inventé ce moyen d'animer les repas de fête. La coutume a dû rendre de grands services aux époques où toute conversation était dangereuse : avant guerre, Staline a fait déporter et fusiller presque tous les écrivains et intellectuels géorgiens.

Nous avons suivi en voiture la très belle route qui va de Tbilissi à Erivan, la capitale de l'Arménie. Elle traverse des champs de coton, puis des prés verdoyants entourés de sapins sombres. Arrivés à un col, soudain le paysage a basculé : à nos pieds s'étendait un désert rosâtre et tourmenté sur lequel s'enlevait la nappe bleu vif d'un grand lac. Tandis que nous le contemplions, saisis, nous avons aperçu une auto noire qui se dirigeait vers nous : des écrivains arméniens chargés de nous accueillir. Nous sommes montés dans leur voiture et ils nous ont emmenés dans un hôtel, au bord du lac Sevan. Il faisait très beau, très chaud bien que nous fussions à deux mille mètres d'altitude. Ils avaient commandé des truites grandes comme le bras et roses comme des saumons, si délicieuses que j'ai à peine pu toucher aux plats qui ont suivi. Ils nous ont parlé des découvertes archéologiques qui ont été faites sur les rives du lac : on y trouve de nombreux vestiges remontant à une civilisation très ancienne. Ils nous ont dit comment était né l'alphabet arménien : avant le Ve siècle de notre ère, il n'en existait pas, on utilisait des caractères grecs et persans. Pour faciliter la prédication du christianisme saint Mesrop inventa un alphabet qui permit de transcrire la Bible. De nombreuses œuvres parurent au cours du siècle. Ils nous ont appris que d'ici à un an paraîtrait en français la traduction de leur grand poème épique, David de Sassoun; transmise par tradition orale depuis l'Antiquité, s'enrichissant au cours des siècles, l'histoire du héros légendaire, David de Sassoun, a été recueillie par écrit au XIXe siècle. J'ai pu constater un an plus tard que les Arméniens ont raison de s'en enorgueillir : c'est une œuvre qui peut rivaliser avec les plus grandes.

Ce déjeuner avait été intéressant. Nous aurions souhaité ensuite descendre directement sur Erivan; mais nos hôtes ont tenu à nous emmener chez un de leurs amis qui venait de se faire construire une maison et qui pendait la crémaillère. Nous avons traversé un village poussiéreux, où nous n'avons pas aperçu âme qui vive, sauf une femme à l'air harassé, assise sur des marches, au milieu d'enfants décharnés. Puis nous nous sommes trouvés dans un jardin au fond duquel se dressait une grande bâtisse toute neuve. Une cinquantaine de convives étaient assis à une table en fer à cheval, surchargée de plats : il était cinq heures de l'après-midi et ils mangeaient encore. Il y avait là un représentant du président de la République d'Arménie, des ministres, de hauts fonctionnaires; ahurie par les cris, les rires, les bruits de vaisselle, tout un brouhaha étourdissant, j'ai pris place à côté d'un ministre; cela m'a semblé étonnant qu'en pays socialiste on célébrât avec tant d'éclat et si officiellement cette fête de la propriété privée; mais surtout, cette exhibition de victuailles était indécente, à un moment où tout le pays souffrait de la faim. Déjà gavée de nourriture je refusai avec impatience de toucher aux viandes dont mon voisin remplissait de force mon assiette. Que faisions-nous là? Un des écrivains qui nous avaient pris en charge conseilla à Sartre de porter un toast. Sartre évoqua l'amitié franco-arménienne et ses paroles tombèrent dans un silence glacé. C'est à peine si l'un des convives s'arracha trois mots. Ces gens-là ne nous aimaient pas : sans doute n'avaient-ils pas suivi l'évolution des Russes à l'égard de Sartre.

Erivan est bâtie en amphithéâtre, sur un plateau qui fait

face au mont Ararat : la ville haute est à trois cents mètres au-dessus de la ville basse. Les maisons ont été construites avec la pierre du pays, du tuf couleur rose saumon, cuivre, rouille, sang-de-bœuf : les façades ressemblent à des tranches de galantine, c'est plus curieux que séduisant. La ville date de 1924; le plan en a été modifié au fur et à mesure que le nombre des habitants s'accroissait; elle est vaste et moderne; il restait encore quelques taudis accrochés au flanc de la colline, mais peu. La population nous a paru très vivante : des hommes aux noires moustaches, au regard velouté, des femmes aux cheveux sombres, à la peau brune, souvent belles. Les marchés étaient pauvres, mais grouillaient de monde. Le soir, des couples et des groupes flânaient, en causant et en riant, sur la grande place Lénine où se trouvait notre hôtel. Il était moderne et confortable mais le soir l'orchestre jouait si bruyamment que nous avons demandé à dîner dans une de nos chambres; on y était bien pour causer, tout en regardant par la fenêtre les allées et venues des passants.

On nous a conduits un matin à Ecmiadzin, le Vatican arménien, où réside le Catholicos. La route suit la frontière turque et nous avons pu longuement contempler le majestueux mont Ararat où échoua l'arche de Noé : les neiges de sa cime brillaient sous le ciel bleu. Nous avons visité deux églises rouges comme la ville, qui datent du ve et du vII^e siècle; plus trapues, plus compliquées que celles de Géorgie elles sont cependant aussi belles. Nous nous sommes arrêtés sur les ruines de Zwartnotz, un sanctuaire chrétien qui a été détruit par un tremblement de terre : il reste des colonnes brisées, des chapiteaux géants.

Le monastère d'Ecmiadzin enferme l'église la plus ancienne du monde : elle a été édifiée au Iv^e siècle; elle était entourée d'échafaudages parce qu'on était en train de la restaurer mais on apercevait tout de même ses belles coupoles à facettes qui ont été souvent imitées. Derrière s'étend le grand bâtiment où habite le chef de l'Église arménienne. Nous avons traversé des halls, des salons remplis de plantes vertes et de lustres de cristal, nous avons monté des escaliers de marbre. « C'est trop luxueux pour un prêtre », disait Léna avec blâme. Le Catholicos était un homme d'une cinquantaine d'années, vêtu comme un pope, barbu et très soigné. Sur sa table il y avait un téléphone et une coupe pleine d'énormes raisins translucides et ambrés : il nous en a offert à chacun une grappe. Il nous a expliqué ce qu'est le christianisme grégorien. Convertis à la foi chrétienne en 302, les Arméniens ont rompu en 374 avec l'Église romaine, réalisant ainsi le premier schisme de l'Histoire. Ils ont refusé d'adopter le Credo de saint Athanase imposé par le concile de Nicée : ils avaient une conception différente des rapports entre l'humanité et la divinité du Christ. Comme dans l'Église russe orthodoxe, les prêtres arméniens se marient. Ensuite le Catholicos nous a parlé des relations très amicales qui existent entre les Arméniens de l'U.R.S.S. et ceux qui vivent à l'extérieur, ayant fui en grand nombre les persécutions turques. Politiquement, nous a-t-on dit, c'est l'homme le plus influent de la république et bien entendu il soutient inconditionnellement le régime sinon il n'occuperait pas la place qui est la sienne.

On attribue à la radio arménienne un grand nombre de boutades dirigées contre le socialisme. Cependant au cours de nos excursions, nous avons pu nous rendre compte que son rattachement à l'U.R.S.S. a été très favorable à l'Arménie : d'énormes travaux d'irrigation ont transformé un sol jadis désert en une campagne fertile. Les montagnes cependant demeurent sauvages. A travers de grands paysages nus, une route nous a conduits à un monastère qui servit jadis de refuge aux chrétiens contre les Turcs. Une fête mi-chrétienne mi-païenne s'y déroulait. Sur le parvis de l'église on voyait des agneaux blancs et frisés qui portaient au cou un ruban rouge : bientôt ils seraient égorgés et offerts en sacrifice à Dieu; ensuite les fidèles consommeraient leur chair. Du haut en bas de la colline, des feux étaient allumés sous de vastes marmites; des familles groupées chacune autour d'une bassine dévoraient des ragoûts.

Deux jours plus tard nous survolions une mer de nuages d'où émergeaient des cimes neigeuses et tourmentées : la plus haute était celle du mont Kazbek. Ce fut Moscou, puis Paris.

En mai 64, nous avons été invités aux fêtes qui devaient se dérouler à Kiev en l'honneur du grand poète ukrainien Chevtchenko : on célébrerait en juin le cent cinquantième anniversaire de sa naissance. Nous avons hésité. Un professeur de l'université de Kiev, Kitchko, venait de faire paraître une brochure d'un antisémitisme virulent, *Le Judaïsme sans fard* qu'illustraient des caricatures qui auraient réjoui les nazis. Nous étions tentés de refuser de venir à Kiev et de dire pourquoi.

Léna était juive. Elle niait que le fait eût jamais joué contre elle. Ce n'est peut-être pas un hasard cependant si son père avait été déporté, sans raison, après la guerre. Un petit épisode nous prouva, pendant un des séjours que je viens de raconter, qu'à Moscou même l'antisémitisme n'était pas ignoré. Nous dînions au Sovietskaïa, un grand hôtel où nous allions rarement parce qu'il est assez loin du centre. A une table voisine, des gens prêtaient l'oreille à notre conversation. L'un d'eux a interpellé Léna : « Vos amis parlent juif, n'est-ce pas ? — Mais non, a dit Léna surprise, ils parlent français. — Mais ils parlent français avec l'accent juif. » Elle a haussé les épaules : « Vous savez le français ? — Non. — Alors comment pouvez-vous savoir s'ils ont un accent ? » L'homme n'a rien répondu. Probablement ils avaient eu l'impression que Léna, qui est très brune et qui a de grands yeux sombres, était juive. En tout cas, il y avait dans ces remarques stupides quelque chose de très déplaisant et elle en avait été bouleversée.

Nous avons donc atermoyé. Et puis nous avons appris que l'U.R.S.S. avait officiellement désavoué Kitchko [1]; nos amis russes, dans leurs lettres, insistaient pour que nous venions, et aussi le poète ukrainien, Bajan, qui nous était sympathique : nous avons accepté.

Après avoir gagné Moscou en avion, nous avons pris un de ces trains soviétiques dans lesquels on est horriblement secoué et en une nuit nous sommes arrivés à Kiev. C'était le 1er juin. Parmi les écrivains qui nous ont accueillis, il y en avait un qui avait écrit *Le Mariage de Balzac,* histoire romancée des amours de Balzac avec Mme Hanska : dès les premières pages il s'était arrangé pour manifester son antisémitisme. Bajan déplorait le racisme des Ukrainiens. « C'est triste de se sentir en désaccord avec son propre pays et de ne plus pouvoir l'aimer », nous dit-il.

---

1. Sa brochure a été rééditée en 1969.

Cependant, au cours des fêtes qui achevaient de se dérouler il avait senti chez le peuple ukrainien une bonne volonté, une générosité qui l'avaient réconforté.

Nous avons revu Kiev, ses vieilles rues aux maisons basses ombragées de marronniers aux épais feuillages; c'était le printemps, dans les jardins les lourdes grappes de lilas embaumaient. Le soir il y a eu un banquet monstre, d'environ un millier de couverts; des tables parallèles occupaient toute la longueur du hall; à une table perpendiculaire siégeait le praesidium : tous les visages respiraient une suffisance butée. De charmantes jeunes femmes en costume national faisaient le service. Des chanteurs ont chanté, très mal. Guillevic — assez surprenant avec son collier de barbe et son nœud papillon — a lu sa traduction du *Testament* de Chevtchenko. On a porté une quantité de toasts. Les Ukrainiens évoquaient avec insistance les richesses de leur pays, si utiles à l'Union soviétique : leur hostilité à l'égard des Russes était flagrante. Sartre était de mauvaise humeur; Korneitchouk, assis à côté de lui, venait de lui dire le nom d'un des écrivains à qui avant le dîner il avait serré la main; c'était un certain Tikhonov qui, en 62, après l'intervention de Sartre au congrès du Mouvement de la Paix, avait écrit sur lui un article venimeux : il l'accusait de vouloir se mettre à la tête d'un rassemblement d'intellectuels qui gouvernerait le monde. Sartre a passé sa colère sur Korneitchouk; il s'est plaint que l'attitude de l'U.R.S.S. à son égard fût équivoque : les intellectuels soviétiques acceptaient-ils ou non l'idée d'une coexistence culturelle? Voulaient-ils ou non travailler avec lui à la réaliser? Si c'était non, pourquoi l'invitait-on et que venait-il faire ici? Korneitchouk a protesté : entre l'U.R.S.S. et les intellectuels occidentaux, l'amitié était plus nécessaire que jamais à cause du danger que représentait la Chine.

Le lendemain, nous avons glissé sur le large et paisible Dniepr, entre des rives mélancoliques, semées de plages de sable où venaient s'abreuver des vaches. Nous avons débarqué dans le village où est né Chevtchenko et visité le musée qui lui est consacré. Des objets, des tableaux — dont certains assez inspirés — qu'il avait peints lui-même racontaient sa vie. Né serf, il avait été racheté par des écrivains russes qui admiraient ses vers. Devant le tableau qui représentait sa libération, le conservateur a dit d'un ton revendicant : « Maintenant, chez

nous, un poète de cette valeur n'aurait pas besoin d'aide. »
Visiblement, il pensait : « D'aide étrangère. » Ensuite le poète
avait lutté contre le régime, il avait fait de la prison, il avait
été exilé. A sa mort, le peuple lui avait élevé un tombeau — très
émouvant d'après les photos que nous en avons vues — en
amoncelant de grosses pierres. Il a été remplacé par un monument officiel sans intérêt.

Nous avons été heureux de nous retrouver à Moscou, déli-
vrés de toute contrainte. Jamais l'odeur d'essence, si caractéristique de la ville, n'y avait été aussi forte; sans doute était-ce
parce qu'il y avait beaucoup plus de voitures : des poids lourds,
mais aussi des taxis dont le nombre avait doublé depuis 63.
La nuit, on voyait souvent briller leur petit œil vert : mais
en principe ils n'avaient pas le droit de venir se ranger contre
le trottoir, et souvent il fallait aller les chercher aux stations.
Ils étaient la plupart du temps conduits par des novices qui
connaissaient mal la ville. Le système des sens interdits était
si complexe qu'arrivés en face de l'hôtel de Pékin, où nous
logions, il fallait faire un kilomètre avant de se retrouver devant
la porte.
Moscou se transformait à vue d'œil. Tout près de l'hôtel,
on avait percé une grande avenue. On abattait au centre de la
ville beaucoup de maisons anciennes pour construire des
immeubles modernes. Il y avait encore, dans le quartier où se
trouve la maison de Dostoïevski, des rues calmes, entièrement
bordées de vieilles isbas, mais elles étaient condamnées. Ce qui
nous a charmés, c'est qu'à présent la place Rouge était interdite aux autos. C'était beau, cette vaste étendue déserte que
flanquaient d'un côté le Goum, de l'autre un grand mur rouge;
au fond brillaient les fraîches couleurs de Saint-Basile. Une
nuit, des bandes de filles et de garçons d'une quinzaine d'années
dansaient et chantaient au milieu de la place : ils fêtaient la
réussite de leurs examens.
Il y a beaucoup de squares à Moscou. Ils sont plantés de
beaux arbres, et surtout de peupliers, qui diffèrent un peu des
nôtres. Il y a eu un jour où tous ces arbres étaient en rut.
Aux rameaux pendaient des grappes de pollen cotonneux,
le vent les dispersait, il neigeait du duvet qui nous entrait dans
les oreilles, les yeux, le nez, la bouche; on aurait dit que le ciel

était un immense édredon qu'on venait d'éventrer. Il y avait contre les trottoirs des ruisseaux de duvet. Dans les jardins on marchait sur un tapis blanc. Je me rappelle aussi ce jour où nous nous sommes assis dans un parc, près de la Moskova; enfants et grandes personnes cueillaient des pissenlits et en tressaient des couronnes dont ils se coiffaient.

Le ravitaillement s'était amélioré. Les consommateurs ne pouvaient plus acheter ni farine, ni kacha. Mais au coin des rues de nombreux marchands vendaient des choux, des concombres, des fraises, des tomates, des oranges. Les fruits étaient cependant très chers : au restaurant une orange coûtait autant qu'une grosse portion de caviar. Celui-ci était redevenu délicieux. Dans tous les restaurants que nous fréquentions, on mangeait très bien.

La situation culturelle n'était pas brillante. La censure continuait d'interdire *La Barrière de Lénine* : le film n'est sorti que plus tard, dans une version déformée et mutilée. Tarkovski préparait un film sur Roublov : on l'obligeait à remanier son scénario et il prévoyait de grosses difficultés. Les peintres « maudits » n'exposaient plus. Quelques-uns vivotaient en vendant des toiles à des étrangers. Ceux-ci étaient autorisés à sortir des tableaux modernes ou anciens à condition que la galerie Tretiakoff certifiât qu'ils ne possédaient aucune valeur marchande.

On avait traduit une nouvelle de Kafka : *Le Rapport à une académie;* on parlait de publier *Le Procès* — ce qui n'eut pas de suite. En 1962, Brecht était suspect : il s'écartait trop du réalisme socialiste. En 64, les théâtres s'ouvraient à lui : à Léningrad, on jouait *Arturo Ui* dans une excellente mise en scène. Il était question de publier, d'abord dans *Novy Mir*, puis en volume, *Les Mots* de Sartre que Léna avait traduits. L'équipe de la revue, et même Tvardovski, hésitaient. Ils trouvaient le livre « indiscret », « exhibitionniste ». Parler de soi avec tant de sévérité, c'était contrevenir aux consignes d'optimisme, c'était dire du mal de l'Homme. Doroch a aimé *Les Mots* et sans doute est-ce lui qui a influencé Tvardovski : on a fini par imprimer le livre.

La situation d'Ehrenbourg s'était rétablie. De nouveau on éditait ses livres. Il nous a mis au courant d'une affaire qui affligeait tous nos amis — certains allaient jusqu'à parler d'un

« retour du stalinisme » — mais dont ils ignoraient les détails : l'affaire Brodski. C'était un jeune Juif aux cheveux roux qui habitait Léningrad et qui écrivait des poèmes; il gagnait sa vie comme traducteur, mais il ne siégeait dans aucun organisme d'État : il n'appartenait pas à l'Union des écrivains. Ehrenbourg avait de la sympathie pour lui et lui trouvait du talent. Il avait été accusé de « parasitisme » : cette notion s'appliquait presque uniquement aux proxénètes et aux prostituées. Le procès avait eu lieu à Léningrad. Une journaliste qui y avait assisté avait réussi à prendre des notes; elle avait rédigé un compte rendu détaillé qui circulait sous le manteau. Ehrenbourg nous l'a traduit. Le juge était une femme. Brodski s'étant présenté comme traducteur et poète elle demanda : « Qui donc a établi que vous êtes poète? — Personne. Et qui donc a établi que je suis un être humain? » Ensuite elle lui a curieusement reproché de ne pas gagner assez d'argent : « Peut-on vivre avec l'argent que vous gagnez? — Oui. Depuis que je suis en prison, je signe quotidiennement une attestation certifiant que l'État dépense pour moi quarante kopecks par jour. Or je gagne plus de quarante kopecks... — Il y a des gens qui travaillent en usine et qui écrivent. Pourquoi pas vous? — Les gens ne sont pas tous semblables : il y a des roux, des blonds, des bruns... — Nous savons ça. » Les témoins à décharge étaient peu nombreux et plusieurs d'entre eux étaient juifs : le juge feignait de mal déchiffrer leur nom et l'épelait avec application. Trois membres de l'Union des écrivains ont défendu Brodski : c'était, ont-ils dit, un poète de grand talent et un excellent traducteur. Mais il y eut ensuite un nombre accablant de témoins à charge. Les gens qui soutenaient Brodski, ont-ils déclaré, étaient tous des paresseux et de rusés coquins. Il n'aimait pas son pays : il avait parlé de la « foule grise » qui s'écoule dans les rues. Il était contre-révolutionnaire : il avait appelé Marx un « vieux glouton couronné de pommes de pin ». Par ses poèmes et par son exemple, il corrompait la jeunesse : un père se plaignit que son fils lût ses vers et refusât de travailler. C'est en tant qu'intellectuel et en tant que Juif que Brodski fut âprement attaqué. Il fut condamné à cinq ans de travail forcé et envoyé dans une ferme d'État, près d'Arkhangelsk.

Cette histoire nous consterna. D'autre part, Sartre avait l'impression qu'idéologiquement la jeunesse perdait pied. Des étudiants, de jeunes professeurs l'interrogeaient sur Berdiaeff, sur Chestov; de manière plus ou moins déguisée, l'idée de Dieu semblait renaître chez beaucoup d'entre eux. Nous en avons discuté avec un groupe d'intellectuels parmi lesquels se trouvait notre ami Alicata, directeur de *L'Unità*. Ce qu'il regrettait, comme Sartre, c'est que la recherche d'une expression plus libre ne s'accompagnât pas d'une attitude plus révolutionnaire que celle des officiels, mais au contraire d'une attitude plus rétrograde. Par-delà le dogmatisme scientiste imposé par Staline et par ses héritiers, il aurait fallu revenir au véritable Marx : au lieu de cela on lui tournait le dos. « Le marxisme! a dit un professeur d'une quarantaine d'années. Nous sommes tellement dégoûtés de tout ce qu'on nous a servi sous ce nom! — Trouvez quelqu'un qui connaisse vraiment Marx et organisez un séminaire. » Ils se sont esclaffés : « Il n'y a pas *un* individu dans toute l'Union soviétique qui connaisse Marx. Pas un à qui nous acceptions de faire confiance. »

Une question dont on nous a beaucoup parlé, c'est celle des étudiants noirs. Il y avait de graves conflits entre eux et les étudiants russes. Des bagarres éclataient souvent et au cours de l'hiver de jeunes Noirs avaient été blessés à mort. Nous en avons discuté avec l'ambassadeur d'Algérie, Ben Yaya, quand nous avons dîné chez lui. Les étudiants noirs reçoivent de leurs gouvernements des bourses importantes si bien qu'aux yeux des jeunes Soviétiques ils font figure de privilégiés; cependant la condition d'étudiant est d'autant plus dure pour les Africains qu'en les envoyant à Moscou on leur avait promis monts et merveilles. Tous les étudiants sont très mal logés; ils couchent dans des dortoirs dont les surveillants sont pour la plupart d'anciens gardiens de camp; la nourriture à laquelle ils ne sont pas habitués paraît immangeable aux Africains; le climat est pénible pour eux : leur bourse ne leur permet pas de s'habiller chaudement, ils souffrent du froid. Ils protestent avec colère contre une situation que supportent plus facilement leurs camarades parce qu'ils y sont mieux adaptés. Ceux-ci trouvent les prétentions des Africains exagérées. Là-dessus se greffent des histoires de femmes. Les Noirs crient au racisme si une Blanche refuse de danser avec eux; les Russes s'indignent si un Africain sort avec une Russe. Y a-t-il ou non chez les Soviétiques une attitude raciste? Plus ou moins, étant donné leur méfiance à l'égard de tous les étrangers. L'étranger blanc se sent suspect seulement en tant qu'étranger; le Noir pense que la couleur de sa peau est mise en question et réagit souvent violemment.

En U.R.S.S., consommateurs et usagers sont traités sans prévenance; je m'en étais déjà aperçue, mais je l'ai particulièrement déploré quand nous sommes partis pour Vladimir. Le train arrive dans un sens, repart dans l'autre sans qu'on se soucie de retourner les wagons : les fauteuils disposés de chaque côté du couloir central tournaient alors le dos à la locomotive. Comme je ne supporte pas de rouler à reculons, je suis restée pendant trois heures agenouillée sur mon siège. Mais j'ai aimé le monotone paysage de prairies et de boqueteaux; le ciel rougeoyait : le soleil n'en finissait pas de se coucher; à notre arrivée il était dix heures et des roseurs traînaient encore à l'horizon.

Fondée en 1108 par le tzar Vladimir le Monomaque, Vladimir est une des plus anciennes villes de Russie. Le petit-fils de Vladimir en fit la capitale du pays et elle le demeura pendant cent soixante-dix ans; elle devint ensuite le centre d'un grand gouvernement. Au XIXe, beaucoup de révolutionnaires y furent exilés. Aujourd'hui c'est une grande ville industrielle et culturelle. Dès le premier soir nous avons été nous promener dans la ville haute. Nous avons suivi le chemin de ronde qui longe les remparts du Kremlin : à nos pieds courait une rivière et les lumières de la ville basse brillaient; nous avons traversé des jardins verdoyants où se dressaient de belles églises blanches; sur des bancs des amoureux rêvaient.

Le lendemain, nous avons revu les églises; la cathédrale Dmitievski date du XIIe siècle : coiffée d'un seul bulbe doré, sa robe blanche est merveilleusement brodée; la cathédrale de l'Assomption, très belle sous ses cinq bulbes, enferme des fresques de Roublov. Nous avons vu aussi la porte d'or, une porte fortifiée, elle aussi toute blanche et surmontée d'un bulbe doré; et de vieilles rues, bordées de beaux arbres et de maisons de bois précédées chacune d'un petit jardin. Une voiture nous a emmenés hors de la ville, voir se refléter dans les eaux du Nerl la très simple et belle église de l'Intercession; puis nous avons visité Souzdal, une ville encore plus ancienne que Vladimir, qui enferme entre ses remparts une quantité d'églises : il y en a une, grande et élancée, qui est construite tout en bois, avec un bulbe écailleux.

Un matin au réveil nous avons vu passer sous nos fenêtres des camions remplis de filles en robes blanches, de garçons cravatés de rouge, tenant tous à la main des branches de bouleau. Beaucoup de fêtes chrétiennes sont remplacées en U.R.S.S. par des fêtes laïques : c'était le jour de la Fête-Dieu, et on célébrait la fête des bouleaux. Dans le parc qui occupe une grande partie de la ville haute des gens défilaient en chantant, ils jouaient à divers jeux, ils grattaient des guitares; toute cette gaieté semblait à la fois spontanée et dirigée. Un pavillon avait été transformé en café : il y avait des tables dehors et à l'intérieur on pouvait acheter à profusion des gâteaux, des petits pains fourrés d'œuf dur ou d'oignons. Des femmes emportaient des sacs remplis de nourritures et des guirlandes de bretzels. Nous nous sommes assis à une table et nous avons dévoré. C'était une aubaine car à l'hôtel il n'y avait rien à manger. Le pain n'était ni noir ni blanc; l'eau minérale était salée comme de l'eau de mer. (Nulle part en U.R.S.S. l'eau naturelle n'est potable, sauf à Moscou où elle a un goût prononcé de menthe qui n'est pas désagréable.) Les plats n'étaient pas comestibles, sauf les œufs, mais il n'y en avait que rarement. Devant l'hôtel, une foule assiégeait un marchand ambulant qui vendait des galettes poussiéreuses. Le marché, gai et animé, était d'une extrême pauvreté. Alors, d'où venait soudain cette abondance? Si elle était possible ici, pourquoi dans le reste de la ville cette pénurie? Nous l'avons d'autant moins compris qu'à Moscou toute proche, on pouvait se nourrir convenablement.

Nous aurions aimé utiliser pour revenir un de ces taxis collectifs qu'on appelle « marche-route »; mais pour des raisons mystérieuses ils étaient interdits aux étrangers. Nous avons donc pris le train : cette fois les fauteuils étaient dans le bon sens.

Nos amis nous avaient conseillé un beau voyage : nous rendre à Tallin, capitale de l'Estonie, en passant par la vieille ville russe de Pskov et par la ville universitaire estonienne de Tartou : nous reviendrions par bateau à Léningrad d'où nous irions à Novgorod. Ce plan n'était pas réalisable, nous a expliqué l'Intourist, parce que nous étions des étrangers. Dans les États baltes, seules les capitales leur sont accessibles : impossible de passer par Tartou. On n'avait le droit d'aller à Tallin qu'à partir de Léningrad et par le train; on devait revenir à Léningrad par le train. Pourquoi? Nous ne l'avons même pas demandé. Nous avons pris l'avion pour Léningrad.

J'aime cette ville, surtout le soir quand la lumière s'attendrit et que les belles couleurs italiennes prennent une froideur nordique. Les nuits blanches étaient toujours aussi émouvantes. Les lilas de Kiev devaient être fanés, mais ici le printemps naissait, ils venaient de s'épanouir; le Champ-de-Mars était couvert de lilas japonais à la sobre senteur poivrée, de lilas semblables à ceux de France, à l'odeur fraîche et grisante : quel luxe de fleurs et de feuillages sous le clair ciel de minuit! Peu de choses au monde m'ont autant touchée que ces fêtes nocturnes.

Puis ce fut Tallin et il nous a paru que nous changions de monde. L'Estonie n'a connu qu'une vingtaine d'années d'indépendance, de 1921 à 1940. Pendant cinq siècles, au cours de guerres sanglantes, elle avait passé jadis des mains des Allemands à celles des Danois, des Polonais, des Suédois. A partir de 1721 elle a été gouvernée politiquement par les Russes, économiquement elle était dominée par une féodalité allemande qui l'a occidentalisée. Après la guerre, elle a été rattachée à l'Union soviétique. Mais les traditions bourgeoises de la république de 1921-1940 s'y sont conservées. L'hôtel était de style européen, très élégant, la cuisine, soignée; on se plaisait dans la salle à manger dont les baies vitrées donnaient sur un parc aux riches frondaisons. Le soir l'orchestre jouait avec discrétion. Nous avons été accueillis par un couple charmant : M. Semper, un vieil homme très alerte qui avant guerre avait traduit *Le Mur* en estonien et sa femme qui à soixante-deux ans était aussi agréable à voir qu'à écouter. Elle était spécialiste de musique et goûtait la musique d'avant-garde. Ils avaient beaucoup vécu en France et en connaissaient parfaitement la langue et la littérature. Toujours présents quand ils pouvaient nous être utiles, ils nous laissaient seuls quand ils sentaient que nous souhaitions l'être et nous avons pu flâner dans Tallin en toute liberté.

La ville haute a été bâtie au début du XIIIᵉ siècle par les Danois : donjons, créneaux, tours, poivrières, elle est demeurée à peu près identique à ce qu'elle était; de loin elle ressemble à un dessin de Victor Hugo. Les remparts enfermaient des rues étroites aux pavés inégaux, bordées de maisons anciennes, de petites places silencieuses le jour, et désertes la nuit. A Tallin aussi, les nuits blanches me prenaient le cœur : on apercevait au loin, pâles sous le ciel pâle, la mer et des bateaux. Un grand jardin où serpente une rivière descend des remparts à la route. On y respirait l'odeur émouvante des tilleuls et aussi celle des lilas qui étaient remontés vers le nord en même temps que nous.

En bas s'étend la ville des marchands. Jadis les rues étroites, où s'alignaient à foison boutiques et échoppes, conduisaient à de vastes places où se tenaient de grands marchés. Maintenant les magasins — relativement bien approvisionnés — sont rares, les places, vides. On a l'impression d'une ville détournée de sa destination : une ville occupée. Les habitants y vivent mieux que leurs homologues russes mais moins bien qu'avant guerre. Une de ses caractéristiques, c'est le grand nombre de pâtisseries pleines d'appétissants gâteaux et aussi l'existence de cafés de style occidental. Le plus grand, le café Tallin, installé à un premier étage rappelle ceux d'Innsbruck et de Vienne; il est spacieux, ombreux, silencieux, divisé en boxes qui contiennent chacun une grande table ronde. Ils ferment le soir à onze heures. On y mange des gâteaux, on y boit du thé, du café : pas de vodka.

Nous avons été étonnés de voir dans plusieurs vitrines des affiches qui représentaient des paysages d'Australie. C'est que beaucoup d'Estoniens ont émigré, après la guerre, au Canada et en Australie. On nous parlait d'eux avec une sympathie qui nous a d'abord surpris. Demandant une interview à Sartre, un journaliste lui a dit : « Notre journal est surtout destiné à nos compatriotes du dehors. » Les Estoniens du dedans ont à leur égard un sentiment d'infériorité; ils ne considèrent pas que les exilés ont refusé le socialisme mais qu'ils ont manifesté leur patriotisme : c'est au joug du tyran séculaire, la Russie, qu'ils se sont soustraits, et, sans qu'ils le disent explicitement, on sentait que ceux qui sont restés les en approuvaient. Les Russes ont déporté beaucoup d'Estoniens au lendemain de la guerre, simplement parce qu'ils étaient estoniens, donc suspects d'inimitié à l'égard de la Russie.

Nous avons rencontré un écrivain qui avait fait ainsi, sans autre raison, plusieurs années de camp. Une église, énorme et affreuse, qu'on voit de partout et qui a été édifiée au xixe siècle, symbolise lourdement l'ancienne présence russe en Estonie. Pour protester contre elle — et aussi contre les barons allemands — des chorales paysannes se sont créées : elles chantaient des chants nationaux. On nous a montré le vaste auditorium où tous les trois ou quatre ans elles se rassemblent encore, tous leurs membres portant le costume estonien traditionnel.

Les Semper nous ont fait rencontrer des rédacteurs de revue, des éditeurs : ils jouissaient par rapport à Moscou d'une certaine autonomie. Ils étaient plus libéraux que les Russes : ils avaient publié *La Peste* de Camus. Cependant un des écrivains avec qui nous avons parlé était fidèle à l'optimisme jdanovien. Prix Lénine, grand parleur, il racontait de manière amusante des histoires sur l'Antarctique dont il était spécialiste. Mais ses goûts littéraires différaient des nôtres. Il a reproché à Sartre le pessimisme du *Mur*. Il n'aimait pas non plus *Une journée d'Ivan Denissovitch* : « C'est écrit d'une manière trop sombre », expliqua-t-il. « Et comment l'auriez-vous écrit, vous ? » demanda Sartre. Il a hésité : « Je ne sais pas », a-t-il avoué. Il pensait évidemment qu'il ne fallait pas l'écrire du tout.

Nous n'avions pas eu le droit d'entrer en Estonie par Tartou; mais il n'y avait rien d'illégal à ce que de Tallin les écrivains estoniens nous y conduisent. Ç'a été une belle promenade, d'environ deux cents kilomètres à travers une campagne plate mais plaisante : des prairies, des bois, des maisons de paysans, basses et longues.

Les chambres de l'hôtel du Parc étaient modernes et gaies et les couloirs sans surveillance, ce que je n'avais jamais vu en U.R.S.S. Le professeur B. avec qui nous avons déjeuné dans un café nous a dit que depuis 1945 un seul Français était venu à Tartou avant nous. Il nous a montré dans la ville basse quelques jolies maisons de bois : il regrettait que la municipalité ne les ait pas fait sauter; heureusement la guerre en avait détruit la plupart! Ce n'était évidemment pas un passéiste. Tartou comme Tallin avait d'abord été bâtie sur une colline; mais les guerres qui ont ravagé l'Estonie et ruiné beaucoup de ses monuments ont à peu près anéanti la ville haute. Il ne reste que la cathédrale, bâtie en brique rouge, éventrée, mais belle : nous sommes montés la voir avec le professeur B. qui a fait quelques commentaires d'un ton blasé et dédaigneux. On a aménagé une partie de l'église de manière à pouvoir y installer la bibliothèque universitaire que nous avons visitée. Notre guide nous a ensuite emmenés chez un sculpteur dont le jardin et la maison étaient remplis de statues hideuses. Il y a vingt ans, c'était presque un sculpteur maudit : on reprochait à certains groupes leur érotisme. A présent il fabrique surtout des monuments funéraires, il est comblé d'honneurs et tous les voyageurs qui passent à Tartou doivent venir le voir et inscrire leurs impressions sur son livre d'or.

Dans l'ensemble, Tartou nous a peu intéressés; mais nous avons passé de beaux moments dans la campagne environnante le soir de la Saint-Jean. Toujours aussi blasé, aussi morose, le professeur B. nous a escortés en auto jusqu'à un grand lac, entouré de collines boisées et semé d'îlots. Un fonctionnaire des Eaux et Forêts nous a accueillis : il était chargé de nous « montrer » le lac : en U.R.S.S. toute chose doit être « expliquée » par un spécialiste et cela m'excédait souvent. En fait, bien qu'un peu trop volubile, ce nouveau guide était moins lugubre que le premier. Il a proposé de prendre un bateau et nous avons glissé, entre de petites îles secrètes sur une eau si lisse que les roseaux s'y dédoublaient. Au ciel, des avions à réaction laissaient derrière eux des sillages figés que le soleil couchant teintait de rouge.

Par une route abrupte, l'auto a escaladé une des hauteurs qui dominent le lac. Sur le sommet, des jeunes gens avaient dressé une tente et allumé un grand feu; ils jouaient de l'accordéon. Notre chauffeur a été ramasser des brassées de bois mort et les a jetées dans les flammes. Un jeune Estonien venu de Tallin avec nous avait apporté de la vodka; la bouteille a passé à la ronde; il a dansé avec Léna au son de l'accordéon. On apercevait d'autres feux, sur d'autres collines. A nos pieds, le lac silencieux baignait dans une clarté laiteuse.

Nous avons regagné Tallin, puis Léningrad d'où une voiture de l'Intourist nous a menés à Novgorod qui a été autrefois un grand centre commerçant. Le Kremlin aux hautes murailles rouges domine une large rivière paresseuse dont les méandres se perdent au loin dans une plaine sans fin. A l'intérieur des

347

remparts s'élève une très belle cathédrale. Sur l'autre rive, on voit un ensemble d'arcades qui sont les restes d'un marché du XVIIIe, et une multitude de charmantes petites églises : chaque riche marchand en faisait construire une. En une seule matinée de promenade, nous en avons compté vingt-cinq. Elles sont recouvertes de crépi blanc; l'une d'elles cependant a été reconstituée, dans son état originel en briques rouges et roses. Il y en avait beaucoup dans les environs. Nous avons visité un monastère, qui se dresse, solitaire, au bord du Volkhov, à cet endroit-là large comme un lac. En Russie beaucoup de monuments sont à moitié abandonnés : nous avons erré parmi des cailloux et de mauvaises herbes autour d'une grande église aux lignes pures.

Pendant deux jours nous nous sommes promenés sans voir aucun officiel. Le matin du troisième, un journaliste a téléphoné à Léna d'une voix indignée : nous aurions dû signaler notre présence et nous faire « montrer » la ville. « Mais j'ai un livre qui explique tout, a dit Léna. — Un livre! Ça ne vaut pas la parole vivante. » Nous avons pris un rendez-vous avec une responsable du Musée qui nous a commenté la cathédrale avec des paroles mortes. Cependant c'est grâce à elle que nous avons pu voir les belles portes de bronze, d'origine allemande, où sont sculptées de petites scènes mystérieuses. Le Musée contenait une assez riche collection d'icônes.

Nous sommes revenus à Moscou où nous sommes restés quelques jours avant de nous envoler pour Paris.

Depuis 1963, la Chine et l'U.R.S.S. étaient en conflit ouvert. Pékin dénonçait dans la politique de coexistence pacifique une collusion avec le capitalisme; Moscou accusait les Chinois de vouloir la guerre. Cette mutuelle hostilité grandit quand, en février 65, les Américains commencèrent à bombarder le nord du Vietnam. Khrouchtchev n'était plus au pouvoir mais ses successeurs reprenaient sa politique extérieure et au lieu d'envoyer massivement des armes à Hanoï ils laissaient les mains libres aux U.S.A. : le P.C.C. dénonça leur neutralité, il les traita de collaborateurs et de révisionnistes. Les Russes étaient de plus en plus convaincus que les Chinois voulaient déclencher un conflit mondial et qu'ils se préparaient à envahir l'Union soviétique. Tous nos amis russes partageaient cette opinion. Ils n'attribuaient aux Chinois ni tactique, ni stratégie, ni aucun motif rationnel mais une volonté démoniaque de nuire; ils voyaient en eux avec terreur une pure incarnation du mal. Toute discussion sur ce point était vaine.

Soviétiques et Chinois devaient être présents au Congrès de la paix qui allait se réunir en juillet 65 à Helsinki. De passage à Paris, Ehrenbourg demanda à Sartre d'y participer : son intervention pourrait servir la cause soviétique. Nous décidâmes d'aller en juillet en U.R.S.S. : de là Sartre se rendrait pour deux ou trois jours en Finlande.

Il nous sembla quand nous arrivâmes à Moscou que la chute de Khrouchtchev avait eu sur le plan culturel d'heureuses conséquences. *Novy Mir* publiait des nouvelles de Soljenitsyne, des poèmes d'Akhmatova, la partie des *Mémoires* d'Ehrenbourg où il évoquait l'époque du jdanovisme. Dans une sorte de manifeste, Tvardovski avait exhorté les écrivains à fuir les truquages, les camouflages, à dénoncer l'erreur, à dire sans fard la vérité. On rééditait Pasternak. Tout n'était pas gagné, loin de là. On ne traduisait toujours pas Kafka, bien qu'on le présentât à présent comme une victime du capitalisme et non comme un pessimiste décadent. Tarkovski n'obtenait toujours pas le droit de tourner Roublov. Mais des espoirs semblaient permis.

Mikhalkov, collaborateur de Tarkovski dans la mise en scène de *L'Enfance d'Ivan*, venait de tourner un film intitulé *Le Premier Maître*. Allait-on ou non le laisser sortir? Les censeurs hésitaient. Nous le vîmes en projection privée et il nous empoigna. Il était tiré d'un récit par un romancier kirghize, Aïtmatov, que nous avons rencontré un peu plus tard alors qu'il était de passage à Paris. Le début du livre se situait de nos jours, dans un kolkhoze prospère du Kirghizistan qui célébrait l'anniversaire de la création de son école. Au milieu de la fête, quelqu'un remarquait : « Il y a quelqu'un qui manque ici : c'est le premier instituteur. » Et on racontait son histoire : une histoire dramatique mais dont on savait qu'elle avait bien fini puisque le village était aujourd'hui heureusement intégré à l'U.R.S.S. Le film était plus âpre; il se déroulait au lendemain de la Première Guerre, à une époque où le Kirghizistan était peuplé de paysans misérables qu'opprimaient des seigneurs brutaux et ignares. Combattant de l'Armée rouge et léniniste fanatique, le premier maître était envoyé parmi eux pour créer une école. Les seigneurs montés sur leurs chevaux accueillaient son arrivée avec des ricanements; les paysans, avec méfiance. L'instituteur transformait une vieille grange en salle de classe; avec un courage têtu, il réussissait à recruter des élèves. Mais, aveuglé par sa passion pour Lénine, la tête remplie de leçons mal comprises, angoissé par l'étendue de ses responsabilités, il ne s'adaptait pas à la situation. Il dénonçait le conflit entre le prolétariat et la bourgeoisie alors que la société khirgize était encore féodale. En classe, comme il parlait de la mort, un élève demanda si Lénine aussi mourrait un jour : hors de lui, il empoigna l'enfant et le malmena en hurlant. Ces conduites névrotiques braquaient contre lui les écoliers et toute la population. Une de ses élèves, âgée d'une quinzaine d'années, et très belle, lui témoignait cependant beaucoup d'affection. Le tout-puissant Bey la faisait enlever et transporter sous sa tente où il la violait. Bouleversé, le premier maître la faisait délivrer par des soldats de l'Armée rouge et la mettait à l'abri en l'envoyant dans la ville voisine. Le Bey furieux ayant exercé des représailles contre les paysans, ceux-ci brûlaient l'école; ils reprochaient au premier maître d'avoir foulé aux pieds toutes leurs traditions et attiré le malheur sur leurs têtes. Vaincu, l'instituteur se décidait à partir. Mais dans un sursaut d'énergie il s'arrêtait en chemin : il resterait, il lutterait contre soi-même et contre les autres. Se saisissant d'une hache, il entreprenait d'abattre l'unique peuplier du pays pour reconstruire son école incendiée. Les paysans le regardaient, hésitaient, et certains d'entre eux se joignaient à lui, indiquant par là qu'il avait enfin gagné la partie.

L'auteur avait peint avec autant de sympathie le militant raidi dans ses principes et les paysans butés sur leurs intérêts immédiats, esclaves des vieilles routines : le drame qui les opposait s'était plus d'une fois produit quand des cadres avaient voulu implanter le socialisme dans les campagnes. On disait que les dirigeants hésitaient à permettre la diffusion du film pour ne pas froisser la susceptibilité du Kirghizistan. Peut-être, disait-on aussi, les censeurs avaient-ils été choqués par la séquence où l'héroïne se baigne nue dans un torrent. Je crois plutôt que c'était la franchise de Mikhalkov qui les gênait : à travers son héros touchant et odieux se dévoilait la complexité du fait révolutionnaire [1].

On nous a donné des nouvelles de Brodski. Il s'entendait bien avec les paysans, il s'occupait surtout de chevaux, ce qui ne lui déplaisait pas. Sur la suggestion d'Ehrenbourg, Sartre, par l'intermédiaire de l'Union des écrivains, adressa à Mikoyan une lettre demandant la grâce de Brodski. Contribua-t-elle à décider le gouvernement? Peu de temps après Brodski put reprendre à Léningrad une vie normale.

Cette année-là nous avons visité la Lituanie. Son destin a des analogies avec celui de l'Estonie. Annexée par la Pologne, puis par la Russie, elle n'a connu l'indépendance qu'entre les deux guerres. Occupée par les Allemands de 40 à 45, son rattachement à l'U.R.S.S. n'a pas été sans difficulté. Des bandes de paysans, soutenus par des débris de l'armée allemande, s'y opposèrent violemment. Réfugiés dans des maquis ils vivaient de brigandages et faisaient régner la terreur dans les villages [2]. Longtemps la situation est restée confuse. Il ne semble pas qu'aujourd'hui les Russes soient très aimés en Lituanie. Elle venait de célébrer le vingtième anniversaire de sa réunion à l'U.R.S.S. avec si peu d'enthousiasme que l'Intourist a hésité avant de nous autoriser à nous y rendre.

Alors qu'à Moscou, à Léningrad, nous vivions selon notre caprice, lorsque nous débarquions dans une République il y avait toujours une délégation d'écrivains qui nous prenait en main. A Vilno cependant personne ne nous attendait à l'aéroport et nous nous sommes réjouis de ce répit. Nous nous préparions à dîner tranquillement quand un maître d'hôtel s'est approché : « Monsieur Sartre? Il y a une table préparée pour vous. » Il a ouvert la porte d'un salon particulier où était dressée une table de plus de vingt couverts : nos hôtes s'étaient trompés sur l'heure de l'atterrissage et sont arrivés peu après. A partir du lendemain, ils ne nous ont guère quittés d'une semelle. Une fois, nous avons timidement suggéré qu'on nous laissât un

1. Le film a fini par sortir. Plus tard il a été projeté à Paris.
2. Un film lituanien assez curieux décrit ces guérillas. Nous l'avons vu à Moscou en projection privée.

après-midi flâner seuls dans la ville. Le soir ils ont demandé, d'un air un peu pincé : « C'était mieux sans nous ?» Nous avions de la sympathie pour eux; mais nous n'aimions pas déambuler dans les rues avec une escorte de cinq à six personnes.

Vilno était médiocrement intéressant : quelques jolies rues, des cours pittoresques, une vieille église en briques, d'architecture compliquée mais harmonieuse; loin du centre, une église baroque entièrement sculptée à l'intérieur : des plantes, des animaux, des personnages chez qui se reconnaissaient les traits typiques du paysan lituanien.

Un matin, en descendant dans le hall de l'hôtel, relativement élégant, nous avons été étonnés de le voir rempli de paysannes aux fichus noués sous le menton. La salle à manger cependant était pleine d'Américains. Comme en Estonie, et pour des raisons analogues les « compatriotes de l'extérieur » sont très bien vus en Lituanie; ils peuvent y venir et en repartir assez librement. Un train-paquebot venait d'arriver à Vilno et les familles des émigrés s'étaient précipitées à l'hôtel pour les accueillir. Il y avait un curieux contraste entre les Lituaniens « de l'intérieur » qui pour la plupart étaient des kolkhoziens, et les exilés, bourgeoisement vêtus; nous avons parlé avec quelques-uns d'entre eux : la plupart appartenaient aux couches les plus déshéritées de la société américaine et la détestaient.

Nous avons fait deux ou trois excursions : je revois un élégant château de briques, dressé sur une île, au milieu d'un lac que prolongeait jusqu'à l'horizon un chapelet de grands lacs mélancoliques.

Le voyage qui nous a menés en auto de Vilno à Palanka, au bord de la mer, a été assez fatigant. A Kaunas, deuxième ville de Lituanie, il a fallu visiter une exposition de vitraux modernes, fort laids, un atelier de tissage, un intéressant musée d'antiquités : j'ai admiré un Christ en bois, dont on trouve dans tout le pays des reproductions très laides, mais qui est très beau; couronné d'épines, assis, la joue appuyée contre sa main, c'est l'image même du délaissement. Après avoir déjeuné dans un charmant café, de style viennois, nous avons visité un fort où des résistants furent enfermés par les Allemands. Un gardien, qui était un ancien prisonnier, nous y a longuement promenés. Des Français avaient inscrit leurs noms sur les murs des cachots. Beaucoup de détenus avaient été fusillés et leurs os étaient enterrés dans les champs d'alentour, à des kilomètres à la ronde. Sartre a dû déposer une gerbe de fleurs au pied du monument aux morts. Ensuite nous avons traversé Klaipeda, l'ancienne Memel, dont l'architecture est lourdement allemande. Memel, encore un de ces noms que je m'étonnais de voir s'incarner. Pendant tout le trajet nous avons parlé avec notre escorte sur la littérature française, sur le cinéma italien. Nous étions recrus de fatigue en arrivant, très tard, à Palanka. Entrée la première dans l'hôtel, Léna est ressortie, consternée : le maire voulait nous inviter à dîner. Nous avons réussi à nous défiler.

Palanka n'a pas d'intérêt mais la mer était belle : d'énormes vagues café au lait ou gris sombre déferlaient en grondant sur la plage de sable qui s'étirait à perte de vue. Malgré la température — de douze à quatorze degrés — des gens se baignaient. Certains même faisaient du nudisme. Au cours d'une promenade, le long de la mer, de grasses femmes volubiles se sont précipitées sur Sartre : nous étions en train de nous diriger vers la plage réservée aux femmes. Il est fréquent en U.R.S.S. qu'hommes et femmes pratiquent le nudisme, sur des plages séparées. Bien entendu, sur les plages mixtes le costume de bain est de rigueur.

Un matin, nous avons aperçu un étrange spectacle : un homme habillé de toile cirée jaune était entré dans l'eau jusqu'à mi-cuisse, et il marchait en poussant quelque chose devant lui avec un bâton. C'était un filet qu'il a vidé sur le sable; des enfants se sont disputés avec ravissement des détritus. Il cherchait à ramasser de l'ambre. L'ambre transparent ou opaque dont on fait en U.R.S.S. de si beaux colliers provient en grande partie de cette côte.

Nous avons vu, à quelque distance de Palanka, une maison où Thomas Mann a séjourné : elle est perchée au-dessus de la mer, en haut d'une falaise et à l'orée d'un bois dans une parfaite solitude; elle héberge à présent des écrivains. Le site est très beau mais plus belles encore sont, à quelques kilomètres, de hautes dunes blanches; un grand vent soufflait qui nous faisait trébucher tandis que nous les escaladions; nous nous sommes assis au sommet et nous avons contemplé la mer d'un bleu aigu qui baignait les abruptes collines d'un sable étincelant comme de la neige.

Nous sommes revenus en avion à Léningrad et nous avons

voulu voir Pskov que nous avions manqué l'année précédente. Il fut convenu que la voiture de l'Intourist viendrait nous prendre un samedi matin. Le vendredi soir, à dix heures, Léna a été convoquée au bureau de l'hôtel : la route de Pskov était fermée. Impossible de faire intervenir les responsables de l'Union des écrivains : ils étaient partis en week-end. Pourquoi cette interdiction? Y avait-il des passages de troupes, des manœuvres? Le lendemain Léna qui tenait à nous conduire à Pskov décida de jouer le grand jeu. Elle expliqua au directeur de l'hôtel que Sartre allait partir pour Helsinki : il ne fallait pas compromettre par des tracasseries son amitié pour l'U.R.S.S. si on voulait qu'il la soutînt contre la Chine. Une heure après on nous autorisait à partir pour Pskov, ce que nous avons fait après le déjeuner.

Nous avons roulé sur une route déserte. A Pskov, la déléguée culturelle nous a très aimablement accueillis. Elle s'est excusée de ne pas nous offrir de fleurs : elle les avait données à l'ambassadeur et l'ambassadrice d'Angleterre, arrivés un peu auparavant, et qu'elle avait pris pour nous. Elle proposait de nous emmener voir le lendemain la maison de Pouchkine, à quelque cinquante kilomètres. Léna avait reçu des instructions : il ne fallait pas y conduire des étrangers. « Je prends sur moi toute la responsabilité », a dit la déléguée. Léna qui avait séjourné à Pskov pendant la guerre n'a pas retrouvé ce qu'elle en avait aimé : la plupart des vieilles maisons et des monuments anciens avaient été détruits.

La propriété de Pouchkine ne m'a pas beaucoup touchée : on le connaît si mal en France. Mais j'ai aimé la campagne ensoleillée et le vaste horizon par-delà les prés et les bois qui sentaient le printemps. Sur la route, nous n'avons pas croisé un chat, ni sur celle qui nous a ramenés à Léningrad.

Sartre a passé deux jours à Helsinki. Quand nous avons été, Léna et moi, le chercher à la gare de Léningrad, elle était remplie de gens qui tenaient des bouquets dans leurs bras. Des groupes se sont formés. A l'arrivée du train, ils se sont précipités vers les wagons, tandis que des musiciens se mettaient à jouer des hymnes patriotiques. Des photographes, des journalistes ont assailli certains délégués. Le Japonais était le plus entouré. Des discours ont commencé. Sartre a réussi à s'esquiver. A l'hôtel, il nous a raconté le Congrès. Les Chinois avaient eu une attitude extrêmement hostile; au cours des séances, ils n'applaudissaient jamais un orateur, sauf les Vietnamiens. La nuit du 14 juillet, où les délégués français avaient organisé entre eux une petite fête, l'un d'eux s'est taillé un succès en chantant : « Nuit de Chine, nuit câline, nuit d'amour. » Les rapports des Chinois avec les Soviétiques étaient particulièrement tendus; ceux-ci se tenaient sur la défensive mais les Chinois multipliaient les agressions. Ils étaient si violents qu'au cours d'une discussion avec eux Ehrenbourg, dans son effort pour rester maître de soi, a failli avoir une congestion; il a quitté la pièce et dans le corridor il est tombé, il s'est à moitié cassé la figure. Le lendemain, au cours d'une nouvelle discussion où les Chinois accusaient l'U.R.S.S. de déviationnisme, de révisionnisme, de retour au capitalisme, Ehrenbourg s'est emporté : les Chinois ont exigé que la délégation soviétique leur fît des excuses; elle a refusé : les paroles d'Ehrenbourg et sa colère n'engageaient que lui. « C'est inacceptable! ont dit les Chinois. Nous savons tous comment les choses se passent. Les réactions individuelles sont interdites, tout est réglé d'avance. Si un délégué se met en colère, c'est qu'il a été décidé qu'il se mettrait en colère. » Et leur comportement indiquait qu'en effet ils observaient cette règle.

Sartre nous raconta aussi son intervention au Congrès. Il avait dit qu'il ne fallait pas céder au chantage américain mais se porter massivement au secours du Vietnam : c'était le seul moyen d'arrêter l'escalade. Les Vietnamiens avaient chaleureusement applaudi. Ehrenbourg avait reproché à Sartre de s'être rangé du côté des Chinois. Le fait est que Sartre regrettait que l'aide de l'U.R.S.S. au Vietnam fût si timide. Selon lui, elle aurait pu contre-attaquer énergiquement les U.S.A. sans déclencher une guerre mondiale qu'ils ne désiraient pas non plus.

Sartre, au retour, partageait son compartiment avec une jeune femme, qui savait le français, et un général qu'on appelle le « général de la paix ». « Quand j'étais jeune, a-t-il expliqué, on m'a appris comment encercler et anéantir 10 000 hommes. Plus tard, comment en anéantir 100 000. Maintenant il s'agit d'en anéantir des millions : j'aime mieux lutter pour la paix. » L'idée que les Chinois possédaient la bombe atomique le terrorisait : un beau jour ils allaient la jeter n'importe où pour déclencher la guerre mondiale. « Moi ça m'est égal, j'habite au centre de Moscou, je mourrai tout de suite. Mais je pense aux gens de la banlieue! » La jeune femme était elle aussi épouvantée : les Chinois étaient tellement nombreux! Elle a demandé timidement : « Est-ce qu'on ne pourrait pas pousser les Américains à bombarder... oh! pas les villes mais les usines chinoises, avant qu'il soit trop tard? — Non, a dit fermement le général : d'abord ce serait criminel. Et puis nous sommes les alliés des Chinois : s'ils sont attaqués, nous devons leur porter secours. » Sartre s'était beaucoup amusé de ce vieux général.

Au cours d'une réunion de la C.O.M.E.S. qui eut lieu à Rome en octobre 65, nous rencontrâmes Simonov, Sourkov, Tvardovski, et des amis russes plus obscurs. Ils nous annoncèrent qu'une affaire beaucoup plus grave que celle de Brodski allait bientôt éclater à Moscou : deux écrivains, Siniavski et Daniel, étaient accusés d'avoir publié à l'étranger des œuvres antisoviétiques sous les pseudonymes d'Abraham Tertz et d'Arjak. Ehrenbourg nous avait expliqué qu'aujourd'hui, en U.R.S.S., la plus grande entreprise d'édition, c'était la Samizdat : l'autoédition. Les auteurs que la censure condamnait au silence ne s'y résignaient pas : avec l'aide de leurs amis, ils faisaient dactylographier et circuler leurs textes; toute une littérature clandestine, extrêmement intéressante, disait Ehrenbourg, se développait parallèlement à la littérature officielle. Quelqu'un avait fait franchir le rideau de fer à des nouvelles de Daniel, publiées en France sous le nom de *Ici Moscou* ainsi qu'à des nouvelles et à un essai de Siniavski publiés sous le titre de *Verglas*. J'avais lu le *Verglas*, sans grand enthousiasme, mais sans y déceler d'attaques contre l'U.R.S.S. Ces nouvelles étaient ironiques et critiques, mais non antisoviétiques. Daniel dénonçait le terrorisme stalinien, sans s'en prendre au socialisme en tant que tel. Mais on estimait en haut lieu qu'ils avaient diffamé leur pays.

Dès le mois d'octobre, ils furent arrêtés. Les *Izvestia, Literatournaïa Gazeta* les attaquèrent avec violence. Le 13 décembre, des étudiants tentèrent de manifester à Moscou aux cris de

« procès public pour Siniavski » mais la police les dispersa. Le procès se déroula en février 66, devant un auditoire soigneusement choisi : exclusivement des membres du Parti. On concéda aux accusés le droit de parler et ils se déclarèrent non coupables : mais la presse ne diffusa pas leurs plaidoyers. Le tribunal amalgama leur cas avec celui de Tarsis qui avait, lui, écrit des œuvres très violentes contre le régime et qu'on avait laissé quitter le pays trois jours avant l'ouverture du procès en le déclarant paranoïaque. On décréta que Siniavski et Daniel étaient coupables d'avoir porté atteinte au régime social et politique de l'U.R.S.S. : l'exploitation de leur propagande par la presse bourgeoise en démontrait la perversité subversive. Ils furent envoyés, Siniavski pour sept ans, Daniel pour cinq ans, dans un « camp de redressement par le travail, au régime strict ». Sur l'initiative d'Ehrenbourg, soixante-deux écrivains signèrent une pétition demandant la libération des deux condamnés : ils se portaient garants pour eux. Si l'on considère que l'Union des écrivains comprend six mille membres, le chiffre de soixante-deux est dérisoire. Il fallait beaucoup de courage pour signer : on s'exposait à ne plus être envoyé à l'étranger, à perdre sa situation, à ne plus être publié. Nos amis Doroch et Léna prirent ces risques. Au XXIIIe congrès du P.C.U.S., qui se tint au lendemain du procès, Cholokhov déplora que les coupables n'aient pas été plus sévèrement punis : au temps de Lénine, dit-il, ils auraient été fusillés. Il blâma aussi les libéraux qui avaient offert leur caution : « J'ai honte doublement pour ceux qui offrent leurs services et demandent la liberté surveillée pour ces renégats. » Il affirma que seuls les « défenseurs bourgeois » avaient protesté contre ce procès. Cependant le 16 février L'Humanité publia une déclaration d'Aragon qui désapprouvait le procès en son propre nom et au nom du P.C.F. Le P.C.I. prit la même attitude. Pendant une semaine L'Humanité fut interdite à Moscou. Nous y arrivâmes le 2 mai : « Que venez-vous faire ici en cette saison ? » nous demanda Ehrenbourg. Selon lui, la situation des intellectuels était aujourd'hui tragique. Tous ceux que nous avons rencontrés se montrèrent indignés par le procès, même ceux qui n'avaient pas signé la pétition. Ils nous dirent qu'au camp de travail Siniavski et surtout Daniel étaient très durement traités. Pendant tout le temps que nous restâmes à

Moscou, presque toutes les conversations roulèrent sur ce sujet. Tous nos amis étaient consternés et anxieux. La Samizdat ne fonctionnait plus qu'avec les plus grandes précautions. Aucune œuvre intéressante ne paraissait. Tarkovski avait enfin terminé un scénario de Roublov qui avait été agréé : mais, nous dit Doroch, il avait été forcé de faire tant de concessions que le résultat n'était pas du tout satisfaisant [1].

En 63 nous avions publié dans *Les Temps modernes* l'admirable *Maison de Matriona* de Soljenitsyne, qu'avait traduit pour nous Cathala; le récit avait paru auparavant dans *Novy Mir* mais il avait été sévèrement critiqué. Nous avions fait paraître deux autres nouvelles du même auteur et nous aurions aimé le connaître. Un ami commun proposa d'organiser une rencontre. Léna nous dit un jour que Soljenitsyne lui avait téléphoné : il souhaitait lui parler. Nous avons pensé que c'était pour nous fixer un rendez-vous. Mais quand elle est revenue nous trouver, après une heure de conversation avec lui, elle avait l'air très déconcertée : « Il ne veut pas vous voir », a-t-elle dit à Sartre.

Pourquoi? Il ne s'en était pas très clairement expliqué. « Voyez-vous, avait-il dit en substance, Sartre est un écrivain dont toute l'œuvre a été publiée. Chaque fois qu'il écrit un livre, il sait qu'il sera lu. Moi, j'ai derrière moi une quantité d'ouvrages qui ne verront jamais le jour. Alors je ne me sens pas capable de parler avec Sartre : cela me ferait trop souffrir. » Cette réaction nous a surpris. Sartre le connaissait sans doute mieux qu'il ne connaissait Sartre dont très peu d'œuvres avaient été traduites en russe : une partie du théâtre et *Les Mots*. De ce point de vue ils s'affrontaient à égalité. Peut-être ne voulait-il ni paraître s'accommoder de son sort, ni exposer à un inconnu les idées qu'il exprima un an plus tard dans la lettre envoyée au Congrès des écrivains. Ce qui nous a paru clair, c'est qu'être condamné au silence, à la nuit, représente pour un écrivain la pire des malédictions.

Nous n'avions jamais pu aller en Asie centrale parce que les étés y sont trop chauds. En mai, la température était encore

---

1. J'ai partagé cet avis quand j'ai vu le film à Paris, l'hiver 1969. La critique l'a porté aux nues : mais n'est-ce pas parce qu'il était interdit en U.R.S.S.?

clémente et je me réjouissais de voir Samarcande : juste comme nous arrivions en U.R.S.S. un tremblement de terre a ravagé l'Ouzbékistan; pas question de s'y promener en touristes. Nous avons donc changé nos plans.

Nous sommes retournés à Yalta. Il y avait moins de cohue et il faisait plus frais qu'en 1963. Le printemps explosait dans les jardins et dans les parcs en luxuriantes fleurs violettes : de lourdes grappes de glycines et de lilas, des arbres de Judée, des cerisiers du Japon. Partout des roses, des pétunias épandaient leurs lourds ou tendres parfums. Nous avons refait les anciennes promenades et glissé en mer, en hydroglisseur. Et puis de nouveau, un soir, nous nous sommes embarqués sur un bateau blanc et nous avons vu défiler la côte, au soleil couchant. Le capitaine nous a invités à dîner, très mal, dans sa cabine. (C'était dans cette cabine que Maurice Thorez avait eu une attaque et était mort.) Il a demandé à Sartre, d'un air mi-figue mi-raisin, s'il était venu en U.R.S.S. à cause de l'affaire Siniavski-Daniel.

Odessa. Pour moi c'était d'abord le fameux escalier du *Cuirassé Potemkine*. D'en haut il ne fait pas grand effet; d'en bas, bien qu'on ait supprimé quelques marches pour construire la route qui longe les docks et qu'il ne plonge plus dans la mer, il est aussi imposant que dans le film. Je venais de lire le tome des *Mémoires* de Paoustovski où il raconte les jours qui précédèrent l'entrée de l'Armée rouge dans la ville : les rues désertes et noires où il fallait se faufiler à pas de loup si on ne voulait pas être dépouillé de son pardessus ou pris pour cible par les cosaques; la ruée de la population vers le port : des ballots, des malles en osier glissant le long des chaussées en pente, les valises éventrées crachant des dentelles et des rubans; les bousculades meurtrières sur les passerelles des bateaux qui fuyaient vers Constantinople : ils quittaient le quai sans même qu'on les eût retirées et les grappes humaines étaient précipitées dans la mer. Puis ç'avait été le grand silence de la ville abandonnée et la cavalerie soviétique s'était avancée dans des rues jonchées de cadavres. Dans les magasins fermés pullulaient d'énormes rats. J'évoquais ces images tandis qu'à pied ou en taxi nous découvrions Odessa. Le centre commercial était grouillant de vie; il y avait aussi de calmes quartiers d'habitations où foisonnaient des acacias couverts de fleurs blanches dont les pétales pleuvaient sur le sol et qui embaumaient; le long des rues dépavées se dressaient de belles maisons aux façades régulières qui étaient demeurées intactes depuis le début du xixe siècle. Le passé semblait exactement se survivre. Cependant les habitants avaient changé. La population d'Odessa était jadis en grande partie constituée par des Juifs et des Levantins. Maintenant, elle se compose surtout d'Ukrainiens. Pourtant, dans un quartier aux trottoirs crevassés, où les acacias émergeaient d'une boue épaisse, nous avons entendu parler yiddish. Des nuées de petits Kakfa aux yeux très noirs jouaient sur les trottoirs.

Un train nous a conduits à Kichinev à travers une aimable campagne : des prairies, de petites maisons aux toits de chaume, aux murs crépis de bleu, des jardins potagers bien cultivés, un air d'abondance heureuse. La ville a été presque entièrement rasée par la guerre : d'après les quelques maisons de bois peint qui ont subsisté, elle devait avoir été charmante. Les écrivains qui nous ont reçus nous ont demandé avec un peu de surprise pourquoi nous y étions venus : pris de court, Sartre a répondu que le tremblement de terre nous avait interdit l'Ouzbékistan; ils ont paru ne pas beaucoup goûter cette explication. Cependant nous avons eu avec eux des rapports très cordiaux pendant les deux jours où ils nous ont montré les environs : de vastes champs de terre noire alternant avec des prairies; des villages, semblables à ceux que nous avions aperçus du train, soignés et prospères. Avant guerre, cette région appartenait à la Roumanie; beaucoup de ses habitants parlent roumain et en général les intellectuels savent le français.

Nous avons roulé en auto le long du Prut — la frontière actuelle — sur une route bordée de blancs acacias parfumés. A l'entrée de chaque village, la voiture s'arrêtait; nous descendions, nous frottions nos semelles contre une espèce de tapis imbibé d'un désinfectant : la fièvre aphteuse sévissait dans la région et nous aurions risqué de la transporter d'une frontière à l'autre. On apercevait, très proches, les Carpates au nom romantique.

Dans ma jeunesse, Stépha m'avait souvent parlé de Lvov, sa ville natale qui faisait alors partie de la Pologne : comme elle me semblait lointaine! Comme le monde depuis s'était rétréci, puisqu'il me paraissait si naturel de me trouver là. La ville s'apparentait à l'Europe centrale plutôt qu'à la Russie. Les monuments étaient bâtis dans le style baroque autrichien, avec de beaux toits verts bistournés. Nous sommes entrés dans une église catholique; elle était remplie de gens qui chantaient en chœur de beaux cantiques : beaucoup de jeunes dans l'assistance.

A l'université de Lvov, les étudiants ont posé à Sartre les mêmes questions que les écrivains de Vilno l'année passée, de Kichinev cette année; ils s'intéressaient au cinéma italien, surtout à Antonioni, et à la littérature française : surtout au nouveau roman et à Sagan.

Au cours de ce bref voyage nous avons fait une nouvelle expérience de la méfiance dont les étrangers sont l'objet. Nous nous étions arrêtés avant Lvov dans une ville au pied des Carpates où nous avions souhaité faire une excursion. Il y en avait une de prévue, nous dit l'Intourist : quatre heures de montée en auto jusqu'à un col où nous déjeunerions dans un hôtel; quatre heures de descente. Mais Léna ne supporte pas les longs trajets sur des routes en lacets. J'ai suggéré de raccourcir la promenade : nous pique-niquerions à mi-chemin du col. Impossible : les étrangers n'ont pas le droit de mettre pied à terre avant le col. Nous avons donc dû nous borner à passer deux heures en forêt, sans quitter l'auto. Les Carpates ressemblaient aux Vosges : des sapins, de l'herbe fraîche, des croupes bleutées. J'aurais aimé en respirer l'odeur.

Récapitulant tous les interdits auxquels nous nous étions heurtés, leur absurdité nous confondait. A Yalta, la côte orientale était interdite aux étrangers, ainsi que la route directe vers la capitale tatare; Sébastopol leur était fermé; à Vladimir les taxis pour Moscou leur étaient interdits. Interdit d'aborder les États baltes autrement que par la capitale. Interdit d'aller de Léningrad à Tallin et vice versa autrement que par le train. L'épisode de Pskov avait démontré l'inanité de ces règlements. « C'est comme ce banc de Madrid », nous a dit Goytisolo que nous avons rencontré à Moscou. « Une pancarte indiquait : Défense de s'asseoir. Intrigué, quelqu'un fit une enquête; cinq ans plus tôt, le banc avait été repeint et on y avait apposé la pancarte que personne depuis n'avait pris l'initiative d'enlever. »

Sans doute certaines consignes ne sont-elles que des survivances. Mais la méfiance des Russes à l'égard des étrangers remonte loin. Les Soviétiques renouent avec une ancienne tradition. Dans une des églises de Vladimir, une fresque — œuvre d'un inconnu — nous a paru bien significative. Elle représente le Jugement dernier. A droite du Seigneur c'est la cohorte des anges et des élus en longues robes sans âge; à gauche, voués à l'enfer, on voit des gentilshommes en justaucorps noirs, culotte serrée au-dessus du mollet, collerette de dentelle, barbe en pointe : des catholiques; derrière eux, il y a des hommes enturbannés : des Musulmans. La discrimination se fonde sur la religion. Mais la différence des religions se recoupe avec celle des nationalités. Tous les étrangers vivent dans l'erreur et sont damnés.

En 1967, nous avons refusé d'assister au Congrès de l'Union des écrivains soviétiques : sinon nous aurions eu l'air d'approuver la condamnation de Siniavski et de Daniel, ainsi que le silence auquel était condamné Soljenitsyne. La manière dont le Congrès se déroula, la répression qui sévit au cours de l'année suivante contre un grand nombre d'intellectuels libéraux ne nous inci-taient pas à retourner en U.R.S.S. en 68. Mais ce furent les événements de Tchécoslovaquie qui nous déterminèrent à rompre définitivement avec elle.

La Tchécoslovaquie. Nous l'avions à peine entrevue en 54 et une petite phrase, murmurée clandestinement, nous avait angoissés : « Il se passe des choses terribles ici, en ce moment.» Mais en 63 nous avions senti passer sur Prague un vent de liberté. La colossale et hideuse statue de Staline était depuis longtemps abattue. Kafka était lu et aimé. On avait traduit un grand nombre d'œuvres étrangères, entre autres des livres de Sartre, les miens. Dans un cabaret plein à craquer nous avons entendu des jeunes gens jouer du jazz et lire des poèmes de beatniks américains. A l'Université, Sartre a pu discuter tout à fait librement avec les étudiants. Beaucoup d'intellectuels avaient du marxisme cette connaissance vivante qui faisait regrettablement défaut aux Soviétiques. Ils demeuraient fidèles au socialisme mais leur pensée était devenue critique et exigeante. Ils ne craignaient pas de regarder le passé en face et d'en dénoncer les erreurs. Une commission créée en 1962 avait conclu, en avril 63, que les procès de Prague avaient reposé sur des accusations fabriquées de toutes pièces; elle demandait que les verdicts fussent cassés et les condamnés réhabilités. Certaines réhabilitations avaient été refusées mais le processus était en cours et paraissait irréversible.

Nos deux interlocuteurs les plus habituels, c'était Hoffmeister qui nous avait accueillis à l'aéroport et Liehm qui nous servait de guide et d'interprète. Hoffmeister était une des figures les plus connues de Prague. C'était un homme d'une soixantaine d'années. Tout jeune il avait écrit des poèmes, des pièces, des nouvelles, des essais et les caricatures qu'il avait exposées en 1927 et 1928 à Prague et à Paris avaient eu un grand succès. Il avait quitté Prague pour Paris en 39; il avait été interné à la Santé puis déporté en Allemagne d'où il s'était évadé pour gagner les U.S.A. Après la guerre, il avait été nommé directeur des Relations culturelles, puis de 48 à 51 embassadeur à Paris. Il s'était tenu à l'écart de la vie publique pendant la période des procès. A présent, il était professeur à l'École des arts décoratifs; il continuait à écrire et à dessiner.

Plus jeune, Liehm était un essayiste et un journaliste de grand talent. Il avait traduit beaucoup de livres français. Tous deux parlaient parfaitement le français. Tous deux étaient très bien informés, ouverts et astucieux. Nous discutions avec eux sans réticence de n'importe quelle question.

Dans le beau château des environs de Prague qui appartient à l'Union des écrivains, nous avons rencontré l'écrivain slovaque Mnacko; on estimait beaucoup son livre, *Le Reportage différé*, où il décrit les abus de la période stalinienne. Il était vivant, passionné, d'une grande indépendance d'esprit. Nous l'avons retrouvé avec plaisir à Bratislava.

Je ne connaissais pas cette ville. Nous y avons été promenés par un couple très sympathique, M. Ballo et sa femme. Il avait été attaché d'ambassade à Paris et c'est lui qui nous avait fourni des renseignements officiels sur le procès Slansky. A présent il dirigeait une revue littéraire.

Bratislava semblait pauvre. Des tziganes habitaient un quartier misérable, au pied du château. Depuis peu de temps, afin de faire rentrer des devises, la frontière toute proche était ouverte le samedi et le dimanche et un flot de touristes autrichiens se répandait dans les rues. Le gérant de notre hôtel nous a dit qu'il reconnaissait fort bien certains d'entre eux : vingt ans plus tôt ils portaient l'uniforme allemand. La résistance slovaque avait été héroïque, la répression sanglante : ni les Allemands ni les Autrichiens n'étaient vus d'un bon œil. Un soir, Mnacko et ses amis nous emmenèrent dans un restaurant situé au milieu d'une forêt et qu'on appelait la «caverne des voleurs » : c'était une grande hutte aux meubles de bois sombre au milieu de laquelle rôtissaient sur des broches des viandes aux odeurs affriolantes. Tandis que nous dînions, en buvant du vin blanc, un groupe de touristes s'est installé à une autre table, et ils se sont mis à chanter en allemand. Notre table a riposté en entonnant le chant des partisans. Il y avait de la tension dans l'air; et puis Mnacko a été parler avec les Autrichiens et ils ont fini par se serrer la main.

De Bratislava à Prague, nous avons traversé de vastes paysages : des collines verdoyantes et de sombres forêts où de riches étrangers viennent à l'automne chasser du gros gibier. Dans la plupart des villages on voit de belles colonnes baroques qu'au lendemain des épidémies de peste les survivants élevaient pour remercier Dieu de les avoir épargnés.

Notre séjour a été bref, mais nous sommes restés en relation avec nos amis tchèques. En 64 nous avons publié dans *Les Temps modernes* une nouvelle ironique et cruelle de Kundera, *Personne ne va rire*. Nous avons rencontré à Paris Hoffmeister. En 1967, Liehm a fait paraître dans la revue qu'il dirigeait *Literarni Noviny*, un compte rendu des travaux du Tribunal Russell. Nous l'avons revu à Paris à cette occasion. A l'époque, en Tchécoslovaquie la peinture, la musique, la littérature étaient assez libres, nous a-t-il dit : il avait même paru de très bons livres sur la période stalinienne. La situation du cinéma était moins bonne. On ne censurait pas les films mais on encourageait les metteurs en scène subversifs à partir pour Hollywood. L'explication, nous dit Liehm, c'est que les dirigeants ne lisent pas et ignorent tout de la musique et de la peinture. Tandis que de temps en temps, ils voient un film dans leur salle de projection.

Une crise politique couvait. La situation économique était mauvaise. Pour la redresser, Otasik élabora un nouveau système; il voulait adapter la production aux ressources et aux besoins du pays; ce réformisme était incompatible avec l'extrême centralisation du pouvoir, il exigeait une certaine libéralisation du régime; il en résulta un conflit entre les nouveaux bureaucrates et les anciens. Dépolitisée, la classe ouvrière semblait se ranger du côté de ces derniers bien qu'il fût question, chez les réformistes, de leur assurer un certain contrôle sur la production. Ce furent les intellectuels qui, en face d'un pouvoir paralysé par ses contradictions internes, suscitèrent chez eux l'exigence d'une démocratisation socialiste. *Literarni Noviny* critiquait ouvertement le système. Avant le IVᵉ Congrès de l'Union des écrivains qui s'ouvrit en juin, les staliniens déclenchèrent contre Liehm et sa revue une campagne qui échoua. Le Congrès fut orageux. L'écrivain Vaculik dénonça l'incompétence et la sclérose des cercles dirigeants. D'autres l'appuyèrent. Hendyck, ancien secrétaire du Comité central et farouche stalinien, quitta la salle. L'organisme dirigeant de l'Union, élu à une majorité écrasante, ne fut pas reconnu par la direction du Parti. Il y eut donc rupture entre celui-ci et les intellectuels. Ces derniers firent circuler un grand nombre de textes qui attaquaient le régime.

Après la guerre des Six Jours, Prague avait pris violemment parti contre Israël. Il était interdit d'exprimer sur la question une opinion qui s'écartât des positions officielles. Sous prétexte d'antisionisme, on vit renaître l'antisémitisme qui avait servi de fond au procès Slansky. En septembre 67, Mnacko quitta avec fracas Bratislava pour Israël; il n'était pas juif, mais il n'acceptait pas qu'on l'empêchât d'écrire ce qu'il pensait. Un grand nombre d'écrivains tchèques signèrent un manifeste où ils revendiquaient leur liberté, sur la question israélienne comme sur toutes les autres.

A la fin de septembre, au cours de sa session plénière, le Comité central exclut du Parti trois écrivains, dont Liehm. Il y eut fin octobre une nouvelle session qui coïncida par hasard avec une manifestation d'étudiants à laquelle on prêta un caractère politique, bien qu'elle portât sur des questions de chauffage et d'éclairage. D'autre part, la Slovaquie était un foyer d'agitation, car elle s'estimait, à juste titre, brimée par les Tchèques. Novotny et Dubcek s'affrontèrent à propos du problème slovaque et la maladresse de Novotny jeta dans l'opposition beaucoup de membres du Comité central. Mis au courant en décembre par Dubcek et Cernik, Brejnev ne promit pas son appui à Novotny.

Pendant la session de décembre, le Comité central fit pression sur lui pour qu'il démissionnât. Dans la nuit du 4 au 5 janvier, il abandonna son poste de chef du Parti; il resta seulement président de la République. Dubcek fut le nouveau secrétaire. Ce changement avait été opéré de manière parfaitement démocratique, sous l'action du Comité central.

C'est alors que se prépara puis s'épanouit le « printemps de Prague ». De janvier à mars, on entendit surtout la voix de l'intelligentsia. Les intellectuels cherchaient à faire basculer les masses du côté des réformateurs mais en fait leurs écrits allaient beaucoup plus loin : ils montraient qu'on ne pouvait mettre fin aux « abus » du régime qu'en liquidant le système tout entier. Mise au courant de la situation réelle du pays et des erreurs qui avaient été commises, la classe ouvrière peu à peu se repolitisa et elle reprit la vieille exigence maximaliste : le pouvoir aux Soviets. La censure abolie, la presse, la radio jouissant d'une totale liberté, les intellectuels intensifièrent leur lutte contre le système. En mars, Novotny démissionna; les dirigeants décidèrent de réunir un congrès du parti et de procéder à des élections parlementaires. En mai, Vaculik publia le *Manifeste des 2 000 mots :* la démocratisation, disait-il, devait devenir l'œuvre des travailleurs eux-mêmes. Ceux-ci obtinrent du nouveau régime qu'il leur confiât la gestion des entreprises. Ils comprenaient que cette conquête était le fruit des discussions qui se déroulaient depuis janvier et le droit à l'information totale devint une de leurs revendications fondamentales : des « comités ouvriers pour la liberté d'expression » s'ouvrirent dans les usines. Ainsi se trouva réalisée la difficile alliance des intellectuels et de la classe ouvrière.

Mais le P.C.U.S. avait pris peur. Le 1er juin, le Comité central du P.C. tchécoslovaque décida à l'unanimité la convocation en septembre du XIVe Congrès : alors des armées soviétiques et polonaises commencèrent à patrouiller aux frontières tchécoslovaques. Le 1er juillet, l'U.R.S.S., la Pologne, la Hongrie, la Bulgarie, l'Allemagne de l'Est signèrent à Varsovie la « lettre des Cinq ». Ils invitaient les staliniens tchécoslovaques à s'opposer à la politique de Dubcek. Ce fut un coup d'épée dans l'eau. L'unité du Parti et du peuple n'en fut que renforcée. Nous avions suivi les événements avec un intérêt passionné. J'avais lu *La Plaisanterie* où Kundera évoque avec un sombre humour le climat qui régnait en Tchécoslovaquie pendant les années 50. L'auteur s'inspirait d'un fait réel qui s'était produit en 1949. Nezval, que les jeunes Tchèques admiraient comme poète mais beaucoup moins comme homme, publia une œuvre où il célébrait à la fois les plaisirs des sens et Staline. Quelques jeunes gens s'amusèrent à la parodier. Cette « plaisanterie » leur coûta cher. On qualifia leur pamphlet de tract contre l'État; on attaqua les revues qui l'avaient diffusé; on accusa les auteurs et leurs complices d'être des trotskistes et des agents de l'impérialisme. Ils firent leur autocritique, souvent avec sincérité car le seul fait d'être des intellectuels les culpabilisait. Dans son roman Kundera transposait cette anecdote; il racontait les années de travail forcé auxquelles le plaisantin avait été condamné. En avril, *Les Temps modernes* avaient publié plusieurs articles de progressistes tchèques. Sartre avait parlé longuement à la télévision tchèque.

Nous étions à Rome quand le 21 août nous avons appris l'entrée des chars soviétiques en Tchécoslovaquie. Sartre a aussitôt donné une interview au journal communiste *Paese Sera;* il y traitait les Soviétiques de « criminels de guerre » : nos rapports avec l'U.R.S.S. se trouvaient définitivement brisés. Tous nos amis italiens étaient atterrés. Le P.C.I. s'est désolidarisé avec énergie de l'agression soviétique; le P.C.F. aussi, mais plus mollement. Dans les deux pays la base, habituée à admirer inconditionnellement l'U.R.S.S., a été choquée par l'attitude du Comité central. Quant à nous, la position prise par Castro nous a navrés. Rosana Rossanda nous a communiqué son discours qu'elle venait de recevoir dans le texte original : elle était aussi tristement étonnée que nous de voir Castro approuver avec enthousiasme l'invasion d'un petit pays par une grande puissance.

Les écrivains soviétiques adressèrent aux intellectuels tchécoslovaques une lettre par laquelle ils se solidarisaient avec leur gouvernement. Parmi les grands, seuls Simonov, Tvardovski et Léonov refusèrent de la signer. (Ehrenbourg était mort.) Nous pensions à la détresse de nos amis russes. À notre retour à Paris, nous avons rencontré Svetlana, une jeune communiste russe que nous connaissions un peu. Elle était en vacances avec sa sœur dans une station de la mer Noire quand, écoutant les nouvelles sur son transistor, elle apprit l'agression. « Je ne pleure jamais, nous dit-elle. Mais là, j'ai fondu en larmes. Ma sœur aussi. » À l'hôtel elles ont déjeuné avec un jeune officier : « Mais ne faites pas cette tête-là! leur a-t-il dit. Les Allemands n'entreront pas en Union soviétique. C'est nous qui allons les poursuivre jusque chez eux. » Il croyait comme tant d'autres qu'il s'agissait de se battre contre les Allemands. Les masses soutiennent aveuglément le gouvernement, nous dit Svetlana. Nous, les intellectuels, nous sommes maintenant complètement isolés.

Vers le même moment j'ai vu une amie roumaine qui revenait de Bucarest. Le 22 août, elle se trouvait chez sa pédicure quand celle-ci, ayant ouvert la radio, a éclaté en sanglots : « Nous sommes fichus! » Ceausescu a annoncé qu'il allait prendre la parole et toute la ville s'est réunie pour l'écouter. Il a protesté contre l'agression avec une extrême violence. La déclaration de Sartre à *Paese Sera* a paru en première page dans tous les journaux. Peu à peu, par suite de tractations secrètes avec l'U.R.S.S., le silence s'est fait. Les Roumains qui se trouvaient en Tchécoslovaquie en sont revenus avec des autos cabossées : au passage, les Hongrois leur avaient jeté des pierres. Les couches éclairées du peuple hongrois ont désapprouvé l'intervention; mais il y a toujours eu une inimitié profonde entre la Hongrie et la Roumanie et la propagande prosoviétique ayant échauffé les esprits, les paysans se sont crus autorisés à manifester leur haine.

En octobre nous avons revu Liehm et longuement causé avec lui. Il a dit à Sartre que les directeurs des théâtres de Prague l'invitaient à venir voir jouer *Les Mouches* et *Les Mains sales*. Sartre a accepté mais nous étions sceptiques : les pièces ne seraient-elles pas interdites? Nous accorderait-on nos visas?

Le fait est que le jeudi 28 novembre nous atterrissions à Prague, à onze heures du matin. Il faisait gris, humide et froid. Le directeur du théâtre, ses associés, des écrivains nous ont amenés à l'hôtel Alkron, désuet et charmant, qui fut jadis un centre d'espionnage international. De là nous sommes tout de suite partis pour le théâtre où s'achevait la répétition générale des *Mouches*. Du vestibule, nous avons entendu crépiter des applaudissements. Nous nous sommes installés sur la scène et des étudiants, nombreux dans l'assistance, ont posé des questions à Sartre. Liehm lui avait dit qu'il pouvait parler sans la moindre réticence : j'ai tout de même été surprise par la liberté de cet entretien. Comme l'auditoire l'en sollicitait, Sartre a déclaré qu'il tenait l'agression soviétique pour un crime de guerre; qu'il avait écrit *Les Mouches* pour encourager les Français à la résistance, qu'il était heureux que sa pièce fût jouée dans la Tchécoslovaquie occupée. Peu de jours auparavant, les étudiants s'étaient mis en grève et il leur en demanda les raisons. « Monsieur Sartre, vous venez de débarquer, vous ignorez dans quelles conditions nous vivons; en privé nous pourrions vous parler de la grève, mais pas en public : il y a autocensure », a dit un jeune homme. Un autre, roux et barbu, un mathématicien, s'est levé : « Autocensure ou non, moi je vais répondre. » Et il est monté sur la scène. Il parlait en tchèque; notre interprète, une charmante jeune femme mélancolique, aux yeux très bleus, traduisait. Les étudiants n'étaient pas contre le gouvernement mais ils voulaient démontrer leur importance politique et détourner les dirigeants d'entrer dans la voie des concessions. Les ouvriers avaient fait une heure de grève pour leur manifester leur solidarité. La discussion a continué sur divers sujets pendant près de deux heures.

Nous avons déjeuné, très tard, avec le directeur du théâtre et son équipe; nous nous sommes reposés à l'hôtel. Vers sept heures nous sommes sortis. Il faisait très froid, il y avait du brouillard et malgré les joyeuses couleurs des enseignes au néon, les rues étaient assez sinistres. Au pied de la statue qui se dresse en haut de la place Wenceslas s'amoncelaient des couronnes mortuaires; des bouquets jonchaient le sol où brillait un parterre de bougies; des gens se recueillaient en silence, d'autres murmuraient des prières, en mémoire des victimes de l'agression.

Le lendemain matin, notre interprète nous a emmenés en auto revoir Prague. Une quantité de voitures, en général petites, emboutcillaient les rues. J'ai revu le château, les vieux quartiers, leurs jolies maisons baroques, beaucoup de places charmantes et de loin le pont aux statues sorcières sur lequel on ne pouvait pas passer parce qu'on était en train de le réparer. J'ai visité la belle chapelle de Jean Huss. Et nous nous sommes arrêtés un long moment sur la grande place où Jean Huss fut brûlé : je me rappelais bien l'horloge, les belles maisons anciennes, et, un peu en retrait, les deux clochers de l'église.

Nous avons déjeuné avec des écrivains dans un joli restaurant décoré de faux arbres : c'est la mode à Prague, comme chez nous les vieilles poutres, par réaction contre la matière plastique. Nous avons revu Hoffmeister, j'ai fait la connaissance du jeune philosophe Kosik dont Sartre m'avait parlé avec estime. Là aussi, la conversation était absolument libre. Personne ne se méfiait de personne et entre tous régnait un accord parfait. La réunion d'une centaine de personnes qui a eu lieu ensuite à l'Union des écrivains a été beaucoup moins intéressante : ceux que nous aurions souhaiter rencontrer étaient absents de Prague, entre autres Kundera.

Le soir a eu lieu la première des *Mouches*. La salle était comble. Nous avons trouvé la mise en scène excellente ainsi que les acteurs. Le public a frénétiquement applaudi un certain nombre de répliques. Quand Jupiter dit à Oreste et à Électre : « Je suis venu pour vous aider », les rires se sont déchaînés. Et aussi quand, ayant fait à Électre d'alléchantes promesses, à sa question : « Qu'exigeras-tu de moi en retour? » il répond : « Je ne te demande rien... ou presque rien. » Le public a réagi avec enthousiasme à la réplique de Jupiter : « Quand une fois la liberté a explosé dans une âme d'homme, les dieux ne peuvent plus rien contre cet homme-là. » Dans beaucoup d'autres phrases, il a vu des allusions à sa situation et a vivement manifesté. A la fin, il a fait un triomphe à Sartre.

Ensuite, nous avons soupé de viandes froides arrosées de vodka, de vin blanc et de bière. Nous étions assis en face de Cisak et de Hadjek. Le premier était trapu, il avait un large visage sous des cheveux taillés en brosse. Hadjek — qui avait été l'objet d'ignobles calomnies [1] — avait une tête d'oiseau déplumé. Il appelait les Russes « nos alliés » et prêchait la prudence : « Il ne faut pas effrayer nos alliés. » Selon lui, on avait trop parlé : les intellectuels aiment trop parler. Il serait plus sage désormais d'agir en silence.

Le lendemain soir, *Les Mains sales* ont aussi reçu du public un accueil enthousiaste. Il y a trouvé quantité d'allusions

---

1. On l'a accusé d'être un vieux social-démocrate, agent de la Gestapo et sioniste, alors qu'il n'est même pas juif.

aux événements. Quand Hœderer dit qu'une armée d'occupation n'est jamais aimée, fût-ce l'Armée rouge, il a applaudi à tout rompre. On m'a raconté que dans une comédie une actrice avait déchaîné des tempêtes de rire en disant au téléphone à une amie : « Rappelle-moi plus tard, je suis occupée. »

Notre journée avait été bien remplie et celle du lendemain le fut aussi. On nous a montré les Actualités tournées par les Tchèques pendant la nuit tragique et les jours suivants : j'avais lu beaucoup de reportages, mais c'est tout autre chose de voir les choses de ses yeux. On nous a montré aussi les Actualités tournées par les Soviétiques; elles ont été projetées en U.R.S.S. avec des commentaires qui en dénaturaient le sens : des armes trouvées dans les caves d'un ministère étaient définies comme un arsenal contre-révolutionnaire. A Prague, on avait présenté le film en en dénonçant les supercheries.

A la télévision, répondant à des questions posées par Bartosek, nous avons évité de prononcer des mots trop compromettants; mais nous avons parlé de manière transparente du « malheur » qui avait fondu sur le peuple tchécoslovaque, de sa « légitime amertume ». Bartosek aurait voulu que nous rencontrions des ouvriers. Il pensait que le printemps 68 avait amorcé une transformation de leur condition, qu'ils allaient, du moins en partie, arracher le pouvoir aux bureaucrates, participer à la gestion des usines. C'est pourquoi ils soutenaient contre les Russes le nouveau gouvernement. Malheureusement nous ne pouvions pas rester à Prague assez longtemps pour visiter des usines.

Nous avons déjeuné dans un restaurant qui s'appelait le Moscou (!) avec des gens de théâtre. Et passé un agréable moment chez les Hoffmeister : leur grand appartement est plein de magnifiques objets qui viennent de tous les coins du monde. Il nous a montré de nouveaux dessins de lui et d'amusantes caricatures des intellectuels et des hommes politiques progressistes d'aujourd'hui. Il a raconté des anecdotes sur l'occupation. A Bratislava, le 21 août, un officier russe a dit le matin au directeur de la télé : « Je mets des hommes dans votre escalier. Ils vous défendront contre les contre-révolutionnaires. » Le soir, il s'est étonné : « Comment? pas un seul contre-révolutionnaire ne s'est montré? » Il a eu soudain une illumination : « Alors, le contre-révolutionnaire, c'est *vous!* » Mais au cours de la journée l'équipe de la télévision avait eu le temps de mettre tout son matériel à l'abri. Il nous a aussi parlé d'un journal que les Russes avaient interdit. Ils ont fait garder la porte de l'immeuble et occuper le hall d'entrée. Ils ignoraient l'existence d'une porte de derrière par laquelle on faisait sortir les feuilles imprimées dans des salles du second étage. Même la police refusait de collaborer avec les Russes, c'est pourquoi il leur était très difficile de sévir.

Tous nos interlocuteurs nous ont longuement parlé du XIV\ :superscript:`e` Congrès du Parti communiste qui avait eu lieu clandestinement, au nez des occupants. C'est pour l'empêcher de se réunir que les Soviétiques sont intervenus. Il devait régulariser le processus de renouveau du socialisme et raffermir le rôle dirigeant du P.C. : cela le rendait dangereux aux yeux des bureaucrates soviétiques. Dans des conditions surprenantes, il s'est tout de même réuni. Plus de deux tiers des délégués élus ont participé aux travaux. Sur un appel de la radio, ils se rendirent le 22 août dans une grande usine de Prague d'où les ouvriers les conduisirent à Vysocany, un faubourg choisi en secret comme lieu de réunion. Ils travaillèrent pendant plusieurs jours et établirent un protocole.

Toutes ces conversations ont confirmé ce que nous savions : le printemps tchèque n'avait pas été dirigé contre le socialisme. Ce qu'avait voulu le nouveau régime, c'était abandonner les méthodes bureaucratiques et policières des staliniens, substituer la persuasion à la coercition, faire élire le C.C. par le peuple, au scrutin secret, au lieu de le nommer d'en haut, donner aux travailleurs le pouvoir politique et des responsabilités économiques : il avait voulu réaliser un authentique socialisme. Les Soviétiques n'ont d'ailleurs construit qu'après coup la thèse du « danger contre-révolutionnaire ». En vérité, si des forces antisocialistes existaient depuis des années en Tchécoslovaquie, c'était à cause de la politique dogmatique et inefficace de Novotny; elles se sont au contraire effondrées quand le P.C. a présenté son nouveau programme politique. Il a essayé de rallier tout le pays au socialisme et à partir de mai, quand il a eu décidé de rassembler le XIV\ :superscript:`e` Congrès, son autorité n'a fait que s'affermir. Toute la classe ouvrière soutenait Dubcek : elle a exprimé son accord par des milliers de résolutions. A présent elle était tout entière dressée contre l'occupation.

Alors, quelle était la véritable raison de l'intervention?

Notre amie Svetlana pensait que les bureaucrates soviétiques s'étaient affolés à l'idée que Prague entendait faire toute la lumière sur les procès; la masse soutint le gouvernement dans son ensemble, mais aucun de ses membres en particulier; les responsables des procès risquaient d'être évincés par des concurrents moins compromis qu'eux. D'autre part Moscou ne pouvait pas accepter l'abolition de la censure : « D'autant moins, m'a dit un Hongrois anti-interventionniste, que les Ukrainiens comprennent le tchèque. » Le nationalisme de l'Ukraine aurait été encouragé par l'exemple tchèque. L'attitude hégémoniste des groupes dirigeants du P.C. en U.R.S.S. suffirait à expliquer l'agression : il leur faut tenir en main tous les pays socialistes et ils ne pouvaient supporter les prétentions de la Tchécoslovaquie à une certaine indépendance.

Nous avons quitté Prague plus optimistes que nous n'y étions arrivés : comment les Russes pourraient-ils briser une résistance aussi unanime?

C'est en revenant de Prague que j'ai lu *L'Aveu* de London dédié entre autres « à tous ceux qui poursuivent la lutte pour rendre au socialisme un visage humain ». Nous n'avions jamais été dupes des procès de Rajk et de Slansky; nous n'avions pas ajouté foi aux « aveux »; mais dans aucun livre je n'avais trouvé de réponse satisfaisante aux questions : comment en vient-on à avouer? L'un alléguait la torture; un autre un dévouement aveugle au Parti; un autre l'espoir de pouvoir se défendre publiquement. Seul London démontait de façon absolument convaincante l'ensemble du processus : le lecteur se sentait pris avec lui dans un engrenage auquel il n'y avait aucun moyen d'échapper. Rapide, sobre, poignant, son récit était d'un véritable écrivain. Il faisait toute la lumière sur un point qui m'avait intriguée quand, bien des années auparavant, j'avais entendu parler de lui : comment supportait-il de vivre avec une femme qui s'était pendant le procès désolidarisée de lui? En fait, elle avait cru en lui jusqu'au moment où elle l'avait entendu de ses oreilles confesser ses crimes. Torturé par la Gestapo, il n'avait pas parlé : comment aurait-elle pu imaginer les méthodes par lesquelles la police tchèque avait extorqué des aveux à tous les accusés? Accablée de douleur et de rancœur, elle l'a renié. Mais dès qu'il a réussi, au cours d'une entrevue, à lui affirmer en deux mots son innocence, elle en a été convaincue et elle a tout mis en œuvre pour le faire réhabiliter. Pendant l'occupation, en pleine rue de Paris elle avait lancé contre les Allemands un appel aux femmes : elle n'avait échappé à la mort que parce qu'elle était enceinte et elle avait accouché dans une prison allemande; c'est dire qu'elle appartenait corps et âme à son parti, elle y croyait comme le croyant en Dieu; je trouvais injuste qu'on lui reprochât d'avoir manqué à son égard de sens critique : je l'ai dit à Radio-Luxembourg où j'ai voulu parler de cette histoire qui m'avait touchée.

Par l'intermédiaire de Lanzmann, j'ai déjeuné avec London qui m'a été très sympathique. Lanzmann lui a demandé : « Et maintenant, feriez-vous encore de la politique? — A condition de ne jamais mentir », a-t-il répondu et il s'est mis à rire. Il comptait que son livre allait être traduit en tchèque et porté à l'écran par un metteur en scène tchèque. Mais non. En 69, le printemps de Prague n'était plus qu'un souvenir. Costa-Gavras a tourné en France un film qui malgré des qualités échouait à rendre toute la complexité du drame. Il m'a semblé qu'un des mérites du livre de London c'est qu'il ôtait toute crédibilité aux aveux qui pourraient être ultérieurement arrachés à des accusés; mais somme toute cela ne gêne guère les régimes autoritaires : ils condamnent sans aveu, voilà tout [1].

J'écris ces lignes en mai 71. Tous les intellectuels tchèques et slovaques avec qui nous avions eu des contacts ont été chassés du P.C. Ils ont perdu leur situation et vivent dans des conditions extrêmement difficiles. Ou bien ils sont en exil. Et les dirigeants tchécoslovaques sont de nouveau entièrement sous la coupe des Soviétiques.

Ceux-ci ont définitivement découragé tous nos espoirs. Jamais la situation des intellectuels n'y a été plus critique. Aucun de nos amis n'obtient plus la permission de venir en France et nous savons qu'ils se sentent tous désespérément impuissants. Pour avoir dit la vérité sur son pays, Amalric a de nouveau été envoyé en Sibérie où il se meurt [2]. Le procès de Léningrad a mis en lumière l'antisémitisme qui sévit en U.R.S.S., au niveau gouvernemental. Je pense, non sans regret, que je ne reverrai jamais Moscou.

1. Certains sont même revenus au système des aveux.
2. Beaucoup d'autres intellectuels ont été déportés ou enfermés dans des asiles depuis que j'ai écrit ces lignes.

CHAPITRE VII

Je m'étais sentie profondément concernée par la guerre franco-vietnamienne et je m'étais réjouie de la victoire d'Hanoï. Lorsque, après juin 62, la guerre d'Algérie cessa de m'obséder, le sort du Vietnam passa de nouveau au premier plan de mes préoccupations : l'ingérence des Américains, leur mépris du droit qu'avait le peuple vietnamien à disposer de lui-même, me révoltaient.

On sait que, lorsqu'en 54 furent signés les accords de Genève, on fixa une ligne de démarcation provisoire pour permettre aux troupes de se regrouper, celles du Vietminh au nord, les françaises au sud. Il ne s'agissait absolument pas d'une frontière qui aurait délimité deux États. Les accords prévoyaient une réunification du pays qui, en juillet 1956, élirait un président. Il était évident — Eisenhower en a convenu dans ses Mémoires — que 80 % au moins de la population choisirait Hô Chi Minh. Les Américains décidèrent cyniquement d'empêcher la consultation prévue. Contre Hô Chi Minh, les Français avaient constitué au sud un « État du Vietnam » dont Bao-Daï était président. Les accords de Genève, que les Américains s'étaient engagés à respecter, n'en avaient pas admis l'existence; les Américains prétendirent néanmoins le considérer comme une nation et ils mirent à sa tête une créature à eux, Diem. La population constitua contre lui un Front national de libération. Le Pentagone envoya des troupes de plus en plus nombreuses pour écraser la guérilla.

La gauche américaine protesta contre cette intervention. L'université de Cornell fut à la pointe de ce mouvement. Les professeurs écrivirent à Johnson une lettre de protestation; ils organisèrent une manifestation pacifiste. Au début de 65, ils invitèrent Sartre à venir faire chez eux des conférences. Toute la gauche souhaitait sa venue : il lui apporterait un précieux soutien en participant à des meetings. Il accepta.

Le 7 février 65, sous prétexte que le Nord participait à cette guerre — qui intéressait en effet le pays tout entier, la division entre Nord et Sud n'étant qu'une mystification américaine — les Américains bombardèrent la R.D.V. [1]; ils recommencèrent le 2 mars et ne cessèrent plus.

Sartre estima que dans ces conditions il ne devait pas se rendre aux U.S.A. : les attaques contre le Nord constituaient, dans l'escalade de la guerre, un saut qualitatif irréversible. Il écrivit à l'université de Cornell en lui exposant ses raisons. Il donna à ce propos dans *L'Observateur* une interview qui fut reprise en Amérique par la *Nation*. Il se félicita d'autant plus de sa décision que peu après eut lieu l'intervention américaine à Saint-Domingue. La gauche américaine commença par reprocher à Sartre son attitude : vous nous lâchez! c'est une défection! lui écrivit-on. Tant il est difficile à des Américains, même de bonne volonté, de ne pas se prendre pour le centre du monde! Ils estimaient que Sartre n'était responsable que devant eux : lui pensait au scandale qu'il aurait suscité dans le Tiers Monde, à Cuba, au Vietnam même, en acceptant à présent l'invitation de Cornell. Peu à peu la gauche américaine rectifia son jugement. Dans des lettres et des articles elle reconnut que le refus de Sartre avait fait plus de bruit que de longs discours : « Il nous a énormément servis, ç'a été un exemple », dirent des militants.

De grandes manifestations eurent alors lieu aux U.S.A. et de nombreux débats dans les universités. Vingt écrivains refusèrent une invitation à la Maison-Blanche. Meetings et défilés contre la guerre se multiplièrent.

En juillet 66, j'ai reçu la visite d'un jeune Américain qui vivait en Angleterre et qui était un des principaux secrétaires de la Fondation Russell; il s'appelait Schœnman. Il me mit au courant d'un projet de Lord Russell : organiser un Tribunal, en s'inspirant du Tribunal de Nuremberg, pour juger l'action

1. République démocratique vietnamienne.

des Américains au Vietnam. La Fondation enverrait des commissions d'enquête au Vietnam, se ferait fournir des documents par la gauche américaine, et organiserait un procès où un certain nombre de « juges » apprécieraient les faits et rendraient un verdict. Le but était de frapper l'opinion internationale, et en particulier l'opinion américaine. Accepterions-nous Sartre et moi de faire partie du Tribunal? Schœnman spécifia que les séances se tiendraient à Paris, que nous n'aurions pas besoin d'assister à toutes, qu'on nous en fournirait des comptes rendus, qu'on nous réclamerait seulement deux ou trois jours de présence pour les décisions finales.

Nous fûmes poussés à accepter par Tito Gérassi. J'ai dit qu'il militait contre la guerre au Vietnam. Nous lui faisions confiance. Il nous décida.

En novembre 66, un meeting s'est tenu à la Mutualité, contre la guerre au Vietnam. Une énorme foule se bousculait devant la porte et à l'intérieur se pressait une assistance plus jeune et plus passionnée que d'habitude. Elle a applaudi à tout rompre les orateurs, quand ceux-ci se sont installés à la tribune, et plus particulièrement Max Ernst, auteur de l'affiche qui ornait la salle. Sartre a déchaîné l'enthousiasme en disant que nous devions soutenir le Vietnam non par moralité, mais parce qu'il se bat pour nous. Après les interventions, il y a eu des films présentés par Gatti, de la musique et des ballets de Nono.

Cependant le projet d'un Tribunal se développait. Le 1er décembre Sartre a annoncé son existence dans un article. Certaines gens prétendaient qu'un tel procès n'aurait pas de portée parce que le verdict était connu d'avance. C'est faux, disait Sartre. Notre démarche serait celle de tous les jurys : à partir de fortes présomptions, établir si oui ou non les U.S.A. avaient commis des crimes de guerre. Nous en déciderions d'après les lois appliquées à Nuremberg, et aussi d'après le pacte Briand-Kellogg et la convention de Genève.

Alejo Carpentier fut envoyé par Cuba enquêter au Nord-Vietnam pour le Tribunal Russell. A son retour nous avons déjeuné avec lui. La plupart des petites villes étaient rasées, nous a-t-il dit. Les aviateurs attaquaient de préférence les écoles, les hôpitaux, les léproseries, les églises parce que ce sont des bâtiments en dur, qui fournissent de meilleures cibles que les paillotes. Hanoï s'attendait à être bombardée d'un moment à l'autre. On avait évacué les enfants. Les habitants faisaient leur marché entre trois et cinq heures du matin, estimant ce moment le moins propice à une attaque aérienne. Il nous a décrit les abris individuels creusés le long des trottoirs, la fragilité de cette ville de bambou, le courage de sa population. Il nous a aussi montré des photos de civils brûlés au napalm.

En janvier 67, Sartre a rencontré à Londres Schœnman et un certain nombre de juges pour établir les statuts du Tribunal et définir les questions auxquelles nous aurions à répondre. D'autres réunions ont eu lieu à Paris. Lanzmann, désigné par Sartre comme son suppléant, l'y remplaçait parfois.

Une délégation, où se trouvaient entre autres Tito Gérassi et l'avocat Matarasso a rapporté du Vietnam un faisceau de témoignages impressionnants. D'autres lui ont succédé.

Nous comptions que le Tribunal tiendrait ses assises à Paris. Mais lorsqu'en février Dedijer voulut venir en France il se vit refuser le permis de séjour qui jusqu'alors lui avait toujours été accordé. Sartre écrivit au général de Gaulle pour lui demander si ce refus était motivé par le désir d'empêcher le Tribunal de siéger à Paris. De Gaulle répondit par une lettre construite en deux parties, comme ses discours. La première signifiait : « Naturellement oui. » Mais la seconde concluait : « Non évidemment. » En dépit de sa politique, en apparence antiaméricaine, de Gaulle ne voulait pas indisposer le gouvernement des États-Unis. Une lettre du préfet de police confirma ce refus.

Alors le Tribunal prit contact avec Stockholm. Le gouvernement a répondu non. Mais le lendemain il a déclaré qu'il aurait été anticonstitutionnel de nous empêcher de nous réunir : la Suède nous accueillerait à contrecœur, mais elle y était obligée par ses principes démocratiques. Il n'était donc plus question de mener à Paris notre existence habituelle tout en suivant de plus ou moins près les séances. Mais depuis qu'elle avait pris forme, l'entreprise nous captivait et nous étions prêts à nous y consacrer sans réserve.

Les jours qui précédèrent notre départ, en mai 67, nous étions un peu inquiets parce qu'on nous avait téléphoné de Stockholm que Schœnman tenait trois conférences de presse par jour et qu'il parlait à tort et à travers. Nous avons atterri un samedi après-midi, avec un grand nombre de délégués. Un comité d'accueil nous attendait, à côté d'une grande pancarte sur laquelle était inscrit le mot : Tribunal. C'est au cours de la réunion qui a eu lieu dans le salon d'un grand hôtel que j'ai connu l'exacte composition du jury. Le président d'honneur était Bertrand Russell que son grand âge retenait en Angleterre. Sartre était président de l'exécutif. Dedijer était président des séances, assisté par Schwartz. Celui-ci, je l'avais connu pendant la guerre d'Algérie. Dedijer je l'avais rencontré récemment à Paris pour la première fois. J'avais lu jadis avec grand intérêt son livre : *Tito parle...* Il avait combattu dans le maquis à côté de Tito : le jour où celui-ci avait été blessé la femme de Dedijer avait été tuée. Plus tard il avait lui-même reçu dans la tête un éclat d'obus qu'on n'avait pas réussi à extirper complètement.

Historien et docteur en droit, il avait représenté la Yougoslavie à l'O.N.U. en 1945 et occupé ensuite d'autres postes importants. Quand Tito avait interdit les écrits de Djilas et fait jeter celui-ci en prison, en 1955, Dedijer avait vigoureusement protesté : non qu'il partageât toutes les idées de Djilas, mais il estimait qu'il devait lui être permis de les exprimer. Il est alors tombé en disgrâce et il a été condamné, avec sursis, « pour diffusion dans la presse américaine de nouvelles préjudiciables à son pays ». Un an plus tard, il obtint la permission de quitter la Yougoslavie; il partit pour les U.S.A. où il enseigna à l'université de Manchester, puis à celles de Harvard et de Cornell. Depuis un an il vivait de nouveau à Ljubljana où il avait repris son travail d'historien. C'était le seul membre du Tribunal qui appartînt à un pays socialiste. Très grand, large d'épaules, il donnait une impression de force et de solidité. En fait il était moins robuste et moins stable qu'il ne le paraissait : à cause de son ancienne blessure, il souffrait périodiquement de violents maux de tête et devait faire chaque année un long séjour à l'hôpital. Il lui arrivait de prendre des colères qu'il avait peine à contrôler. Nous avons été conquis par l'intransigeance de son caractère, sa vitalité, la chaleur qui se dégageait de lui. Il est devenu notre ami.

Les autres juges étaient Gunther Anders, philosophe et écrivain allemand; Aybard, un Turc, professeur de droit international et membre du Parlement; Basso, un docteur en droit italien, spécialiste de droit international et membre du Parlement; Cardenas, ancien président de la république du Mexique, qui ne vint pas à Stockholm; Carmichael — l'Afro-Américain qui a lancé la formule : *Black power* et qui se fit représenter par un autre Afro-Américain nommé Cox; Dellinger, un Américain pacifiste, rédacteur en chef du journal contestataire *Libération* et que son combat politique avait conduit en prison; Hernandez, un poète philippin, président du parti démocratique du travail, qui avait fait six ans de prison pour délit politique; Kasuri, avocat à la Cour suprême du Pakistan; Morihawa, un juriste japonais; Sakata, un physicien japonais; Abendrath, docteur en droit et universitaire allemand qui fut suppléé par une romancière suédoise, Mme Lidmann; Baldwin, le romancier afro-américain ne vint pas en Suède et ne fut pas représenté. Deutscher, l'historien trotskiste bien connu, Daly, secrétaire général du syndicat des mineurs écossais ne vinrent qu'à la fin de la session. On coopta de nouveaux juges : Ogleby, jeune pacifiste américain; Melba Hernandez, qui avait participé aux côtés de Castro à l'attaque de la caserne Monçada; Peter Weiss qui au début était seulement le secrétaire général du comité suédois. Les juges étaient assistés par une commission juridique dont faisaient partie Gisèle Halimi, Jouffa, Matarasso, Suzanne Bouvier. Shœnman et Statler représentaient la fondation Russell. Des traducteurs bénévoles d'une extraordinaire compétence nous permettaient de nous comprendre les uns les autres; les langues utilisées étaient l'anglais, le français et l'espagnol.

J'ai été réveillée le dimanche matin par un étrange appareil fiché dans le mur, qu'on réglait le soir, et qui le lendemain, à l'heure choisie, poussait des glapissements stridents jusqu'à ce qu'on ramenât l'aiguille au zéro. Par la fenêtre, j'ai aperçu une large avenue, un café bar, avec une terrasse où des gens étaient assis et j'ai été déconcertée à l'idée de passer dix jours ici, loin de ma vie. Mais tout de suite, comme le taxi traversait la ville, j'ai été reprise par le charme de Stockholm : des bras de mer, des bassins dont l'eau brillait au soleil, les toits verts des églises et des palais, l'hôtel de ville, moderne mais très beau dans sa robe de briques rouges.

Le Tribunal avait loué le quatrième étage de la Maison du Peuple : un grand amphithéâtre et une quantité de bureaux. Dans les couloirs circulaient des filles en minijupes et des garçons aux longs cheveux qui remplissaient bénévolement des tâches ingrates : traduire, taper à la machine, ronéotyper des textes. La déléguée cubaine, Melba Hernandez, a été très frappée par ces jeunes gens : elle comptait parler d'eux à Castro car ils prouvaient que le style « Carnaby street », rigoureusement interdit à Cuba, n'est pas incompatible avec l'engagement révolutionnaire. Nous avons particulièrement remarqué une charmante personne qui suivait toutes les séances, assise au premier rang du public. Nous n'avons pu décider quel était son sexe jusqu'au jour où nous l'avons rencontrée chez Peter Weiss; c'était son beau-fils et Alejo Carpentier a été très confus de l'avoir salué par un : « Bonjour mademoiselle. » On remarquait aussi un jeune couple qui promenait partout une espèce de berceau-valise dans lequel un bébé était couché : c'était Statler et sa femme. A l'hôtel, un soir, on a — très sérieusement — refusé l'entrée du bar au nourrisson : « Les mineurs ne sont pas admis. »

Ce premier jour, nous avons eu une réunion privée. Il a fallu d'abord réparer une gaffe commise par Schœnman au cours d'une conférence de presse : tous les journaux suédois accusaient en première page le Tribunal d'avoir insulté le Premier ministre Erlander. Schœnman avait nié qu'Erlander eût envoyé à Russell un message d'accueil, alors qu'en fait il lui avait poliment télégraphié. Schœnman prépara pour la presse un mot d'excuse et on décida que seuls quatre porte-parole, choisis parmi les juges, seraient autorisés à communiquer avec la presse.

Les réunions privées furent très nombreuses, pendant ces dix jours : elles avaient lieu après la séance publique et duraient souvent assez tard dans la nuit. Nous avions en effet beaucoup de sujets à discuter : le programme précis des journées qui allaient suivre; la formulation exacte des questions auxquelles nous devrions répondre; quelle place accorder à la minorité au cas où nos décisions ne seraient pas unanimes; et d'autres problèmes de moindre importance.

J'ai fait au cours de ces rencontres une intéressante expérience de la psychologie de groupe. Ces gens, venus de tous les coins du monde, étaient tous opposés à l'impérialisme américain; mais leurs points de vue étaient très divers. Kasuri et Hernandez représentaient la gauche de pays sous-développés

dont les gouvernements pactisaient avec les U.S.A. L'anti-
américanisme des Japonais avait sa source dans les souvenirs
de Nagasaki et d'Hiroshima et dans l'actuelle occupation d'Okinawa; ils se sentaient particulièrement concernés par l'agression
commise contre un pays asiatique. Melba Hernandez incarnait Cuba où la révolution triomphante était menacée par les
U.S.A. : elle était sentimentalement touchée par la lutte d'un
petit pays contre l'énorme puissance yankee. Les Américains
parlaient au nom de l'opposition intérieure. Aybard, Basso
pensaient en légistes, Deutscher en trotskiste. Sartre, Schwartz
et moi, nous appartenions à la gauche française non communiste.
La position de Dedijer était très proche de la nôtre et aussi
celle de Peter Weiss. Au début, nous éprouvions quelque
méfiance à l'égard les uns des autres. En particulier, Kasuri et
Hernandez manifestaient une certaine hostilité à l'égard des
Occidentaux. En outre, chacun avait son caractère, ses affinités, ses antipathies. Il y eut des alliances et des revirements,
des conflits larvés, des éclats bruyants. Il m'arriva de ronger
mon frein mais le plus souvent j'étais intéressée et même amusée
par nos dissensions.
    Leur violence fut due en grande partie à la curieuse person-
nalité de Schœnman. Je pense que sans lui le Tribunal n'aurait
pas existé. Avec une étonnante ténacité, il avait fait le tour du
monde pour exposer son projet, pour recruter des juges, pour
mettre sur pied une organisation. Il était capable de travailler
des jours d'affilée sans fermer l'œil et de dormir au besoin sur un
plancher. Mais il avait les défauts de ses qualités, plus quelques
autres. Énergique, efficace, c'est le seul homme que j'aie connu
qui cachât son menton sous un collier de barbe pour dissimuler
non la mollesse de ses traits mais au contraire leur arrogance
têtue. Il aurait voulu exercer sur le Tribunal une véritable dictature; il en était le secrétaire général et il réclamait aussi d'y
représenter Russell; tout le monde s'est opposé à ce cumul.
Il en a été furieux et le premier jour il a siégé parmi les juges;
on l'a obligé le lendemain à changer de place. Mais en privé
il prétendait tout régenter; il s'abritait derrière l'autorité
de Russell : « Lord Russell n'admettrait pas que... Lord Russel
exige que... » Sartre excédé lui a dit un jour : « Ne faites pas
comme le général de Gaulle qui dit : *la France* quand il veut
dire : Je... » Bien que capable de mener une vie ascétique,

Schœnman, par superbe, se montrait outrageusement dépensier. Par exemple il multipliait les longs coups de téléphone inutiles de Stockholm à Londres ou à Paris. Malgré les décisions prises, il continuait à parler aux journalistes. Sa raideur et sa véhémence provoquaient souvent la colère de Schwartz, de Dedijer, de Sartre. Il suscitait tout de même notre sympathie par la force de ses convictions et son acharnement à obtenir des résultats.

Le lundi, les journalistes ont été convoqués dans l'amphithéâtre et mis au courant de certaines décisions d'ordre pratique. C'est le mardi que la session s'est vraiment ouverte. Nous étions disposés par ordre alphabétique derrière une table en fer à cheval dont les trois présidents occupaient le milieu. Chaque matin nous trouvions devant nous un compte rendu de la presse et des rapports sur la séance de la veille. Dans la salle, il y avait environ deux cents personnes : toute l'équipe des secrétaires et des techniciens, des journalistes, une équipe appartenant à la télévision suédoise, une autre à la télévision américaine. On était désagréablement éblouis par la lumière des projecteurs. Chacun de nous avait devant soi un microphone. Dans une espèce de cage en verre suspendue sous le plafond, on apercevait les traducteurs. Quand un orateur s'emballait, une voix énergique, tombée des cintres, lui enjoignait de ralentir et Dedijer frappait sur la table avec un gros maillet. Ha Van Lau, représentant du Front, et Pham Van Bac, représentant de la R.V.D. assistaient aux séances à titre d'invités.

En août 65, Russell avait demandé aux U.S.A. d'envoyer au Tribunal des avocats qui plaideraient leur cause. Il n'avait pas reçu de réponse. Sartre écrivit dans le même sens à Dean Rusk. Celui-ci ne répondit pas directement, mais il déclara à des journalistes qu'il refusait de « faire joujou avec un vieil Anglais de quatre-vingt-quatorze ans ». Sartre lut publiquement la réplique qu'il lui adressa : il comparaît Russell à ce « médiocre fonctionnaire du State Department » qu'était Rusk. Il ajouta que nous récusions tout défenseur officieux des U.S.A. : il aurait été trop facile au gouvernement américain de le désavouer et même de nous accuser d'avoir monté une comédie.

Cependant, nous avions commencé à travailler. Dans cette première session — qu'une autre devait suivre à quelques mois de distance — nous nous préoccupions essentiellement du Nord-Vietnam. Nous répondîmes à deux questions :

1° Les États-Unis ont-ils commis un acte d'agression, tel que le définit le droit international?

2° Y a-t-il eu et à quelle échelle des bombardements d'objectifs de caractère purement civil?

Dans des rapports par moments fastidieux mais dans l'ensemble passionnants, deux spécialistes américains de droit international ont dénoncé la manière dont les U.S.A. ont passé outre les accords de Genève et créé artificiellement un Vietnam du Sud; ils ont démonté en détail cette mystification, à laquelle tant de gens se sont laissé prendre, et conclu à l'agression. Ce fut aussi le verdict rendu par les historiens français Chesneaux et Fourmain, par un juriste japonais, après leurs intéressants exposés sur le déroulement de cette guerre.

Les attentats contre les populations civiles ont fait l'objet de nombreux rapports. Le physicien français Vigier a établi de manière irréfutable que les bombes à billes — dont il nous a montré des spécimens et décrit le fonctionnement — ne pouvaient pas être utilisées contre des objectifs militaires : un sac de sable suffit à les neutraliser. Ce sont des armes nouvelles. Une bombe mère contient environ 640 petites bombes dont la forme rappelle celle d'une goyave ou d'un ananas; elles sont constituées par une enveloppe métallique creuse contenant de petites billes ou des aiguilles; elles explosent au sol en libérant ces projectiles qui ne provoquent que des dégats matériels insignifiants mais qui font une quantité de morts et de blessés quand au milieu d'un marché ou sur la place d'un village ils fusent de toutes parts. Ces armes « antipersonnel » sont spécialement conçues pour le massacre de populations sous-développées : ni les toits ni les murs des paillotes ne leur opposent de résistance. Le Pentagone a démenti ces assertions, et Vigier a répété sa rigoureuse démonstration avec un plus grand luxe de détails.

Des médecins, des journalistes qui avaient enquêté au Vietnam ont confirmé, en donnant des chiffres et des noms, les propos tenus par Alejo Carpentier : léproseries, hôpitaux, écoles étaient particulièrement visées. Et aussi les églises; sans doute les Américains espéraient-ils dresser les catholiques contre Hanoï : la manœuvre avait complètement échoué. Le docteur Behar et deux Japonais, Ttotushimo et Kugai ont insisté sur la destruction systématique des digues. Gisèle Halimi a fait un excellent rapport sur deux provinces qu'elle avait visitées : noms des localités, chiffres, sondages, statistiques, tout était d'une remarquable précision. Et aussi ses réponses aux questions du Tribunal. Car tous les rapporteurs étaient longuement interrogés par le jury. On passait au crible leurs récits afin d'en souligner les points importants et pour éviter des équivoques que nos adversaires auraient pu exploiter.

D'autres témoignages ont suivi : on nous a cité de nombreux villages, des coopératives, éloignés de tout objectif militaire et dont les habitants avaient été par centaines tués par des bombes à bille, du napalm ou du phosphore. Des médecins nous ont décrit les affreuses blessures que ces armes provoquaient. Il y a eu une intervention particulièrement intéressante de Madeleine Riffaut, une journaliste qui a vécu longtemps au Vietnam.

Des diapositives et des films — dont plusieurs tournés par Pic — ont confirmé ces rapports. Ils nous ont montré des cadavres civils, brûlés, mutilés et aussi des hommes, des femmes, vivants mais horriblement blessés. Le plus intolérable, c'était les enfants : des enfants aux bras arrachés, aux visages informes, aux corps rongés par le napalm qui roulaient des yeux égarés. Les corps brûlés au napalm ou au phosphore ressemblaient à ceux dont nous avions vu des photos dans le musée d'Hiroshima.

Nous avons vu deux civils venus du Vietnam Nord pour apporter leur témoignage. La première était une jeune institutrice; elle dormait dans l'école de Quang Linh, une petite ville agricole, très peuplée, quand une explosion la réveilla. Elle conduisit en hâte ses élèves vers les abris. Soudain quelque chose la toucha à la nuque et la fit frissonner. Peu après, elle perdit connaissance : une bille avait pénétré dans son cerveau. Il n'avait pas été possible de l'extirper; elle souffrait de violents maux de tête et elle était à demi aveugle. Elle a déposé sobrement en parlant uniquement de ce qu'elle avait personnellement vécu. Ensuite un enfant de douze ans s'est déshabillé pour nous montrer son corps horriblement brûlé.

Van Dong, un des responsables du Front, nous a présenté deux grands blessés civils du Sud-Vietnam. L'un d'eux était si épuisé qu'il a à peine parlé. Ses jambes étaient couvertes de chéloïdes qui avaient l'air de plaies encore à vif. L'autre a répondu aux questions du Tribunal. Ayant une famille à sa charge, il ne combattait pas mais à l'occasion il aidait à réparer les digues et les ponts endommagés. Il avait été brûlé au napalm tandis qu'il se rendait d'un village à un autre dans un car où se trouvaient uniquement des civils. Une de ses oreilles avait fondu, son visage était brûlé, son bras gauche était collé à son corps, son dos était couvert de chéloïdes : sur toute la surface s'étalait une énorme boursouflure de couleur vineuse. Les médecins nous ont expliqué que les chéloïdes ont de fortes chances de dégénérer en cancers.

A côté de moments intéressants ou poignants comme ceux-ci, il y en avait de très ennuyeux : des exposés mal faits ou qui n'apportaient rien de nouveau. Comme je me levais le matin à des heures pour moi inhabituelles, j'avais peine parfois à garder les yeux ouverts : je buvais de l'eau minérale, je fumais, je dévisageais le public. Je constatais chez certains juges un effort analogue au mien, et pas toujours couronné de succès.

Une partie de la population de Stockholm nous était favorable, une autre non. Un jour où nous déjeunions avec Alejo Carpentier dans une petite brasserie proche du Tribunal, un homme s'est approché de moi et m'a tendu une fleur. D'une table voisine, un autre nous a chaleureusement félicités. Cependant un matin un homme a surgi en haut de l'amphithéâtre en criant en suédois : « Hors d'ici! Foutez le camp. » Puis il s'est enfui. Tous les jours à six heures, qu'il fasse beau, qu'il neige ou qu'il pleuve, quelques jeunes gens défilaient devant la Maison du Peuple en portant des pancartes : *Le président du Tribunal au poteau! Vivent les U.S.A.! Et Budapest?* Eux aussi portaient des cheveux longs et ils semblaient très paisibles. Un jour ils ont organisé une manifestation contre le Tribunal. Nous en avons rencontré dans les rues qui portaient des banderoles et des drapeaux. Nos partisans ont répondu par une contre-manifestation. L'une et l'autre se sont déroulées sans incident.

Quand l'après-midi précédent avait été particulièrement fastidieux, j'abordais avec un peu d'appréhension cette journée qui m'attendait, si exactement réglée, où je n'aurais la chance ni d'une lecture intéressante, ni d'une conversation privée avec Sartre. Mais beaucoup de moments étaient rafraîchissants. D'abord le petit déjeuner que nous prenions dans le restaurant de l'hôtel : il y avait sur une grande table du café bouillant, des carafes de jus de fruits, des nourritures, de la vaisselle et chacun se servait et s'installait à une table. En général nous nous asseyions à la même que Dedijer. La conversation se continuait tandis que nous traversions Stockholm, d'une émouvante beauté dans les brumes du matin.

Et puis j'ai tout de même pu me promener un peu, avec Sartre, puis avec Lanzmann qui était venu le remplacer quelques heures. Au cœur de Stockholm s'étend maintenant un grand quartier commerçant ultra-moderne, aux beaux immeubles de verre. Mais surtout j'ai flâné dans les petites rues de la vieille ville. Étroites, silencieuses, elles évoquent le rigorisme des mœurs provinciales. Cependant on y trouve un grand nombre de boîtes à strip-tease et des cinémas où, d'après les photos exposées, on projette des films plus qu'osés. Je me suis arrêtée devant une librairie. Une des vitrines était remplie de livres consacrés à des plantes ou à des animaux. Dans l'autre, l'étalage était le plus obscène que j'aie vu de ma vie. Directement, ou à travers des trous de serrure simulés, on voyait des couples — tous hétérosexuels, c'était la seule restriction — qui se livraient à tous les ébats imaginables : les photographies étaient en couleur et d'une ahurissante précision.

J'aimais beaucoup les nuits de Stockholm. Parfois elles étaient glacées, il a même neigé. De nombreux bâtiments, surtout les restaurants, étaient éclairés par de grandes torches aux flammes mouvantes; elles illuminaient la façade de l'Opéra; c'était un immense édifice; à côté se trouvait un dancing aux lustres de cristal et un restaurant pompeux, décoré de plantes vertes; au premier étage il y avait un bar « modern style » qui aurait charmé Giacometti par ses mosaïques, ses festons et ses astragales. La plupart des clients étaient jeunes : des filles en minijupes, des garçons aux cheveux longs. Nous y dînions souvent de saumon fumé et d'akvavit. Peter Weiss et sa femme nous y avaient conduits le soir de notre arrivée. J'avais beaucoup aimé sa pièce, Marat-Sade, et j'ai eu grand plaisir à le connaître. Il ne paraissait pas ses cinquante ans; très brun, portant des lunettes d'écaille, il avait un visage subtil et réservé qui s'animait lorsqu'il parlait. Nous causions avec lui non seulement du Tribunal, mais de théâtre, de Sade, de tout et de rien. Blonde, très jolie, le visage aigu, sa femme semblait très jeune bien qu'elle eût d'un premier mariage un fils de dix-sept ans; elle sculptait et elle faisait des décors, en particulier pour les pièces de son mari. Elle avait beaucoup de talent : je l'ai constaté quand nous avons été déjeuner chez eux. Son studio était décoré de belles céramiques et de maquettes ingénieuses. Ils avaient invité Gisèle Halimi, Schwartz, Dedijer, Alejo Carpentier. La table était dressée dans une grande cuisine; nous avons mangé des salades, des viandes froides, des poissons fumés tout en bavardant.

Un des agréments de ce séjour, ce fut de retrouver des gens avec qui nous sympathisions : Alejo Carpentier, l'écrivain slovaque Mnacko — et d'en découvrir d'autres : Dedijer, Peter Weiss et sa femme, Basso que par la suite nous avons souvent revu à Rome.

Et puis, en dépit de quelques moments fastidieux, notre travail nous passionnait. De jour en jour on progressait. Nos présomptions devenaient des certitudes, nos certitudes recevaient de multiples et tragiques confirmations. Même ceux qui connaissaient le mieux la question — Dellinger entre autres — disaient qu'ils avaient beaucoup appris. Ce qu'on savait auparavant prenait une valeur nouvelle en s'inscrivant dans un tableau d'ensemble.

La presse locale était malveillante; elle a répandu le bruit que le Tribunal se ruinait pour payer ses interprètes alors que ceux-ci ne touchaient pas un sou; au lieu de publier des photos de l'enfant dont le corps n'était qu'une brûlure, les journaux ont imprimé qu'il était « un peu brûlé ». Les journaux français n'ont donné que des résumés rapides de nos séances. Mais le *New York Times* a longuement rendu compte de plusieurs d'entre elles. Trombadori dans *L'Unità* a fait jour après jour un reportage très complet. Radio-Luxembourg et l'O.R.T.F. ont parlé assez régulièrement du Tribunal.

Les délibérations ont duré longtemps. Le premier soir, réunis à neuf heures dans l'amphithéâtre, nous y sommes restés jusqu'à une heure et demie du matin. C'était étrange de se retrouver à sa place habituelle, devant un hémicycle vide. On a constitué des commissions chargées de rédiger différents rapports qui motiveraient nos réponses. Je n'ai pas touché aux sandwiches indigestes, ni bu de café par crainte d'insomnie; c'est peut-être pourquoi j'ai tenu le coup moins bien que les autres; à la fin de la réunion, j'avais la tête qui tournait; je ne savais plus trop où j'étais ni ce que je faisais là. Le lendemain matin à onze heures, nous nous sommes retrouvés pour discuter sur l'exacte formulation des questions. Nous avons voté et nous avons unanimement accusé les U.S.A. d'agression et d'attaque contre les populations civiles. Sur la responsabilité de leurs alliés, nous ne sommes pas arrivés à un accord. L'après-midi, il y a eu une séance publique où Basso a lu un excellent rapport de synthèse. Les débats ont repris entre nous à neuf heures et demie du soir, dans un des bureaux. Cette fois je me suis gavée de café et de corydrane. A l'unanimité nous avons dénoncé la complicité de l'Australie, de la Nouvelle-Zélande, de la Corée du Sud; à l'unanimité moins une voix — celle de Kasuri — nous avons condamné non une agression mais des attaques des U.S.A. contre le Cambodge. Cependant touchant les textes préparés par les commissions, nous n'arrivions pas à un accord. Dehors, la lumière naissait, le ciel passait du bleu sombre au bleu vif au-dessus de la ville déserte. « La lumière est en train de poindre, mais chez nous la confusion grandit », a remarqué Kasuri. Enfin, à quatre heures, nous en avons eu fini; et nous avons traversé Stockholm dans la fraîcheur du petit matin. J'ai dormi quatre heures à poings fermés. Beaucoup de secrétaires ont passé la nuit à travailler. Les interprètes étaient épuisées : ces discussions où tout le monde parlait à la fois les fatiguaient beaucoup plus que les séances régulières. L'une d'elles a dû passer deux heures à l'hôpital pour se faire soigner la gorge.

A onze heures et demie nous étions rassemblés dans l'amphithéâtre : Sartre a lu les « attendus » qui motivaient notre jugement, puis les questions et les réponses. La salle a éclaté en applaudissements. Tout le monde s'est embrassé. Les Cubains pleuraient; les Vietnamiens avaient les larmes aux yeux.

J'ai accompagné Sartre, Dedijer et Dellinger à la télévision suédoise. Ils ont refusé de se laisser maquiller. Les Suédois ont posé des questions malveillantes et sottes auxquelles d'ailleurs il avait été longuement répondu au cours de la session. « Mais vous n'avez donc assisté à aucune séance? » a demandé Sartre. A aucune, ils en ont convenu. Dellinger a particulièrement bien parlé : il avait fait de la prison pour pacifisme et organisé plusieurs manifestations non violentes; quand il a affirmé la nécessité d'opposer à la violence une contre-violence, sa déclaration en a eu d'autant plus de poids.

A Paris, j'ai repensé pendant un temps avec un peu de nostalgie à cette période qui venait de se refermer sur soi. Ce travail en commun, quotidien, assidu, loin de ma propre vie, m'avait donné l'impression de faire une retraite; et aussi je m'étais sentie totalement mobilisée : pas un flottement, pas un moment perdu. Il me semblait étrange de pouvoir à présent disposer capricieusement de moi.

Il avait été convenu que la dernière session aurait lieu en automne. En septembre 67, j'ai été avec Sartre à Bruxelles pour une séance préparatoire. Nous avions rendez-vous à l'Auberge de la Paix : mais des maoïstes avaient kidnappé les premiers arrivants, estimant leur local mieux adapté à la réunion que ce centre chrétien. Nous avons attendu un moment qu'une secrétaire les ait récupérés. L'endroit était déconcertant : une pièce délabrée avec au milieu une grande table sur laquelle étaient disposés des verres et des bouteilles d'eau. Il y avait un crucifix au mur; les portes étaient curieusement peintes et encadrées de papier d'argent; l'une d'elles s'ouvrait sur une cour, il était impossible de la fermer et il faisait grand froid. Au bout d'un moment sont arrivés Gunther Anders, Statler et un autre Anglais, puis Halimi, Jouffa, les membres du secrétariat. Il était question que nous siégions à Copenhague et un couple danois était présent. On a parlé de la réunion qui avait eu lieu récemment à Tokyo; des résultats obtenus par les dernières missions envoyées au Vietnam; du travail des commissions. Les docteurs Behar, Dellinger sont arrivés l'après-midi. Celui-ci a demandé que la session n'ouvre pas avant le 21 novembre, car à partir du 21 octobre il devait y avoir d'importantes manifestations contre la guerre aux U.S.A. : on espérait qu'elles décideraient certains combattants américains à venir témoigner devant le Tribunal.

Les manifestations annoncées eurent lieu. Dellinger dirigea le 21 octobre la grande démonstration pacifiste qui s'acheva par le siège du Pentagone.

Le 19 novembre 1967, nous nous sommes envolés pour Copenhague. Nous ne voulions pas abuser de l'hospitalité suédoise, et le Danemark avait accepté de nous accueillir. A Copenhague on n'avait pas trouvé de salle qui pût nous convenir. Nous nous installerions dans une maison syndicale qui se trouvait à Roskilde, à trente kilomètres de la capitale. Seulement tous les hôtels de la petite ville ont refusé de nous héberger : nous logerions donc à Copenhague. Je préférais cette solution. La perspective d'être confinée jour et nuit dans une bourgade me souriait peu.

Dedijer nous attendait à l'aérodrome. Il nous a dit que Schœnman était aux U.S.A. et qu'il aurait sans doute du mal à entrer au Danemark; tant mieux : sans lui les discussions seraient moins orageuses. Le Tribunal était composé à peu près de la même manière qu'à la session précédente. Mais Deutscher était mort à Rome d'une crise cardiaque; Hernandez était absent, Fukishima était suppléant de Shorchi Sakata. Le jour même Sartre et Schwartz donnèrent une conférence de presse.

Les séances commencèrent le lendemain. Une aimable Danoise, Mme Nielsen, venait chaque matin nous chercher à l'hôtel en voiture. On suivait une autoroute qui traversait une banlieue de peu d'intérêt puis une campagne assez morne. Sur un talus se dressait un faux moulin à vent. Un peu plus loin, des nuées d'oiseaux blancs recouvraient la surface et les rives d'un vaste étang. Bientôt on entrait dans Roskilde dont les rues étaient décorées de guirlandes et de lampions car déjà on attendait Noël.

Roskilde, c'est la ville où les rois venaient se faire sacrer et enterrer. Au centre se dresse une très belle cathédrale du xıv^e siècle, la plus ancienne du Danemark; elle est en briques rouges, avec deux très hauts clochers et des toits verts. L'intérieur est vaste et glacé; il enferme des tombeaux très laids et de belles grilles en fer forgé. A côté se trouve le Palais royal, en belle pierre jaune, sobre et majestueux. Du parvis de l'église, on aperçoit au loin les eaux du fjord, plombées ou bleutées selon les caprices de la lumière. Que le soleil brillât, ou que la neige tombât à gros flocons, j'aimais toujours l'arrivée dans la petite ville, ses deux clochers s'envolant vers le ciel.

A quelques pas se trouvait la maison syndicale, Fjord-Villa. A la porte, de jeunes Danois blonds et barbus, un brassard rouge au bras, filtraient les entrées. On montait un étage, on traversait une vaste salle à manger, on suivait un corridor qui servait aussi de restaurant et on entrait dans la salle des fêtes où on dansait le samedi soir : c'est là que nous siégions. Le secrétariat était installé à l'étage au-dessus. Le restaurant était très gai à cause des grandes baies vitrées qui donnaient sur le ciel, sur des arbres, et sur la promesse de la mer, au loin. La salle des séances était bizarre; c'est sur la scène que nous nous installions, derrière une longue table droite. Des barrières délimitaient la piste de danse. Au balcon, des galeries couraient sur trois côtés. Du plafond pendaient trois énormes constellations de lampadaires; deux lampes rouges étaient accrochées à la tribune qui nous faisait face. Comme à Stockholm, nous étions disposés par ordre alphabétique, les trois présidents occupant le milieu de la table.

Le premier jour, le chef de la maison des syndicats nous a adressé en danois quelques mots d'une amabilité très mitigée. Sartre a répété l'invitation faite par le Tribunal au gouvernement américain. Ni la séance du matin, ni celle du soir n'ont été très intéressantes. Ni celles des deux jours suivants. On reprenait des sujets déjà traités en mai et nous avons eu l'impression déplaisante que nous allions nous enliser. D'autre part, plusieurs d'entre nous — parmi lesquels Sartre et moi — étaient inquiets; à cette session, trois questions étaient à l'ordre du jour :

Y a-t-il eu de la part des armées américaines utilisation ou expérimentation d'armes nouvelles interdites par les lois de la guerre?

Les prisonniers vietnamiens sont-ils soumis à des traitements inhumains interdits par les lois de la guerre?

Y a-t-il eu des actes tendant à l'extermination de la population et pouvant être caractérisés juridiquement comme actes de génocide?

Cette troisième question nous préoccupait. Si nous devions y répondre *non*, il aurait mieux valu ne pas la poser. Cependant, nous référant à l'extermination des Juifs par Hitler, nous hésitions à assimiler la guerre du Vietnam à un génocide. Au début de la session nous avons eu en privé beaucoup de discussions sur ce problème sans parvenir à une décision.

Les premiers jours, la presse a dit que nous piétinions. Mais non. Le jeudi, un Japonais a traité d'une manière saisissante un sujet neuf : la défoliation. Sous prétexte d'assurer le long des routes la sécurité de l'armée, de priver d'abri les guérilleros et de les affamer, les Américains répandent des produits toxiques non seulement sur les forêts, mais aussi sur des champs de riz, de canne à sucre, de légumes. En fait, l'opération consiste à détruire la végétation et à empoisonner la population. C'est une forme directe et efficace de génocide [1].

Désormais notre intérêt n'a plus fléchi. Gisèle Halimi s'était rendue en Amérique; la gauche lui avait fourni d'importants documents dont elle nous a communiqué le contenu : des journaux, des revues, un livre sur le village de Ben-Suc que les troupes américaines avaient entièrement rasé après avoir tué quelques hommes et déporté toute la population. Elle avait recueilli au magnétophone des témoignages d'anciens combattants américains. L'ensemble constituait un réquisitoire écrasant. Elle avait aussi amené trois témoins qui sont venus les jours suivants déposer devant le Tribunal.

Le premier, Martinsen, était un étudiant en psychologie de l'université de Berkeley; il avait appartenu aux services spéciaux, c'est-à-dire qu'il avait enseigné aux soldats vietnamiens gouvernementaux l'art de torturer, et il avait torturé lui-même. Il avait vingt-trois ans et il était assez beau. Au début, il était très ému et même contracté. Peu à peu il s'est détendu. On avait l'impression qu'il vivait un psychodrame et qu'en parlant il soulageait sa conscience. « Je suis un étudiant américain moyen et je suis un criminel de guerre », a-t-il déclaré d'une voix bouleversée. Sa déposition a duré tout un après-midi. Les Américains prétendaient que seuls les soldats gouvernementaux torturaient, que tout se passait entre « Jaunes »; mais c'était là « mensonge et aberration pures »; lui-même avait passé à tabac des prisonniers; il avait vu des officiers américains torturer des prisonniers en leur enfonçant des bambous sous les ongles. D'ordinaire c'était de simples soldats qui faisaient le travail, mais toujours en présence d'un lieutenant ou d'un capitaine, et les officiers supérieurs étaient au courant. Souvent les victimes mouraient. Martinsen a donné la liste des méthodes

---

1. Le 1er janvier 1970 on lisait dans *Le Monde* : « Des savants américains viennent de demander au Pentagone de cesser d'utiliser certains " défoliants " qui provoquent des malformations des fœtus. D'après un journaliste de Saigon que cite le *New Haven Register* du 1er novembre 1969, le gouvernement sud-vietnamien s'efforce de cacher à l'opinion le nombre croissant de bébés nés malformés. L'administration américaine vient d'interdire aux U.S.A. certains " défoliants " potentiellement dangereux, mais on continue à les utiliser au Vietnam. Dossier scientifique en main, la Maison-Blanche prend donc le risque de voir les défoliants provoquer des malformations d'enfants vietnamiens. »

utilisées au cours des interrogatoires. Toute la salle l'écoutait dans un silence angoissé.

Le second témoin était un jeune Noir, Tuck. Il n'avait pas torturé lui-même mais il avait assisté à des séances de torture et à des massacres. Sur l'ordre d'un officier, il avait tué une femme qui dans un village n'avait pas rejoint assez vite le groupe rassemblé sur la place : s'il avait désobéi, il aurait été aussitôt abattu. Il a décrit des « interrogatoires ». Il avait vu un prisonnier jeté du haut d'un hélicoptère et il a raconté comment on achevait les blessés. « Nos officiers estimaient que les seuls bons Vietnamiens sont les Vietnamiens morts. » « Autre chose de très habituel aussi, a-t-il dit, si on nous tirait dessus d'un village on avait notre " minute de folie " : les tanks et les mitrailleuses se déchaînaient un bon coup contre tout ce qui se trouvait dans le village, vivant ou non. » On lui a demandé à combien de ces « minutes de folie » il avait assisté et il a répondu : « Je l'ai vu faire tant de fois! un grand nombre de fois, on peut dire couramment. » Il a aussi parlé de ces camps de déportés que les Américains ont baptisé « hameaux stratégiques ». « Tous les gens que j'ai vus avaient l'air de crever de faim et ils étaient en haillons. »

Ensuite nous avons entendu Duncan, un « béret vert », auteur d'un livre, *New legions,* où il a dénoncé un grand nombre de crimes de guerre américains. Il travaillait à *Ramparts,* une revue d'inspiration chrétienne qui lutte activement contre la guerre. Il a parlé d'abord de l'entraînement des jeunes recrues : sous prétexte de leur apprendre à résister à la torture, on leur enseigne les diverses manières de torturer. Il a affirmé qu'au Vietnam les Américains massacraient tous les prisonniers, sauf les officiers qu'on « questionne »; on les remet ensuite aux gouvernementaux qui les envoient dans des camps de mort. Il nous a ensuite longuement décrit les « hameaux stratégiques »; il les appelait des « fosses à ordures ». Il n'y a pas de literie, pas d'eau, pas de fosses d'aisance. L'odeur est abominable. Un tiers de la population du Sud y est déportée. Les gens n'ont rien à faire. Les femmes et les vieillards vivent prostrés; les enfants mendient et chapardent ce qu'ils peuvent aux soldats américains; les jeunes filles et même les fillettes se prostituent pour manger.

Ces témoignages étaient extrêmement pénibles à entendre :

les horreurs qu'ils décrivaient, ces hommes les avaient vues de leurs yeux et cela les rendait tragiquement présentes. Sur beaucoup de points leurs récits se répétaient et ce ressassement avait quelque chose de harassant, en même temps que de douloureusement convaincant. Même les journalistes ont été saisis et ont donné des comptes rendus détaillés de ces séances. Martinsen surtout est devenu très populaire. Il a très bien expliqué dans une conférence de presse les raisons de sa présence à Roskilde. On voyait partout son portrait.

Un journaliste français, Bardolini, a lui aussi dépeint l'enfer des « hameaux stratégiques » et il nous a montré un film en couleurs : d'immenses tentes rouges où étaient entassés des vieillards, des femmes, des enfants. On les voyait assis sur le seuil, les bras ballants, l'air perdus, éperdus. Vol, prostitution, toute cette population paysanne aux principes sévères, arrachée à ce qui avait été sa vie, perdait non seulement sa culture mais ses mœurs. C'était un véritable assassinat moral.

Nous avons entendu aussi deux Vietnamiennes qui avaient été torturées. L'une était une « intellectuelle » : une pharmacienne très connue à Saigon, ce qui lui a valu d'être jugée avant d'être condamnée à la détention perpétuelle, alors que tant d'autres sont exécutés sans jugement; c'est aussi grâce à sa notoriété qu'on a fini par la relâcher au bout de sept ans. Elle était très belle dans sa robe nationale en velours bleu sombre et elle s'est exprimée avec beaucoup de sobriété et de dignité. On l'avait affreusement battue, on lui avait piétiné la poitrine et le ventre, matraqué la plante des pieds; elle avait subi le « voyage en sous-marin » qui est une variante du supplice médiéval de l'entonnoir; on l'avait suspendue par les poignets; et un jour on l'avait attachée demi-nue à un arbre couvert de fourmis dont la moindre piqûre provoque des enflures et des brûlures intolérables. Elle a décrit aussi les traitements infligés à d'autres victimes : en évoquant ceux qu'avaient subis un de ses oncles, ses yeux se sont remplis de larmes. Elle a été envoyée au célèbre camp d'extermination de Poulo-Condor. Entre autres sévices, on lui a un jour déversé sur la tête une bassine pleine de pus, de crachats de tuberculeux, de vomissures, d'eau où s'étaient lavés des lépreux; cet épisode m'a révulsée plus encore que toutes les tortures : la douleur physique, on échoue à l'imaginer tandis que le dégoût, on peut l'éprouver à distance. Les juges ont posé beaucoup de questions et nous avons admiré la manière dont la Vietnamienne pesait ses réponses et se refusait à rien affirmer qu'elle n'eût constaté par elle-même. Le second témoin était une communiste qui avait été brûlée au fer rouge et torturée au point de devenir épileptique. Mais elle était moins intéressante que l'autre, parce qu'elle lisait un rapport qu'elle n'avait visiblement pas écrit elle-même.

De tous les témoignages, le plus riche a été celui du docteur Wolff qui arrivait directement de Hué où il avait pendant deux ans travaillé comme chirurgien dans un hôpital. C'est un Allemand de l'Ouest au visage triangulaire, blond, avec un grand front, l'œil bleu, l'air froid. En janvier 66, il avait donné aux *Temps modernes* un remarquable article, non signé, sur les Américains au Vietnam. Il a parlé une heure et répondu à toutes les questions avec une précision et un luxe de détails saisissant. Il a d'abord évoqué l'aspect que présente, vue du haut d'un avion, la terre vietnamienne : une peau humaine qui souffrirait de la variole; des éruptions partout; de vastes étendues dévastées par les produits chimiques; un paysage de cendres. Il a raconté les ratissages : les jeunes sont emmenés en hélicoptères aux centres d'interrogatoire, torturés, jetés dans des prisons où ils crèvent. Les territoires sont vidés de tous leurs habitants : il y a quatre millions de « regroupés » au Sud-Vietnam. Ensuite il a décrit les blessures, les brûlures, les mutilations infligées aux populations civiles par les diverses armes « anti-personnel » : bombe à bille, napalm, phosphore. Il nous a raconté comment des officiers américains, pour distraire des infirmières à qui ils faisaient la cour, les emmenaient « chasser le Viet » en avion ou en hélicoptère : en fait, ils mitraillaient des paysans.

Ce rapport a été corroboré par un film atroce que nous a montré Pic et qui a été tourné en grande partie par les soldats américains eux-mêmes [1]. Il projetait les images sur deux écrans : sur l'un, des images animées; sur l'autre, des photos immobiles. Les unes et les autres étaient presque insoutenables. On a vu un hôpital, avec des visages d'adultes et d'enfants littéralement fondus par le napalm où demeuraient seuls humains des yeux

1. Pic s'était procuré photos et films au cours de son voyage aux U.S.A.

écarquillés d'horreur. Des charniers. Des bulldozers abattant des forêts entières. De grands Américains goguenards tuant à coups de pied dans les couilles de petits soldats du Front, leur tirant des balles dans la nuque et, histoire de rire, dans l'anus. D'autres mettaient gaiement le feu à des paillotes.

Comme à Stockholm, les séances publiques alternaient avec des réunions privées. Celle-ci se déroulaient avec assez de calme car Schœnman n'avait pas réussi à entrer au Danemark. Il avait atterri une nuit à Copenhague, mais il avait été refoulé, faute de passeport. Il avait été à Amsterdam, de là en Finlande où il avait passé une nuit en prison, de là à Stockholm où on l'avait arrêté; les journaux racontaient chaque jour ses tribulations et l'appelaient le « Hollandais volant ».

Nous continuions à réfléchir sur la question du génocide. Au cours d'une réunion, dans la villa d'un ami danois du Tribunal, Gunther Anders, Dedijer, Sartre, ont fait de cette notion des analyses intéressantes; mais nous restions divisés. Sartre, moi-même, quelques autres, convaincus que les Américains étaient des criminels de guerre, nous doutions cependant qu'on pût leur imputer un génocide. La déléguée cubaine, les délégués japonais étaient indignés par nos réticences : il s'agissait pour eux d'une affaire politique et nos scrupules d'intellectuels leur semblaient superflus. Nous nous sommes séparés sans avoir rien décidé.

Et puis peu à peu, notre conviction s'est faite, surtout après les exposés sur les « villages stratégiques ». Le génocide est défini par la Convention de 1948 comme une « Atteinte grave à l'intégrité physique et mentale des membres du groupe — Soumission intentionnelle du groupe à des conditions d'existence devant entraîner sa destruction physique, totale ou partielle — Mesures tendant à entraver les naissances au sein du groupe — Transfert forcé d'enfants ». Or, la dislocation des familles dans les « villages » leur réduction à une vie végétative, les conditions sanitaires déplorables auxquelles on les condamnait avaient exactement ces effets. Les bombardements massifs et meurtriers, les épandages toxiques équivalaient d'autre part à une extermination. Quant au Nord, les bombardements des quartiers populeux de Haiphong et Hanoi démontraient non moins nettement la volonté d'extermination. Bost, qui est venu assister au procès pour le compte du *Nouvel Observateur*,

nous a dit en arrivant : « Surtout ne parlez pas de génocide. »
Au bout de trois jours, il était convaincu qu'il fallait en parler.
Quand nous avons commencé à délibérer, Sartre a lu un texte
qu'il avait préparé sur la question et qui nous a paru à tous
absolument décisif. Il établissait que le génocide était intention-
nel et prémédité car il représentait la seule réponse possible
à l'insurrection de tout un peuple contre ses oppresseurs.
En optant pour cette guerre, une guerre totale, menée *d'un
seul côté, sans la moindre réciprocité,* le gouvernement américain
avait décidé un génocide. Après cet exposé, Gisèle Halimi et
Matarasso qui, jusque-là, s'étaient montrés réticents ont dit
avec élan à Sartre : « Vous nous avez convaincus. »

J'avais accepté plus facilement qu'à Stockholm la routine
des journées. Ma chambre, comme toutes celles de l'hôtel,
contenait une table, un bureau et un lit qui s'escamotait le
jour derrière un treillis de bois : c'était un lit à l'allemande,
où une énorme couette remplaçait draps et couvertures. Il
faisait encore nuit quand je me levais à sept heures du matin,
tout ensommeillée car on ne se couchait jamais avant une heure.
J'aimais bien voir le jour se lever et se dérouler la route monotone. Parfois, pendant les séances, j'avais à lutter contre le
sommeil : à certains moments il y avait dans la salle des gens
qui dormaient franchement. Et puis soudain un témoignage,
un film réveillait mon attention. Les premiers jours nous avons
déjeuné à Fjord-Villa. Mais les repas étaient très mauvais et
très bruyants. Nous avons pris l'habitude d'aller dans un hôtel
voisin, paisible et vieillot : un de ceux qui avaient refusé de nous
accueillir; le patron n'en a pas moins fait signer par Dedijer
son livre d'or. Parfois nous faisions une brève promenade,
nous descendions jusqu'au fjord. Puis nous regagnions nos places.
En sortant de la villa, on se retrouvait dans la nuit qu'on n'avait
pas vue tomber. Mme Nielsen ou son fils nous ramenait à
Copenhague. Elle nous avait indiqué des restaurants plaisants
où nous allions dîner avec Lanzmann, venu quelques jours pour
suppléer Sartre, avec Bost, parfois avec Schwartz, avec Dedijer,
quelquefois tous les deux seuls. Il y en avait de très jolis, entre
autres celui des « sept nations » : il comprend sept salles décorées chacune dans le style d'un pays différent; l'une d'elles est
un igloo. Mais tous les plats sont de style danois. Le prix de la
vie nous a étonnés; la moindre bouteille de vin valait 30 francs;

la bouteille de whisky, 100 francs; le café était horriblement cher, quoique très mauvais; même la bière et l'akvavit étaient coûteux et le prix des repas, exorbitant. C'est que tous les articles de luxe sont sévèrement taxés : les taxes remplissent les caisses de la sécurité sociale, elles servent à entretenir des hôpitaux, des maisons de retraite.

Un aspect des mœurs danoises nous a interloqués, car la fameuse « foire de Copenhague » n'avait pas encore eu lieu. J'ai été acheter des journaux dans une petite librairie-papeterie de Roskilde; et j'ai aperçu un étalage de livres infiniment plus osés encore que ceux qui m'avaient surprise à Stokholm. À l'étalage et à l'intérieur il y avait sur les couvertures des photographies en couleurs de gens qui s'exhibaient dans toutes les positions imaginables : couples hétérosexuels et homosexuels des deux sexes, partouzes à trois ou quatre partenaires. Il y avait des revues, des réclames dont le nom commençait par : « Porno ». Porno-magazine, porno-week-end, etc. Les enfants qui passaient devant le magasin n'accordaient pas un coup d'œil à cette littérature; ils étaient beaucoup plus intéressés par les journaux d'enfants et les jeux qui se trouvaient dans une autre vitrine. Bost a eu la curiosité d'acheter un hebdo-porno; il l'a demandé à un kiosque. La vendeuse, une vieille dame respectable, a cherché ce qu'elle avait de plus osé et elle a demandé conseil à sa petite-fille, une charmante gamine de dix-huit ans qui a fait son choix avec la même impassibilité que sa grand-mère. Et pourtant quand il a feuilleté la revue, Bost en a eu l'œil rond. Il paraît que dans « porno-week-end » et autres publications analogues, des individus et des couples proposent leurs services, réclament des parte-naires. J'ai demandé à Mᵐᵉ Nielsen si la sexualité était parti-culièrement développée au Danemark. Non, m'a-t-elle répondu, mais on y refuse la clandestinité, tout se passe au grand jour : cette explication ne m'a pas entièrement satisfaite.

Comme à Stockholm, la population était divisée à notre égard. Un soir, dans un restaurant, de jeunes géantes en minijupes nous ont offert avec beaucoup de grâce une bouteille de cham-pagne. Cependant un après-midi j'ai entendu coup sur coup deux explosions et, la porte étant ouverte sur le corridor, j'ai aperçu derrière la vitre deux lueurs rouges : deux pétards.

Le soir du même jour, un pavé a été lancé dans les vitres de l'ami danois qui nous avait reçus un jour.

Nous ne voyions rien de Copenhague car nous logions à une des extrémités de la ville d'où nous filions directement sur Roskilde. Mais Sylvie étant venue passer le week-end avec moi, j'ai pris un bref congé. Nous avons loué une voiture, acheté un guide de Copenhague, et le samedi matin, par un beau jour bleu nous sommes parties vers le centre de la ville. Nous avons marché à pied dans de petites rues dont beaucoup sont interdites aux autos : il y en a de très jolies, bordées de vieilles maisons; et les sapins, les lampions, les cheveux d'ange leur donnaient un air de fête. Dans la rue des bouquinistes, Sylvie a écarquillé les yeux. Nous avons vu des palais, des églises, des monuments : le plus beau c'est la Bourse, dressée au bord d'un canal; elle est du XVIIIe, elle a une longue façade plate, des toits verts, une flèche faite de trois queues de serpent tressées ensemble. J'ai retrouvé l'hôtel d'Angleterre où j'étais descendue avec Sartre en 47, et aussi le canal bordé de vieilles maisons de toutes les couleurs et de boîtes à matelots où nous buvions un verre le soir. Il y avait encore beaucoup de bars le long du quai, mais aussi des boutiques où on vendait des chemises d'hommes aux teintes vives, en satin glacé, visible-ment destinées à des minets danois : le soir, m'a-t-on dit, le quartier évoque Saint-Germain-des-Prés; il n'y a plus de boîtes à matelots. Nous avons vu aussi une belle et solennelle place toute ronde et entourée de palais. Et la Citadelle : des casernes du XVIIIe, d'un rouge vif, avec de grands toits, une multitude de fenêtres; elles étaient silencieuses et solitaires, entourées de remblais couverts d'arbres et d'herbe.

Ensuite nous avons été voir à un quart d'heure de la ville, un petit port charmant, aux étroites rues pavées de petites pierres, aux cottages coloriés : on se serait cru dans un des plus jolis dessins animés de Disney. Nous avons déjeuné de saumon et d'akvavit dans la véranda d'un hôtel, face à la mer : à une table voisine, un couple parlait en anglais du « Hollandais volant ». Et puis nous avons gagné Elseneur. Je me rappelais assez bien le château XVIIIe, admirablement situé au-dessus de la mer et élégant mais qui n'évoque en rien Hamlet. Nous avons vu le port, ses grands bateaux, la côte de Suède au loin : il paraît que Suédois et Danois passent une grande partie de leurs loisirs à aller d'un pays à l'autre, achetant chez leurs voisins ceux-ci du café, ceux-là du beurre. Nous sommes revenus par la jolie route qui suit la côte. La nuit était tombée. D'un bout à l'autre de la longue rue qui nous a ramenés à l'hôtel se succédaient au-dessus de nos têtes des arceaux de lumières; on se serait cru dans un palais.

Le dimanche matin, nous avons été au bord de la mer, le long de cette promenade où Sartre et moi nous avions traîné tristement les pieds, parmi une foule dominicale accablée de chaleur : à présent il faisait froid, il n'y avait personne, sauf quelques pêcheurs à la ligne; la petite sirène semblait transie. La ville était glacée, grise, déserte. Nous nous sommes réfugiés à la Glyptothèque où sont exposés beaucoup d'impressionnistes français, de beaux Rembrandt, de beaux Frans Hals, entre autres le petit portrait de Descartes que les reproductions m'ont rendu si familier.

Vers la fin de la session, nous avons déjeuné — Dedijer, Weiss, Sartre, moi-même — à l'hôtel Prinser avec Stokely Carmichael. Gracieux, nonchalant, amical, il venait de faire dans les pays scandinaves une tournée de conférences contre la guerre au Vietnam. Il arrivait trop tard pour voter avec l'ensemble du Tribunal; on a convenu qu'il ferait une déclaration à part; plus tard nous en avons discuté les termes en séance privée : « Je ne prendrai pas un point de vue de légiste, car je ne crois pas à la légalité », a-t-il dit en souriant; Aybard a sursauté : « Si on fait partie d'un tribunal, on ne doit pas dire que la légalité est une farce. » C'était la dernière de nos réunions. On y a décidé que le Tribunal subsisterait seulement sous une forme restreinte, comme centre de documentation et de liaison concernant uniquement le Vietnam.

Cette fois aussi la délibération a été longue. Elle a eu lieu dans un hôtel de Roskilde où une grande salle nous avait été réservée. Halimi et Matarasso avaient préparé des questions touchant la culpabilité du Japon, de la Thaïlande, des Philippines, l'agression contre le Laos, le traitement des prisonniers et des civils, les armes interdites, le génocide. Rien que sur la formulation définitive des questions, nous avons discuté tout l'après-midi. Après un rapide dîner dans la salle à manger de l'hôtel, les débats ont repris. Certains points de l'exposé de Sartre sur le génocide ont soulevé des passions : fallait-il faire allusion à d'autres génocides, et auxquels? les uns exigeaient des additions ou des modifications que d'autres refusaient âprement. Il était cinq heures du matin quand nous sommes arrivés à un compromis.

La dernière séance publique s'est ouverte l'après-midi. La salle était bondée. On a d'abord projeté l'horrible film de Pic, dans un silence de mort. Ensuite Sartre a lu son exposé et Schwartz, les attendus rédigés par Halimi et Matarasso. Nous avons unanimement déclaré que les Américains utilisaient des armes interdites, qu'ils traitaient les prisonniers et les civils d'une manière inhumaine et contraire aux lois de la guerre, qu'ils commettaient le crime de génocide. Nous avons aussi unanimement dénoncé l'agression contre le Laos, la complicité de la Thaïlande et des Philippines. Trois jurés ont considéré que le Japon aidait les U.S.A. mais n'était pas leur complice dans l'agression contre le Vietnam. Quand les réponses à toutes les questions ont été données, il y a eu dans la salle et sur l'estrade des applaudissements et des embrassades.

De cette session aussi j'ai gardé un vif souvenir. Il y avait comme à Stockholm le plaisir du travail en commun, celui d'entretenir des amitiés; et nous avons beaucoup plus appris encore que dans la session précédente. Ce qui est désolant c'est que, par la faute de la presse, nous ayons été si peu nombreux à profiter de cet impressionnant ensemble de documents, de témoignages, d'explications. L'essentiel en est résumé dans deux livres de poche publiés par les éditions Gallimard : mais ils ont eu trop peu de lecteurs. L'opinion publique américaine a été bouleversée par la révélation du massacre de San My qui a eu lieu en mars 68. Mais Tuck avait parlé de « minutes de folie » qui étaient « couramment » concédées aux soldats. Le nombre des victimes de San My — 567, dont 170 enfants — est certainement très supérieur à la moyenne; mais ces assassinats ne s'en inscrivent pas moins dans un système routinier : du village on a tiré sur les G.I.'s, un d'eux a été tué; alors ils ont foncé et abattu toute la population. C'est sans doute parce que ces méthodes sont si répandues que Nixon a fait relaxer le responsable du massacre de San My : pourquoi parmi tant de criminels de guerre choisir comme bouc émissaire celui-ci plutôt qu'un autre?

L'opposition à la guerre grandit. Dans la perspective des

élections présidentielles, beaucoup de politiciens se déclarent pacifistes. Il est réconfortant qu'un petit pays ait pu victorieusement résister à l'État le plus puissant du monde, démontrant par son héroïsme que l'argent, les bombes, la force brutale ne peuvent pas tout. Mais même vainqueur le Vietnam demeurera longtemps encore dévasté. Son peuple a payé trop cher, j'ai en mémoire de trop affreuses images pour pouvoir penser à lui sans un serrement de cœur.

*
* *

Après la guerre du Vietnam, l'événement politique qui m'a le plus touchée dans ces dernières années, ç'a été la guerre des Six Jours. Je m'y suis d'autant plus intéressée que *Les Temps modernes* venaient de préparer un dossier sur le conflit israélo-arabe et qu'à cette occasion j'avais fait avec Sartre un voyage en Égypte et en Israël. Avant de dire comment j'ai personnellement vécu les six jours, je raconterai d'abord ces deux visites.

Nous n'avions jamais été en Égypte ni en Israël. Après la guerre, j'avais suivi avec passion le combat des Juifs contre les Anglais; je m'étais émue de la tragédie de l'*Exodus*. Je m'étais sentie soulagée quand les survivants des camps de mort avaient trouvé un refuge que je croyais sûr dans un État que l'O.N.U. avait reconnu, en grande partie sous la pression de l'U.R.S.S. Mais par la suite je n'avais pas eu particulièrement envie de me rendre en Israël. L'Égypte au contraire, depuis mon enfance, je rêvais de la connaître : le Nil, les Pyramides, les colosses de Memnon m'avaient de loin fascinée, à cet âge où les impressions se gravent d'une manière ineffaçable. La persécution subie par les communistes sous le régime de Nasser nous avait empêchés d'y aller. En 1967, il s'était réconcilié avec sa gauche et même les anciens opposants nous encourageaient à partir pour Le Caire. Nous avons rencontré plusieurs fois Loufti el-Kholi, un homme d'une quarantaine d'années qui avait fait sous Nasser de longs séjours en prison; il s'était rallié au régime sans renoncer à ses convictions marxistes. Il dirigeait une revue de gauche, *Al Talia*. Il nous pressait de venir dans son pays. D'autre part, les articles rassemblés par Claude Lanzmann pour le dossier de la revue avaient réveillé notre curiosité à

403

l'égard d'Israël. Nous avons décidé de visiter les deux pays, chacun acceptant l'idée que nous nous rendrions aussi dans l'autre. Juste avant de partir pour Le Caire nous avons appris que dix-huit jeunes gens accusés d'avoir voulu reconstituer un parti communiste se trouvaient encore en prison : leurs familles ne nous ont pas demandé de renoncer à notre projet mais d'essayer d'intervenir auprès de Nasser.

Nous étions invités par Heykal, le directeur du journal *El Ahram*, ami et porte-parole de Nasser. Il invitait aussi Lanzmann. Le journaliste égyptien Ali el Saman, qui préparait à Paris une thèse, s'était activement occupé de la partie arabe du dossier des *Temps modernes* : c'est grâce à lui qu'elle avait pu être réalisée. Il nous accompagnait. Le 25 février nous avons pris tous les quatre l'avions.

La nuit tombait quand nous avons atterri. Nous avons été accueillis par Heykal, un petit homme râblé et rieur, très brun, à l'air énergique; et par le vieux Tawfik al-Hakim — son nom signifie : Réussite du sage — dont *Les Temps modernes* avaient publié quinze ans plus tôt l'amusant *Journal d'un substitut;* c'est surtout un auteur dramatique, très célèbre en Égypte; il portait un béret sur ses cheveux blancs. On le disait misanthrope cependant il nous a volontiers accompagnés quand ce n'était pas trop fatigant. Loufti el-Kholi se trouvait aussi à l'aérodrome, ainsi que sa jeune et plaisante femme, Liliane, attachée à l'office du tourisme; elle devait être notre guide et notre interprète. On nous a présentés aussi le docteur Awad et sa femme. Après une brève conférence de presse, nous sommes montés dans la voiture d'Heykal; il nous a amenés à l'hôtel Shephard d'où nous avons fait quelques pas, pour voir le Nil. C'était un fleuve comme un autre, mais c'était le Nil et il me semblait fabuleux de le voir de mes yeux.

J'ai tout de suite couru à ma fenêtre, le lendemain matin. Le Nil était là, il coulait, il était vert — mais pas vert Nil. De l'autre côté de l'eau j'ai aperçu des maisons assez laides, des palmiers et sur le pont des drapeaux qu'un grand vent agitait. Suivis de toute une escorte — Ali, les el-Kholi, des journalistes — nous nous sommes rendus au musée du Caire. Nous y sommes retournés plusieurs fois par la suite et cependant nous sommes loin d'en avoir tout vu. Beaucoup trop exigu pour les richesses qu'il enferme, il est mal éclairé, mal aménagé, les trésors qui s'y entassent ne sont pas mis en valeur : cela ne nous a pas empêchés d'aller d'émerveillement en émerveillement. Nous avons surtout été saisis par la beauté des sculptures de l'ancienne Égypte — de 2778 à 2423. Taillées dans le schiste, la diorite, le grès, le granit rose, gris ou noir, ou dans le bois, elles sont à la fois réalistes et magiques. Elles représentent des rois, des reines, des prêtres, des scribes, des couples, des familles qui semblent saisis sur le vif et dotés cependant d'un caractère sacré. Un groupe en cuivre figure un père et son fils; un autre — le plus curieux de tous — un nain avec sa femme et ses enfants. On voit aussi des animaux, des génies, des dieux. Dans l'époque postérieure, les statues deviennent plus conventionnelles. Tous les pharaons devaient sur les effigies ressembler au dieu Amon et tous les autres personnages étaient traités dans un style académique. Les statues d'Akhenaton — à qui toute une salle est consacrée — font exception. Ce pharaon révolutionnaire, qui régna de 1370 à 1352, abandonna son nom d'Aménophis IV, renia ses aïeux, quitta Thèbes, bouleversa le régime politique et la religion; il exigea que l'artiste, s'écartant du canon royal, le représentât tel qu'il était vraiment : ses statues, beaucoup plus grandes que nature, le montrent avec un gros ventre et un long visage énigmatique de dégénéré; sa famille et sa cour l'ont imité; ces œuvres font un singulier contraste avec celles des siècles précédents.

Nous n'avons pu regarder que trop rapidement les bas-reliefs, généralement trouvés dans des tombes, qui évoquent des expéditions guerrières, des cérémonies religieuses, ou qui racontent en détail la vie quotidienne de l'ancienne Égypte. On nous a montré le trésor de Tout Ankh Amon [1]. Nous avons vu les chambres mortuaires, en or et merveilleusement travaillées, qui dans le tombeau s'emboîtaient les unes dans les autres; et les lits, les chars, les sarcophages en or, les canopes d'albâtre demeurés intacts à travers les siècles : c'est une des seules sépultures qui n'ait jamais été pillée. Elle enfermait des milliers de statuettes, de bibelots, d'objets qui sont exposés dans des vitrines et qui donnent une idée extraordinairement vivante de la civilisation égyptienne. Plus loin, dans une petite salle dormaient dans leurs bandelettes des momies de pharaons

---

1. J'ai dit déjà qu'on n'en avait envoyé à Paris qu'une infime partie.

et de hauts fonctionnaires. Nous nous sommes attardés devant les vitrines remplies de momies masquées et de cercueils de l'époque gréco-romaine. Ils viennent de l'oasis de Fayoum, d'Antinoë ou d'Alexandrie. Il y avait aussi des portraits, peints à la cire sur du bois ou sur de la toile, qui décoraient les sarcophages. Ce sont des œuvres de série, mais remarquables par leur modernisme.

J'avais si souvent contemplé sur des photographies le Sphinx et les Pyramides que la première vision que j'en eus fut sans surprise. Je savais qu'ils se trouvaient dans la banlieue du Caire; j'ai tout de même été gênée par la proximité des faubourgs poussiéreux, par le nombre et l'agitation des visiteurs. Déguisés en Palestiniens, des Américains se promenaient à dos de chameaux. Dans la lumière brutale et manquant de recul, je n'ai guère aperçu que des pierres entassées les unes sur les autres.

Nous sommes entrés dans la plus grande des tombes. Pour la visiter, il fallait monter à quatre pattes le long d'un couloir abrupt, on étouffait dans un air brûlant et raréfié; nous sommes redescendus presque tout de suite. J'ai admiré les Pyramides quand, m'enfonçant dans le désert, je les ai vues de loin. Un jour surtout, en revenant d'Alexandrie, leur apparition m'a saisie. Le soleil déclinant glissait sur leurs flancs, elles avaient l'air toutes petites et transparentes : d'admirables sculptures abstraites. Elles ont grandi; dans leur nudité froide elles semblaient de pures entités géométriques; leur présence rigide au milieu d'un terrain plat et nu m'a fait penser à certains tableaux surréalistes.

Un peu plus loin du Caire, la pyramide de Sakkarah se dresse, au milieu des restes majestueux d'un temple. L'architecte qui l'a édifiée, Inhotep, fut déifié après sa mort. Elle a été violée et dévalisée comme la plupart des tombeaux. Les constructeurs et les prêtres étaient de mèche avec les voleurs : c'était une manière de récupérer les richesses des pharaons.

Dès le premier jour, et souvent par la suite, nous nous sommes promenés dans Le Caire. Dans la ville moderne il y a des rues élégantes et des magasins luxueux; mais elle manque de charme. La vieille ville est grouillante de vie. Dans la populeuse rue Mohamed Ali, bordée d'échoppes et de petits restaurants, j'ai remarqué de grandes tentes en tissu rouge couvert de broderies : ce sont des espèces de halls funéraires; on les dresse pour y déposer le cercueil du mort et y accueillir sa famille et ses amis. Dans ce quartier, toutes les rues ont un aspect médiéval; on s'y croirait dans un gros village plutôt que dans une capitale; des enfants s'y ébattent parmi des poules et des oies; la Pâque était proche et des moutons étaient attachés au seuil des échoppes, attendant l'heure du sacrifice; ils appartenaient tous à une espèce où l'énorme queue qui pendait entre leurs jambes semblait atteinte d'éléphantiasis. De loin en loin on croisait un troupeau de canards, une vache. Les rues étaient étroites; parfois les façades à encorbellements penchaient en avant et se rapprochaient de manière à recouvrir presque entièrement la chaussée. Dans des souks on vendait des bijoux imités des antiques parures de la reine Néfertiti : colliers, boucles d'oreilles, broches, bracelets en or et en argent, parfois rehaussés de perles de couleurs. Et aussi d'amusants carrés de toile sur lesquels étaient brodés des Pyramides, des chameaux, des ânes, des palmiers. Nous avons pris un verre au *Café des miroirs*, célèbre au Caire et qui a inspiré des écrivains : c'est une ancienne ruelle qu'on a recouverte d'un toit, fermée par deux portes, et meublée de petites tables et de chaises. Il est rempli de bibelots, d'oripeaux de toutes sortes mais surtout de miroirs, plus ou moins brisés et ternis. Les intellectuels s'y réunissent volontiers. Le patron dort du matin au soir, étendu sur un vieux canapé et si bien caché sous des couvertures que Liliane nous a raconté s'être un jour assise sur lui. Nous sommes montés à la Citadelle d'où on a une vue très belle sur la ville et ses innombrables minarets.

Des anciens remparts, il reste quelques belles portes fortifiées. Mais les plus remarquables monuments du Caire, ce sont ses mosquées. J'ai surtout aimé celle du Sultan Hassan, son minaret à trois galeries, le majestueux perron montant vers une porte monumentale, l'intérieur harmonieux où pendent du plafond soixante-dix chaînes de lampadaires. (Ceux-ci ont été transportés au Musée arabe.) Dans la mosquée Al-Azhar, des étudiants étaient assis en cercle autour de leurs professeurs de théologie : ils se sont levés pour serrer la main de Sartre.

Bien que le docteur Awad nous ait expliqué que les Égyptiens ne sont pas des Arabes, le croisement avec les Arabes n'ayant guère influencé la race autochtone, la civilisation arabe a laissé au Caire, outre les mosquées, de nombreux vestiges. Dans un musée sont rassemblés des bois travaillés, incrustés, des cuivres, une riche collection de céramique, une autre de terres cuites, des faïences, des tapis, des lampes, des miniatures. Il existe aussi une très belle maison, remplie de meubles et de bibelots arabes, de soieries, de verres, de cristaux et typique par son architecture; au premier étage se trouve le harem d'où les femmes pouvaient regarder à travers le moucharabieh les fêtes qui se déroulaient dans les vastes salons du rez-de-chaussée.

Kasr el-Chamah, le fort de la Chandelle, qu'on appelle aussi le « monastère chrétien », est la partie la plus ancienne de la ville; entièrement entouré de murs, on y entre par une percée, entre deux tours. On y trouve le musée copte où sont exposés de beaux spécimens de l'art chrétien primitif, entre autres des peintures et des masques de Fayoum. C'est dans cette enceinte que sont rassemblées presque toutes les églises coptes de la ville. On nous a montré dans la crypte de Saint-Serge l'endroit où se serait abritée la Sainte Famille, pendant la fuite en Égypte. Nous avons visité aussi, tout à côté, la synagogue Ben Ezra, bâtie à l'endroit où Moïse aurait vu le Buisson ardent.

Rien, au Caire, ne m'a autant saisie que la Cité des morts. C'est une véritable ville où passent des autobus; mais les maisons comportent seulement une chambre, où se réunissent les parents et les amis du mort, et une cour où il est enseveli. Comme les logements sont rares et chers, il y a des familles — des parents ou des gardiens — qui s'y installent. Dans les rues silencieuses et désertes on aperçoit de loin en loin du linge qui sèche, un enfant, un chien, une poule. Il paraît que, certaines nuits, cette fausse ville semble inquiétante. Des groupes y viennent veiller leurs morts; ils mangent et prient; on entend dans l'obscurité des rumeurs et des chuchotements.

Dans un petit avion mis à notre disposition par le gouvernement, nous sommes partis pour Louksor où se trouvent les ruines de l'ancienne Thèbes. Une nuée de journalistes et de photographes nous accompagnaient. Quand notre salon volant a décollé, j'ai enfin vu de mes yeux ce paysage que dans mon enfance j'avais souvent essayé d'imaginer : un immense désert au milieu duquel verdoyait, mince oasis, la vallée fécondée par les eaux du Nil.

Nous nous sommes installés dans un hôtel moderne, à côté du vieux Winter Palace, au charme suranné, où les Anglais venaient jadis l'hiver réchauffer leurs os. Entre le Nil et nous s'étendait un boulevard planté de palmiers où stationnaient des fiacres; des étudiants assis sur l'herbe, au pied des arbres, lisaient ou écrivaient. Le fleuve était large et tranquille, des bateaux à voiles y voguaient. De l'autre côté s'étendait un paysage sec et accidenté. Cette paix m'a paru reposante après l'agitation du Caire. Le soleil brillait mais il ne faisait pas trop chaud.

Tout près de l'hôtel se dresse le temple d'Aménophis II que nous avons visité et qui est très beau. Ensuite, au coucher du soleil, nous avons pris un bateau et glissé sur le Nil en regardant briller les lumières de la rive. Après le dîner — comme toujours surabondant — par une faveur spéciale un archéologue nous a emmenés en fiacre voir au clair de lune le temple de Karnak. J'ai été d'abord saisie par son immensité : pendant deux mille ans, les architectes n'ont pas cessé de l'agrandir et de le compliquer. C'est le plus vaste édifice à colonnes du monde. On se perd dans des forêts de piliers; soudain on tombe en arrêt devant un obélisque en granit rose, devant une statue géante. J'ai été étonnée par les beaux chapiteaux en forme de papyrus. Nous avons traversé des cours, des vestibules, dans une obscurité que perçait de loin en loin la clarté de la lune. Nous avons repris le fiacre et j'ai aimé, dans la douceur de la nuit, entendre le bruit que faisaient sur la route les sabots des chevaux.

Nous sommes retournés à Karnak le lendemain en fin de journée. Nous avons suivi l'allée bordée de béliers qui précède le temple et qui est une partie de la longue route reliant jadis Karnak à Louksor. Mais c'est par barque qu'à la nouvelle année on transportait en grande pompe le dieu Amon d'un temple à l'autre; au fond de celui de Karnak se trouve un sanctuaire en granit où reposaient les barques sacrées; elles sont représentées sur quelques-uns des bas-reliefs qui ornent les murs. Nous ne les avions pas vus, la veille, et nous les avons longuement regardés. Ils racontent en détail les combats et les victoires de Séthi Ier et de son fils Ramsès II. La délicatesse de ces sculptures fait un heureux contraste avec le caractère massif, un peu écrasant de l'architecture. Les colonnes cylindriques, les piliers cubiques sont recouverts du haut en bas de figures de dieux ou de dessins symboliques. Dans l'enceinte du temple s'étend un lac sacré; on a installé sur un de ses bords un petit café où nous avons pris un verre.

Le matin, nous avions traversé le Nil dans un bateau dont les sièges étaient recouverts d'un tissu imprimé de style «pharaonique». Il faisait chaud : Sartre, Lanzmann, Ali, Loufti, avaient mis des chapeaux de toile qui leur donnaient des airs de faux cow-boys. Un archéologue à casquette blanche et lunettes noires nous accompagnait. Une auto nous a conduits au temple de Deir el-Bahari fondé par la puissante reine Hatshepsout et consacré à son double et à celui de son père. L'édifice, aux terrasses superposées, est très détruit et a été trop restauré mais la décoration en est très intéressante. La reine est souvent représentée sur les murs toujours sous la figure d'un homme. Elle honorait particulièrement la vache Hathor qui a un sanctuaire à l'intérieur du temple; un bas-relief la montre allaitée par Hathor. Un autre décrit, en couleurs, l'expédition, sans doute pacifique, qui la conduisit au pays de Pount, c'est-à-dire en Somalie. D'autres racontent sa jeunesse et les fêtes données pour son avènement. Une chapelle parfaitement conservée, au plafond bleu semé d'étoiles, est consacrée à Anubis. Je me rappelle aussi des sculptures qui évoquent Horus sous la forme d'un oiseau et qu'on a pu justement comparer à certaines œuvres de Brancusi. Sœur et épouse de Thoutmôsis II, son beau-fils, Thoutmôsis III — dont elle avait été aussi la tante et la régente — quand il lui succéda fit effacer son nom de toutes les cartouches du temple.

Ensuite nous avons visité la nécropole de Cheikh Abd el-Gournah, située sur une colline; de loin les ouvertures des hypogées se détachent en noir sur la paroi rocheuse. C'est le cimetière des hauts fonctionnaires thébains de la xviiie dynastie. Je ne m'attendais pas à la richesse des fresques et des bas-reliefs qui évoquent leurs occupations. Nous sommes entrés dans la tombe de Khāembāt, un scribe qui veillait sur les greniers d'Aménophis III. Elle contient six statues du mort, de sa femme, d'autres parents. On le voit sur un mur présentant ses comptes au roi. Sur une autre paroi sont dépeintes des scènes de la vie champêtre. Menna était aussi à la même époque un scribe important. Des fresques aux fraîches couleurs le montrent portant des offrandes à Osiris. D'autres représentent des travaux agricoles, l'inspection des récoltes. Dans la tombe de Bekhmara, gouverneur de Thèbes, on voit des peuples étranges, aux costumes et aux coiffures exotiques, qui lui apportent leur tribut. On voit aussi diverses scènes de sa vie et le banquet des funérailles, auquel assiste la momie du défunt. Dans la Vallée des rois, la tombe la plus intéressante était celle de Séthi Ier. On y descend par une suite d'escaliers. Un corridor aboutit à une petite salle, creusée d'un puits destiné à égarer les voleurs : c'est par un puits que généralement on accédait au caveau. En fait, une brèche soigneusement dissimulée s'ouvrait sur une salle d'où partait un dédale d'escaliers et de corridors, desservant d'autres pièces. Tous les plafonds sont peints. Les murs sont couverts de bas-reliefs, de peintures et d'esquisses. On y voit entre autres soixante-quinze représentations différentes du soleil; le roi, Osiris, diverses divinités, les peuples de la terre; des barques solaires. A lui seul, cet hypogée est un véritable musée. La tombe de Tout Ankh Amon m'a étonnée par son exiguïté : quand on l'a découverte, les trésors exposés au musée du Caire étaient empilés les uns sur les autres. Ils étaient restés intacts car une tentative de vol avait été sévèrement réprimée et ensuite des déblais provenant d'une tombe voisine en bloquèrent l'ouverture.

J'étais tout étourdie d'avoir vu défiler sous mes yeux en une matinée toute une civilisation : ses guerres, ses cérémonies sacrées, ses fêtes profanes, ses travaux, sa vie quotidienne. Je revois des visages de femmes qui suivent des funérailles en pleurant avec véhémence; des danseuses, des musiciennes qui portent sur leurs beaux cheveux noirs un cône de parfum. A certaines époques, les personnages sont dessinés de manière académique. Mais le plus souvent ils sont à la fois hiératiques et vivants et peints dans des couleurs franches et raffinées. Il aurait fallu revoir plusieurs fois, longuement, ces chefs-d'œuvre dont la valeur artistique l'emportait encore, à nos yeux, sur l'intérêt documentaire.

Au retour nous avons vu, au milieu d'une prairie où paissaient des troupeaux, les colosses de Memnon qui représentent Aménophis III : socles compris, ils sont hauts comme une maison de six étages. Fendu jusqu'à la taille par un tremblement de terre, l'un d'eux chantait quand le jour naissait. Mais Septime Sévère l'a fait réparer et depuis, il se tait. Ces statues géantes se dressaient à l'entrée d'un temple aujourd'hui détruit. Le lendemain, nous avons survolé en avion le Nil et l'ancien barrage d'Assouan; le pilote nous a fait venir dans sa cabine pour que nous ayons une vue d'ensemble du nouveau barrage près duquel nous avons atterri. A l'aérodrome, des femmes en robes et voiles noirs couverts de broderies brillantes nous ont offert des paniers pleins de dattes et de noisettes. Un préposé aux relations publiques nous a tout de suite amenés sur les chantiers; il nous y a promenés à pied et en auto en nous expliquant les travaux. Ils n'étaient pas tout à fait achevés mais déjà ils avaient permis d'irriguer une grande partie du désert. Au milieu du vacarme, nous avons regardé l'énorme déploiement de bulldozers, de grues, de camions et d'ouvriers. Un petit film en couleurs nous a fait assister, le soir, à l'inauguration de ce gigantesque ouvrage. On sait que les U.S.A. ayant refusé de le financer — ce qui entraîna en 56 la nationalisation du canal de Suez — ce fut l'U.R.S.S. qui le prit en charge. Khrouchtchev assistait aux côtés de Nasser à la cérémonie. Deux équipes d'ouvriers avaient construit le corps principal du barrage, l'une en partant de la droite du fleuve, l'autre de la gauche; on les voyait se rencontrer en son milieu et se tendre la main : il y avait alors chez eux et dans le public une explosion de joie triomphante. Ce sentiment subsistait chez les ouvriers avec qui nous nous sommes entretenus le lendemain. Ils étaient heureux et fiers d'avoir accompli un travail qui assurait à leur pays une prospérité neuve. Ils savaient en effet que l'immense réservoir appelé le *lac Nasser* permettait l'irrigation de terrains jusqu'alors désertiques et fournissait l'électricité nécessaire à l'industrie.

Comme à Louksor, notre hôtel était moderne et on l'avait bâti, à côté du vieux Cataract-Hôtel, sur un promontoire assez éloigné de la ville et qui dominait le Nil. Des rochers émergeaient des eaux bouillonnantes qu'on appelle des cataractes. En aval, le fleuve était calme et des barques y glissaient, leurs voiles blanches gonflées de vent. Il faisait grand soleil. Un bateau nous a promenés le long de l'île Éléphantine et jusqu'à la petite île Kitchenev couverte d'un jardin tropical ravissant. On a aperçu la partie supérieure du temple de Philæ : l'île où il se dresse a été noyée dès la construction du premier barrage.

A présent toute la haute vallée nubienne est engloutie. Nous avons vu sur un film en couleurs les beaux villages aux maisons crépies de blanc et décorées de fraîches peintures dont les habitants avaient été transportés en d'autres lieux et que les eaux avaient recouverts. Je savais que sur une initiative de l'Unesco des ingénieurs de divers pays avaient entrepris le sauvetage des temples d'Abou Simbel et j'avais grande envie de les voir. Avec l'hydroglisseur qu'empruntaient normalement les touristes, c'était une excursion longue et fatigante. Mais le ministre de la Culture s'était arrangé pour que le petit avion dont disposaient les ingénieurs vînt nous chercher. Il y avait tout juste place pour le pilote et trois passagers : Sartre, Lanzmann et moi. Nous sommes partis le matin. Pendant une heure nous avons survolé un désert de sable blanc ou jaune pâle hérissé de rochers noirs : il me rappelait certains paysages du Hoggar. Puis nous avons suivi le Nil, qui est à présent un immense lac d'un bleu pur. Nous effleurions presque le fleuve. On distinguait de loin en loin la cime d'un palmier englouti et au bord de l'eau des maisons abandonnées qui allaient bientôt être submergées car le niveau du réservoir continuait de monter.

A l'aérodrome nous attendaient un archéologue, et l'ingénieur allemand Hochtief qui dirige les travaux. Des différents projets proposés depuis 1959, c'est le suédois qui a prévalu, avec la participation d'un groupe international. Il consistait à découper les temples pour les reconstituer en haut de la falaise. On nous en a d'abord indiqué l'emplacement primitif, et l'abrupt chemin par lequel on les avait hissés par pièces détachées jusqu'à cinquante mètres de hauteur. D'énormes blocs soigneusement numérotés gisaient sur le plateau dans un immense entrepôt à ciel ouvert. D'ici deux ans, nous a dit Hochtief, les temples seraient entièrement reconstruits, et le plus grand se trouverait, comme autrefois, au bord de l'eau puisque celle-ci atteindrait le sommet de la falaise. Il semblait presque achevé déjà. A l'entrée se dressent quatre statues géantes de Ramsès II; elles sont encadrées par des statues, très petites, qui représentent la mère, la femme, les filles du pharaon. Au-dessus de la façade sont assis vingt-deux cynocéphales. Le dieu Rê, à tête d'épervier, lui aussi de dimension colossale, se dresse au-dessus du portail. Cet ensemble imposant est en même temps parfaitement harmonieux. Malgré les échafaudages qui encombraient les salles intérieures, nous avons pu voir les fresques et les bas-

413

reliefs; ce sont des scènes militaires racontant les guerres de Ramsès II : entre autres la grande bataille où il triompha des Hittites. Le temple sera adossé à une falaise artificielle : le site ressemblera donc exactement à ce qu'il était autrefois.

Six colosses se dressent devant la façade du temple consacré à Hathor : ils représentent Ramsès II et sa femme Néfertari. Leurs enfants sont figurés par des statues plus petites. L'intérieur est aussi décoré de bas-reliefs.

Nous avons jeté un coup d'œil sur la petite cité où logent les ouvriers et Hochtief nous a invités à boire un verre chez lui. Nous nous sommes assis sur la terrasse et il nous a donné de nouveaux détails sur les travaux en cours. Nous regardions au-dessous de nous le Nil qui coulait indolemment entre des falaises à pic : j'aurais pu rester des heures à le contempler. Il a fallu reprendre l'avion. Le retour a été encore plus éblouissant que l'aller parce que d'un bout à l'autre nous avons suivi le cours du fleuve.

Ç'a été notre dernière importante visite à l'Égypte antique. Nous avons vu aux environs d'Assouan une usine de produits chimiques. Du Caire, on nous a conduits à Helouân où s'est créé un grand complexe industriel de fer et d'acier. Nous avons regardé les coulées de métal en fusion, les marteaux-pilons, les machines qui se saisissent du métal rougi et le façonnent, d'autres qui perfectionnent l'ouvrage en débarrassant délicatement la pièce de toute excroissance. On était en train de construire de nouveaux bâtiments, plus vastes que ceux qui existaient déjà. Ce sont les premières grandes réalisations industrielles de l'Égypte. Elles ne sont pas encore rentables, le prix de revient des pièces fabriquées étant beaucoup trop élevé.

Nos amis ont voulu nous montrer quels résultats avaient déjà été obtenus dans la région du Delta grâce à l'irrigation du désert. Ils nous ont emmenés en auto à Alexandrie. Nous avons déjeuné dans un grand hôtel triste, au bord d'une baie : tout autour de nous s'étendait le parc de Montarah où se trouve l'ancien palais du roi Farouk; cette immense villa à trois étages aussi laide que prétentieuse est aujourd'hui transformée en musée. Nous avons suivi la Corniche. La plupart des maisons étaient fermées car les gens n'y habitent guère que l'été. Nous nous sommes promenés dans des rues populeuses, sans beaucoup de caractère. Autour d'une mosquée il y avait une fête de quartier qui manquait de gaieté. Après le dîner, nous avons été voir des danses du ventre dans un cabaret. A une table voisine, de grands garçons blonds aux yeux bleus jetaient sur l'assistance des regards ahuris : c'était des soldats de l'O.N.U. Deux femmes ont dansé, très bien. La loi exige aujourd'hui que le ventre ne soit pas nu et elles l'avaient voilé de mousseline transparente. Le spectacle ne ressemblait pas aux imitations frelatées que j'en avais vues; il était aussi abstrait qu'un authentique flamenco; son intérêt est d'ordre technique; la danseuse doit si bien contrôler chaque muscle que son corps reste immobile pendant que les épaules frémissent et que le ventre tressaille. C'est un exercice très fatigant; quand elles se sont arrêtées les deux femmes étaient en sueur et semblaient épuisées.

Le lendemain nous avons quitté Alexandrie par la route du désert. Nous avons traversé les marécages décrits par Durrell au début de *Justine*. (C'est le seul passage du livre qui me plaise.) Jadis s'étendait à cette place un lac qu'ont mentionné Strabon, Virgile, Horace. En partie desséché, il existait encore au début du XIXᵉ. Il était fermé par un barrage que les Anglais détruisirent en 1801 pour des raisons stratégiques : les eaux envahirent une immense étendue. Depuis quelques années, le gouvernement a entrepris de la récupérer. Un agronome nous a expliqué les méthodes d'amendement. Au-delà des marais, ce sont des terrains désertiques qu'on a réussi à rendre en partie à la culture. Mais c'est surtout dans la province dite de la Libération que des résultats remarquables ont été atteints. Grâce au barrage d'Assouan, le débit du Nil a été régularisé; on a creusé un réseau de canaux dans lesquels une grande masse de ses eaux a été détournée. Dans un centre directeur de ces travaux on nous a montré sur des maquettes le nouveau système d'irrigation; nous avons vu aussi un des principaux canaux. Puis nous avons été pris en main par un général. Nous avons parcouru, dans un autocar privé, des kilomètres de routes rectilignes qui se croisent à angles droits. Des deux côtés verdoyaient d'immenses champs de blé et d'orge : l'été verrait les premières moissons. On nous a aussi fait admirer de magnifiques vergers, fraîchement plantés. C'est l'armée qui cultive ces terres car les paysans répugnent à quitter leurs villages; on escompte cependant qu'ils s'implanteront en grand nombre une fois que des lieux d'habitation auront été aménagés. On envisage de créer de vastes coopératives et même, de préférence, des fermes d'État. De chaque côté de la chaussée, on avait aligné des soldats qui agitaient de petits drapeaux égyptiens et français. Très intéressante au début, cette tournée d'inspection devenait lassante dans sa monotonie; c'est ce qu'a compris l'agronome : il a demandé au chauffeur de faire demi-tour. Le général a piqué une violente colère, il a menacé de sauter du car : des hommes nous attendaient, drapeaux en mains, à des kilomètres de là, on ne pouvait pas leur faire faux bonds. Après de longs palabres, il a consenti à abréger l'expédition. On nous a alors amenés à un centre d'ouvriers agricoles : eux aussi, on les avait alignés sur deux rangs entre lesquels nous avons passé; ils agitaient des drapeaux en scandant : Vive Sartre! Vive Simon! Après un déjeuner qui réunissait une quarantaine de convives, un responsable nous a remis des médailles. « Dites au monde quel travail nous sommes en train d'accomplir », a-t-il dit à Sartre et à moi. A Lanzmann il a dit : « Dites à nos ennemis et à nos amis quel travail nous sommes en train d'accomplir. » C'était la première et dernière fois, au cours de ce voyage, qu'il a été fait allusion à sa qualité de Juif. On le traitait toujours avec la même courtoisie que nous.

Nous avons été aussi l'objet d'acclamations très organisées — encore que plus spontanées — quand nous avons visité, quelques jours plus tard, le village de Kamchiche; il s'est rendu célèbre par sa lutte contre les féodaux. La réforme agraire tentée par Nasser interdit aux propriétaires fonciers de posséder plus de cinquante hectares. Mettant une partie de leurs domaines au nom de membres de leur famille, de leurs clients, de leurs serviteurs, ils tournent aisément la loi; leurs ruses sont difficiles à déjouer. Un instituteur de Kamchiche, leader local de l'Union socialiste, soutenu par ses camarades, s'attaqua à la famille Fikki et dénonça ses fraudes. Il voulut faire réquisitionner ses maisons pour les services sociaux du village. Il fut abattu de nuit, dans la rue. Sa femme a réclamé justice et elle a repris la lutte menée par son mari. Le gouvernement a arrêté toute la famille Fikki. Il a créé la « Commission pour la liquidation du féodalisme » qui a découvert plusieurs cas où des propriétaires fonciers avaient assassiné des paysans; il a lancé dans les villages une campagne antiféodale, leur proposant en exemple Kamchiche. Nous nous y sommes rendus, accompagnés de notre escorte habituelle et du préfet de la région. Une foule immense s'est portée à notre rencontre. Elle déployait des banderoles : Vive Nasser! Nasser est l'ami des paysans! Et elle clamait à pleins poumons : « Vive Sartre! Vive Simon! » Une institutrice hystérique faisait crier à un groupe placide de paysannes en noir : « Vive Simone! Vive Simone!» Cependant nous inspirions aux villageois une réelle curiosité. Nos gardes du corps avaient peine à nous frayer un passage. On nous a montré plusieurs maisons en briques crues que les paysans venaient de bâtir eux-mêmes. Puis nous sommes entrés dans un hangar qui ne pouvait contenir qu'une petite partie de la foule : les autres ont essayé d'ébranler la porte qu'on leur avait, non sans peine, fermée au nez. La veuve de l'instituteur, une jeune femme très brune au visage à la fois doux et énergique, s'est assise à côté de nous sur une estrade ainsi que le préfet et d'autres officiels. Elle a fait cadeau à Sartre d'une djellaba, à moi d'un collier. Nous avons eu avec le public une conversation de peu d'intérêt. Le préfet et sa femme nous ont emmenés déjeuner.

Cette visite ne nous a pas renseignés sur la condition des fellahs. Le fait est que pendant notre séjour nous ne les avons pas approchés. Nous avons seulement constaté que les villages que nous traversions pour aller aux Pyramides étaient extrêmement pauvres. Les maisons étaient en torchis, les chameaux et les bœufs, efflanqués; sous le voile noir qui encadre leur visage, les femmes étaient souvent belles, mais émaciées. Pour élever le niveau de vie des campagnes, le grand problème auquel l'Égypte a à faire face, c'est celui de la surpopulation. Nasser avait entrepris une campagne en faveur de la contraception. J'ai vu des centres de consultations. Ils sont nombreux. Mais jamais une jeune paysanne n'accepte de limiter les naissances avant d'avoir au moins cinq ou six enfants. Le fellah considère ses fils comme sa plus grande richesse; quand il vieillit — et il vieillit tôt — il a besoin d'eux pour travailler la terre. Malgré les conquêtes réalisées sur les déserts la constante augmentation des bouches à nourrir ne permet pas d'améliorer la condition paysanne.

Sur un plan différent, un autre problème très mal résolu, c'est celui de la condition féminine. La Charte dont en 1962

Nasser a fait la base du régime réclame l'égalité des deux sexes. Mais la tradition islamique s'y oppose et pour l'instant c'est elle qui prévaut. J'ai rencontré au début de mon séjour quelques féministes égyptiennes : des médecins, des avocates, des journalistes; parmi celles-ci il y en avait une très âgée mais encore combative qui avait été la première, avant la guerre de 14, à partir en bataille contre le voile [1]. Elles m'ont donné des renseignements détaillés. Les droits sociaux, civiques, économiques de la femme ne sont pas du tout équivalents à ceux des hommes. Quand le père meurt, la fille reçoit une part d'héritage très inférieure à celle de ses frères. Il est très difficile à une femme d'obtenir le divorce alors que son mari peut la répudier, presque sans aucune formalité. Pratiquement le fossé est encore plus profond. Très rares sont les femmes qui travaillent hors du foyer et elles n'ont pas les mêmes avantages que les hommes. Elles sortent peu. Aux terrasses des cafés du Caire je n'ai jamais aperçu de femmes. Mes interlocutrices étaient révoltées par cette discrimination. J'ai abordé la question quand à Alexandrie j'ai parlé à l'Université avec des étudiants. D'après la Charte, ai-je dit, il ne saurait y avoir de socialisme tant que la femme ne sera pas l'égale de l'homme : « Dans les limites de la religion », ont crié des voix d'hommes. J'ai repris longuement ce sujet dans la conférence que j'ai donnée au Caire. J'ai accusé les Égyptiens de se conduire à l'égard des femmes comme des féodaux, des colonialistes et des racistes. J'ai montré que les arguments par lesquels ils se justifiaient étaient exactement ceux qu'utilisaient les anciens colons contre les colonisés : j'ai condamné leur attitude au nom du combat qu'ils avaient eux-mêmes mené pour leur indépendance. J'ai été furieusement applaudie par les très nombreuses femmes de l'assistance. Beaucoup d'hommes étaient mécontents. A la sortie un vieux monsieur m'a abordée; il tenait à la main une thèse qu'il avait écrite sur le Coran : « L'inégalité de la femme, mais c'est la religion, ça, madame; c'est écrit dans le Coran. » Je l'ai laissé aux prises avec la vieille journaliste qui avait été une pionnière du féminisme. Des femmes sont venues me remercier, parfois derrière le dos de leur mari.

Nous connaissions cependant un couple où semblait régner

1. On sait que cette bataille a été gagnée.

une parfaite égalité et qui la revendiquait : c'était Loufti et Liliane el-Kholi. Elle était très représentative d'une catégorie encore peu nombreuse de femmes vraiment libérées. Jolie, élégante, très « féminine », elle s'occupait de son enfant, de son foyer mais aussi elle avait un métier. Elle était copte, c'est-à-dire chrétienne. A quatorze ans, au cours d'un pèlerinage au Saint Sépulcre, elle avait perdu la foi. Une religieuse lui avait désigné le trou où avait été plantée la croix; au moment où elle allait pieusement y enfoncer la main, la religieuse s'était ravisée : « Au fait, vous êtes catholique romaine ou orthodoxe? — Orthodoxe. — Alors pour vous, c'est ce trou-là »; et elle en avait indiqué un autre. Pour Liliane, tout avait vacillé et par la suite elle avait cessé de croire. Elle avait fait de fortes études et elle aurait voulu aller à Paris pour préparer l'agrégation de philosophie : son père le lui avait interdit parce qu'on s'y embrassait dans la rue. Elle n'en connaissait pas moins admirablement la langue et la littérature françaises.

Nous avons participé à beaucoup de discussions sur les problèmes actuels de l'Égypte. Nous avons rencontré les rédacteurs de la revue *Al Talia;* le ministre de la Culture; Ali Sabry qui dirigeait l'Union socialiste, parti unique auquel appartient d'emblée tout Égyptien; des marxistes et diverses personnalités. Devant nous, aucun n'a mis en question l'existence d'un parti unique, l'absence de vie syndicale, le dirigisme étatique. Ce qui les préoccupait tous, c'était la difficulté de la lutte contre les féodaux; la surpopulation; et surtout l'existence d'une « nouvelle classe » qui s'est substituée à l'ancienne bourgeoisie mais qui est elle aussi composée de privilégiés. L'industrie est en grande partie nationalisée, mais l'État a besoin d'un grand nombre de cadres et de techniciens auxquels, pour s'assurer leurs services, il est obligé de verser des traitements élevés. Plus le pays se développe plus grandit cette catégorie de profiteurs qu'il faut bien tolérer puisqu'on a besoin d'eux. Elle est composée d'anciens petits bourgeois individualistes et réactionnaires.

A la fin de notre séjour, Nasser nous a reçus dans sa résidence d'Héliopolis. Lanzmann, Ali, Heykal nous accompagnaient. L'entretien s'est déroulé pendant trois heures dans un grand salon où on nous a servi des jus de fruits. Nasser n'avait pas du tout le sourire « dents blanches » que lui attribuent des photos malveillantes; il y avait dans sa voix et dans son visage un charme feutré, un peu mélancolique. On disait que son amitié pour Heykal s'expliquait par le contraste de leurs natures, celui-ci débordant de vitalité joyeuse tandis que Nasser était replié sur lui-même et inquiet. Il écoutait d'un air attentif et parlait sans hâte, en pesant ses mots. Je l'ai interrogé sur la condition de la femme égyptienne. Il était féministe; une de ses filles a fait des études très poussées et il l'y a encouragée. Lorsque fut discuté le chapitre de la Charte demandant l'égalité des sexes quelqu'un lui a objecté : « Alors chaque femme aura droit à quatre maris? » Il a répondu qu'en fait l'Islam s'était implanté dans une société qui pratiquait largement la polygamie et qu'en vérité le Coran loin de la prôner essaie de la rendre impossible tant il y apporte de restrictions. Quant à lui, il souhaitait la voir disparaître. Il croyait en Dieu, a-t-il ajouté; quant à la religion, dans tous les domaines elle s'était dressée en travers de son chemin. Sartre a mentionné les dix-huit jeunes gens qui étaient actuellement en prison; il a demandé si on ne pouvait pas hâter leur procès. Évidemment mis au courant de cette démarche par Heykal, Nasser a souri : « Un procès, je veux bien. Mais ils risquent dix ans de prison. Notre idée, c'était plutôt de les garder encore un peu, et puis de les relâcher sans bruit. — Bien sûr, ce serait la meilleure solution », a dit Sartre. A la fin de la conversation, Sartre a abordé la question palestinienne. « Il n'est pas question que les États arabes prennent en charge les réfugiés, a dit Nasser. — Mais si Israël les accueillait, reconnaîtriez-vous Israël? — Avec un million deux cent mille Palestiniens, Israël ne serait plus Israël, il éclaterait. C'est impossible qu'ils acceptent. — Alors? — Alors? a dit Nasser d'un ton perplexe. La guerre? Mais c'est très difficile! » Il n'avait pas du tout l'air disposé à courir une telle aventure.

Dès le début de notre voyage, il avait été entendu que nous irions voir à Gaza les camps de réfugiés. Nous sommes de nouveau montés, avec toute notre bande, dans notre avion et nous avons survolé le désert : au-dessous de nous s'étirait, toute droite et luisante de goudron, la route unique qui le traverse. Nous avons survolé de très près Ismaïlia, le canal de Suez, ses rives, les bateaux, les lacs Amer. Malheureusement, un grand vent nous secouait. Loufti était vert et j'avais le cœur barbouillé quand nous sommes arrivés à el-Arich. Un couple palestinien installé depuis longtemps au Liban nous a fait monter dans sa voiture et nous avons traversé un beau paysage désertique. De loin en loin on apercevait parmi les rocailles des tentes de Bédouins et des Bédouines vêtues de noir, couvertes de bijoux. A la frontière de la zone de Gaza, l'auto s'est arrêtée. Avant que nous ne repartions, on nous a remis des drapeaux des « forces de libération de la Palestine ».

Le camp que nous avons visité à Gaza était en fait un village, très misérable. C'était gênant de déambuler dans les rues avec toute une troupe derrière nous : notre escorte égyptienne et des dirigeants palestiniens. Ils nous ont fait entrer dans d'anciennes casernes désaffectées où s'entassaient des familles et dans d'autres logis aussi étroits et nus. Des hommes, des femmes nous ont dit combien ils désiraient retrouver en Palestine occupée leurs maisons et leurs terres. Dans la rue nous avons interrogé des enfants : l'un voulait plus tard être médecin, l'autre soldat. Nos guides s'apitoyaient bruyamment sur l'affreuse situation de cette population; mais n'en étaient-ils pas en partie responsables? Utilisent-ils de la manière la plus efficace les secours considérables distribués par l'U.N.W.R.A. [1]? Le terrain ne manquait pas. Pourquoi n'avait-on pas encouragé les réfugiés à se construire des maisons comme faisaient par exemple les paysans de Kamchiche? Je me posais ces questions pendant le banquet qui réunissait, chez Hoshi, le général égyptien qui gouverne la zone de Gaza, une centaine de convives; je me demandais aussi pourquoi un tel déploiement de nourritures : j'en avais l'appétit coupé.

On nous a conduits à la frontière. On apercevait le drapeau israélien au loin et dans le no man's land qui séparait les deux pays, les casques bleus. Nous avons visité une école, un atelier de broderie, un établissement où sont élevés les fils des Palestiniens morts en combattant contre les Israéliens. Les enfants portent le costume national, ils ont chanté, accompagnés par une trompette, un hymne guerrier, sur le thème du retour dans la patrie. Beaucoup de cafés de Gaza s'appellent « Cafés du retour ».

1. Office de secours et de travaux des Nations unies pour les réfugiés du Proche-Orient, créé par l'O.N.U. en 1949. L'Office vit surtout de capitaux américains.

A dîner, les convives étaient encore plus nombreux que le matin et le repas encore plus pantagruélique. Liliane a murmuré d'un air écœuré : « Et tout ça pendant qu'à côté ils crèvent de faim! » Ensuite tout le monde s'est réuni dans une grande salle et une discussion s'est engagée entre Sartre et les dirigeants palestiniens. Il leur a demandé ce qui se passerait au cas où les Arabes sortiraient vainqueurs d'une guerre contre Israël. Eh bien! on renverrait tous les Juifs dans « leurs » pays, sauf ceux des pays arabes qui auraient le droit de rester. L'extermination des Juifs par les nazis a été un crime, mais on ne répare pas un crime par un crime « plus grand » a dit un des adjoints de Choukeiri. Aussi, a-t-il ajouté sans se rendre compte de son inconséquence, nous n'hésiterions pas à provoquer au besoin une guerre mondiale pour que justice nous soit rendue. La conversation était tendue car Sartre souhaitait qu'on trouvât un moyen de concilier le droit des Palestiniens à revenir dans leur pays et le droit d'Israël à l'existence : on pourrait par exemple échelonner sur plusieurs années le retour des réfugiés. Mais les Palestiniens exigeaient que les Juifs fussent chassés de la Palestine occupée. Leur indignation, leur haine étaient sans doute sincères, mais ils les exprimaient en phrases pathétiques et ampoulées qui sonnaient faux. A la fin Sartre conclut : « Je rapporterai fidèlement à Paris les opinions que j'ai entendues ici. — Ça ne suffit pas, a dit un de nos interlocuteurs avec colère. Nous aurions souhaité que vous les partagiez. »

La violence et l'illogisme des dirigeants palestiniens, leurs rodomontades avaient gêné Liliane et Loufti. Ils trouvaient comme nous l'atmosphère de Gaza oppressante. La réalité et la gravité du problème, nous en étions convaincus. Mais la propagande insistante à laquelle nous avions été en butte toute la journée nous avait excédés. Et les dirigeants qui nous recevaient trop somptueusement semblaient vivre dans un univers verbal irréel, loin du dénuement de la masse [1].

Le lendemain matin nous avons fait un tour en auto dans Gaza; la rue commerçante, le marché, donnaient une impression de pauvreté. Après avoir suivi le bord de mer, le chauffeur a proposé de nous conduire dans un quartier populeux. C'était

---

1. Après la guerre des Six Jours ces dirigeants ont perdu toute influence en même temps que Choukeiri. Les nouveaux leaders sont d'un type tout différent.

en fait un autre camp de réfugiés mais qui semblait nettement moins misérable que le premier. Il y avait des monceaux d'oranges au bord du trottoir. Nous sommes descendus de voiture. Liliane a arrêté une femme et a commencé à lui parler : elle était comme nous désireuse d'avoir une conversation libre, avec quelqu'un qu'on ne sentirait pas soumis à des pressions. Certainement les réfugiés détestaient Israël. Mais que pensaient-ils de leurs responsables? Quelle aide ceux-ci leur apportaient-ils? Au jour le jour, comment vivaient-ils? Elles avaient à peine échangé quelques mots lorsque nous avons vu s'amener à toute vitesse deux notables. Cette femme était incapable de nous répondre, ce qu'elle avait dit ne comptait pas, ont-ils déclaré. Nous n'avons pas insisté, mais notre malaise s'est accru. Nous avions l'impression que la veille, la misère des réfugiés nous avait été trop complaisamment étalée, leurs plaintes et leurs gémissements impérieusement dirigés. C'était inutile, car le problème demeurait entier, même si parfois ils mangeaient des oranges et si certains n'étaient pas trop mécontents de leur sort. Au retour, nous avons discuté dans l'avion avec Liliane que cette visite avait, elle aussi, déprimée. L'Égypte était trop pauvre pour prendre en charge cette population, a-t-elle dit justement. Mais elle a dit aussi qu'après la guerre les Juifs auraient dû rester dans « leurs pays », montrant ainsi qu'elle ignorait tout de la question juive telle qu'elle se posait en Occident.

Au Caire, Heykal nous a appris que Nasser avait libéré les dix-huit prisonniers dont Sartre lui avait parlé. Sans doute avait-il depuis longtemps l'intention de le faire : mais le procédé n'en était pas moins fort élégant.

Le voyage s'achevait. Il avait été aussi agréable qu'intéressant. Le seul inconvénient, ç'avait été la nuée de journalistes qui nous suivait partout. Mais nous nous entendions très bien avec nos compagnons les plus habituels, Ali, à l'intelligence vive et gaie, Loufti, passionné par ses idées, Liliane, aussi attentive et prévenante que cultivée. Nous voyions moins souvent Heykal qui nous charmait par sa vitalité rieuse. Presque tous les Égyptiens que nous avons rencontrés parlaient français. On avait choisi pour nous escorter ceux qui savaient notre langue, mais aussi, par réaction contre la domination anglaise, beaucoup d'Égyptiens l'ont fait apprendre à leurs enfants.

Nous avons été magnifiquement reçus chez les Heykal, chez les el-Kholi, chez le ministre de la Culture. On dînait par petites tables, ce qui permet au cours du repas de changer de place et d'interlocuteur. Le buffet, mi-froid mi-chaud, était toujours somptueux : je me rappelle entre autres une énorme dinde, un mouton entier, préalablement découpés et reconstitués. Heykal nous a invités un soir sur un bateau-restaurant amarré sur le Nil. On entendait le clapotement de l'eau et on apercevait par les hublots les lumières du Caire. Il avait fait venir une excellente danseuse et j'ai de nouveau apprécié ce qu'est une authentique danse du ventre. Le vieux Tawfik al-Hakim nous a invités à dîner, avec toute notre bande, dans un restaurant, proche des Pyramides, tenu par d'anciens propriétaires terriens qui étaient ses amis : il voulait voir comment ils s'accommodaient de leur nouvelle condition. Il a été déçu parce qu'ils étaient absents mais nous nous sommes beaucoup amusés. La salle à manger était agréable, toute capitonnée de rouge, éclairée par des lampes à abat-jour plissés et baignée de musique indirecte. On a beaucoup taquiné Tawfik : il est marié depuis vingt ans et personne n'a jamais vu sa femme. Dans ses pièces, il se montrait tellement misogyne, nous a-t-il expliqué, qu'il a craint que son mariage ne fasse ricaner les journalistes. Il a fait jurer à sa femme de ne jamais l'accompagner nulle part. Un des convives l'a terrorisé en le menaçant de descendre un jour chez lui à l'improviste afin de rencontrer sa femme et de savoir le fin mot de l'histoire. Nous avons aussi mangé des boulettes de pois chiche, des brochettes, dans des restaurants populeux. Dans un café, au centre de la ville, Sartre, Lanzmann ont tiré sans grand succès sur des narguilés que Loufti et Ali fumaient avec art.

Le dernier soir on nous a offert un dîner d'adieu dans une maison arabe du XVIe siècle : la Maison des Arts; elle enferme de beaux meubles arabes et elle a de jolis plafonds peints. Presque toutes les personnes que nous avions rencontrées se trouvaient réunies autour de grandes tables rondes et basses, recouvertes de plateaux de cuivre. Pendant le repas s'est déroulé un excellent spectacle : danse du ventre, prestidigitateur, derviche tourneur et surtout un magnifique danseur. On nous a fait cadeau de deux masques funéraires de Fayoum.

Il n'y avait pas de ligne aérienne qui reliât l'Égypte à Israël.

Nous avons pris le lendemain soir un avion pour Athènes. Personne ne nous attendait à l'aéroport. C'était inhabituel et reposant. Nous avons passé la matinée sur le Lycabette et sur l'Acropole. Et nous avons pris l'avion pour Tel-Aviv. Lanzmann nous accompagnait, mais seulement pour trois jours.

Cela nous effrayait un peu d'avoir à affronter encore une fois les rites de l'arrivée, à nous familiariser avec de nouveaux visages, à recommencer à vivre en public. Mais nous avions grande envie de voir Israël. Nous y étions invités par un comité d'accueil comprenant des personnalités politiques, universitaires et littéraires. Flapan, membre du Mapam que nous avions rencontré à Paris, avait préparé notre voyage. Il faisait partie du groupe qui nous attendait à l'aérodrome. Lanzmann nous a présenté Monique Howard, une jeune femme brune et sympathique, qui devait être notre interprète. Un homme jeune, d'un blond roux, m'a proposé de nous servir de guide et de nous défendre contre les emmerdeurs; j'ai pensé qu'il en était un lui-même : en fait il s'agissait d'Ely Ben-Gal qui est vite devenu notre ami. Dans la chaleur et le bruit, Sartre a parlé un moment avec les journalistes. Puis Schlonsky, un vieil écrivain d'origine russe, nous a conduits à l'hôtel Dan au bord de la mer.

La mer était belle, le matin, quand j'ai ouvert ma fenêtre. C'est le seul charme de Tel-Aviv. La ville est animée, mais ses rues rectilignes n'ont aucun caractère. La rue Dizengoff, la plus luxueuse, l'est beaucoup moins que les grandes avenues du Caire. Il y a de nombreux magasins mais les vêtements et les divers objets exposés dans les vitrines ne sont pas de haute qualité. Les cafés, les restaurants font penser à ceux que fréquentent les étudiants, au Quartier Latin.

Aux portes de Tel-Aviv, nous avons vu Jaffa. Nous en avons aimé les remparts, les châteaux en ruine, les vieilles maisons, les larges escaliers. Nous nous sommes amusés à flâner à travers la foire aux puces.

Et puis nous avons rayonné dans le pays. Flapan nous devançait dans les endroits où nous devions aller et il organisait notre visite. Comme il parle mal le français, il craignait de nous ennuyer et il se montrait très peu. On n'aurait pas pu imaginer une sollicitude plus discrète.

Je savais que les Kibboutzim n'enferment que 4 % de la population, que dans la majorité d'entre eux on ne trouve plus de pionniers, que leur existence ne se maintient qu'artificiellement au sein d'un pays capitaliste. Mais au départ ils ont représenté une aventure si émouvante que j'avais grande envie d'en voir. Nous y avons passé d'assez longs moments. Au Kibboutz de Merharia nous avons été reçus par Meir Yaari, chef du Mapam, qui a eu une longue conversation avec Sartre pendant que je discutais avec un groupe de femmes. Au Kibboutz Degania B, le « Kibboutz mère », le plus ancien de tous, c'est Kaddish Louz, le président de la Knesset qui nous a accueillis. Nous avons déjeuné avec lui dans la salle à manger commune et pris le café dans sa maison. Sa femme a évoqué avec émotion la naissance de la petite communauté, il y a très longtemps, quand aucun des arbres n'était encore planté, aucune maison construite, que la route n'existait pas, et qu'ils avaient tout sorti du néant, à la sueur de leur front, les femmes travaillant aussi durement que les hommes. Le Kibboutz frontière de Laavat Habashan est situé au pied d'une colline sur laquelle brillaient le soir les lumières des avant-postes syriens. Une fois les Syriens ont détruit à coups de canon la salle à manger qui heureusement était vide. Après les repas, on se réunit au sous-sol dans un club qui sert en même temps d'abri. On nous a montré aussi les tranchées profondes et bien aménagées dans lesquelles on se réfugie en cas d'alerte.

Les deux problèmes qui m'ont le plus intéressée c'est la condition des femmes, et l'attitude des jeunes. Le premier, j'en ai discuté aussi à Tel-Aviv avec un groupe de femmes de professions libérales. Parmi elles, il y avait une ancienne pionnière de soixante ans. Autrefois, m'a-t-elle expliqué, notre devise était « Never mind » : nous passions par-dessus toutes les différences; nous nous conduisions comme des hommes. Maintenant non. Maintenant, m'ont dit des femmes plus jeunes — une actrice, une architecte — nous acceptons la séparation des tâches. Nous pensons servir aussi bien Israël en accomplissant notre « métier de femme » qu'en rivalisant avec les hommes, et c'est finalement ce qui compte. D'après elles, la question du féminisme ne se posait donc pas en Israël.

Dans les kibboutzim on m'a confirmé que les femmes se sont fatiguées des travaux de force. Il y a des exceptions : la femme d'Ely Ben-Gal a tenu à conduire un tracteur, comme un homme. Après deux échecs, elle a été acceptée comme tractoriste, mais on n'appréciait pas beaucoup son obstination. A Degania B, les femmes se plaignaient de ne pas avoir une vie très intéressante. Elles peuvent être professeurs, elles s'occupent des crèches, des garderies d'enfants, de la cuisine, du poulailler : elles ne participent pas directement à la production. Celles de Laavat Habashan en convenaient. Elles admettaient aussi que politiquement elles étaient plus timides et moins actives que les hommes. Mais elles considéraient qu'elles détenaient les plus grandes responsabilités sociales : les hommes ont affaire à la terre, m'ont-elles dit; nous, nous avons affaire à la communauté. Selon elles, les femmes de la génération précédente avaient eu le tort de trop sacrifier leur féminité : dans cette génération-ci, elles revendiquent des loisirs pour pouvoir s'occuper d'elles-mêmes. A Merharia, j'ai entendu des propos un peu différents. N'étant pas satisfaites de leur rôle au sein de la collectivité, les jeunes femmes que j'ai vues souhaitaient trouver au foyer un accomplissement de leur individualité. Elles désapprouvaient la manière dont les enfants sont élevés, en collectivité, les parents ne les voyant que quelques heures par jour. Une petite brune aurait voulu s'occuper elle-même totalement de ses enfants : elle se sentait frustrée. Une belle jeune fille blonde m'a dit que, faute d'avoir vécu avec ses parents, elle s'était trouvée affligée de nombreux complexes; maintenant elle était nurse et elle pensait qu'il n'est pas bon pour les tout-petits de dormir, loin de leurs mères, avec une garde qui change toutes les semaines.

Cette opinion est controuvée par Bettelheim, dans le livre qu'il a consacré à l'éducation dans les kibboutzim, *Les Enfants du rêve;* selon lui l'absence de la mère est largement compensée par la présence constante des autres enfants, auprès de chacun d'entre eux [1]. Mais d'autre part son enquête confirme les conclusions que j'avais moi-même tirées, non sans regret : la femme des

1. Cette confrontation à ses pairs constitue une autre formation que l'éducation par la famille et aboutit à d'autres résultats, montre Bettelheim. Mais il serait trop long de rendre compte ici de son livre auquel je renvoie ceux que le problème intéresse.

kibboutzim accepte la division traditionnelle des tâches; les travaux ménagers étant improductifs sont méprisés : on ne voit jamais un homme dans les blanchisseries. Même si de temps en temps un homme sert à la cantine ou fait la cuisine, il tient ces corvées pour secondaires, sa vraie vie est ailleurs. Tandis que les femmes n'ont pas d'autre horizon que de maintenir le train-train de l'existence quotidienne.

Les véritables sentiments des jeunes sont difficiles à connaître. Le kibboutz pour eux n'est plus une aventure. « Nous nous sentons trop protégés », nous ont dit certains. Beaucoup partiraient, s'ils l'osaient, nous ont-ils dit aussi à Laavat Habashan. Seulement ils sentent les regards de la communauté fixés sur eux; ils redoutent sa réprobation. Beaucoup s'en vont cependant, soit pour aller créer de nouveaux kibboutzim dans le désert du Néguev, soit pour se fixer à Tel-Aviv. A Degania B, des trois enfants de Kaddish Louz un seul était resté, comme professeur; un autre se trouvait aux U.S.A. Sa fille, beaucoup plus élégante que les autres femmes du kibboutz, les ongles laqués, étudiait la philosophie à Tel-Aviv. On lui a demandé pourquoi elle avait décidé de s'en aller, mais elle n'a pas voulu le dire devant ses parents et son père a conclu en riant : « Elle fait de la philosophie pour se trouver des raisons. »

Il y a de grandes différences entre les kibboutzim nous a expliqué Ely. Il y en a de « bons », où les gens s'entendent et qui prospèrent; et de « mauvais » où la production est insuffisante et le moral bas. Le régime y est plus ou moins communautaire. Les possibilités de voyage, d'usage d'une automobile, la liberté de consommation ne sont pas les mêmes dans tous. Dans le kibboutz d'Ely, proche de la frontière libanaise, tous les membres sont jeunes et progressistes; on y pratique un rigoureux égalitarisme et c'est, dit-il, un excellent kibboutz.

A côté des kibboutzim, il existe des moshavim, des villages où il n'y a pas de vie communautaire. De loin, on les distingue facilement les uns des autres car dans les premiers on aperçoit les importants bâtiments où se déroule la vie collective; les seconds en sont démunis. Nous en avons visité un, peuplé d'Indiens qui parlaient anglais et d'émigrants d'Afrique du Nord avec qui nous avons causé. C'était originellement de petits commerçants, des employés, et au début ils ont eu du mal à s'adapter à leur nouveau métier : la culture des fleurs.

Mais ils ont appris vite l'hébreu et le travail de la terre. A présent ils étaient contents de leur sort. Ils habitaient des pavillons confortables, meublés dans un style petit-bourgeois. Les femmes s'occupaient de la maison et des enfants.

Dans la fabrique de tuyaux métalliques où nous a conduits Patish, un membre du Mapam, la plupart des ouvriers venaient aussi d'Afrique du Nord et quelques-uns du Yémen : parmi les Juifs orientaux, ce sont les Yéménites qui s'adaptent le mieux. Nous les avons regardés travailler et nous avons causé avec eux en buvant du café. Ils ont parlé avec colère des Arabes qui les empêchaient de correspondre avec les membres de leur famille demeurés en Tunisie ou en Algérie. S'il y avait la guerre, ils étaient prêts à se battre. (C'est le seul propos belliqueux que j'aie entendu pendant ce voyage [1].) Tous se disaient satisfaits de leur salaire et de leur travail. C'était sans doute vrai car l'usine appartient à la *Histadrout* qui traite particulièrement bien les ouvriers qu'elle emploie.

La *Histadrout*, c'est la confédération générale du travail, destinée en principe à défendre les intérêts des salariés. L'organisation de la Sécurité sociale est entre ses mains; si on n'y adhère pas, on ne touche pas d'assurance sociale; la grande majorité des travailleurs y sont donc inscrits. Cependant on ne peut pas la considérer comme un syndicat. Elle s'est créée, il y a une cinquantaine d'années, non sur une base de classe, mais sur une base nationale. Son but était de mettre sur pied une infrastructure économique permettant la création d'un capitalisme israélien. Elle est devenue le plus grand employeur du pays : un quart de la production nationale dépend d'elle. Elle est le seul « syndicat » au monde dont les statuts comportent un programme politique. Les élections s'y effectuent sur la base des partis et non des organisations professionnelles. Elle n'est ni révolutionnaire ni même réformiste mais au contraire elle représente le plus sûr garant de l'ordre établi. Jouant un grand rôle politique, économique et social, elle appuie le programme du gouvernement. Elle fait pression sur les travailleurs de manière à empêcher les grèves. Si jamais une lutte des classes

1. Dans *Le Nouvel Observateur*, fin avril 1970, Vidal-Naquet rapporte que seuls les Israliens originaires de pays arabes ont proclamé devant lui une hostilité décidée à l'égard des Arabes.

se développe en Israël, ce sera malgré elle et contre elle. Nous avons eu une conversation avec les dirigeants de la Histadrout, au dernier étage d'un grand building de Tel-Aviv. Il y avait plusieurs chefs de département, mais ils n'ont guère ouvert la bouche parce que le secrétaire général a parlé tout le temps. Il était membre du Mapaï et plutôt que de nous informer, il nous a fait de la propagande. En pressant de questions une responsable, elle aussi membre du Mapaï, j'ai fini par lui faire avouer que sur le marché du travail il y avait une grande différence entre les hommes et les femmes. Celles-ci sont beaucoup moins nombreuses, on leur confie les tâches les moins intéressantes et on s'arrange pour tourner le principe de l'égalité des salaires.

Nous nous entendions très mal avec les membres du Mapaï et en général avec tous les Israéliens de droite. La situation n'était pas du tout la même qu'en Égypte. Là-bas, il n'existait qu'un parti et personne ne discutait la politique du gouvernement. Sartre ayant été invité par le porte-parole de Nasser tout le monde — sauf les Palestiniens de Gaza — lui témoigna de l'amitié. Israël est une démocratie; il y a plusieurs partis et dans chacun différentes tendances. La droite était évidemment hostile à Sartre. Il n'y eut qu'une exception : Ygal Allon, alors ministre du Travail appartenant à l'Ahdouth Avoda. Ses faits d'armes sont légendaires; c'est l'idole de toute la droite et d'une partie de la jeunesse; nous ne partagions absolument pas ses idées mais au cours du dîner et de la soirée que nous avons passés avec lui la discussion a été si vivante et si gaie, il nous a parlé de manière si ouverte qu'il nous a inspiré de la sympathie. En fait, nous n'avons guère rencontré que des hommes de gauche : des membres des deux partis communistes; Uri Avnéry; Amos Kennan; des membres de la gauche du Mapam; l'historien Bloch et un jeune barbu, Lévi, qui font tous deux parties du comité contre la guerre au Vietnam : ils ont organisé un meeting sur le Vietnam où Sartre a parlé et auquel le général Dayan a assisté.

Nous avions beaucoup d'amitié pour Monique Howard. Venue de France quelques années plus tôt, elle avait choisi le métier d'interprète. Elle était mariée à un musicien; habitant Tel-Aviv, elle menait une vie sans histoire de citadine. Le cas d'Ely Ben-Gal était plus singulier. Fils d'un industriel lyonnais il a passé la guerre caché avec ses parents au Chambon-sur-Lignon. Ses grands-parents sont morts en déportation mais il était trop jeune pour s'en émouvoir. Au village, tout le monde était gentil avec sa famille. Une boulangère leur fournissait du pain sans tickets. La guerre finie, ils ont été la remercier : « Oh! c'était naturel, a-t-elle dit, vous êtes juifs, mais tout de même... » Il avait neuf ans et il en est resté saisi. Dans les années qui ont suivi, il lui est apparu clairement que les Français ne le considéraient pas comme un des leurs et il a décidé d'émigrer. Il a d'abord été au Brésil où il s'est marié; puis, avec sa femme qui est juive elle aussi, il s'est installé en Israël, dans un kibboutz de Galilée. Quand nous l'avons connu, il s'occupait des moutons. Il les menait paître à la frontière libanaise. Il sait un peu d'arabe et il causait avec les bergers libanais; ils échangeaient du pain, du fromage. L'un d'eux cependant lui a dit avec enthousiasme : « Un jour, on jettera tous les Juifs à la mer. — Moi aussi?... » a demandé Ely. L'autre a un peu hésité. « Toi aussi. » Ely emporte un fusil quand il va garder ses moutons, parce qu'une agression est toujours possible. Il prend aussi un livre. Pas un roman : il risquerait d'oublier son troupeau, or il faut sans cesse le faire bouger, l'empêcher de s'endormir. Mais un ouvrage de philosophie convient; on s'interrompt au bout de deux ou trois pages et on réfléchit tout en s'occupant des bêtes. Il avait lu ainsi Platon et la *Critique de la raison dialectique*. Il se situait à la gauche du Mapam. Il souhaitait qu'Israël trouvât le moyen d'intégrer les réfugiés et à l'intérieur du pays il défendait les intérêts de la minorité arabe.

La question arabe était au premier plan de nos préoccupations et toutes facilités nous ont été données pour nous en informer. Au séminaire de Guivaret-Haviva, centre d'études supérieures qui travaille au rapprochement judéo-arabe, nous avons rencontré Mohamed Wattad, rédacteur de l'organe arabe du Mapam, *Al Misrad*. Après le colloque, il nous a emmenés prendre un café chez lui. Très jeune encore, il a un fils qu'il a appelé Castro. C'est alors que j'ai vu pour la première fois un village arabe d'Israël. Quelle différence avec les moshavim! Rationnellement bâtis et aseptisés, les villages juifs ressemblent à des lotissements. Celui-ci était enraciné dans le sol dont il semblait une émanation naturelle : des ruelles escarpées serpentaient entre des maisons qui paraissaient avoir une histoire. Des femmes montaient et descendaient, vêtues des costumes traditionnels, aux couleurs vives. Tout en buvant du café, Wattad nous a dit combien la situation des trois cent mille Arabes d'Israël était difficile. Ici, on les regardait avec méfiance, les tenant plus ou moins pour une cinquième colonne. Dans les pays arabes, on les considère comme des traîtres qui collaborent avec l'ennemi. Il a deux frères de l'autre côté de la frontière; cela rend impossible les fêtes familiales, si importantes pour les Musulmans : « C'est très triste pour ma mère, qui habite ici », nous a-t-il dit. Le gouvernement ne fait guère d'efforts pour améliorer le sort de la minorité. Il y a une discrimination qui ne peut pas s'éviter : les Juifs ne souhaitent pas armer les Arabes et ceux-ci refuseraient de se battre contre leurs frères; ils ne font donc pas de service militaire. Mais beaucoup d'injustices sont à déplorer. Les droits politiques sont égaux pour tous les Israéliens : mais les Arabes sont trop peu nombreux pour pouvoir s'en faire une arme. Il y a des députés arabes, mais en nombre infime. Les Arabes n'ont pratiquement aucun moyen d'agir. On ne cherche pas à les qualifier; ils travaillent dans les métiers les plus grossiers et les plus durs et ils sont les premières victimes du chômage. Le jour de notre arrivée à Tel-Aviv, il y avait eu une bruyante manifestation parce que quatre-vingt mille ouvriers du bâtiment étaient en chômage : c'étaient presque tous des Arabes.

A peu de jours de là nous avons entendu, de la part des Arabes, des « exposés d'amertume » beaucoup plus violents que celui de Wattad. Nous avons été reçus officiellement, dans une salle de classe, par la municipalité Mapaï du village de Kfar-Rama; puis, également dans une salle de classe, par la municipalité du village de Kfar-Iassine, qui est en partie Mapam et en partie communiste. Là, certains Arabes de l'assistance ont dénoncé avec violence les brimades dont ils souffrent. Sous prétexte d'intérêt public, des terres appartenant à des Arabes ont été confisquées par l'État; les paysans ont dû quitter leurs maisons; on leur a donné en échange une indemnité dérisoire et on les a logés dans le misérable bidonville que nous avions aperçu à la lisière de ce village : c'est un des « regroupés » qui nous a exposé ces faits avec colère. D'autres se sont plaints d'être condamnés aux métiers les plus ingrats et d'être les premières victimes de la récession. D'autres ont crié qu'on les avait inscrits sans aucune raison sur des listes noires si bien qu'il leur fallait une permission spéciale pour se déplacer. La surveillance qu'exerçait sur eux l'armée a été remplacée par une surveillance policière qui n'est pas moins rigoureuse. Il y a eu le lendemain dans certains journaux de Tel-Aviv des articles qui démentaient ces allégations : mais tous nos amis nous ont dit qu'elles étaient parfaitement fondées. La journée que nous avons passée à Nazareth nous l'a confirmé.

La ville est presque uniquement peuplée d'Arabes. Dans un hôtel, aux portes de la ville, nous avons rencontré un adjoint au maire, Abdoul-Aziz-Zuabi et d'autres notables arabes. Ils nous ont emmenés en auto jusqu'au centre où nous avons mis pied à terre; une grande « manifestation spontanée » avait été organisée, je ne sais par qui : la foule, composée exclusivement d'hommes, brandissait des pancartes sur lesquelles étaient inscrites diverses revendications; elle poussait des cris et des vivats. Nous étions étroitement cernés et nous avons renoncé au projet d'aller nous promener à pied dans les vieilles rues. Nous sommes remontés dans la voiture qui a fait demi-tour; il y a eu de nouveaux cris et des huées parce que les manifestants voulaient qu'on nous montre un certain quartier, particulièrement misérable : Zuabi nous a promis de nous y conduire plus tard. En effet, à la fin de la journée, après une brève promenade dans le vieux Nazareth, nous avons vu une espèce de terrain vague où s'égaillaient des baraques en bois ou en zinc. Elles n'étaient pas nombreuses. Mais la ville tout entière semblait très pauvre.

L'après-midi, nous l'avons passé à l'hôtel où Sartre a reçu dans une chambre des délégations arabes de plusieurs tendances. Les Palestiniens de Gaza avaient prophétisé qu'on ne nous permettrait pas de rencontrer certaines personnalités dont ils nous avaient cité les noms : on les a laissé passer et nous nous sommes entretenus avec elles.

Résumant ses impressions, Sartre devait dire un peu plus tard, dans une rencontre avec l'équipe de *New-Outlook* [1] : « Je n'ai jamais vu un seul Arabe qui se juge satisfait au milieu

1. Revue dirigée par Flapan.

d'Israël. Je n'ai jamais vu un seul Arabe déclarer qu'actuellement il est en égalité de droit avec un citoyen israélien. » Les confiscations de terres étaient arrêtées depuis un an, en partie grâce à l'action du Mapam; mais on n'avait pas dédommagé les expulsés, on ne les avait pas convenablement relogés. Tous les griefs que nous avions déjà entendus nous ont été répétés, avec de nouvelles preuves à l'appui.

Nous avons eu un dernier contact avec les Arabes à Jérusalem. Amos Kennan, un Juif, qui depuis des années défendait les droits des Arabes et à qui ses activités militantes avaient valu un séjour en prison, est venu nous voir à notre hôtel, accompagné de son frère et de deux étudiants arabes. Tous deux étaient issus de villages très pauvres. Ils étaient révoltés parce qu'on leur refusait le droit de créer une union des étudiants arabes : les autorités craignaient qu'elle ne fût un centre de subversion. Bien sûr ils pouvaient s'inscrire à l'Union des étudiants : mais ils étaient trop peu nombreux pour y exercer aucune influence. Nous avons rencontré beaucoup de Juifs israéliens que ce problème préoccupait et qui cherchaient à briser les barrières qui isolent la minorité. Mais des initiatives privées ne pouvaient suffire à modifier la situation. Il aurait fallu que le gouvernement lui-même se refusât à établir des discriminations.

Causant, discutant, nous informant, nous découvrions les paysages et les villes d'Israël. La Galilée, le mont Thabor, le Jourdain, la montagne des Béatitudes, le lac Tibériade : ces lieux sacrés dont avait rêvé avec ferveur mon enfance n'étaient plus que des endroits profanes et très différents de ce que j'en avais imaginé. Dans ces campagnes verdoyantes, je ne reconnaissais pas les sèches collines arides où Jésus empoussiérait ses pieds. Le Jourdain m'a paru étriqué. Seul le lac de Tibériade ressemblait à sa légende. Du balcon de notre hôtel, le regard l'embrassait tout entier. En face de nous, s'élevaient les collines de Syrie. Nous avons été voir à une de ses extrémités les ruines bien conservées du temple de Capharnaüm et les mosaïques byzantines de la petite église de Topha : les plus jolies représentaient des canards qui buvaient dans des fleurs.

Nous avons flâné dans Safed, la vieille cité qui a été le berceau de la Kabbale. Les Juifs s'y réfugièrent au xvie siècle, quand les Turcs s'emparèrent de la Palestine; ils s'y groupèrent quartier par quartier, selon leurs origines. Siège d'une industrie de tissage et de teinturerie, important marché de transit, la ville fut aussi un centre d'études théologiques où affluèrent d'Espagne, du Portugal, de Sicile, des centaines d'érudits et de rabbins qui s'orientèrent vers le mysticisme. Elle est perchée sur une colline d'où on a une vue très belle sur les monts de Galilée et la montagne de Chanaan. Pour entrer dans la synagogue, Sartre et Ely ont dû se coiffer de calottes de papier qu'on leur a prêtées à l'entrée. Tout en descendant les petites rues, en escaladant les escaliers, en regardant les échoppes vieillottes, nous avons causé; Ely nous a raconté l'histoire des quatre rabbins de Safed qui réussirent à voir la vérité en face. Le premier devint impie : il se promenait à cheval le samedi. Le second, son disciple, le suivait en courant; c'était un homme bon et compatissant et quand la vérité se fut dévoilée à lui, il devint fou. Deux siècles plus tard, un rabbin eut la même révélation : il en mourut. Seul le quatrième devint un grand sage qu'on honore encore aujourd'hui.

De Safed, par une jolie route qui traversait des oliveraies, nous sommes descendus sur Saint-Jean-d'Acre : ce fut le centre où se réunirent le plus grand nombre de Juifs, pendant les deux siècles où les Croisés leur interdirent Jérusalem. Ceux-ci y ont élevé des remparts et des donjons qui subsistent encore. Après avoir regardé ces ruines, nous avons déjeuné au bord de la mer, au soleil. La population de la ville est en grande partie arabe. Nous avons visité la mosquée, nous avons flâné dans les souks un peu sordides, mais très animés. Nous avons été coucher à Haïfa, au sommet du mont Carmel. Nous y avons dîné avec deux membres du « nouveau parti communiste », le Rakah où militent surtout des Arabes. Puis le professeur Heinman et sa femme nous ont fait faire un tour en voiture. La ville semblait morte. Le lendemain matin le port et les rues avoisinantes grouillaient de vie. C'est là que, à quelques années de distance, Monique et Ely ont débarqué et tous deux ont pensé — avec une émotion que d'autres Juifs m'ont dit avoir éprouvée : « Mais c'est extraordinaire! Ici tout le monde est juif! » Ils trouvaient étonnant que les gens qu'ils croisaient ne parussent pas s'en étonner : comment ne tombaient-ils pas dans les bras les uns des autres?

Quelques heures plus tard, nous avons visité Césarée. Le port, fondé par les Phéniciens, fut agrandi par Hérode le Grand. Il lui donna le nom de Césarée, en l'honneur de César Auguste. Il y fit bâtir un palais et ce fut là que désormais les procurateurs romains résidèrent. La porte de la ville et ses remparts datent du Moyen Age. Les ruines antiques s'étendent jusqu'à la mer. Un grand soleil faisait flamber les briques au bord des eaux très bleues.

A Jérusalem, nous sommes descendus au célèbre hôtel du Roi David; c'est là que l'administration civile et militaire du Mandat avait autrefois son quartier général; en 46, une organisation juive terroriste en fit sauter une aile : cet attentat fit grand bruit dans le monde. Nous avons d'abord visité le Knesset, un grand bâtiment neuf, dans le quartier neuf. Dans la salle des séances se déroulait une discussion de peu d'intérêt et l'assistance était clairsemée. Nous avons pu constater que, contrairement à ce qu'avait affirmé un Palestinien, il n'y avait pas sur les murs de carte du « grand Israël ». Le ministre de la Santé, Barzilaï, nous a reçus dans son bureau. Membre de Mapam, il s'est montré très chaleureux et très ouvert. Il comprenait la gravité du problème des réfugiés et jugeait nécessaire d'y apporter une solution. Il blâmait l'expédition de 56; cependant il nous a fait remarquer avec quel parti pris l'U.R.S.S. avait par la suite rappelé son ambassadeur d'Israël, mais non de Paris ni de Londres.

D'une hauteur proche de l'hôtel, nous avons jeté un coup d'œil sur la Jérusalem arabe : on voyait très bien ses vieux murs et ses monuments. De l'autre côté des barbelés, à quelques pas de nous, des soldats jordaniens guettaient, tapis derrière des murs, ou derrière des tas de sable, sur des toits.

Nous avons déjeuné à l'Université, avec des professeurs, et nous avons été nous promener dans le quartier de Meah Shearim, une sorte de ghetto où vivent les Juifs orthodoxes. On me l'avait souvent décrit, mais je n'en ai pas moins été saisie en voyant les longues redingotes noires des hommes, leurs papillotes, leurs chapeaux ronds; toutes les femmes sont vêtues de noir, elles portent un foulard noué sur leur perruque; les enfants m'ont paru incongrus avec leurs papillotes et leur calot noir; j'ai trouvé funèbre le spectacle d'un adolescent au teint de fille, déjà astreint aux contraintes du costume masculin et marchant d'un air opprimé à côté de sa mère, lourde femme à la démarche majestueuse. Les Juifs de ce quartier sont hostiles à l'État d'Israël : selon eux la renaissance de Sion ne saurait avoir lieu avant le retour du Messie. Ils estiment sacrilège de se servir de l'hébreu pour des usages profanes : ils parlent yiddish. Ils avaient fait, le jour de notre arrivée à Tel-Aviv, une violente manifestation contre la dissection des cadavres. Sur tous les murs du quartier religieux des affichettes, des graffiti déclaraient que cette pratique est une offense aux morts et, à travers eux, une insulte à Dieu. Les femmes s'occupent des enfants et de la maison. Les hommes passent leurs journées en prière et en pieuses palabres : ils vivent d'argent qu'ils reçoivent d'Amérique. Ils respectent fanatiquement le Sabbat. Le samedi ils interdisent aux autos de circuler : un motocycliste a été tué par une chaîne tendue en travers de la route. Certains vont ce jour-là jusqu'à accrocher leur mouchoir à leur manche car le sortir de leur poche serait un travail. Monique en a vu qui se rendaient à la Synagogue avec leur châle de prière sur les épaules car le porter à la main aurait aussi constitué à leurs yeux une infraction à la Loi.

Nous avons flâné dans les quartiers commerçants, dans les marchés. Nous avons passé une intéressante soirée chez le professeur Shalem qui possède une vaste bibliothèque, tout entière consacrée à la Kabbale; il y avait là des professeurs d'université et l'écrivain Claude Vigée; nous avons discuté sur le mysticisme et les traditions juives. Les jours suivants nous avons donné Sartre et moi chacun une conférence. Et nous avons consacré un après-midi aux lieux où se perpétue la mémoire de la « solution finale ». Nous sommes descendus dans la crypte où sont exposés des vêtements ensanglantés. Les noms d'un certain nombre de victimes sont inscrits sur des dalles. Puis nous nous sommes rendus à la « montagne du souvenir »; nous avons suivi l'allée bordée d'arbres qui ont été plantés chacun par un « sauveur de Juifs » : quelqu'un qui a aidé des Juifs à passer la frontière ou à se cacher. Justement dans la grande et imposante salle du Mémorial on accueillait un Suisse. Il se tenait près de la flamme du souvenir; derrière lui s'étaient groupés un grand nombre de Juifs qui lui avaient dû la vie; tous les assistants chantaient en chœur des hymnes religieux. Sur le sol, des dalles portaient en grandes lettres les noms fatidiques : Treblinka, Dachau, et tant d'autres. Dans une enfilade de pièces plus petites sont exposées des photos. J'ai revu une de celles qui m'avaient le plus émue : des enfants aux crânes rasés entourant un petit professeur de violon au regard navré; une autre photo montrait une charrette chargée de leurs cadavres. Des statistiques indiquaient le nombre des victimes pays par pays. Six millions.

Une autre visite qui m'a beaucoup touchée, c'est celle du kibboutz Lohamé Hagétact [1] où sont rassemblés les rescapés du ghetto de Varsovie. Dans le club où ils nous ont reçus, une femme nous a d'abord brièvement parlé de la communauté : elle nous a dit combien ses membres avaient eu de peine à se réadapter à la vie. Elle avait été commandante pendant la révolte du ghetto. Quand elle est arrivée ici, plus de vingt ans auparavant, elle a raconté pendant douze heures de suite l'histoire du ghetto et de l'insurrection. Depuis elle n'y a plus jamais fait allusion. Elle s'exprimait d'une voix monocorde, les yeux à demi fermés. Des femmes pleuraient. Un autre membre du kibboutz nous a montré une maquette du ghetto; il a rapidement évoqué le déroulement de la révolte en indiquant d'une baguette les endroits où s'étaient produits les principaux événements. Ensuite, nous sommes entrés dans un musée où sont rassemblées une grande quantité de photographies : des Juifs électrocutés contre des barbelés; d'autres, couchés par terre, squelettiques, avec d'énormes yeux fous; des soldats allemands rigolards, frappant des vieillards; d'autres regardant mourir le « dernier Juif ».

Pour compléter notre voyage, Monique et Ely ont organisé pour nous une excursion dans le Sud. Nous devions prendre un hélicoptère pour survoler la forteresse de Massada, mais le vent et la pluie nous en ont empêchés et nous sommes partis en auto. Bientôt le soleil s'est mis à briller. Nous nous sommes arrêtés pour déjeuner dans un petit hôtel isolé d'où on apercevait, très loin en dessous de nous, la mer Morte. Après le repas, nous y sommes descendus. Nous avons dépassé l'écriteau qui indique le niveau de la mer et nous avons continué à descendre. L'eau chatoyait, verte ou bleue, selon les caprices de la lumière, au pied des montagnes dénudées de Jordanie.

1. Les Révoltes du ghetto.

Nous avons suivi la rive, nous l'avons quittée pour nous enfoncer dans les terres jusqu'au pied de la « forteresse » : une énorme falaise naturelle sur laquelle Hérode avait fait construire un immense palais. Pendant la révolte contre Rome, qui aboutit à la destruction du Temple de Jérusalem, les Juifs s'emparèrent de cette forteresse; malgré le petit nombre des combattants, la garnison tint la place pendant deux ans. Quand ils virent qu'elle allait tomber aux mains des Romains, les neuf cent soixante défenseurs se suicidèrent. Seuls cinq femmes et trois enfants restèrent en vie. On ne peut pas atteindre d'en bas le sommet de la falaise où se voient encore les ruines du palais; mais je n'ai pas regretté l'hélicoptère tant autour de nous le paysage était extraordinaire : des socles et des colonnes de pierre aux couleurs ardentes, qui m'ont un peu fait penser par leur architecture et leur éclat au désert peint du Colorado. Nous avons repris la route côtière; nous aurions voulu aller aux sources d'Ein Gadi — qu'un ange a fait jaillir pour sauver Ismaël — mais la violence des pluies avait changé un mince ruisselet en un torrent de boue impossible à franchir : il dessinait dans le bleu de la mer un courant café au lait. Des deux côtés, des voitures étaient arrêtées. Nous avons fait demi-tour. Un grand vent soufflait, soulevant des vagues aux couleurs inquiétantes; il poussait sur la surface de l'eau une boîte en fer-blanc, de forme cubique, qui rebondissait comme si elle avait roulé sur de l'asphalte. Nous avons plongé les mains dans la mer et nous les avons retirées, toutes gluantes. Nous avons continué à suivre la rive. Sur l'emplacement de Sodome, il y a maintenant une usine. De nombreux rochers sont supposés représenter la femme de Loth changée en statue de sel. Une route en lacets nous a amenés à Beersheba.

Nous y avons dormi, dans un hôtel glacial. C'est une ville très laide. Chaque quartier est construit dans un style différent : on sent que les architectes se sont cherchés, mais sans se trouver. Il y a des rues très pauvres. Après une visite rapide, nous sommes partis le matin à travers le Néguev. Nous avons trasversé une immense cuvette — le grand Mortier — et nous avons fait quelques pas à pied pour voir d'en haut, au fond d'un ravin vertigineux, les sources d'Ein-Avdat. Le désert est devenu de plus en plus tourmenté. De vastes cuvettes y alternent avec des plateaux hérissés d'aiguilles et des chaînes déchiquetées. La lumière changeante — nuages et soleil — faisait chanter ses belles couleurs violentes. De loin en loin on apercevait un nouveau kibboutz, créé par des jeunes. Un petit chemin nous a amenés aux mines du roi Salomon. Ce sont des colonnades et des piliers de pierre brute, des falaises pareilles à des forteresses qu'on dirait peintes en rouge, en rose, en ocre, en jaune d'or par un géant barbare et un peu fou.

À Eilat, l'hôtel « de la Reine de Saba » était séparé de la mer par un chantier encombré de grues et de bulldozers; c'est une petite ville ingrate, coincée entre l'Égypte, l'Arabie séoudite et la Jordanie : les montagnes qui entourent la baie appartiennent à ces pays. On apercevait nettement, à l'ouest, le petit port jordanien voisin. Au large étaient ancrés un bateau israélien et un bateau jordanien. Nous avons visité, au bord de la mer, un aquarium rempli de poissons aux formes tarabiscotées, aux couleurs insolites; les plus étranges, c'était des boules noires, hérissées de piquants, entièrement closes; sur leur surface brillaient deux points qui étaient les yeux. Nous avons dîné sur le port, dans un plaisant restaurant décoré de filets de pêche et de grands poissons naturalisés.

Bien que nous ayons refusé d'aller voir l'armée israélienne, un petit avion militaire a été gracieusement mis à notre disposition pour revenir à Tel-Aviv. Nous avons donc laissé notre chauffeur partir sans nous. C'était un sabra, d'une trentaine d'années, réactionnaire et chauvin. Il refusait souvent de suivre les directives de Monique; elle a dû plus d'une fois ruser pour parvenir à ses fins. Il protestait quand on lui demandait d'emprunter une route qui longeait la frontière. Il s'indignait si on nous montrait les quartiers pauvres d'une ville. Surtout il a été fou de rage quand dans des villages nous avons discuté avec des Arabes et au sortir de la réunion il les a traités de menteurs.

Nous avons donc pris l'avion. Ely s'est assis à côté du pilote, Monique, Sartre et moi par-derrière. Nous étions à l'intérieur d'une capsule de verre et de tous les côtés la vue était sans limites. L'horizon était noirâtre, et pendant un moment j'ai regardé avec un peu d'appréhension le désert convulsé. Mais en fait nous avons fendu l'air sans une secousse. Nous ne volions pas haut et on pouvait reconnaître les détails du paysage que nous avions traversé la veille. Le pilote a tourné une fois autour de la ville antique d'Avdat et nous avons très bien distingué les colonnades, les maisons en ruine. Le désert a cessé. Nous avons aperçu Gaza. Nous avons survolé les terre cultivées. On embrassait d'un coup d'œil les vastes orangeraies : on apercevait même les tas d'oranges fraîchement cueillies. On saisissait la distribution des champs, des kibboutzim, des villages. Nous avons survolé le port d'Ashdod, récemment aménagé au sud de Tel-Aviv. En plusieurs endroits l'aspect en était curieux : on voyait, dessinés sur le sol nu, des pistes, des ronds-points, tout un univers de lignes que rien ne paraissait justifier. C'est que la ville n'était pas encore entièrement construite. On en a planifié les artères avant d'édifier les maisons. Nous avons reconnu Jaffa et atterri sur un petit aérodrome militaire, à la lisière de la ville.

Le dernier jour nous avons été reçus par Eshkol. Sartre a donné une conférence de presse et dans une réunion organisée par *New-Outlook* nous avons rencontré presque toutes les personnes qui nous avaient manifesté de la sympathie au cours de ce voyage. Pendant tout notre séjour Sartre avait parlé à tous ses interlocuteurs du problème palestinien et de la condition des Arabes en Israël. Il a repris ces thèmes pendant ces dernières rencontres.

Ce voyage s'était déroulé dans des conditions très différentes de celui que nous avions fait en Égypte. En Israël, la classe dirigeante mène une existence moins luxueuse et d'ailleurs ce n'est pas elle qui nous a reçus. Bien qu'on nous ait fait descendre dans les meilleurs hôtels, notre train de vie a été plus modeste, ce que nous étions loin de regretter. Pas d'avion privé, pas de réceptions fastueuses. Seuls Monique et Ely nous accompagnaient; aucun journaliste ne nous suivait. A Tel-Aviv, à part les pamplemousses et les avocats dont je me délectais, la cuisine de l'hôtel était médiocre. (Et comme, pour satisfaire les touristes juifs américains, elle se conformait aux lois religieuses, il était interdit de servir au même repas de la viande et du fromage.) Nous mangions le plus souvent dans d'agréables petits restaurants du quartier yéménite, ou du quartier arabe de Jaffa : le menu n'était jamais très varié ni très abondant.

Dans l'avion qui nous emportait vers Athènes, nous étions plutôt optimistes. Les exigences de chacun des deux pays étaient pour l'autre inacceptables. L'Égypte refusait de reconnaître Israël; Israël ne voulait pas accueillir un million de Palestiniens. Cependant la guerre ne nous semblait qu'une menace lointaine. « La guerre? mais c'est très difficile », avait dit Nasser. Et tous les Israéliens nous avaient répété : « Nous ne souhaitons que la paix. » Il fallait à l'Égypte une longue période de paix pour mener à bien les importants travaux qu'elle avait entrepris : l'industrialisation, l'irrigation du désert. Israël n'avait rien à attendre d'une guerre.

Nous avons donc passé à Athènes deux journées heureuses. Nous restions assis sur la Pnyx ou sur l'Acropole, sans rien dire, tout au plaisir de retrouver le silence. Pendant un mois nous n'avions rien vu qui ne nous fût montré et commenté. Tout passait par les mots. Et c'était nécessaire comme aussi d'obéir à des programmes précis. Mais nous trouvions délicieux de pouvoir à présent laisser couler le temps sans contrainte.

La frontière syro-israélienne était fréquemment le théâtre d'incidents plus ou moins sérieux; quelques jours après notre retour à Paris, il s'en produisit un très grave. De notre hôtel du lac Tibériade, Ely Ben-Gal nous avait montré, sur l'autre rive, l'étroite bande de terre israélienne qui s'étend au pied des montagnes de Syrie et qu'on appelle, à cause de sa forme, le « nez de De Gaulle ». Cette région était souvent attaquée par les Syriens. Le 7 avril des membres d'un kibboutz entreprirent de la labourer. Les forts syriens tirèrent sur les tracteurs. Aussitôt, soixante-dix avions israéliens pilonnèrent les positions ennemies. Attaqués par des Migs syriens, ils en abattaient trois qui tombèrent en flammes dans le lac. Quatre heures plus tard, les Syriens ouvraient le feu contre un kibboutz de la frontière. L'aviation israélienne détruisit leurs forts et descendit trois Migs, dont un au-dessus de Damas. Nasser ne réagit pas, ce qui nous confirma dans l'idée qu'il était avant tout préoccupé d'améliorer le sort de son peuple et qu'il voulait préserver la paix.

Mais un mois plus tard, son attitude changea. Après le coup d'État fomenté en Grèce par la C.I.A. dans la nuit du 21 au 22 avril, il fut convaincu que les U.S.A. allaient utiliser Israël pour faire tomber d'abord le gouvernement syrien puis le sien. D'autre part son rôle de leader du monde arabe l'obligeait à préférer la force à la conciliation. Sans doute fut-il guidé encore par d'autres motifs. Le fait est qu'il massa des troupes dans le Sinaï. La parade militaire qui se déroule traditionnellement le 15 mai à Jérusalem fut cette année-là très discrète, Israël voulant éviter qu'elle n'apparût comme une provocation. Nasser estima cependant qu'elle confirmait ses soupçons. Il demanda à l'O.N.U. de retirer les casques bleus de la frontière qui sépare l'Égypte d'Israël. A la surprise générale, non seulement U Thant y consentit, mais il évacua aussi Charm el-Cheikh où s'installèrent aussitôt les troupes égyptiennes. Eshkol ne réagit que mollement et sa modération encouragea Nasser à fermer le golfe d'Akaba. A partir de ce jour — le 23 mai — la guerre parut inévitable. Les Égyptiens en assumaient la responsabilité. Heykal — porte-parole de Nasser — écrivait le 26 mai : « Il ne s'agit plus du golfe d'Akaba, mais de quelque chose de plus important : la philosophie israélienne de la sécurité. C'est pourquoi je dis qu'Israël doit attaquer. » Le même jour, dans un discours, Nasser déclarait : « La prise de Charm el-Cheikh signifiait un conflit avec Israël. Cela signifiait également que nous étions prêts à nous lancer dans une guerre générale avec Israël. »

Il y eut quelques jours de répit. Abba Eban faisait une tournée dans les capitales de l'Occident : peut-être allait-on trouver un moyen de régler pacifiquement le conflit. Mais quand Hussein arriva au Caire le 30 mai pour assurer Nasser de son appui tout espoir de paix fut perdu. Nous avons été quelques-uns — entre autres Laurent Schwartz, Lanzmann, Sartre, moi-même — à signer un texte conjurant tant Israël que les Arabes de ne pas engager les hostilités; mais nous ne nous faisions pas d'illusion sur la portée de cette intervention.

J'ai vécu ces journées dans l'angoisse. Je venais de visiter Israël et l'Égypte; j'avais eu, pour des raisons différentes, de l'amitié pour ces deux pays : l'idée que leurs armées allaient s'entretuer, que leurs villes seraient bombardées, m'était odieuse. C'est surtout pour Israël que j'avais peur. Car il n'y avait aucune symétrie entre les deux issues possibles du conflit. Vaincue, l'Égypte survivrait. En cas de défaite, Israël, même si tous ses citoyens n'étaient pas rejetés à la mer, cesserait d'exister en tant qu'État.

Beaucoup de gens m'ont affirmé qu'Israël devait nécessairement l'emporter; mais aucun ne me l'a dit avant l'ouverture des hostilités : après le cessez-le-feu seulement. Pour donner au départ Israël gagnant, il fallait être singulièrement perspicace. Tous les Arabes étaient sûrs de sa défaite et, sauf quelques généraux, presque tous les Israéliens la redoutaient. On a su plus tard que le gouvernement avait fait creuser dans les faubourgs de Tel-Aviv plusieurs milliers de tombes. Le pays était totalement encerclé : la frontière jordanienne mesure six cents kilomètres et la légion de Hussein était la plus redoutable des armées arabes. Tous les jours des bateaux soviétiques déchargeaient dans les ports égyptiens des cargaisons d'armes. Les généraux égyptiens, acclamés par les foules, prêchaient la guerre sainte. Les radios arabes hurlaient à la mort. Choukeiri annonçait l'extermination totale des Israéliens, juifs et arabes. Que ferons-nous des Sionistes quand viendra l'heure? demanda la radio jordanienne. Après un silence, on entendit des rafales de mitrailleuses et des éclats de rire. (Plus tard les Arabes et leurs amis ont voulu minimiser l'importance de ces déclarations. Mais Heykal reconnaissait le 1er juillet : « Nous commettons toujours de nombreuses fautes. Ainsi nos paroles expriment souvent plus que nous ne voulons dire et plus que nous ne voulons faire. Ainsi agissaient nos radios en lançant des appels au meurtre et à l'écrasement d'Israël. ») Tous mes amis juifs étaient bouleversés.

Le salut ne pouvait venir, semblait-il, que d'une intervention des grandes puissances. C'est dans cette perspective que Lanzmann a prononcé les mots qu'on lui a si vivement reprochés : « Nous obligera-t-on à crier : Vive Johnson? » La forme même de la phrase et le contexte montrent que cette hypothèse lui apparaissait comme scandaleuse. Mais c'était aussi un scandale à ses yeux qu'Israël fût voué à l'anéantissement sans que personne levât un doigt pour le sauver.

Pendant quelques jours, j'ai ouvert chaque matin le journal avec appréhension. Le lundi 5 juin, dans le taxi qui me conduisait à la Bibliothèque nationale, j'ai entendu avec stupeur la radio annoncer le bombardement du Caire par les Israéliens. J'imaginais des maisons éventrées, des incendies, des cadavres jonchant les rues. Quel coup de folie avait poussé les Israéliens à commettre un tel crime? Et de quel prix allaient-ils le payer?

444

J'ai eu du mal à m'intéresser à mes lectures. A midi, les nouvelles étaient différentes. *France-Soir* titrait : Les Égyptiens attaquent Israël. L'édition suivante annonçait seulement : C'est la guerre. Il ne semblait pas que Le Caire eût été bombardé. Le soir on a appris qu'Israël avait anéanti sans combat toute l'aviation égyptienne. Les Jordaniens bombardaient Jérusalem; à Tunis des synagogues brûlaient. Le lendemain les armées israéliennes encerclaient Gaza; le général égyptien dont nous avions été les hôtes se rendait. L'avance des troupes israéliennes se poursuivait : déjà la victoire leur était acquise. J'ai trouvé désolant que dans certains quartiers de Paris elle servît de prétexte à un déchaînement de racisme antiarabe; on entendait de nouveau les slogans et les coups de klaxon qui naguère avaient servi de ralliement aux partisans de l'Algérie française : ces bruits m'écorchaient les oreilles. La tragique déroute des soldats égyptiens à travers le désert m'a serré le cœur. Mais quand a sonné l'heure du cessez-le-feu je me suis réjouie qu'Israël n'ait pas été mis à feu et à sang.

Le vendredi après-midi, Nasser a donné sa démission. Comme tous mes amis j'en ai été consternée. Un enchaînement malheureux de circonstances l'avait amené à déclencher cette guerre : il ne s'était sans doute pas attendu à la réaction d'U Thant et celle-ci ne lui avait pas laissé d'autre issue. Mais sans aucun doute il n'était pas belliciste. Il essayait de relever le niveau de vie de son pays et d'y détruire le féodalisme. Lui parti, sans doute serait-il remplacé par des militaires, par des hommes de droite. Heureusement une immense pression populaire le fit revenir sur sa décision.

A quelques jours de là, nous avons déjeuné avec Liliane et Loufti el-Kholi. Ils venaient de passer à Paris deux semaines infernales. Sans nouvelles de leur famille, de leurs amis, ils s'étaient consumés d'anxiété. Ils avaient assisté à des manifestations antiarabes et été eux-mêmes en butte à des réflexions hostiles : « Si l'Égypte avait été victorieuse, on nous écharpait », a dit Liliane. Par réaction, ils étaient dans un état d'exaspération fébrile. Ils ne voulaient pas croire un mot de ce que disait la presse française. Ils étaient convaincus qu'il y avait eu un complot anglo-américain pour renverser le gouvernement de Damas et celui du Caire. Ils affirmaient que l'aviation israélienne avait été largement soutenue par l'aviation américaine : c'était la version que Nasser aurait souhaité accréditer mais l'U.R.S.S. avait refusé de l'entériner et tout le monde savait qu'elle ne reposait sur rien. Les el-Kholi ne supportaient pas que nous en doutions. Ils nous ont vivement reproché de n'avoir pas pris parti avec éclat pour l'Égypte, contre Israël. La conversation a été pénible. Dans une seconde rencontre, ils étaient accompagnés d'un ami égyptien plus pondéré, un ancien communiste pour qui nous avions eu au Caire beaucoup de sympathie, et nous avons parlé d'une manière plus détendue. Ils reconnaissaient que les pays arabes avaient fait une grave faute diplomatique en réclamant à cor et à cri la destruction d'Israël. Nous avons appris plus tard que, de retour en Égypte, Loufti avait été arrêté et mis en prison en tant qu'oppositionnel. Une conversation au cours de laquelle il critiquait Nasser avait été enregistrée par la police sur un magnétophone [1].

Au mois d'août de cette même année nous avons rencontré à Rome Monique Howard. Elle était maigre et elle avait les traits tirés : elle venait seulement de sortir de l'hôpital. La guerre l'avait tellement bouleversée que son cœur avait flanché et elle avait aussi souffert d'une grave infection pulmonaire. Elle travaillait dans un duplex [2]. Du matin au soir elle entendait les sanglantes menaces que déversaient sur Israël les radios arabes. Il était facile, de loin et après coup, de les tenir pour de simples excès verbaux, explicables par la fougue du tempérament arabe : sur place, sur le moment nous dit-elle, la haine qu'elles traduisaient vous glaçait d'épouvante. Il n'y avait pas eu de panique dans le pays, à la veille de la guerre, mais tout le monde était angoissé. Aux premiers signes d'accaparement, le gouvernement a fait ouvrir tous les entrepôts de farine, d'huile, de sucre, ce qui a aussitôt rassuré les ménagères. Toutes les femmes se sont mises à suivre des cours pour être capables de donner les premiers soins aux blessés. Le cimetière avait été agrandi de manière à pouvoir contenir soixante mille morts. On craignait que l'Égypte n'utilisât des armes secrètes : des fusées, ou ces gaz paralysants dont on a trouvé des dépôts dans le Sinaï. La victoire n'a pas été accueillie dans la gaieté, nous dit

---

1. Depuis la mort de Nasser il a été libéré et il poursuit son combat politique.
2. Disposition prise sur une ligne télégraphique pour permettre la transmission simultanée dans les deux sens.

aussi Monique. Il n'y a pas eu beaucoup de morts; mais dans ce petit pays tout le monde se connaît et presque chaque famille a été affectée par la perte d'un parent ou d'un ami. Monique avait eu sa part de ces deuils. Ce qui la peinait aussi, c'était l'attitude de la gauche européenne qui traitait Israël d'impérialiste et tenait le monde arabe pour socialiste. Elle se demandait comment était possible une telle aberration.

L'U.R.S.S. avait fourni des armes à l'Égypte et la soutenait à l'O.N.U. A la télévision soviétique, lorsque Kossyguine parla à l'O.N.U. contre Israël, la réponse du délégué israélien fut coupée. Les pays de l'Est ne pouvaient que s'aligner sur Moscou. Quelques Juifs polonais s'étant réjouis de la victoire d'Israël, les trente mille Juifs de Pologne furent dénoncés comme sionistes. Prague exigea des intellectuels des déclarations anti-israéliennes. Seule la Roumanie a fait exception, par animosité contre l'U.R.S.S. plutôt que par sympathie à l'égard d'Israël.

En France, l'opinion était si divisée et si passionnée qu'on a pu parler d'une nouvelle affaire Dreyfus. Des familles se sont déchirées, des amitiés se sont rompues. A droite, les gaullistes emboîtant le pas derrière le Guide se sont prononcés contre Israël. Mais nombreux aussi furent les hommes de droite chez qui le racisme anti-arabe l'emporta sur l'antisémitisme. Les communistes se sont nécessairement rangés dans le même camp que l'U.R.S.S. Dans la gauche non communiste, les attitudes ont été très diverses. Chez beaucoup de gens il s'est fait un brusque retournement : ils auraient plaint Israël s'il avait été détruit ou s'il avait payé très cher pour survivre. Mais sa victoire transformait de manière déconcertante l'image classique du Juif victime et les sympathies se tournèrent vers les Arabes. Des trotskistes aux marxistes, tous les gauchistes épousèrent la cause des Arabes et plus précisément celle des Palestiniens.

Chez les Juifs, il y eut souvent un conflit de génération, les parents — qu'ils fussent de droite ou de gauche — se sentant solidaires d'Israël, et les enfants prenant parti contre le sionisme.

Avec aucun de mes amis je ne me suis trouvée en parfait accord, et j'étais en complète opposition avec certains. Je ne tenais pas Israël pour l'agresseur, puisque selon le droit inter-

447

national la fermeture du golfe d'Akaba constituait un *casus belli*, ce que Nasser lui-même avait reconnu. Je niais qu'il fût un pays colonialiste; il n'exploite pas une main-d'œuvre indigène, il ne rafle pas les matières premières pour les envoyer dans une métropole qui revendrait chèrement aux colonies les produits manufacturés : de métropole il n'en existe pas. Je ne considère pas Israël comme une tête de pont de l'impérialisme : les U.S.A. l'aident à vivre, mais ils n'y ont aucune base et n'en tirent aucune richesse, alors qu'ils maintiennent des bases militaires dans les pays arabes dont ils exploitent le pétrole et à qui ils fournissent une aide économique considérable. Il n'est pas vrai que son existence gêne le développement des pays arabes : il n'a pas empêché l'Algérie de conquérir son indépendance, ni Nasser de construire le barrage d'Assouan, ni la Libye de réussir sa révolution. Quant à faire obstacle à l'unité du monde arabe, c'est au contraire grâce à lui que jusqu'à un certain point elle se réalise; tous ces États étrangers ou même hostiles les uns aux autres n'ont en commun que la haine qu'ils lui portent. C'est un pays capitaliste et qui a commis plus d'une faute : il n'est pas le seul, et les autres ne voient pas leur existence mise en question. Quant à moi, l'idée qu'Israël puisse disparaître de la carte du monde m'est odieuse. Forts des assurances de l'O.N.U. — en particulier de l'U.R.S.S. et des pays de l'Est — des hommes et des femmes ont créé ce pays de leurs propres mains, ils y ont fondé des familles, ils y sont enracinés; il serait inique de les en arracher. D'autant plus que dans toute l'Europe l'antisémitisme demeure virulent et, contre les menaces qu'il implique, Israël demeure pour les Juifs le seul refuge sûr.

Le problème palestinien, mon voyage au Moyen-Orient m'en a révélé toute l'importance. Je comprends les revendications nationalistes d'Arafat; mais je me refuse à voir dans El-Fatah — comme font beaucoup de gauchistes — un mouvement où s'incarnent les chances du socialisme. Je regrette que seule une petite partie de la gauche israélienne cherche à négocier avec les Palestiniens. Qu'après les avoir poussés en avant, les leaders arabes ne leur témoignent plus qu'indifférence ou hostilité, ou même les fassent massacrer, on ne peut que s'en indigner. Il faut leur proposer des solutions valables à leurs propres yeux. Mais je ne peux me rallier à celle que leurs chefs ont choisie et qui est en fait la destruction d'Israël [1].

Cela ne signifie pas que j'approuve la politique d'Israël. J'aurais souhaité qu'il ne s'entêtât pas à exiger des négociations directes, qu'il prenne immédiatement l'engagement de rendre les territoires occupés, qu'il se montre aussi déterminé à faire la paix qu'il l'a été à gagner la guerre.

À cause de mes positions sur la question du Moyen-Orient, je me sens presque toujours en porte à faux dans mes rapports avec les militants de gauche. Je suis de tout cœur avec les Panthères noires, j'admire le livre de Cleaver, *Soul on Ice;* mais cela m'a attristée que dans l'interview qu'ont publiée *Les Temps modernes* il s'attaque aux Juifs. Je regrette que le gauchisme soit devenu presque aussi monolithique que le parti communiste. Un gauchiste doit admirer inconditionnellement la Chine, prendre parti pour le Nigeria contre le Biafra, pour les Palestiniens contre Israël. Je ne me plie pas à ces conditions. Ce qui ne m'empêche pas d'être très proche des gauchistes sur le terrain qui les concerne le plus directement : l'action qu'ils mènent en France.

Avant d'aborder le chapitre de mes relations avec mon propre pays, je veux définir les positions que j'ai eues pendant ces dix ans et celles que j'ai aujourd'hui par rapport au reste du monde. Mais je dois d'abord faire une remarque : je n'accorde pas la même attention à tous les pays étrangers. Il y en a un, pourtant des plus importants, que je n'ai aucune envie d'aller voir de mes yeux : l'Inde. À travers les analyses et les reportages que j'ai lus, la misère qui s'y étale me paraît intolérable. La complexité de ses problèmes économiques et politiques me décourage. Certes, je ne suis pas restée indifférente à la tragédie du Bengale. J'ai été heureuse de la défaite des oppresseurs pakistanais. Mais ces luttes ne se sont que timidement répercutées en France; et je n'ai aucune relation directe avec les pays

---

1. Je dis *en fait* parce que la propagande palestinienne à l'usage de la gauche française masque ce dessein sous des périphrases.

intéressés. Je ne me suis sentie concernée par les événements que d'une manière très lointaine. Je parlerai ici uniquement de ceux qui, pour une raison ou une autre, m'ont personnellement touchée.

J'ai dit déjà à quel point je me suis éloignée de l'U.R.S.S. et combien la tragédie de Prague m'a été au cœur. Rien de ce qui se passe dans les pays socialistes européens ne me paraît réconfortant. Je n'ai jamais eu de lien avec la Roumanie ni la Bulgarie, où le régime demeure dictatorial et le niveau de vie très bas. En Hongrie le climat est moins étouffant, le niveau de vie plus élevé mais, à part les très beaux films qui ont été projetés en France, je ne connais presque rien de ce pays où la littérature est toujours sévèrement censurée. En revanche j'ai des amis polonais, j'ai été en Pologne en 62, j'ai aimé beaucoup d'ouvrages écrits par des Polonais : je suis navrée de voir combien les espoirs nés en 56 ont été démentis. Dans tous les domaines, Gomulka s'est conduit en dictateur et, en particulier, à l'égard des intellectuels. En réponse à une lettre qu'ils lui avaient adressée pour réclamer un peu de liberté il déclencha une campagne contre eux et interdit un grand nombre de publications. Un peu plus tard, deux jeunes intellectuels communistes furent jetés en prison pour avoir critiqué dans une lettre ouverte le socialisme bureaucratique. En octobre 66, le philosophe Kolakowski [1] dénonça la régression qu'on observait depuis dix ans : ralentissement du rythme de l'expansion économique, déclin de la mobilité sociale, accroissement des inégalités et en conséquence, dans toute la population, sentiment d'insécurité et de frustration. Il fut chassé de l'Université et exclu du Parti, ce qui suscita de nombreuses réactions en sa faveur parmi les intellectuels.

Anti-intellectuel, le gouvernement de Gomulka se montra en outre à partir de 67 violemment antisémite. Sur trois millions de Juifs polonais, il n'en survivait après la guerre que trois cent cinquante mille; la plupart émigrèrent, par horreur du passé ou par peur, les fascistes polonais ayant fait un sanglant pogrome à Kielce, en 46. En 1967, il n'en restait que trente mille à l'intérieur du pays. Cela n'avait pas empêché le ministre de l'Intérieur Moczar de préparer une campagne

1. Auteur, entre autres, du remarquable ouvrage *Chrétiens sans Église,*

contre les Juifs; elle se déclencha en 67, le gouvernement voulant reprendre aux Juifs les postes qu'ils occupaient et atteindre à travers eux l'intelligentsia. Le 19 juin 67, au lendemain de la guerre des Six Jours, pendant le Congrès des Syndicats, Gomulka les accusa de constituer une « cinquième colonne ». Dans les mois qui suivirent, la presse, la radio, la télévision, les orateurs de réunions publiques dénoncèrent les sionistes comme les pires ennemis de la Pologne : tout Juif était suspect de sionisme. La presse et l'armée furent « épurées de Juifs ». Non seulement on fulminait contre Israël mais on déclarait les Juifs responsables de l'extermination de leur peuple par Hitler.

Le 30 janvier 1968, la pièce de Mickiewicz, *Les Aïeux*, ayant été interdite, les étudiants manifestèrent devant les portes du théâtre; un grand nombre furent arrêtés; pour protester contre leur détention une autre manifestation eut lieu le 8 mars à l'université de Varsovie : la police riposta avec brutalité et de nouveau de nombreux étudiants furent arrêtés; ceux qui étaient aryens furent relâchés et les Juifs incarcérés. Moczar classa les Juifs en trois catégories, d'une manière qui autorisait tous les arbitraires. 1º Les sionistes, qui devaient quitter la Pologne. 2º Les Juifs qui se sentaient aussi Juifs que Polonais. 3º Ceux qui se sentaient plus Polonais que Juifs.

Vingt mille Juifs ont quitté la Pologne entre l'été 68 et l'été 71. Les autres essaient de les imiter. Mais tout en les chassant on multiplie les brimades qui leur rendent le départ très difficile. Ils ne peuvent se rendre qu'en Israël. Dès qu'ils ont déposé leur demande de sortie, ils perdent leur citoyenneté et toute possibilité de travailler. Ils doivent payer cinq mille zlotys : environ deux mois d'un bon salaire. Ils doivent rendre leur appartement « en état de neuf », ce qui implique des dépenses considérables; et aussi rembourser les frais d'études de leurs enfants. Il leur est interdit d'emporter la moindre somme d'argent. On exige qu'ils dressent un minutieux inventaire de leurs bagages et la douane les soumet à de longues fouilles humiliantes. Tous les amis polonais — juifs ou non — que nous avons rencontrés à Paris étaient écœurés par ces traitements infligés aux Juifs [1].

1. *Les Temps modernes* ont publié en 70 une excellente nouvelle — *Western* — écrite par un écrivain non juif sur le départ de Pologne d'une famille juive; et un

Cependant dans l'ensemble du pays la situation ne s'améliorait pas. En décembre 70, après le soulèvement des ouvriers de Silésie qui fut réprimé dans le sang, Gomulka fut remplacé par Gierek. Il semble que depuis longtemps l'U.R.S.S. souhaitait cette substitution et que les émeutes aient été provoquées, encore qu'elles aient eu des raisons positives : l'augmentation du prix de la vie. Gierek n'a rien d'un démocrate : on ne peut guère s'attendre à d'heureux changements.

Jusqu'à cette année 72, la Yougoslavie était le plus libéral des pays socialistes. Des journaux de diverses nuances coexistaient : certains mêmes critiquaient sévèrement le régime. Entre intellectuels, la discussion était ouverte. Tout a changé depuis les événements de Croatie. C'est la région la plus industrialisée, celle qui exporte le plus de marchandises et qui fait rentrer le plus de devises. Une loi, qu'a soutenue Tito lui-même, exige que chaque république dispose des devises qu'elle reçoit. En fait c'est le gouvernement qui les centralise et il en gaspille une grande partie en travaux spectaculaires, mais d'une utilité contestable : par exemple l'immense barrage entrepris sur le Danube. En fait, malgré son industrialisation, la Croatie n'est pas riche. Il y a sept cent mille ouvriers qui travaillent en Allemagne fédérale, faute de trouver des emplois chez eux. Les étudiants vivent dans des conditions lamentables : ils dorment à même le sol et pressés les uns contre les autres dans des locaux exigus. En novembre, ils ont manifesté pour réclamer que la loi soit respectée et que la Croatie utilisât dans son propre intérêt les devises qu'elle fait rentrer. Il existe un nationalisme croate, chauvin et réactionnaire, appuyé par une organisation clandestine et terroriste d'Oustachis. Mais les étudiants furent soutenus par des socialistes progressistes; ils ne demandaient pas à détacher la Croatie de la Yougoslavie, mais à ce qu'on lui reconnût une certaine autonomie. Tito

reportage sur l'ensemble de la question par une Juive polonaise en exil : *Le Pogrome à sec.* Trepper, le chef de *L'Orchestre rouge*, se voit refuser le droit d'émigrer en Israël. Pour avoir demandé à partir il a été exclu du P.C.P. Il est sous la surveillance constante de la police.

envoya contre les étudiants des détachements de policiers serbes qui les matraquèrent sévèrement. Des tanks entourèrent Zagreb. Tous les intellectuels croates furent arrêtés cependant que d'autres arrestations avaient lieu à Belgrade même. La presse fut bâillonnée, l'autorité centrale renforcée. J'ai rencontré des Croates qui appartiennent depuis plus de vingt ans au parti communiste et qui ont dû s'exiler. Ils disent que la situation ne fera dans les années qui viennent que se durcir.

Il y a un pays qui pendant un temps a incarné pour nous l'espoir socialiste : Cuba. Il a bientôt cessé d'être une terre de liberté : on y persécutait les homosexuels; dans la tenue d'un individu, toute trace d'anticonformisme était suspecte. Pour l'essentiel cependant, on respirait mieux à Cuba qu'en U.R.S.S. Le Congrès culturel qui s'était tenu à La Havane en janvier 68 avait été dirigé contre l'« église pseudo-marxiste sclérosée », selon les propres paroles de Castro qui avait lancé un appel aux « nouvelles avant-gardes ». Les discussions avaient été très libres; des peintres avaient exposé des tableaux abstraits. A leur retour, tous ceux de nos amis qui avaient participé à la rencontre nous en avaient parlé avec enthousiasme.

Très vite il a fallu déchanter. Au cours de cette même année, Castro adopta une attitude de repli. Il cessa d'appuyer le castrisme en Amérique latine. En mai, pour ne pas déplaire à Moscou et pour ne pas encourager chez lui la contestation, il refusa d'envoyer aucun message de sympathie aux étudiants français. En juillet il n'éleva pas la voix en faveur des étudiants mexicains assassinés par la police et Cuba participa aux Jeux Olympiques de Mexico. Le discours qu'il prononça après l'entrée des troupes soviétiques en Tchécoslovaquie prouvait que désormais il s'alignait inconditionnellement sur la politique de l'U.R.S.S. Depuis, il ne s'est pas écarté de cette position. C'est sans doute inévitable : Cuba dépend de Moscou, en particulier pour sa fourniture en essence. Mais c'est regrettable car l'économie cubaine n'a fait que péricliter. Moscou condamne l'agriculture de l'île à demeurer une monoculture alors que des cultures vivrières permettraient à ses habitants de connaître l'abondance; condamnée à une semi-disette, la population est insatisfaite et son mécontentement suscite des mesures répressives.

Dans un tel climat, toute liberté est refusée aux intellectuels. Dès 68 le musée d'Art moderne a été fermé et le budget de la culture réduit au minimum. On a arrêté cinq cents jeunes gens simplement parce qu'ils avaient les cheveux longs. En janvier 71, Castro a promulgué une loi calquée sur celle qui est dirigée en U.R.S.S. contre les « oisifs » et qui a entraîné entre autres les arrestations de Brodski et d'Amalrik. L'accusation de « parasitisme » autorise les brimades et les condamnations les plus arbitraires. En avril le poète Padilla a été dénoncé comme contre-révolutionnaire et incarcéré; il a été relâché après avoir signé une autocritique qui est un tissu d'insanités : il accuse René Dumont et Karol d'être des agents de la C.I.A.! En ce cas Castro devrait s'incarcérer lui-même car il les a très bien reçus et a longuement causé avec eux. Il a proféré des menaces contre d'autres intellectuels contre-révolutionnaires. La « lune de miel de la Révolution » qui nous avait tant séduits est bien finie.

Une déception d'un autre ordre, c'est celle que m'a fait éprouver l'évolution de l'Algérie. On ne pouvait certes pas escompter qu'un miracle y ferait régner dans un bref délai le socialisme et la prospérité; la guerre a fait plus d'un million de morts, les meilleurs cadres ont été tués dans les maquis, le départ d'un million de pieds-noirs qui contrôlaient le pays l'a laissé dans une situation économique confuse. Le jour où l'indépendance fut conquise, 85 % des adultes étaient analphabètes. La réorganisation de l'économie ne pouvait être que difficile. Les catastrophes prédites par les colonialistes ne se sont pas produites. Mais un tiers de la population masculine active est sous-employée, un tiers sans emploi : cinq cent mille travailleurs ont émigré. Les circonstances n'étaient pas propices à l'établissement du socialisme; mais les dirigeants n'ont fait aucun effort sérieux en sa faveur. Ils ont instauré un capitalisme d'État qui n'a de socialiste que le nom. En agriculture ils n'ont pas encouragé la collectivisation des terres; dans le secteur industriel, ils n'ont pas poussé les travailleurs à l'autogestion. Au lieu d'essayer de politiser les masses, ils les ont incitées à revenir aux valeurs arabo-islamiques. Contrairement à ce qui se produit en Tunisie, en Égypte, aucun effort n'a été fait pour ralentir une natalité galopante telle que la population s'accroît beaucoup plus vite que les ressources. La condition des femmes est déplorable : une Algérienne l'a dénoncée dans un livre courageux. Au nom de la tradition musulmane on ne lui accorde qu'un minimum d'éducation; elle continue à porter le voile, elle est confinée dans le foyer de son père ou du mari qui lui est imposé. Fanon s'est bien trompé quand il prédisait que grâce au rôle qu'elles ont joué pendant la guerre les femmes algériennes échapperaient à l'oppression masculine. La politique extérieure de l'Algérie se veut « progressiste » : elle est anticolonialiste et anti-impérialiste. Mais à l'intérieur elle est nationaliste et réactionnaire. Rien n'indique qu'elle doive avant bien longtemps changer de caractère.

Et que se passe-t-il en Chine? Voilà une question à laquelle je voudrais bien pouvoir répondre. J'y ai voyagé en 1955 et à mon retour, je lui ai consacré un livre. Par la suite, je me suis renseignée le mieux possible sur la « période des cent fleurs », le grand bond en avant, l'expérience des communes. Tandis que l'U.R.S.S. proposait un modèle de socialisme riche et prêchait la patience aux pays sous-développés, la Chine proposait un modèle de socialisme pauvre et encourageait les peuples opprimés à des actions violentes : c'est à elle qu'allaient nos sympathies. J'ai dit qu'à Helsinki, Sartre avait soutenu ses vues. Mais lorsque a éclaté la révolution culturelle, personne n'a pu nous expliquer de façon convaincante quelle réalité recouvraient ces mots. Les journaux russes comme les journaux français donnaient des indications décousues et contradictoires : Mao avait nagé dans le Fleuve Bleu, les jeunes gardes rouges coupaient les nattes des filles, ils échangeaient le vert et le rouge des signaux lumineux, ils défiaient l'armée, c'était la guerre civile, non, de simples échauffourées. Ils racontaient en se gaussant des anecdotes qui, détachées de tout contexte, semblaient en effet risibles. Nous ne faisions pas confiance à cette presse malveillante. Mais nous n'étions pas moins sceptiques quand nous lisions les articles de propagande qui paraissaient en anglais ou en français dans des revues publiées à Pékin.

Les spécialistes de la Chine proposaient des interprétations intéressantes mais toujours conjecturales. Il s'agissait de conflits économiques, disait l'un; de rivalités politiques, disait l'autre; d'une lutte contre la bureaucratie, avançait un troisième. Sans doute ces explications étaient-elles en partie valables : aucune n'était sûre, aucune ne nous donnait la clé des événements dont nous percevions des échos confus.

Les gens que nous connaissions et qui avaient mis les pieds en Chine en revenaient abasourdis : ils n'avaient vu de la « révolution culturelle » que l'aspect le plus extérieur et n'y comprenaient rien. En décembre 66, revenant d'Hanoï, Alejo Carpentier [1] passa par Pékin. Il y avait été la même année que nous, en 55, et il avait aimé tout ce qu'il en avait vu. Aujourd'hui, nous dit-il, c'était une autre ville, un autre monde qu'il trouvait assez effrayant. Dans l'avion, les hôtesses brandissaient le livre qu'on commençait seulement à connaître en France sous le nom de « petit livre rouge » et toutes les demi-heures elles annonçaient : « Je vais vous lire une pensée du président Mao. » A Pékin, tout en conduisant, les chauffeurs de taxi récitaient des pensées de Mao — que son interprète traduisait à Carpentier. Bloqué pendant quatre heures à l'aérodrome, pendant tout ce temps il a entendu des instructeurs lire les pensées de Mao aux passagers qu'ils avaient fait ranger sur deux colonnes; ils les faisaient ensuite réciter. On venait de tirer trente-cinq millions d'images de Mao, chaque foyer devant en afficher une, et une brochure expliquait où et comment il fallait la disposer. Ayant demandé à un éditeur quels ouvrages allaient être publiés au cours de l'année, Carpentier s'entendit répondre : « Exclusivement trente-cinq millions d'exemplaires des œuvres du président Mao. — Mais tout de même, on publiera aussi des ouvrages techniques, des manuels? — J'ai dit : exclusivement. » Pendant son bref séjour, avait eu lieu une campagne en faveur des ramasseurs de crottin, qu'on considérait comme les travailleurs les plus typiquement prolétaires. On en a choisi

1. Le grand écrivain cubain.

un, qu'on tenait pour le plus exemplaire et on lui a fait faire une conférence à l'Université en présence de tous les professeurs [1]. Les cinémas, les théâtres étaient fermés et, malgré la jeunesse qui remplissait les rues, la ville avait paru sinistre à Carpentier.

Environ un an plus tard nous avons vu Kateb Yacine qui avait passé un mois à Pékin, pendant l'automne 67; il habitait à l'ambassade d'Algérie. Ni lui, ni aucun des diplomates qu'il avait rencontrés ne comprenait rien non plus à ce qui se passait. Comme Carpentier il avait entendu les haut parleurs clamer des slogans et il avait vu les hôtesses de l'air et les chauffeurs de taxi brandir le petit livre rouge. Cependant les rues très animées tout le jour et tard dans la nuit lui avaient donné une impression de gaieté. Elles étaient sans doute gaies pour les Chinois, a-t-il précisé. Mais les étrangers vivaient dans la peur : il suffisait d'un rien pour qu'ils soient molestés (sauf bien entendu ceux qui, invités par le gouvernement, se promenaient encadrés par des Chinois). L'ambassadeur algérien qui était roux n'osait plus sortir. Kateb sortait un peu le soir, mais avec une extrême prudence. L'ambassadeur de Bulgarie avait été faire des achats dans un grand magasin avec son chauffeur; un employé avait voulu vendre à celui-ci une image de Mao : le chauffeur l'avait refusée, ce qui était une erreur, et pour comble d'horreur, l'image était tombée par terre. Ils faillirent être lynchés. La police les protégea. Mais le soir, l'ambassade brûlait : l'incendie a duré trois jours.

J'avais lu avec grand intérêt un certain nombre d'ouvrages de Mao : mais le « petit livre » m'est tombé des mains. Sans doute les citations qui le remplissent amorçaient-elles un développement qui a été supprimé : restent des vérités premières d'une décourageante platitude. Il s'agit m'a-t-on dit d'enseigner une pensée rationnelle et pratique à une population encore infectée de superstitions. Ce n'est évidemment pas sans raison que les Chinois attachent tant d'importance à ce catéchisme. Mais encore aujourd'hui — en mai 71 — je comprends mal pourquoi.

Une visite à l'ambassade chinoise, en 1967, ne m'a pas éclairée. Nous y avons dîné avec les Bourdet et les Vercors. On n'a

1. On le comprend à présent : cet épisode faisait partie d'une vaste campagne pour réhabiliter le travail manuel et refuser de surestimer le travail intellectuel.

pas servi de whisky comme on le faisait autrefois : quelques jours auparavant de jeunes Chinois avaient manifesté devant l'ambassade, accusant l'ambassadeur de luxe et de corruption; nous avons bu pendant le repas du vin et de l'alcool de riz. L'art de parler pendant des heures pour ne rien dire, je l'ai vu pratiquer souvent : en 55, en Chine; en U.R.S.S. pendant les banquets officiels. Mais jamais il n'avait été aussi poussé que ce soir-là. Ni l'attaché culturel ni l'attaché de presse n'ont ouvert la bouche. Pour dégeler l'ambassadeur Huang Chen, Ida Bourdet lui a parlé en russe mais il n'a pas fait mine de la comprendre. Il a expliqué, par le truchement d'un interprète, qu'à Pékin on ne brûlait pas les œuvres de Beethoven ni celles de Shakespeare, mais qu'on essayait d'adapter cette vieille culture aux temps nouveaux. Bien qu'à Pékin tous les théâtres fussent fermés, l'ambassadrice m'a vanté la beauté des nouveaux opéras qu'on y jouait à présent. Après le dîner, on a bu du thé vert et pour éviter toute conversation, l'ambassadeur nous a montré un album de dessins qu'il avait exécutés jadis, au cours de la Longue Marche. Visiblement, il n'avait pas osé annuler une invitation qui nous avait été adressée quelques semaines plus tôt; mais il nous avait reçus à contrecœur. Il était inquiet et les autres Chinois aussi. On a appris le lendemain que le directeur de l'agence de presse, à Pékin, était limogé. A peu de temps de là, l'ambassadeur a été rappelé [1].

C'est seulement à partir de 70 que des articles et des livres m'ont expliqué la révolution culturelle d'une manière qui m'a satisfaite : elle m'est alors apparue comme une passionnante histoire. Contrairement à ce que pense l'U.R.S.S. Mao estimait, à juste titre, que le socialisme produit ses propres contradictions et qu'il ne suffit pas de nationaliser les moyens de production pour que le pouvoir soit effectivement aux mains des ouvriers et des paysans; alors que Liou avait du parti une vision stalinienne, le considérant comme l'expression monolithique des masses, Mao a voulu mettre au jour les oppositions qui existaient d'une part au sein du Parti, et d'autre part entre le Parti et les masses. En encourageant les *dazibaos* [2], il a donné

1. Par la suite il est revenu. C'est un des rares diplomates qui aient repris après la révolution culturelle le poste qu'ils occupaient avant.
2. Placards en gros caractères par lesquels chacun exposait ses opinions et dénonçait les ennemis du peuple.

la parole au peuple. Il a mobilisé les gardes rouges contre une élite bureaucratique, économiste et gradualiste. Il s'est appuyé sur l'armée, non en tant qu'instrument de coercition violente mais parce que sous la direction de Lin Piao elle était devenue un appareil de propagande révolutionnaire de premier ordre. Les troubles qu'a entraînés la lutte loin de manifester la faiblesse du régime étaient presque voulus et leur développement toléré. Cependant, au sein des affrontements entre le Parti, les comités révolutionnaires, les gardes rouges il fallait une instance suprême : c'est là le sens et la raison du « culte de la personnalité » qui s'est affirmé pendant cette période. Parmi ceux qui « agitaient le drapeau rouge contre le drapeau rouge » seul Mao pouvait décider qui était authentiquement maoïste.

La révolution culturelle a pris fin en avril 69, lorsque le IXe Congrès du P.C.C. réuni à Pékin en a dressé le bilan. Mais Mao estime que la lutte entre les masses et la bureaucratie durera des décennies; il a lancé l'idée de « révolution continue » c'est-à-dire d'une perpétuelle révolution au sein de la révolution, les contradictions renaissant sans cesse. Il semble cependant qu'un grand nombre des buts poursuivis aient déjà été atteints. On s'efforce de transférer effectivement aux masses des responsabilités de base dans divers domaines : médecine, enseignement, gestion d'entreprises commerciales. On essaie aussi d'abolir en partie la distance entre les travailleurs manuels et les intellectuels, l'enseignement théorique devant toujours être lié à une pratique concrète, celle-ci primant la connaissance livresque. On espère réussir ainsi à créer un « homme nouveau » proche de celui dont Marx souhaitait l'avènement.

Empêcher une nouvelle classe privilégiée de se former, donner aux masses un authentique pouvoir, faire de tout individu un homme complet : je ne peux que me rallier à un tel programme. Cependant, je ne saurais accorder à la Chine cette confiance aveugle que jadis l'U.R.S.S. a suscitée dans tant de cœurs. La propagande des revues qu'elle destine à l'Occident me consterne par sa naïveté dogmatique. Si on me dit que les ouvriers ont droit à trois semaines de congé mais qu'ils en font le sacrifice par enthousiasme socialiste, ce que je retiens c'est qu'ils ne prennent pas de congé : l'enthousiasme ne s'institutionnalise pas. Prétendre voir dans la Chine un paradis est d'autant plus absurde que, de l'aveu même de Mao, la révolution n'y est pas achevée.

Mais il n'est pas besoin d'en faire un mythe pour se tourner vers elle avec sympathie.

Pendant un bref moment on a pu rêver que l'émancipation du Tiers Monde allait ouvrir à l'humanité des perspectives imprévues. Les Africains promettaient de rénover la civilisation, d'ajouter une « nouvelle couleur à l'arc-en-ciel ». Ces espoirs semblent aujourd'hui illusoires. « L'Afrique noire est mal partie », annonçait Dumont voilà déjà plusieurs années. Les événements ont confirmé ce sombre pronostic. D'abord l'Afrique n'est pas vraiment émancipée. En Afrique du Sud, l'apartheid se perpétue — avec la bénédiction de plusieurs États africains. En Guinée, en Angola, au Mozambique, l'autorité des Portugais est ébranlée : néanmoins elle se maintient. Malgré leur nouveau statut politique, les peuples décolonisés demeurent exploités économiquement. Quand ils ont acquis leur indépendance vers 1960, leur population rurale était de l'ordre de 80 à 90 %. Pendant ces dix ans, la croissance démographique a été beaucoup plus rapide que la croissance économique si bien que d'année en année la majorité de la population s'appauvrit. Pour combattre l'exploitation et vaincre la pauvreté, quelques leaders africains ont voulu changer les institutions que leur avaient léguées les colons; ils ont été attaqués, isolés; aujourd'hui presque tous les régimes réellement progressistes ont été renversés. Le continent noir reste tragiquement sous-développé et il est en proie à des luttes intestines, souvent encouragées par les puissances capitalistes qui ont intérêt à ces divisions.

Il en fut ainsi pendant la guerre de trente mois que le Biafra mena contre le Nigeria afin de lui arracher son indépendance. Les Ibos la réclamaient depuis 45 : de toute l'Afrique, c'était le peuple qui possédait la culture la plus développée et la plus riche et ils supportaient mal la domination des féodaux du Nord, qu'appuyaient les Anglais. Ils commirent une lourde faute politique quand en 1960, au lendemain de l'indépendance, le parti féodal qui dominait les Nigérians du Nord — les Houssa — prit le pouvoir; au lieu de s'allier aux Youba, second grand peuple du Sud dont le chef était Awolowo, ils laissèrent les dirigeants démanteler e parti groupé autour de celui-ci. Les Ibos payèrent cher cette erreur. En 66, à la suite d'un coup d'État, de jeunes officiers ibos ayant mis à la tête du pays le général Irousi, les Youba se réconcilièrent avec les Houssa. Irousi, tous les dirigeants ibos, deux cents officiers, trente mille civils (hommes, femmes, enfants) furent massacrés et des centaines de milliers subirent de graves sévices. Deux millions s'enfuirent dans l'Est du pays qui était sous l'autorité d'un Ibo, Ojukwo. Celui-ci fut amené par l'opinion à se mettre en état de sécession. Il proclama en mai 67 l'indépendance du Biafra, peuplé de quatorze millions d'habitants. Le Biafra fut reconnu par les révolutionnaires les plus authentiques d'Afrique : Julius Nyerere leader de la Tanzanie et Kermeth Kaunda président de la Zambie. La Chine devait le reconnaître au milieu de 68. Mais le Biafra contenant des richesses pétrolifères les puissances capitalistes s'intéressèrent au conflit. L'Angleterre qui voulait maintenir le Nigeria dans une situation néo-colonialiste appuya le gouvernement de Lagos. Elle lui fournit des bombes et des avions. Pour des raisons de prestige, l'U.R.S.S. et l'Égypte l'imitèrent. Les Fédéraux ayant envahi le Biafra, huit millions de personnes se trouvèrent encerclées dans un réduit sans communication avec le reste du monde. Lagos dénia à la Croix-rouge le droit de leur apporter des médicaments et des vivres. La famine et les raids d'aviation firent deux millions de morts. Même après la reddition du Biafra, en janvier 70, le gouvernement nigérian, sous prétexte d'orgueil national, refusa l'aide des croix-rouges étrangères, condamnant à mort des dizaines de milliers d'enfants. J'ai rencontré avant et après la défaite du Biafra un grand nombre de médecins et de journalistes qui en revenaient, révulsés d'horreur. Avec plusieurs personnalités de gauche nous avons signé Sartre et moi un texte disant qu'« après l'assassinat de l'espoir biafrais le règne du gangstérisme politique s'est bel et bien étendu aux dimensions de la planète... Que les assassins et les idéologues aux ordres se réjouissent : leur règne a fait le tour du monde ».

Des propagandistes de Lagos ont voulu me convaincre que le maintien des frontières établies par les Anglais dans l'intérêt du colonialisme était nécessaire à l'avènement du socialisme.

Une grande partie de la gauche française, emboîtant le pas derrière l'U.R.S.S., a approuvé un « génocide dans le sens de l'histoire » comme l'a appelé Marienstrass dans l'article qu'il écrivit pour *Les Temps modernes.* Pourtant les Ibos constituent un peuple et la gauche qui voit aujourd'hui dans les revendications nationalistes des opprimés le chemin le plus sûr vers l'internationalisme aurait dû leur reconnaître le droit à l'autodétermination. Et même si politiquement la cause du Lagos lui paraissait plus valable, elle n'aurait pas dû accepter de gaieté de cœur l'anéantissement de toute une culture, l'extermination de deux millions d'individus, parmi lesquels il faut compter toute une génération d'enfants. Cette indifférence rend suspecte l'indignation manifestée devant les enfants vietnamiens victimes de la guerre. Rarement dans ces dernières années j'ai été aussi écœurée que devant l'étendue et l'atrocité des massacres qu'encourageaient ou qu'acceptaient avec indulgence presque tous les « progressistes » de France et du monde.

Depuis des années, ils passent aussi sereinement sous silence le génocide des peuples nilotiques du Sud par le gouvernement du Soudan. Ils ne se sont émus que lorsque Noumayri a déchaîné une sauvage répression contre les officiers et les syndicalistes qui, en juillet 71, avaient tenté de le renverser : tortures, exécutions massives et bestiales, chasse aux communistes.

Si je considère l'Amérique latine, le bilan n'est pas très consolant. Il n'était pas imaginable que le miracle de la révolution cubaine s'y produisît une seconde fois. J'ai eu des relations avec des éléments révolutionnaires du Venezuela, de la Bolivie, de la Colombie; dans chacun de ces pays la gauche était divisée, la guérilla difficile à conduire, la répression sévère, les chances de succès presque inexistantes. C'est tout de même un réconfort de savoir qu'un peu partout des forces s'opposent aux gouvernements que soutiennent les U.S.A. Les exploits des Tupamaros en particulier m'ont plus d'une fois réjouie. D'autre part l'élection d'Allende au Chili a représenté pour la gauche une victoire qui malheureusement sera sans doute sans lendemain.

Quand nous étions revenus du Brésil en 1960, nous étions Sartre et moi convaincus que dans ce pays une révolution socialiste ne serait pas possible avant longtemps. Le célèbre communiste brésilien, Prestes, nous avait affirmé le contraire; un économiste trotskiste connu me fit la même démonstration : tous deux s'appuyaient sur un schéma marxiste abstrait pour conclure à la fatalité de la victoire du socialisme. En fait nous avions constaté que le prolétariat brésilien, très privilégié par rapport au paysan, était très loin de vouloir la révolution; les paysans du Nord-Est se trouvaient dans une situation révolutionnaire, mais ils étaient totalement impuissants. Cependant nous ne nous attendions pas du tout au coup de force de 64 : nos amis brésiliens nous avaient assuré que, pour une quantité de raisons, l'armée était incapable de prendre le pouvoir et tout à fait inoffensive. En fait les militaires renversèrent Goulart et donnèrent le pouvoir à Castelo Branco. Ce coup d'État encouragé par les Américains mit toute l'économie du pays sous leur coupe; la lutte contre le socialisme entraîna la suppression de toutes les libertés : la terreur régna dans les syndicats et parmi les paysans; il y eut une baisse générale des salaires; *l'habeas corpus* fut suspendu. Un grand nombre de démocrates et d'intellectuels s'exilèrent. Une résistance s'organisa; mais on sait combien la répression fut et est affreuse : emprisonnements, tortures, assassinats exécutés par l'escadron de la mort. J'ai rencontré à Paris un certain nombre d'oppositionnels qui avaient été eux-mêmes torturés; d'autres qui avaient eu des membres de leur famille incarcérés et torturés ou qui les avaient vus disparaître. Ils m'ont décrit le climat de suspicion qui règne dans le pays; les visiteurs qui viennent voir leurs parents dans les prisons feignent de ne pas se connaître, chacun craignant d'être compromis par son voisin; les étudiants n'osent pas avouer à leurs camarades des opinions le moins du monde subversives. La peur rend très difficile l'organisation d'une opposition.

Certains de mes amis brésiliens m'ont aussi exposé avec force détails les méthodes utilisées depuis des années pour assurer l'extermination des Indiens. Totalement impuissants devant ces massacres organisés, ils s'en désespéraient. Aujourd'hui la question est si connue et toute protestation si vaine que je pense inutile d'y revenir ici.

J'ai appris tout récemment — en janvier 72 — qu'en Argentine il y avait une vague d'arrestations; les opposants au régime et ceux qui sont soupçonnés de l'être sont emprisonnés, affreusement torturés. J'ai reçu la lettre d'une amie dont le fils avait été longuement soumis au supplice de la « gégène ». Il y a eu des protestations. Le gouvernement a répondu que c'était les prisonniers qui se blessaient eux-mêmes en se frappant la tête contre les murs : « On ne peut tout de même pas capitonner les cellules », a-t-il conclu.

Responsables du coup d'État brésilien, les U.S.A. soutiennent en Espagne le régime franquiste, qui demeure fondé sur l'arbitraire policier, comme l'a sinistrement démontré le procès de Burgos. C'est aussi une atroce dictature policière qu'ils ont instaurée en Grèce. Le 21 avril 1967, à leur instigation, les militaires ont pris le pouvoir à Athènes. La démocratie parlementaire était devenue dangereuse pour les oligarchies à cause du mécontentement général qui régnait dans le pays. L'économie servait les grands monopoles dont elle dépendait, et non les intérêts du peuple. Une alliance commençait à se réaliser entre les ouvriers, les paysans, la petite-bourgeoisie, une partie de la moyenne bourgeoisie; les forces démocratiques auraient remporté aux élections un succès écrasant. Contre elles, l'armée a fait jouer le « plan contre la subversion intérieure » que doivent appliquer tous les pays de l'O.T.A.N. L'oligarchie économique a de nouveau écrasé les masses qui ne peuvent même plus s'exprimer politiquement puisqu'il n'y a plus ni parti, ni parlement. Le régime les plonge délibérément dans l'obscurantisme; il forme des cadres, à des fins utilitaires, mais la pensée, la créativité sont écrasées. On ressuscite le culte des ancêtres et des dogmes religieux médiévaux. Les paysans pour échapper à la misère des campagnes affluent dans les villes où ils sont réduits au chômage. Cependant toute opposition est sauvagement réprimée. L'oppression policière qui a toujours existé en Grèce a été encore renforcée. On a incarcéré, affreusement torturé, déporté tous les citoyens suspects de sympathie non seulement pour le communisme mais pour la démocratie. Un certain nombre de ceux qui ont fui la Grèce mènent à Paris la vie ingrate des exilés.

Dès qu'un mouvement nationaliste ou populaire leur semble menacer leurs intérêts, les U.S.A. l'écrasent. Des millions et des millions d'hommes sont maintenus dans un état de sous-humanité afin qu'ils puissent commodément piller les richesses du Tiers Monde. Ce qu'il y a de scandaleusement absurde c'est que, comme l'ont montré des économistes, les milliards de dollars ainsi extorqués par l'Amérique ne servent pas au bien-être de la population américaine : une grande partie de celle-ci — la population noire en particulier — vit dans la pauvreté et même dans la misère. Le gouvernement investit ses immenses bénéfices dans les industries de guerre si bien que son exploitation forcenée de la planète lui sert avant tout à se rendre capable de la détruire.

A l'intérieur du pays, la situation des Noirs qui m'avait révoltée dès mon premier voyage n'a fait que devenir de plus en plus intolérable, ce qui a entraîné une escalade de la violence dans les communautés afro-américaines, puis une escalade de la répression, les Panthères noires étant traquées, emprisonnées, assassinées. Il semble que la police ait réussi à démanteler ou à réduire à l'impuissance un grand nombre de mouvements, entre autres celui des « Météorologues », révolutionnaires blancs partisans de méthodes terroristes. Cependant, la plupart des Américains avec qui j'ai parlé estiment que le régime n'est plus viable : il règne aux U.S.A. un tel climat de violence, le chômage y a pris tant d'importance, si nombreux sont les individus entretenus par la Sécurité sociale, que son économie va s'effondrer; même au niveau technique se développent d'insurmontables contradictions. « Ça doit fatalement craquer parce que ça ne peut pas durer », m'ont dit des amis. Peut-être cet écroulement amorcera-t-il une révolution à l'échelle planétaire? Je ne sais si je vivrai assez longtemps pour en être témoin mais c'est une perspective consolante.

CHAPITRE VIII

Entre 62 et 68, je ne me suis guère souciée de ce qui se passait en France. La droite, unie et satisfaite de détenir le pouvoir, n'avait d'autre dessein que de le conserver; la gauche, divisée, essayait en vain de se rassembler autour d'un programme cohérent : leur affrontement n'avait rien d'exaltant. Lors des élections présidentielles de 65, j'ai éprouvé une certaine satisfaction à voir de Gaulle mis en ballottage; mais je n'avais guère de sympathie pour son plus sérieux adversaire, Mitterrand : ses idées et les groupes qu'il représentait m'étaient étrangers. Je ne vivais plus dans l'angoisse comme pendant la guerre d'Algérie; mais je n'étais pas fière de mon pays. Il avait renoué avec l'Espagne de Franco, alors que celui-ci assassinait Grimau. Il emprisonnait treize Martiniquais qui n'estimaient pas que la Martinique fût un département français. L'affaire Ben Barka le déshonorait : aucun des scandales qui avaient souillé la troisième et la quatrième République n'avait été aussi sordide que cette machination policière complaisamment couverte par le gouvernement. Je m'intéressais aux conflits qui divisaient le P.C. et aux mouvements qui secouaient les masses : l'agitation paysanne, la grève des mineurs protestant contre la liquidation des charbonnages. Mais je ne me sentais directement concernée par rien.

En tant qu'ancien professeur et parce que j'ai de l'amitié pour les jeunes, j'ai été attentive aux problèmes qui commençaient à se poser dans le monde étudiant. En février 64, Kravetz, président de l'U.N.E.F., écrivit pour *Les Temps modernes* un article où il s'attaquait aux cours magistraux; il réclamait une conception différente de la culture et de la liberté, impliquant

467

une transformation du rapport des étudiants aux enseignants. Refusant toute subordination hiérarchique, l'U.N.E.F. lança le slogan : « La Sorbonne aux étudiants ». En 65, il y eut dans *Les Temps modernes* un débat sur la question. Kravetz et certains de ses camarades dénonçaient l'asservissement des étudiants à la technocratie. Les rédacteurs de la revue n'étaient pas tous d'accord avec ces thèses; Sartre et moi nous les approuvions : la transmission du savoir devait être assurée par des moyens nouveaux qu'il fallait essayer de définir.

Des tendances analogues se manifestaient dans d'autres pays, liées à des engagements politiques. Aux U.S.A., une révolte étudiante se déclencha en décembre 64, à Berkeley, à propos des droits civiques. En Allemagne, pour protester contre la guerre du Vietnam, des étudiants se réunirent devant l'ambassade américaine et jetèrent des œufs sur sa façade. Un peu plus tard, refusant les réformes sélectionnistes, ils envahirent la Faculté. Ils en vinrent peu à peu à une contestation globale de la société capitaliste. La S.D.S. — organisme des étudiants sociaux-démocrates — distribuait des tracts révolutionnaires. En avril 67, elle organisa une manifestation contre Humphrey; et une autre en janvier contre le shah d'Iran : un policier abattit un étudiant d'un coup de revolver, ce qui entraîna une immense mobilisation des étudiants. Malgré l'escalade de la répression, ils créèrent des comités d'action et une Université critique. Leur mouvement se propagea dans toute l'Allemagne. Ils luttèrent contre la guerre du Vietnam et, à l'intérieur de leur pays, contre le trust de la presse Springer. En Angleterre, en Hollande, en Scandinavie, en Italie et même en Espagne il y eut dans le monde étudiant de violentes agitations.

En France, les incidents que signalait la presse étaient beaucoup moins spectaculaires. Quand Misoffe vint en 67 à la Faculté de Nanterre pour inaugurer la piscine, il fut pris à partie par un jeune inconnu, Cohn-Bendit. A Nanterre aussi, les étudiants à qui on interdisait l'entrée des bâtiments réservés aux femmes (l'inverse étant autorisé) s'insurgèrent bruyamment : « Non aux ghettos sexuels. » En février 68, ils envahirent le quartier des femmes. Ils dénonçaient les déplorables conditions dans lesquelles ils travaillaient. Les journaux accordaient peu de place à ces revendications et quant à moi je n'en mesurais pas l'importance.

Comme tout le monde, je commençai à la soupçonner au cours du mois de mars. A la suite d'attentats au plastic commis dans la nuit du 17 au 18 mars, on arrêta quatre lycéens qui étaient membres de comités contre la guerre du Vietnam. Le 22 mars, à Nanterre, sur l'initiative de Cohn-Bendit, des étudiants occupèrent la tour de l'Administration; ils élaborèrent un programme d'action contre la guerre du Vietnam et contre l'oppression dont ils s'estimaient victimes. Les jours suivants, ils distribuèrent des tracts, ils troublèrent les cours et les examens. Le recteur Grappin ayant fermé Nanterre pour le week-end, ils tinrent un meeting à la Sorbonne dans l'amphithéâtre Descartes. Le 12 avril ils manifestèrent au Quartier Latin pour marquer leur solidarité avec Rudi Duske, leader de la S.D.S. grièvement blessé la veille par un fasciste allemand.

On connaît la suite : Grappin fermant Nanterre pour mâter les « enragés », ceux-ci envahissant la Sorbonne, le recteur Roche appelant la police. Les étudiants évacuèrent la Sorbonne et un grand nombre furent arrêtés à la sortie. Le S.N.E. Sup. appela les enseignants à une grève générale. L'U.N.E.F. organisa une manifestation pour le 6 mai, jour où Cohn-Bendit et plusieurs autres meneurs devaient passer en Sorbonne devant le conseil de discipline.

Toute la journée du 6 mai il y eut au Quartier Latin des affrontements entre étudiants et policiers et on respira boulevard Saint-Michel l'odeur — devenue bientôt si familière — des gaz lacrymogènes. Le soir, contrairement à mes habitudes, j'ai ouvert la radio et pendant quatre heures je n'ai pas quitté l'écoute. Europe n° 1 et Radio-Luxembourg ont raconté minute par minute la bataille qui se déroulait boulevard Saint-Germain : derrière la voix un peu haletante des reporters on entendait la rumeur de la foule et le bruit des explosions. Ce qui se passait était extraordinaire : les manifestants dressaient des barricades, ils faisaient reculer à coups de pavés les C.R.S. et même les autopompes lancées contre eux. On apprit le lendemain avec quelle sauvagerie la police les avait matraqués, les poursuivant jusque dans les immeubles où ils se réfugiaient; ils furent roués de coups dans les commissariats et à Beaujon où les amenaient les paniers à salade. Mais la répression pourrait-elle contenir ces forces neuves qui venaient de se déchaîner? Mes amis et moi nous espérions qu'elles allaient secouer le régime et peut-être même l'ébranler : l'émeute était devenue une insurrection.

Le lendemain, de vingt mille à cinquante mille manifestants défilèrent de Denfert-Rochereau à l'Étoile en chantant *L'Internationale* et en agitant des drapeaux rouges et noirs. La Sorbonne entourée de flics était inaccessible; mais Cohn-Bendit et ses camarades ne passèrent pas devant le conseil de discipline.

On a cent fois raconté la nuit épique du 10 mai, les barricades de la rue Gay-Lussac, les autos incendiées, la curée policière : les bourgeois du quartier épouvantés par cette orgie de violence dont ils furent eux-mêmes les victimes — beaucoup de paisibles passants furent molestés — ont essayé de secourir les étudiants. Toute l'opinion fut indignée.

Les premiers jours, les communistes avaient attaqué les étudiants et condamné entre autres dans *L'Humanité* « l'anarchiste allemand Cohn-Bendit ». Des pourparlers s'étaient noués le 8 entre la C.G.T. la C.F.D.T. d'une part et les syndicats d'enseignants et d'étudiants d'autre part. Le 10, un peu avant l'apparition des barricades, les deux syndicats ouvriers, la F.E.N. et l'U.N.E.F., lancèrent un ordre de grève illimitée et de manifestation contre la répression. Bien que Pompidou, revenu d'Afghanistan, eût fait rouvrir la Sorbonne le matin du 13 mai, l'après-midi du même jour, un grand défilé rassembla de la République à la place Denfert-Rochereau une foule d'étudiants, d'importantes délégations ouvrières, les leaders des partis de gauche. Sauvageot, Geismar, Cohn-Bendit — que les cégétistes avaient en vain tenté d'éliminer — venaient en tête du cortège qui comprenait de cinq cent mille à six cent mille manifestants. Ils scandaient les slogans inscrits sur des banderoles : « Étudiants, enseignants, travailleurs solidaires », « Dix ans ça suffit », « Gouvernement populaire ». Cependant, les ouvriers étaient solidement encadrés par la C.G.T. qui s'appliquait à limiter leurs contacts avec les étudiants. Place Denfert-Rochereau, elle leur donna au porte-voix et par des camions haut-parleurs l'ordre de se disperser. Une dizaine de milliers d'étudiants, suivis d'un certain nombre d'ouvriers, se rendirent au Champ-de-Mars où ils tinrent un meeting : les uns et les autres ne parlaient pas le même langage et entre eux le dialogue échoua. Mais c'était pour les enragés de Nanterre une grande victoire que d'avoir en dix jours réussi à mobiliser les syndicats. Leur mouvement était devenu très populaire.

Beaucoup de professeurs ont soutenu les étudiants, entre autres Laurent Schwartz — bien qu'on l'eût hué à Nanterre peu de temps auparavant à cause de ses positions sélectionnistes. Les professeurs Kastler, Jacob, Monod étaient intervenus en faveur des étudiants et s'étaient tenus à leurs côtés pendant la nuit des barricades. Nous n'étions pas des enseignants, mais nous nous sentions concernés. Dans un manifeste qui fut publié le 9 mai nous avons exprimé notre solidarité avec les contestataires, les félicitant de vouloir « échapper par tous les moyens à un ordre aliéné ». Nous espérions, ajoutions-nous, qu'ils sauraient maintenir une « puissance de refus » capable d'ouvrir l'avenir. Le 12 mai, à Radio-Luxembourg, Sartre a dit que le seul rapport valable des étudiants avec l'Université c'était de la casser et que pour cela il fallait descendre dans la rue. Sa déclaration a été reproduite dans des tracts distribués au Quartier Latin.

Aussitôt la Sorbonne rouverte, les étudiants l'avaient occupée. Jamais, ni dans ma studieuse jeunesse, ni même au début de cette année 68 je n'aurais pu imaginer pareille fête. Le drapeau rouge flottait sur la chapelle et sur les statues des grands hommes. Sur les murs fleurissaient les merveilleux slogans inventés quelques semaines plus tôt à Nanterre. Chaque jour apparaissaient dans les couloirs de nouvelles inscriptions, des tracts, des affiches, des dessins; sur les marches des escaliers, debout au milieu de la cour des groupes discutaient avec acharnement. Chaque formation politique avait son stand où on distribuait des tracts, des journaux. Des comptoirs palestiniens voisinaient avec un stand de « sionistes de gauche ». De jeunes gens, de moins jeunes se pressaient sur les bancs des amphithéâtres : qui voulait prenait la parole, exposait son cas, ses idées, suggérait des tâches ou des consignes; le public répondait, approuvait ou critiquait. Dans les salles de cours avaient été installés des bureaux de presse et dans les greniers une crèche. Beaucoup d'étudiants passaient la nuit dans les locaux, enfouis dans un sac de couchage. Des sympathisants apportaient des jus de fruits, des sandwiches, des plats chauds.

Je suis venue bien souvent avec des amis rôder dans les couloirs et dans la cour. Je rencontrais toujours des gens de connaissance. On flânait, on causait, on écoutait les discussions : beaucoup tournaient autour du conflit d'Israël et des Arabes, autour du problème palestinien. A partir du 15 mai ce fut aussi la fête place de l'Odéon : sur le théâtre qu'occupaient les étudiants flottait le drapeau noir. Là aussi il y avait des discussions passionnées et des prises de parole. Des orchestres jouaient du jazz, des airs de danse. Jeunes, vieux, tout le monde fraternisait.

Cependant les étudiants comprenaient que pour faire échec au régime ils avaient besoin de l'appui de la classe ouvrière. Ils avaient joué le rôle de détonateur mais ils ne pouvaient pas à eux seuls faire la révolution. Le 17 mai ils portèrent à Billancourt le drapeau rouge qui flottait sur la Sorbonne. Ils avaient écrit sur une banderole : « La classe ouvrière prend le drapeau de la lutte de la main fragile des étudiants. » En effet, des grèves éclatèrent à Nantes puis un peu partout en France. Paris eut pendant quelques jours une étrange physionomie. Le 18 mai les transports en commun s'arrêtèrent. Les cigarettes se firent rares. Les banques fermèrent et on manqua d'argent liquide. Il y eut pénurie d'essence; de longues files d'autos s'étiraient devant les rares pompes qui fonctionnaient encore : le 21 mai elles étaient toutes fermées. Les boueux se mirent en grève : les poubelles débordèrent, les trottoirs et les chaussées se couvrirent de détritus. Le 24 mai le nombre des grévistes atteignait de neuf à dix millions. Leurs revendications dépassaient de loin les réclamations salariales; ils occupaient les usines sur lesquelles ils avaient planté des drapeaux rouges. Ils clamaient des slogans : « Dix ans, c'est assez — Les usines aux ouvriers — Le pouvoir aux travailleurs. » Les étudiants recherchaient des contacts avec eux. Ils allaient en groupes aux portes des usines : les syndicats leur en barraient l'accès. La grève du F.E.N. se poursuivait : c'était une grève illimitée et les enseignants la prolongèrent pendant un mois, ce qui était contraire à toutes les traditions.

Le soir du 20 mai plusieurs écrivains ont été invités à venir à la Sorbonne discuter avec les étudiants. Accompagnés d'un groupe d'amis, nous avons, Sartre et moi, retrouvé à 10 heures devant le Balzar un jeune responsable. Il paraissait très anxieux. « Ça ne sera pas du tout conformiste, ça sera même très agité », nous a-t-il dit. Les orateurs devaient s'asseoir dans la salle, au milieu du public; faute de micro, on les entendrait très mal. Sartre serait sans doute plus ou moins hué; certains étudiants ne l'aimaient pas et comme la salle était truffée d'éléments provocateurs, on risquait même de sérieuses bagarres. C'est avec un peu d'appréhension que je suis montée au premier étage, au « Centre d'agitation culturelle » où se trouvaient déjà Marguerite Duras, Duvignaud, Claude Roy, quelques autres écrivains, plusieurs organisateurs, et le sociologue Lapassade qui était le chef du Centre. Il nous a confirmé que la séance allait être agitée; peut-être ne pourrions-nous même pas entrer dans l'amphithéâtre qui en principe contient quatre mille personnes et qui ce soir en enfermait sept mille. On nous a proposé d'aller tous dans la cour et d'y prendre la parole; une foule s'y pressait et nous avons refusé. D'ailleurs comment faire pour seulement sortir de cette pièce? Dans les couloirs c'était la cohue. Nous sommes restés un moment à piétiner sur place, et soudain Sartre a été escamoté : on l'avait emmené à la sono, nous a-t-on dit. En effet : par la fenêtre il a parlé à travers un micro aux étudiants massés dans la cour. Ensuite le bruit a couru qu'il avait disparu; je commençais à m'inquiéter quand j'ai appris qu'on avait réussi à le faire entrer dans l'amphithéâtre : pourrait-il en sortir? Comment les choses allaient-elles tourner? Au bout d'un moment, un étudiant est venu nous dire que la discussion était amorcée et que tout se passait très bien. Quelques écrivains ont grogné, fâchés d'avoir été convoqués pour rien. « Il y en a marre du vedettariat », a dit Marguerite Duras.

Mes amis et moi nous avons été attendre Sartre au Balzar. Il est arrivé au bout d'une heure, suivi d'une cohorte d'étudiants, de journalistes et de photographes. Il a raconté qu'à son entrée dans l'amphithéâtre l'assistance était plutôt houleuse, mais en quelques phrases il avait obtenu le silence. Il avait dit aux auditeurs quels espoirs il mettait dans « cette démocratie sauvage que vous avez créée et qui dérange toutes les institutions ». Et pendant une heure il avait répondu à des questions. À la fin on l'avait chaleureusement applaudi. D'autres amis nous ont rejoints qui s'étaient installés dès huit heures sur les bancs de l'amphithéâtre et qui l'avaient vu peu à peu se remplir. A neuf heures on n'y aurait pas fait entrer une souris; des étudiants s'étaient installés dans les bras de Descartes, d'autres sur les épaules de Richelieu. Ce qu'il y avait de curieux, nous a-t-on dit, c'est que cette foule venait là de toute évidence pour écouter Sartre mais que, par horreur du « vedettariat » personne ne prononçait son nom.

Par la suite, nous sommes restés en contact avec le mouvement. Nous avons plus d'une fois rencontré Geismar; Sartre a interviewé Cohn-Bendit pour *Le Nouvel Observateur*. Les jeunes de notre entourage faisaient tous partie des comités d'action. Ils vendaient le journal *Action*, ils distribuaient des tracts, ils prenaient part à toutes les manifestations.

Pour protester contre l'expulsion de Cohn-Bendit, les étudiants dressèrent des barricades dans la nuit du 23 au 24; les affrontements avec le service d'ordre furent violents. Dans la journée du 24, la C.G.T. organisa deux manifestations de soutien aux grévistes qui se déroulèrent dans un ordre parfait et se dispersèrent sans incident. Le soir, les étudiants se rassemblèrent en masse devant la gare de Lyon. Ils écoutèrent sur leurs transistors le discours où de Gaulle annonçait un référendum sur la participation et ils le huèrent. Un grand nombre d'entre eux, avec Geismar en tête, se rendirent à la Bourse et y mirent le feu; les « forces de l'ordre » se déchaînèrent : matraquages, viols et sans doute des meurtres qu'on camoufla en accidents de voiture. Le 27 mai la vaste réunion du stade Charléty où se réconcilièrent Mendès France et Mitterrand parut, malgré l'absence de la C.G.T., pleine de promesses. La C.G.T. manifesta deux jours plus tard. On pouvait espérer qu'une union de la gauche allait se réaliser, qu'elle opposerait à la bourgeoisie un programme anticapitaliste et un gouvernement de transition.

En fait, à partir de cette date, ce fut le reflux. Revenu de Baden Baden où il avait été en secret consulter l'armée, de Gaulle annonça la dissolution de l'Assemblée. Le 30 mai, un cortège gaulliste se déploya sur les Champs-Élysées. L'essence étant revenue, les Parisiens partaient en masse pour le week-end. De son côté, Séguy se vantant d'avoir réalisé des « conquêtes remarquables » décida d'arrêter les grèves et il traita de provocateurs les étudiants qui soutenaient les grévistes. Des étudiants vinrent cependant à Flins en grand nombre pour protester contre l'occupation de l'usine Renault par la police : l'un d'eux, Gilles Tautin, se noya en fuyant les « forces de l'ordre ». Le lendemain celles-ci assassinèrent à Sochaux deux ouvriers. Le soir, l'U.N.E.F. avait convoqué les étudiants gare de l'Est pour protester contre la répression; la police boucla sévèrement le quartier. Il y eut des affrontements très violents au Quartier Latin; les manifestants attaquèrent des cars et des commissariats, ils abattirent des arbres, brûlèrent des voitures, brisèrent des vitrines; il y eut parmi eux plus de quatre cents blessés. Leur violence effraya la population qui cessa de leur témoigner de la sympathie. La police avait mis au point des techniques qui rendirent désormais les rassemblements impossibles. Les manifestations furent interdites, les groupements, dissous. Citroën demeurant en grève, neuf cents mensuels furent licenciés. Une grève s'était déclenchée à l'O.R.T.F. : tous les membres du personnel qui y avaient pris part furent congédiés.

J'ai rendu une dernière visite à la Sorbonne aux environs du 10 juin. J'y ai rencontré Lapassade, très exalté. « Il se passe ici des choses terribles, m'a-t-il dit. Je vais vous les montrer. » Les caves étaient pleines de rats ce qui risquait, dit-il, d'entraîner de graves épidémies. « En fait d'épidémie, il n'y en a a qu'une, a répondu un jeune médecin : les morpions. » Tous deux se plaignaient du pourrissement général de la situation; la nuit la Sorbonne se remplissait de beatniks, de putains, de clochards. A toute heure des trafiquants de drogue venaient vendre leurs produits dans les couloirs : les amphithéâtres empestaient le haschisch et la marijuana. Nous sommes montés aux étages supérieurs où se trouvait l'infirmerie « parallèle » que le médecin accusait d'avoir volé à l'infirmerie régulière des ampoules de morphine; Lapassade affirmait qu'on s'y livrait à des trafics de drogues et même à des avortements. Il a fait ouvrir une porte fermée de l'intérieur : on s'est trouvé dans une petite pièce meublée d'une armoire et d'un lit. Il m'a présentée avec emphase et a demandé qu'est-ce qui se trafiquait dans cet endroit. « C'est pour soigner les écrivains fatigués », a dit une jeune fille en me toisant avec insolence : le fait est que j'avais vraiment l'air de vouloir me mêler de choses qui ne me regardaient pas. En redescendant l'escalier le médecin a dit qu'il partait faire de l'agitation à Rennes d'où il ramènerait des pommes de terre pour les grévistes : la Sorbonne, il en avait par-dessus la tête. Lapassade m'a ensuite montré des « Katangais » casqués et armés de barres de fer; ils défendaient la Sorbonne contre les éventuelles attaques d'*Occident* et se montraient très durs dans les bagarres contre la police; mais Lapassade trouvait dangereux que les étudiants fussent plus ou moins entre les mains de ces mercenaires, dénués de toute conviction politique : beaucoup étaient réellement d'anciens « affreux ». Lapassade voulait absolument me faire descendre dans les caves pour voir les rats, mais j'ai refusé : j'ai refusé aussi d'écrire l'article qu'il souhaitait sur le « pourrissement de la Sorbonne ». Je ne partageais pas ses indignations, et de toute façon ce n'était pas à moi de dénoncer les étudiants. L'article demandé a paru le 12 juin dans *Le Monde* sous la signature de Girod de l'Ain.

Peu après, la Sorbonne et l'Odéon ont été évacués. Les flics ont de nouveau pullulé au Quartier Latin. Quelques étudiants ont encore lancé des cocktails Molotov du haut des toits. Et puis le calme est revenu — un calme mortuaire. Dans les rues, on recouvrait de goudron les pavés. Des ouvriers montés sur des échelles grattaient systématiquement les inscriptions et raclaient les belles affiches. D'abord sympathisant ou du moins indulgent, le pays avait pris peur, il aspirait à l'ordre. Les élections furent un éclatant succès pour les gaullistes. La révolution avait avorté.

Les plus éclairés parmi les étudiants n'avaient jamais pensé qu'elle pût s'accomplir. Ils appartenaient presque tous à des comités provietnamiens et ils avaient été influencés par la résistance du Vietnam : elle prouvait qu'une minorité décidée pouvait tenir en échec des forces supérieures. C'est ainsi qu'ils avaient été amenés à jouer le rôle de détonateur. Mais ils savaient que le grand mouvement qu'ils avaient déclenché n'irait pas tout de suite jusqu'à renverser le régime : « La révolution ne se fera pas en un jour et l'union des étudiants et des ouvriers n'est pas pour demain », avait dit Cohn-Bendit. Mais s'ils reconnaissaient leur échec ils gardaient l'espoir : « Ce n'est qu'un début, continuons le combat. »

Sartre a souligné dans plusieurs interviews ce qui faisait selon lui l'originalité de l'explosion de mai. Au vieux moteur des révolutions qui était le besoin les étudiants avaient substitué une revendication neuve : celle de la souveraineté. Dans notre société technocratique, l'idée de pouvoir est devenue plus

476

importante que celle de propriété; c'est le pouvoir qu'ils réclamaient : celui de tenir leur sort entre leurs propres mains. Ils
comprenaient qu'en ce monde déshumanisé l'individu se définit
par l'objet qu'il produit ou par la fonction qu'il remplit : ils se
révoltaient contre cette situation, ils réclamaient de décider
eux-mêmes de leur rôle. Les jeunes ouvriers avaient suivi leur
exemple : ils s'étaient rebellés contre la condition prolétarienne,
ce qui était un fait neuf, et très important.

Les partisans de l'ordre n'ont voulu voir dans les événements
de Mai qu'une explosion juvénile et romantique : il s'agissait
en réalité d'une crise de la société, et non de celle d'une génération. Les étudiants, devenus de plus en plus nombreux et
n'apercevant devant eux aucune perspective, avaient été le
lieu où avaient éclaté les contradictions du néo-capitalisme :
cet éclatement mettait en jeu tout le système et concernait
immédiatement le prolétariat. C'est bien pour cela que neuf à
dix millions de travailleurs s'étaient mis en grève. Pour la
première fois depuis trente-cinq ans avait été posée la question
de la révolution et du passage au socialisme dans un pays
capitaliste avancé. Mai avait démontré que la lutte pour le
contrôle ouvrier était possible, l'initiative créatrice des masses
nécessaire. Il avait aussi indiqué les conditions d'un combat
efficace pour le socialisme : il était indispensable de créer une
avant-garde capable de mener à bien une révolution dans les
pays capitalistes développés.

Ce fut indirectement le mouvement de Mai qui entraîna le
27 avril 69 la défaite de De Gaulle. Nous l'avons accueillie
avec plaisir. Et le désarroi de l'équipe au pouvoir nous a bien
divertis. Dans son discours à la radio La Malène, décomposé,
a appelé Waldeck-Rochet : Baldeck-Wochet. Ces messieurs
annonçaient que des « troubles » allaient se produire. Il n'y en
eut pas. Mais choisir entre Poher et Pompidou ne nous intéressait pas. Nous n'attachions aucune importance à un changement
de personnel qui n'altérait en rien le fonctionnement du système. Comme beaucoup de Français nous nous sommes abste-
nus de voter.

Nous souhaitions garder le contact avec les « gauchistes ».
Ne pourraient-ils pas trouver dans *Les Temps modernes* une
tribune où leurs diverses tendances s'exprimeraient? Pendant
l'été 1969 nous avons rencontré à Rome les deux frères Cohn-

Bendit, Kravetz, François George et plusieurs de leurs camarades. Ils revenaient de vacances passées sur une plage italienne. Ils semblaient nerveux et plus ou moins hostiles les uns aux autres. Ils rappelaient avec nostalgie les événements de Mai, chacun insistant sur le rôle qu'il y avait joué, et tous s'accusant mutuellement d'avoir une mentalité d'anciens combattants. Ce qui nous a frappés surtout c'est qu'ils avaient une mentalité de vaincus. Après la fête de Mai, ils se retrouvaient les mains vides. Ils ont mis en accusation *Les Temps modernes*, leur reprochant d'être devenus une institution. Le projet de réunir les groupuscules n'a donc pas abouti.

Cependant Sartre a continué à voir de loin en loin des gauchistes. En avril 70, la *Gauche prolétarienne* se sentant isolée et menacée d'anéantissement a pris contact avec lui. Son journal, *La Cause du Peuple* était systématiquement saisi; on venait d'arrêter ses deux directeurs successifs, Le Dantec et Le Bris : sauf pendant l'occupation l'arrestation d'un directeur de publication ne s'était pas produite en France depuis 1881. Contre une répression aussi cynique, que pouvait-on faire? Après avoir envisagé plusieurs solutions, Sartre proposa d'assumer la direction de *La Cause du Peuple*. Il fit savoir qu'il n'en acceptait pas toutes les thèses. En particulier il regrettait que la G.P. assimilât son action à celle de la résistance, le rôle du P.C. à celui des collaborateurs, qu'elle parlât d'une « occupation » de la France par la bourgeoisie et de « libération du territoire ». Ces analogies lui semblaient aussi mal fondées que maladroites. Mais sur le fond, il sympathisait avec les maos. Il les approuvait de vouloir ressusciter la violence révolutionnaire au lieu de la mettre en sommeil comme faisaient les partis de gauche et les syndicats. Les actions permises — pétitions, meetings — étaient sans portée : il fallait passer à des actions illégales. Il décida donc de diriger officiellement *La Cause du Peuple*, c'est-à-dire d'endosser la responsabilité de tous les articles qui y paraîtraient. Il aurait donc dû être aussitôt arrêté : il ne le fut pas. Quand un numéro était saisi le pouvoir se bornait à ouvrir une information contre X.

Je l'ai accompagné fin mai au procès où comparaissaient Le Dantec et Le Bris. Le Palais de Justice était cerné par des cars de police et la salle comble. Derrière moi étaient assis deux rangées de policiers en civil et d'autres, en uniforme, se tenaient debout tout autour de la salle. J'ai reconnu dans l'assistance beaucoup de figures de connaissance, entre autres celle de Gisèle Halimi. Sartre n'était appelé à témoigner qu'en fin d'après-midi, nous avons été déjeuner dans un restaurant voisin. Des journalistes sont venus demander à Sartre une déclaration sur la dissolution de la *Gauche prolétarienne* qui venait d'être décrétée ce matin même : nous l'ignorions. Un peu plus tard Gisèle Halimi est venue nous chercher. Elle nous a raconté que pendant la lecture des articles de *La Cause du Peuple* incriminés, avocats et stagiaires — nombreux dans la salle — avaient frémi d'horreur : « Comment laisse-t-on imprimer des choses pareilles! »

Nous avons repris nos places au moment où un ancien mineur déposait comme témoin; son père était mort de silicose; il a décrit la condition des mineurs et accusé la société de les réduire au désespoir; il a félicité *La Cause du Peuple* de donner la parole aux travailleurs alors que la presse bourgeoise étouffe leurs voix. Ensuite un O.S. aux longs cheveux a défendu la récupération par la G.P. d'un lot important de tickets de métro qu'elle avait distribués à des ouvriers. Un autre a évoqué les violences commises à Flins par des policiers. Un Franciscain a réclamé d'être lui aussi inculpé puisqu'il dirigeait un journal où il défendait les mêmes thèses que *La Cause du Peuple*. Un Dominicain connu, le père Carbonnel, s'appuyant sur des encycliques papales a accusé les riches d'être des voleurs. Tous les témoins étaient chaleureux et convaincants, mais ils parlaient dans le vide. La décision du président était prise d'avance.

Sartre a souligné le scandale de sa présence à la barre des témoins alors que les deux autres directeurs se trouvaient au banc des accusés. Il ne réclamait pas qu'on l'arrêtât, mais qu'on libérât Le Dantec et Le Bris. Les avocats lui ont demandé comment il expliquait que la dissolution de la G.P. ait eu lieu justement le jour du procès mais le président lui a interdit de répondre.

Le procureur a demandé au tribunal de suspendre définitivement *La Cause du Peuple* : il a essuyé un refus si bien que le journal a conservé une existence légale.

Les étudiants ont tenu des meetings; des bagarres ont eu lieu entre eux et la police à Censier, à la Faculté des Sciences, et jusqu'à trois heures du matin au Quartier Latin et sur le bou-

479

levard Saint-Germain. Le lendemain, après le verdict qui condamnait Le Dantec à un an de prison et Le Bris à huit mois, il y a eu des actes de violence exécutés par de petits commandos que les policiers pourchassaient à moto. Geismar, accusé d'avoir encouragé les « casseurs » par des paroles prononcées au cours d'un meeting, fut l'objet d'un mandat d'arrêt. La police se mit à sa recherche.

Quelques jours plus tard elle encercla l'atelier de Simon Blumenthal qui est l'imprimeur de *La Cause du Peuple* : soixante-quinze mille exemplaires du journal avaient déjà été mis en lieu sûr. Elle voulut emmener Blumenthal pour une « garde à vue ». Mais les ouvriers l'en empêchèrent. Le lendemain s'est tenue chez moi une conférence de presse pour dénoncer l'arbitraire de ces agissements : Blumenthal était dans son droit en imprimant un journal dont l'existence était légale; l'illégalité, c'était de venir le brimer dans son activité professionnelle. Radio-Luxembourg et plusieurs journaux — entre autres longuement *Le Monde* — ont rendu compte de cette conférence.

Les « Amis de la Cause du Peuple » ont formé une association que président Michel Leiris et moi-même. La Préfecture de police a refusé de nous donner un récépissé. Nous avons porté plainte. D'abord nous avons été déboutés; puis nous avons fini par gagner. Avec Davezies, Tillon, Halbawchs et beaucoup d'autres Sartre a adhéré au Secours rouge destiné à venir en aide aux victimes de la répression. Ils espéraient réaliser par là un regroupement des gauchistes de toutes tendances.

Trente vendeurs de *La Cause du Peuple* se trouvaient en prison : on les accusait d'avoir voulu reconstituer la *Gauche prolétarienne*. Quelques-uns des amis de *La Cause du Peuple* ont décidé d'aller distribuer le journal dans la rue. Nous voulions, non pas nous faire arrêter comme le prétendent M. Dutourd et *Minute*, mais mettre le gouvernement en contradiction avec lui-même du fait qu'il ne nous arrêterait pas. Nous n'étions qu'une dizaine, mais escortés d'un grand nombre de journalistes et de photographes, si bien que nous déplacions beaucoup d'air. Rue Daguerre, dans ce décor qui m'est si familier, devant un des commerçants chez lesquels je me ravitaille, nous avons sorti d'une voiture des sacs remplis de journaux et de tracts que nous nous sommes partagés. Il était cinq heures et demie et beaucoup de gens faisaient leur marché. Nous avons fendu la cohue en criant : « Lisez *La Cause du Peuple*. Pour la liberté de la presse! » et en distribuant des exemplaires; puis nous avons suivi l'avenue du Général-Leclerc où la foule était encore plus dense. Certains passants refusaient le journal d'un air de réprobation : « C'est interdit », a dit un homme; d'autres le prenaient avec indifférence; d'autres le réclamaient. Une marchande de poisson, assise devant son éventaire, a demandé : « On nous vend des médicaments qui nous empoisonnent : votre journal parle de ça? — Il parle de tous les torts qu'on vous fait. — Alors donnez-m'en un. » Un rassemblement a commencé à se former; un jeune flic a interpellé Sartre, lui a pris un paquet de journaux et mis la main sur le bras. Les photographes les ont aussitôt mitraillés et comme nous nous mettions en marche vers le commissariat, quelqu'un dans la rue a crié : « Vous arrêtez un prix Nobel! » Le flic a lâché Sartre qui l'a suivi, cependant que des amis criaient : « Au voleur! », mais le flic marchait de plus en plus vite, il courait presque; alors nous sommes revenus sur nos pas et nous avons continué la distribution. Amusés, curieux, les gens se sont arraché les numéros. Nous sommes arrivés à Alésia les mains vides. Nous nous sommes réunis dans un endroit tranquille pour rédiger un communiqué qui a été transmis aux journaux. Déjà Radio-Luxembourg rendait compte de l'opération : on entendait nos voix — Lisez *La Cause du Peuple* — et les explications données par Sartre en cours de route : *La Cause du Peuple* n'était pas interdite, l'arrestation de ceux qui la vendaient était une illégalité. Nous avions réussi à tenir trente-cinq minutes. *Le Monde* a donné le 22 juin un bon compte rendu de cette petite démonstration.

Nous avons recommencé le vendredi 26. Nous étions beaucoup plus nombreux que la première fois. Nous nous sommes réunis sur les boulevards, devant le Rex — en face de *L'Humanité* — et nous avons marché vers Strasbourg-Saint-Denis, escortés de journalistes et de photographes. Nous distribuions nos exemplaires aux passants et aux gens assis aux terrasses des cafés. On nous regardait avec indifférence, avec hostilité, ou avec sympathie : beaucoup de gens nous souriaient. Au bout d'un quart d'heure nous avons traversé la chaussée et nous sommes revenus sur nos pas, en suivant l'autre trottoir. Quatre ou cinq agents se sont approchés et sont repartis. Ils sont revenus avec un panier à salade. « On ne vous arrête pas. On vous emmène pour vérification d'identité », nous ont-ils dit. Quand notre car s'est arrêté devant le poste de police, on nous y a tous fait entrer, sauf Sartre à qui on a dit : « Vous, vous êtes libre, monsieur Sartre. » A l'intérieur il y avait déjà une dizaine de camarades : nous étions en tout une vingtaine. Pendant qu'on examinait nos cartes d'identité, Sartre est arrivé. Abandonné, seul dans la rue avec un paquet de journaux sous le bras, il s'était mis à les distribuer. Alors on l'avait fait entrer.

Ils ont commencé à établir nos fiches : « A part M. Sartre, il n'y a pas de personnalités ici? Bertrand de Beauvoir, ce n'est pas l'écrivain... » Alors nous avons dit en chœur : « Nous sommes tous des personnalités. — Je ne connais aucun d'entre vous. — Ce n'est pas de notre faute si vous manquez d'information : nous sommes tous des personnalités. — Bon, alors moi aussi », a dit le flic d'un air excédé. Ils nous ont demandé, à Sartre et à moi, de les suivre dans un bureau : ils voulaient nous relâcher, et garder les autres. Nous avons refusé. Alors les flics ont commencé à s'agiter, ils se sont suspendus au téléphone pendant un long moment et l'un d'eux a dit très haut : « C'est une histoire de fous! — On ne vous le fait pas dire! » a crié un des nôtres. Nous nous amusions beaucoup. Ils recevaient évidemment la consigne de relâcher Sartre à tout prix mais de garder les autres, ce que notre attitude rendait impossible. Une heure plus tard sont arrivés des policiers en civil et un chef en uniforme galonné d'argent. D'ici à une demi-heure nous serions tous relâchés, a-t-il promis en aparté à Sartre. Soit : mais Sartre et moi nous sortirions les derniers, avons-nous déclaré. On nous a laissés aller par petits groupes. Je suis partie deux minutes après Sartre que j'ai trouvé au coin de la rue, entouré de journalistes et parlant dans des micros. J'ai parlé aussi. Sartre a répété qu'il ne voulait pas du tout se faire arrêter, mais mettre le gouvernement en contradiction avec lui-même : il y avait parfaitement réussi, le désarroi des policiers en témoignait. Ces déclarations et le récit des incidents étaient retransmis à Truffaut, qui ce jour-là faisait une émission à Radio-Luxembourg, et qui les communiquait aux auditeurs. L'opération a donc reçu une assez large publicité. Le soir, la Télévision en a donné quelques aperçus et l'a commentée avec impartialité. En Suisse, en Allemagne, en Italie, en Angleterre, les télévisions en ont aussi rendu compte. C'est sans doute pourquoi les journaux français y ont consacré de longs papiers : toute une page dans *Combat*, de longs articles dans *Le Monde*, dans *Le Figaro*. A la une de *France-Soir* on nous voyait Sartre et moi à travers la grille du panier à salade. Seul *Paris-Presse* a fait des commentaires venimeux, prétendant que Sartre enrageait d'être laissé en liberté.

A Paris et l'été à Rome, Sartre a continué à avoir des relations suivies avec les gauchistes. Il a donné une interview à *L'Idiot international* dont j'ai accepté — avec les mêmes réserves que Sartre touchant *La Cause du Peuple* — de prendre officiellement la direction. De retour à Paris, Sartre a pris la direction de deux autres journaux gauchistes : *Tout* et *La Parole au peuple*. Il s'est aussi beaucoup occupé du Secours rouge qui s'est implanté dans de nombreuses villes de France.

Le gouvernement s'obstinant à saisir *La Cause du Peuple* — qui n'en était pas moins largement distribuée — nous avons encore fait une démonstration en sa faveur pendant l'automne 70. Le jour de la sortie du numéro 37, les « *Amis de la Cause du Peuple* » se sont rendus à l'imprimerie. L'un d'eux est venu me chercher chez moi en auto : « Il y a une voiture de flics au coin de votre rue », m'a-t-il dit. Bien que sachant que Sartre faisait l'objet d'une surveillance policière, je ne voulais pas le croire. Mais dès que nous avons démarré, la voiture a démarré derrière nous ; elle s'est arrêtée en même temps que nous devant l'immeuble de Sartre. Par une adroite manœuvre notre conducteur l'a semée. Il faisait un beau temps d'automne, bleu et doré, et c'était un plaisir de traverser Paris. Dans l'atelier, une machine pliait bruyamment, à un rythme précipité, les feuilles imprimées de *La Cause du Peuple*. Vers midi un grand nombre de gens étaient rassemblés, parmi lesquels se trouvaient beaucoup de journalistes et des reporters de diverses télévisions. Maspero, Blumenthal, Sartre ont parlé à la presse et devant les magnétophones. Nous avons transporté chez Maspero trois mille exemplaires du journal : les policiers en civil que nous avions semés nous avaient retrouvés et ils nous ont suivis, sans intervenir. Nous avons entreposé des exemplaires à *La Joie de lire* et nous en avons distribué dans la rue. Un car de police stationnait à quelques pas mais il nous a laissés faire. Cependant trois jeunes gens qui s'étaient aventurés sur le boulevard Saint-Michel ont été appréhendés. Godard, Delphine Seyrig, Marie-France Pisier se sont fait volontairement embarquer avec eux. Nous nous sommes tous rendus au commissariat de la place du Panthéon et nous sommes restés devant la porte, parlant avec des journalistes et devant des télévisions étrangères jusqu'à ce que nos six camarades sortent du commissariat. La voiture de police chargée de nous suivre était là et un des policiers posté à une fenêtre du premier étage a pris de chacun de nous une quantité de photos. Leur auto nous a escortés jusqu'au restaurant où nous avons été déjeuner. C'était gaspiller de façon si absurde l'argent des contribuables que j'avais peine à en croire mes yeux.

Une action beaucoup plus importante, c'est celle que le Secours rouge a organisée à Lens en décembre. En février 70, seize mineurs ont été tués et plusieurs autres blessés par un coup de grisou à Hénin-Liétard. La responsabilité des Houillères dans cet accident était évidente et par représailles quelques jeunes gens, non identifiés, ont jeté des cocktails Molotov dans les bureaux de la direction, provoquant un incendie. La police a arrêté sans l'ombre d'une preuve quatre maoïstes et deux repris de justice. Ceux-ci ont reconnu avoir lancé les explosifs et ont accusé les quatre maoïstes d'être leurs complices. Le procès des « incendiaires » devant avoir lieu le lundi 14 décembre, le Secours rouge a convoqué le samedi 12 à Lens, dans la plus grande salle de la mairie, un tribunal populaire. Pour préparer cette séance, Sartre a été enquêter sur place à Hénin-Liétard et il a couché dans un coron.

Lens est une ville minière, noire et laide. Comme Noël approchait les rues étaient décorées de cheveux d'ange, de guirlandes et de lampions. La grande salle de l'Hôtel de Ville — un vaste bâtiment moderne qui se dresse sur la place principale — était à quatre heures de l'après-midi pleine de monde : de sept cents à huit cents personnes. Sur les murs étaient placardées de grandes photographies représentant les mineurs tués dans l'accident. Au-dessus de la scène qui servait d'estrade se déployait une banderole : « Les Houillères Assassins ». Sartre s'est assis sur l'estrade à une petite table, à côté d'un professeur barbu et chevelu au poil roussâtre, qui est le principal responsable du Secours rouge de la région Nord. Il boitait, et il avait des ecchymoses sur le visage parce que deux jours plus tôt, deux inconnus, qui s'étaient glissés dans sa propre voiture, avaient tenté de lui passer sur le corps. A une autre grande table était installée une sorte de jury : la vieille Mme Camphin, à demi aveugle, au visage squelettique, mère et épouse de mineurs résistants, fusillés par les Allemands pendant la guerre; un ingénieur, un médecin, un ancien mineur. L'ingénieur a lu un texte imprimé qui exposait le point de vue du patronat. Un autre ingénieur a pris le micro et a mis en pièces ce compte rendu; d'autres témoins ont appuyé ses accusations. La faute des Houillères était éclatante. Ce jour-là, on a enlevé un ventilateur pour le remplacer par un autre, plus puissant; en attendant que celui-ci ne fût posé, le grisou s'est accumulé dans la galerie. On n'en a pas moins envoyé les mineurs au fond de la mine. On aurait dû effectuer l'opération un jour férié ou interrompre le travail tant que le second appareil n'aurait pas commencé à fonctionner. Mais comme toujours on a fait passer le profit avant la sécurité. Il a suffi d'une étincelle pour provoquer l'explosion meurtrière. D'autres témoins ont démontré que les accidents de travail n'étaient pas dus à cette « fatalité » derrière laquelle le patronat cherche à s'abriter mais à l'indifférence des employeurs à l'égard des risques courus par les travailleurs : jamais il ne se produit d'accident quand des « personnalités » descendent dans une mine parce que alors toutes les précautions sont prises.

Ensuite des médecins ont fait sur la silicose des exposés saisissants; elle tue neuf cents mineurs par an; des autres elle fait avant la quarantaine de semi-infirmes ou de grands malades. Ils ont dénoncé la complicité intéressée de la plupart de leurs collègues : pour épargner aux Houillères d'avoir à payer une pension, ils refusent de faire un diagnostic de silicose même si le malade est déjà gravement atteint et ils le renvoient au fond de la mine. En cas de décès, la veuve ne touche une pension que si son mari est mort silicosé à plus de 50 % et pour s'en assurer on procède à une autopsie à laquelle elle est obligée d'assister : on espère qu'elle préférera renoncer à sa pension. D'anciens mineurs ont décrit leurs cas particuliers et dénoncé avec colère les dangers auxquels on les expose, les mutilations qui en résultent, la mauvaise foi des médecins de qui leur pension dépend. Ils ont reproché aux syndicats de ne pas soutenir leurs revendications. Sartre a résumé dans un réquisitoire l'ensemble des accusations portées contre l'État patron. Il a déjoué l'argument du patronat : « Ce sont les travailleurs eux-

mêmes qui négligent de prendre les précautions nécessaires. »
Car s'il assure sa sécurité, le mineur diminue son rendement
et il sera moins payé. C'est l'État patron qui est responsable
des accidents et des maladies professionnelles : et il fait payer
la défense de l'ouvrier contre ces maux par l'ouvrier lui-même.
On donne des consignes de sécurité en haut lieu : mais on sait
que le mineur les suivra mal, sinon il verrait son salaire diminuer d'une manière pour lui dramatique. « Si tu fais ta sécurité,
disait l'un d'eux à un camarade, tes enfants ne mangeront
jamais de viande. »

On a reproché à Sartre de s'être « érigé en juge ». En fait il a
requis et non jugé. Le verdict a été prononcé par l'assistance
tout entière. « A quoi bon puisqu'il ne peut y avoir de sanction ? »
a-t-on objecté encore. Une telle condamnation a cependant
son efficacité; c'est un avertissement agressif adressé au
patronat et une manière d'alerter l'opinion. Plus s'ébruitera
le scandale des assassinats perpétrés au nom du profit, moins
ils deviendront faciles à exécuter.

Le lundi suivant, les six « incendiaires » supposés ont été
acquittés, y compris ceux qui avaient avoué leur acte et
faussement dénoncé les maoïstes. Il y a eu évidemment dans
cette affaire des machinations policières si louches qu'on a
préféré faire le silence en relâchant tout le monde [1].

Fin janvier j'ai participé à un meeting organisé à la Mutualité par les « Amis de la Cause du Peuple ». Notre association
venait d'être reconnue et le gouvernement s'était fatigué
de faire saisir ce journal : nous voulions informer le public
de ces victoires. Michel Leiris présidait la réunion, à laquelle
Sartre n'a pas pris part. J'ai parlé sur le thème de l'illégalité
gouvernementale au sein d'une pseudo légalité, et j'ai beaucoup
diverti la salle en racontant nos démêlés avec la police au cours
des distributions de *La Cause du Peuple*.

Les autres orateurs ont surtout parlé de la grève de la faim
entreprise par les détenus politiques pour obtenir une amélioration de leur régime. Geismar — que la police avait réussi à
arrêter — bien que jouissant d'un régime relativement privilégié se solidarisait avec eux. Ils réclamaient, pour les droits

1. La règle est de relâcher les donneurs quand les accusés qu'ils ont dénoncés
sont effectivement coupables. Mais dénoncer des innocents n'avait jamais jusque-là
entraîné la relaxation d'individus ayant avoué un délit.

communs comme pour eux-mêmes, des conditions d'incarcéra-tion plus supportables : entre autres le droit d'avoir des livres et de recevoir des visites.

Quelques gauchistes ont décidé de jeûner eux aussi pour soutenir ces revendications. Le prêtre qui dessert la chapelle Saint-Bernard — dans les sous-sols de la gare Montparnasse — a accepté de les héberger. Parmi eux se trouvait Michèle Vian et j'ai été souvent les voir. Ils campaient dans un vaste centre d'accueil, attenant au bureau du prêtre. Ils avaient couvert les murs d'affiches, de dessins, de slogans, de manifestes : ils en avaient placardé aussi dans le couloir et sur le mur de la gare pour expliquer leur action. Ils n'absorbaient chaque jour qu'un litre et demi d'eau minérale et cinq morceaux de sucre. Cependant — à la différence de ce qui se passe d'ordinaire — ils ne gardaient pas le lit. Ils discutaient entre eux, ils recevaient des journalistes et des visiteurs à qui ils vendaient des journaux de gauche, empilés sur une table; ils renouvelaient leurs placards, rédigeant des textes, inventant de nouveaux slogans. Chaque après-midi, ils sortaient quelques instants pour prendre l'air.

Une nuit, vers minuit, on a sonné chez moi; c'était, hagardes, Michèle et une autre gréviste. Un commando fasciste avait forcé leur porte, ils avaient expulsé les femmes, elles ne savaient pas ce qui était en train d'arriver à leurs camarades. Elles ont téléphoné au prêtre qui est venu les chercher. Les grévistes avaient heureusement réussi à se barricader dans son bureau et par téléphone ils avaient donné l'alarme. Le commando s'est retiré après avoir brisé les bouteilles, les vases et arraché toutes les affiches. Ils sont revenus une autre nuit mais cette fois les gauchistes avaient des gardes et ils n'ont pas pu entrer. On n'a jamais su s'il s'agissait de membres d'*Occident* ou — plus vraisemblablement — de provocateurs policiers. Bientôt la presse bourgeoise elle-même a pris parti pour les grévistes et Pleven a capitulé. Il a accordé le régime spécial qu'ils réclamaient aux détenus qui avaient fait la grève de la faim. Il a nommé une commission chargée de définir les circonstances dans lesquelles un délit devait être considéré comme politique et pour améliorer le statut des droits communs [1]. Les grévistes

1. Six semaines s'étaient déjà écoulées et rien encore n'avait été fait le 1er mai 1971.

487

de la chapelle Saint-Bernard avaient tenu vingt et un jours. Ils avaient maigri mais ils se portaient bien.

C'est pendant cette période — le 6 février — qu'à la demande du journal *J'accuse* je me suis rendue à Méru pour y faire un reportage. Il s'agissait d'un « accident de travail » particulièrement atroce. Le 11 mai 67, l'usine Rochel — qui avait pour objet le conditionnement de produits gazeux pour la fabrication d'insecticides et de produits de beauté — a explosé. Des témoins horrifiés ont vu sortir des ateliers des jeunes filles changées en torches vivantes, a demi nues, qui se roulaient sur le sol en hurlant. Sur quatre-vingt-sept ouvriers — en majorité de très jeunes filles — présents ce matin-là, il y eut cinquante-sept victimes qu'on transporta d'urgence à l'hôpital. Trois moururent. Les autres subirent pendant des mois — beaucoup pendant dix-huit mois — des traitements horriblement douloureux. Tous sont restés plus ou moins handicapés.

La grande presse lorsqu'elle rendit compte de la catastrophe parla d'un drame dû à la fatalité. Cependant, les responsabilités du directeur de l'usine, M. Bérion, étaient si évidentes que le tribunal lui imputa une « faute inexcusable » et le condamna pour homicide par imprudence. Il se borna cependant à lui infliger un an de prison avec sursis et vingt mille francs d'amende. (M. Bérion a d'ailleurs bénéficié d'une amnistie et dirige une nouvelle affaire prospère.) L'enquête que j'ai menée auprès des ouvriers et auprès de M. P., directeur de la fabrication qui, écœuré, avait quitté son poste en février 67, m'a prouvé que M. Bérion méritait d'être qualifié d'assassin.

L'usine Rochel était classée dans la catégorie des établissements particulièrement dangereux parce qu'elle utilisait des gaz inflammables; elle en stockait vingt-sept tonnes au lieu des quinze tonnes autorisées. Par suite de la déficience des installations et de l'insuffisance des contrôles, il se produisait souvent des fuites de gaz qui se répandait sur le sol car les tuyaux circulaient dans des tranchées non ventilées. Souvent aussi les vannes des cuves de propane et de butane étaient mal fermées. Il y eut plusieurs débuts d'incendie. C'est un jeune ouvrier de quinze ans (!) Marc Vinet, qui était chargé d'ouvrir l'usine à sept heures du matin et de contrôler les installations. Quand il arriva, le 11 mai 1967, tout lui parut normal. Mais vers huit heures quinze, il s'aperçut qu'une épaisse couche de gaz s'échappait de la machine productrice. (« On voyait le gaz s'échapper, m'a dit une ouvrière. Au contact de l'air, ça formait de petits cristaux blancs. Une camarade s'est plainte : "Ça me gèle le dos ". » Une autre m'a dit : « Il y avait une nappe de gaz, on la voyait : c'était blanc; non, plutôt gris, comme un brouillard. ») Il a fait prévenir un chef qui a fermé le robinet et lui a dit de mettre en marche l'étiqueteuse [1]. Il a refusé en disant : « Ça va sauter. — Mais non. Allez-y, a dit le chef et il a ajouté : C'est un ordre. » Marc Vinet a obéi. Il y a eu une étincelle. Le gaz s'est enflammé. Tout le monde s'est enfui. Mais les couloirs étaient obstrués, beaucoup de portes· bloquées par des morceaux de carton; elles auraient dû réglementairement s'ouvrir dans le sens de la sortie : or, elles étaient coulissantes. Le double plafond était en nylon : il a pris feu et s'est effondré; les blouses en polyéthylène que la direction faisait endosser aux jeunes filles ont brûlé. Tout l'atelier a flambé.

Pourquoi l'étincelle a-t-elle jailli? La réponse est accablante pour Bérion. Les règlements exigeaient que les installations électriques fussent de type étanche et les moteurs électriques munis de dispositifs antidéflagrants. Or pour réaliser une économie d'environ deux mille cinq cents francs il a sciemment commandé une étiqueteuse (celle qui a produit l'explosion) de type classique. Les installations électriques étaient si défectueuses qu'aucune entreprise locale n'acceptait de faire les quelques hâtives réparations que Bérion demandait : il aurait fallu fermer l'usine pendant plusieurs jours, et tout refaire. Bérion n'ignorait pas que cette année déjà plusieurs court-circuits s'étaient produits. En mai 66, l'Association des propriétaires d'appareils à vapeur et électriques avait réclamé, après examen, de nombreuses modifications des appareils, ceux-ci n'étant pas équipés des dispositifs de sécurité exigés. Le service de prévention de la Caisse régionale de Sécurité sociale avait également adressé des observations à Bérion. Il n'a tenu compte d'aucun de ces avertissements. M. P. m'a raconté que lorsqu'il lui rappelait les consignes de sécurité, Bérion répondait : « Ne faites pas l'andouille. Faites-les cravacher, c'est tout ce qu'on vous demande. »

1. La machine qui colle les étiquettes sur les bombes.

Et les inspecteurs du travail? « On n'en a jamais vu. » « En tout cas ils ne sont jamais entrés », m'ont dit les ouvrières. Le tribunal d'Amiens lui-même a dénoncé la « carence » de l'inspection du travail. Le fait est que partout en France les inspecteurs qui doivent en principe assurer la sécurité des travailleurs se font complices des patrons. Ils ferment les yeux. Ils y sont encouragés en haut lieu. En France, 80 % des usines ne respectent pas les mesures de sécurité exigées par le code du travail : la productivité et le profit baisseraient si les inspecteurs dénonçaient ces abus.

Il y a eu dans cette affaire un autre scandale : l'attitude de la justice. Le procès n'a eu lieu que deux ans après la catastrophe. Bérion s'en est tiré à bon compte. Le chef qui a donné l'ordre de mettre la machine en marche n'a pas été inquiété.

Un troisième scandale, ce sont les mesures prises par la Sécurité sociale. Quand le taux d'invalidité est inférieur à 50 %, l'invalide ne touche que la moitié de la pension à laquelle ce taux devrait lui donner droit; pour 14 % d'invalidité, il touche 7 % de son salaire. Les médecins conseils de la Sécurité en épousent les intérêts, et non ceux des victimes. A Méru la plupart de celles-ci se sont vu attribuer un taux d'invalidité variant de 14% à 20 % et touchent dans les quatre cents francs par trimestre. Encore cette somme ne leur est-elle allouée que si elles ont repris du travail, sinon on les accuse de vouloir vivre aux frais de l'État.

Pourquoi n'intentent-ils pas un procès contre la Sécurité pour faire augmenter leurs pensions? C'est qu'au cas où ils le perdraient, tous les frais seraient à leur charge!

Ce qu'il y a de monstrueux, m'a dit un médecin de la région, c'est que la Sécurité sociale n'a voulu tenir compte — et de manière très insuffisante — que de l'incapacité de travail. Mais d'autres choses sont en jeu. Beaucoup de jeunes filles sont moralement marquées par les douleurs atroces qu'elles ont subies pendant des mois. Elles font des dépressions nerveuses. Elles vivent dans la peur. L'importance des dommages esthétiques est considérable quand il s'agit de jeunes femmes : elles ont honte de leur visage, de leur corps. Enfin pour beaucoup d'entre elles l'avenir est inquiétant. Elles risquent des désordres circulatoires et certaines, le cancer.

On voit l'analogie de cette affaire avec celle des Houillères de Lens. Dans les deux cas, le patronat a pu assassiner impunément. L'inspection du travail, les médecins, les tribunaux se font complices. Et ces deux cas ne sont pas exceptionnels, mais dramatiquement typiques. Dans 80 % des usines de France, la sécurité est sacrifiée au profit et chaque jour les travailleurs risquent leur peau.

Si on m'a demandé de venir à Méru, quatre ans après l'accident, c'est que les victimes tentent de s'organiser pour obtenir une augmentation de leur pension. Je me suis félicitée d'avoir accepté, d'abord parce que je pense que de tels scandales doivent être dénoncés et l'opinion alertée; et parce que cette journée m'a personnellement beaucoup appris. J'ai rencontré de jeunes ouvrières, je suis entrée dans leurs maisons, je les ai vues vivre, je les ai écoutées, j'ai parlé avec leurs familles. Ç'a été une expérience très limitée, les usines de Méru étant de petites entreprises implantées en zone rurale et les ouvrières presque toutes filles de paysans; mais j'ai eu de leur condition une vision plus concrète qu'à travers des analyses livresques.

J'ai réalisé aussi combien il était nécessaire qu'existe cette presse gauchiste que le pouvoir persécute : nulle part ailleurs on ne se soucie de parler en détail et en vérité de la condition des travailleurs, de leur vie au jour le jour et de leurs luttes. Les journaux gauchistes essaient d'informer les ouvriers sur ce qui se passe au sein de leur classe et que tait ou travestit la presse bourgeoise.

Malgré quelques réserves — en particulier je ne saurais avoir une foi aveugle dans la Chine de Mao — je sympathise avec les maoïstes. Ils se revendiquent comme socialistes-révolutionnaires, en s'opposant au révisionnisme de l'U.R.S.S. et à la nouvelle bureaucratie créée par les trotskistes : je partage leur refus. Je n'ai pas la naïveté de croire qu'ils vont faire demain la révolution et le « triomphalisme » de certains d'entre eux me semble puéril. Mais alors que toute la gauche traditionnelle accepte le système — se définissant comme une équipe de rechange ou comme une opposition respectueuse — ils en représentent une radicale contestation. Dans un pays sclérosé, endormi, résigné, ils créent des foyers d'agitation, ils réveillent l'opinion. Ils essaient de rassembler dans le prolétariat de « nouvelles forces» : les jeunes, les femmes, les étrangers, les travailleurs des petites entreprises provinciales, moins encadrés par les syndicats que ceux des grandes concentrations industrielles. Ils encouragent et parfois de l'intérieur suscitent des actions d'un type nouveau : grèves sauvages, séquestrations. Ils posent effectivement le problème de l'existence d'une avant-garde révolutionnaire. Si le pays continue à se détériorer, si les contradictions du système deviennent de plus en plus manifestes, cette avant-garde aura un rôle à jouer. De toute façon, quel que soit l'avenir, je ne regretterai pas les quelques services que j'aurai pu leur rendre. J'aime mieux essayer d'aider les jeunes dans leur lutte qu'être le témoin passif d'un désespoir qui a conduit certains aux plus affreux suicides.

*
* *

A la fin de 1970, quelques membres du Mouvement de Libération des Femmes ont pris contact avec moi; elles voulaient me parler du nouveau projet de loi sur l'avortement qui devait être présenté prochainement à l'Assemblée; elles le jugeaient beaucoup trop timide et souhaitaient déclencher une campagne en faveur de l'avortement libre. Pour frapper l'opinion, elles proposaient que des femmes, connues et inconnues, déclarent que personnellement elles avaient avorté. L'idée m'a paru bonne. J'avais, vingt ans plus tôt, protesté dans *Le Deuxième Sexe* contre la répression de l'avortement et exposé les tragiques conséquences qui en découlent; il était donc normal que je signe ce qu'on a appelé le *Manifeste des 343* qui a paru au printemps 71 dans *Le Nouvel Observateur*. Il ne s'agissait pas — comme certains détracteurs ont feint de le croire — d'introduire en France l'avortement, ni même d'encourager les femmes à avorter, mais étant donné qu'elles le font massivement — on compte chaque année huit cent mille à un million d'avortements — de leur permettre de subir cette opération dans les meilleures conditions physiques et morales, ce qui est aujourd'hui un privilège de classe. Bien entendu les méthodes contraceptives sont préférables. Mais en attendant qu'elles soient connues et pratiquées largement — seulement 7 % des Françaises en âge de procréer y ont recours—l'avortement demeure la seule solution pour celles qui refusent un enfant. Le fait est qu'elles y recourent en dépit des difficultés, de l'humiliation, du danger. On a reproché à ce manifeste de n'être signé que par des femmes connues; c'est faux; il n'y en a qu'une poignée; la majorité des signataires, ce sont des secrétaires, des employées, des ménagères.

Pour poursuivre cette campagne, le M.L.F. a organisé le 20 novembre, en liaison avec des manifestations féministes qui se sont déroulées ce jour-là un peu partout dans le monde, un défilé, à travers Paris, de femmes qui réclamaient la liberté de la maternité, de la contraception et de l'avortement. J'y ai pris part. Nous avons marché de la République à la Nation, occupant toute la chaussée [1], portant des pancartes où étaient inscrits des slogans; des militants brandissaient des torchons, des fils de fer auxquels était suspendu du linge sale, des poupées en papier, des baudruches; l'une d'elles distribuait du persil — symbole de l'avortement clandestin — dont certaines plantaient des branches dans leurs cheveux. Nous étions environ quatre mille, en majorité des femmes, mais il y avait aussi des hommes, pour la plupart chevelus et barbus. On a lâché des ballons, chanté, scandé des mots d'ordre : « Enfant désiré, enfant aimé. Maternité libre. » Des parents avaient amené leurs enfants et on voyait des gosses de six ans crier avec les adultes : « Nous aurons les enfants que nous voudrons. » C'était, sous un beau ciel froid, très vivant, très gai et plein de fantaisie. Ce qui était intéressant, c'est que la plupart des femmes que les manifestantes abordaient sur les trottoirs se déclaraient de cœur avec nous et nous applaudissaient. Quand nous avons passé devant l'église Saint-Antoine, une mariée vêtue de blanc était en train de monter l'escalier. Nous avons crié : « La mariée avec nous! Libérez la mariée! » et l'avant-garde du cortège a quitté la chaussée pour entrer dans l'église. Le curé a discuté un moment avec les militantes et nous sommes reparties vers la Nation.

Un peu avant d'y arriver nous avons rencontré des objecteurs de conscience qui portaient des pancartes antimilitaristes. Leur manifestation avait été interdite et certains avaient eu l'idée de se joindre à nous. Alors notre cortège s'est mis à crier : « Pas d'enfants pour le casse-pipe. — Debré, salaud, les

1. La manifestation avait été autorisée.

femmes auront ta peau », et tous ensemble nous avons chanté *L'Internationale*. A la Nation, des femmes se sont hissées sur le socle d'une des statues et elles ont brûlé des torchons, symboles de la condition féminine. Il y a eu de nouveaux chants, des farandoles : c'était une fête joyeuse et fraternelle.

Une autre action à laquelle j'ai pris part concernait le C.E.T. du Plessis-Robinson. Dès l'automne 70, on m'avait mise au courant de la situation. Ce collège, ouvert en 1944, recueille les jeunes filles de douze à dix-huit ans qui se trouvent enceintes pour la première fois et qui sont célibataires. Chassées ou retirées des établissements publics où elles faisaient leurs études, elles sont, sur l'avis d'une assistance sociale, envoyées à ce C.E.T. Il y a trente-cinq places et, par roulement, environ deux cents futures mères passent chaque année au Plessis : la prise en charge s'obtient si on appartient à une famille modeste et qu'on a un assez grand nombre de frères et sœurs. Trois ou quatre professeurs préparent les pensionnaires à devenir employées de collectivités, employées de bureau ou B.E.P. : mais ils n'assurent que la première année d'études; celles qui se trouvaient déjà en seconde ou troisième année perdent leur temps. De toute façon, les conditions de travail sont lamentables : huit machines à écrire en tout; les classes de mathématiques ont lieu dans la lingerie. Des lycéennes brillantes voient leur avenir brisé. Il n'y a pas de bibliothèque. En ce qui concerne les visites et les sorties, les pensionnaires sont traitées comme des délinquantes. Le planning familial a proposé de leur faire gratuitement des conférences sur la contraception : la directrice a refusé. Pour protester contre cette situation, elles ont demandé à se joindre à une délégation de mères célibataires qui devait se rendre au rectorat : la directrice le leur a interdit. Le jeudi 16 décembre elles ont décidé de faire la grève des cours et des repas. La directrice a envoyé aux parents un télégramme bref et impérieux : « Venez immédiatement chercher votre fille », et elle a annoncé qu'elle fermait le collège. Des parents sont venus reprendre leurs filles : un père a frappé la sienne, l'a jetée à terre et traînée par les cheveux sans que personne intervienne. Alors une des surveillantes a appelé au secours le M.L.F. Je me suis jointe, le dimanche matin, au groupe qui a occupé le collège : un château hideux qui se dresse au milieu d'un parc, dans un isolement complet. En dépit d'une déléguée du rectorat et de l'inspecteur d'Académie, nous avons parlé avec les pensionnaires. Des militantes sont restées sur place toute la journée et même la nuit. Sous leur pression, l'inspecteur a demandé par téléphone au recteur un rendez-vous que celui-ci a accordé pour le lendemain. J'ai accompagné au rectorat la surveillante et quelques adolescentes ; des membres du Secours rouge — Halbawchs, Charles-André Julien — sont venus aussi. Invitée à s'expliquer, Lucienne, une des futures mères, a dit qu'elles revendiquaient l'émancipation, et un secours leur permettant d'élever leur enfant. En effet, tandis que le mariage suffit à émanciper une jeune fille de quinze ans, la mère célibataire demeure à dix-sept ans passés sous la coupe de ses parents : ceux-ci décident si elle gardera ou si elle abandonnera le nouveau-né. Ils choisissent souvent l'abandon et c'est la société qui les y oblige ; elle considère que le bébé appartient à la mère de l'accouchée ; cependant, au lieu de lui donner une subvention supplémentaire, elle lui retire la part d'allocations familiales à laquelle sa fille lui donnait droit, sous prétexte que celle-ci ne fréquente plus le collège ! C'est une mesure si inique qu'elle a plongé dans la stupéfaction moi-même d'abord et toutes les personnes à qui j'en ai parlé. Les exigences de Lucienne étaient donc absolument justifiées. Le recteur n'en a pas moins bondi : « Vous réclamez un statut privilégié sous prétexte que vous avez commis, je ne dirai pas une faute, je n'aime pas ce mot, mais une erreur. » Je l'ai arrêté : « D'après quel code jugez-vous que c'est une erreur d'avoir des relations sexuelles à treize ans ? » Il n'a pas su que répondre mais j'ai senti passer dans le nombreux état-major qui l'entourait le frémissement du scandale. Notre société n'accepte pas la sexualité juvénile. Un curé a dit à Lucienne : « Vous admettez qu'on ait des instincts sexuels à treize ans : moi pas. » Lucienne et ses camarades réclamaient aussi qu'une lycéenne ou une collégienne enceinte ne fût pas automatiquement chassée par le chef de l'établissement : « Mais ce qu'on en fait, c'est pour votre bien, a dit le recteur. Les parents d'élèves exigent votre renvoi. » Bien sûr ; pour pouvoir nier qu'une adolescente ait des instincts sexuels, il faut traiter en brebis galeuses celles qui y ont cédé. Les parents, qui refusent à leurs enfants, et surtout à leurs filles, toute éducation sexuelle, craignent que l'initiée ne les arrache à une ignorance qu'ils veulent prendre pour de l'innocence. Mais pourquoi l'Université leur cède-t-elle ? C'est ce que j'ai demandé au recteur et Charles-André Julien a rappelé le cas de Senghor : des parents ne voulaient pas que leurs fils eussent pour professeur un nègre et Senghor avait été néanmoins maintenu à son poste. La vérité c'est que l'Université partage les préjugés des vertueux parents et tient les adolescentes enceintes pour des coupables. Les coupables en cette affaire ce sont les parents et la société. Il y a aujourd'hui en France plus de quatre mille mineures, de treize à dix-huit ans, qui sont enceintes : si elles avaient reçu une éducation sexuelle la plupart d'entre elles auraient agi avec plus de prudence. Cependant quand une des futures mères s'est plainte qu'on ne les renseignât pas sur la contraception, il y a eu comme un ricanement du côté des autorités : « C'est un peu tard ! » On semblait considérer que si elles retombaient dans les mêmes errements, il convenait qu'elles en fussent de nouveau punies : « On ne laisse pas venir le planning, mais on laisse venir le curé », a dit la surveillante. « Voilà un rapprochement aussi déplacé que révélateur », a dit l'inspecteur. Et il a longuement expliqué que c'est aux parents d'élèves de décider si un établissement accepte ou non des conférences du planning. « Y a-t-il une association de parents d'élèves au C.E.T. du Plessis-Robinson ? — Non. — Alors c'est en son nom propre que la directrice décide. » Le recteur a reproché aux pensionnaires du C.E.T. de vouloir être traitées en adultes, libres de disposer de leurs enfants, et cependant prises en charge comme des mineures. J'ai fait remarquer que c'est la société qui leur impose ce statut contradictoire. Si elles sont des enfants, on ne devrait pas leur appliquer la loi qui concerne les adultes mais, considérant leur cas comme exceptionnel, les autoriser à avorter; si ce sont des adultes, elles doivent être émancipées et aidées. Pour finir, le recteur a fait de vagues promesses touchant l'amélioration des conditions de travail, les visites et les sorties. Il a aussi promis de recevoir une nouvelle délégation fin janvier. En tout cas, sur le fond, les choses vont certainement continuer comme par le passé. J'ai écrit à ce propos un article dans *La Cause du Peuple* où j'ai essayé de dénoncer entre autres l'hypocrisie morale des honnêtes gens, les abus de l'autorité parentale, et la dramatique situation faite aux jeunes dans notre société.

Si j'ai pris part à des manifestations, si je me suis engagée dans une action proprement féministe, c'est que mon attitude touchant la condition de la femme a évolué. Théoriquement je demeure sur les mêmes positions. Mais sur le plan pratique et tactique ma position s'est modifiée.

Théoriquement, j'ai dit déjà [1] que si j'écrivais aujourd'hui *Le Deuxième Sexe* je donnerais des bases matérialistes et non idéalistes à l'opposition du Même et de l'Autre. Je fonderais le rejet et l'oppression de l'autre non sur l'antagonisme des consciences, mais sur la base économique de la rareté. J'ai dit aussi que le développement du livre n'en serait pas modifié : toutes les idéologies masculines visent à justifier l'oppression de la femme; elle est conditionnée par la société de manière à y consentir.

« On ne naît pas femme, on le devient » : je reprends à mon compte cette formule qui exprime une des idées directrices du *Deuxième Sexe*. Certes, il existe entre la femelle humaine et le mâle des différences génétiques, endocriniennes, anatomiques : elles ne suffisent pas à définir la féminité; celle-ci est une construction culturelle et non une donnée naturelle : le scientisme fumeux de Mme Lilar n'a pas entamé cette conviction. Elle est au contraire fortifiée par les études de plus en plus poussées qui ont été consacrées à l'enfance pendant ces dernières années; toutes prouvent que ma thèse est exacte et demanderait seulement à être complétée : « On ne naît pas mâle, on le devient. » La virilité non plus n'est pas donnée au départ.

Freud ne s'intéresse à l'évolution des enfants qu'à partir du moment où selon lui apparaît l'Œdipe : trois ou quatre ans. Mais des ouvrages comme *La Forteresse vide* de Bruno Bettelheim montrent quelle importance ont pour l'avenir de l'individu les tout premiers mois de son existence. C'est ce qu'ont confirmé des expériences conduites en Israël par l'Université hébraïque de Jérusalem. Une psychologue et un médecin ont étudié des

---

1. Dans *La Force des choses*.

groupes d'enfants de trois ans, les uns nés dans des familles ashkenazes, aisées et cultivées, les autres de parents sépharades, pauvres, mal logés, surmenés; les premiers étaient actifs, imaginatifs, communicatifs, ils défendaient leur territoire et leurs jouets; les autres étaient apathiques, renfermés, ils ne savaient pas jouer ensemble, ils ne défendaient pas leurs possessions; ils avaient si peu le sens de leur propre existence que sur des photos ils identifiaient leurs camarades, mais non eux-mêmes. On a soumis les deux groupes, pendant deux ans, à une éducation intensive; les enfants handicapés au départ s'épanouirent et progressèrent; mais les enfants avantagés profitèrent beaucoup plus encore des efforts des éducateurs : au bout de deux ans leur avance était encore plus nette qu'au début de l'expérience. L'« intégration » échoua : les enfants retardés persistèrent à ne jouer qu'entre eux. A l'âge de trois ans, il est déjà trop tard pour égaliser les chances. Selon les travaux d'un neurologue américain, Benjamin Bloom, et de savants européens, 50 % du potentiel de développement et d'acquisition du sujet sont donnés à l'âge de quatre ans : si pendant ces années l'enfant n'a pas été stimulé à déployer ses facultés, leur développement et leur coordination ne se feront plus jamais au même degré. Il suffit donc que les parents ne « stimulent » pas de la même manière les bébés mâles et femelles pour qu'on constate d'importantes différences entre les filles et les garçons dès l'âge de trois à quatre ans.

Une autre série d'expériences conduit à des conclusions analogues, touchant le rôle primordial joué par les éducateurs : ce sont celles de Rosenthal et de ses collaborateurs. Dirigeant des travaux sur les rats albinos à l'université de Harvard, Rosenthal a fait des constatations curieuses [1]; il a cru remarquer que les résultats obtenus dépendaient de l'attitude initiale (*bias* en anglais) du chercheur : il trouvait ce qu'il s'attendait à trouver. Pour confirmer cette hypothèse, il a constitué au hasard deux groupes de rats; il a dit aux expérimentateurs que le groupe A était une sélection de sujets particulièrement entraînés à parcourir avec succès des labyrinthes; le groupe B était au contraire stupide. Les expérimentateurs obtinrent des

1. Rosenthal, « Experimental effects on behavioral Research » (1966, New York).
— Rosenthal and L. Jacobson, « Pygmalion in the class room » (1968, New York).

résultats brillants avec le groupe A, lamentables avec le groupe B : leur optimisme ou leur défaitisme avaient évidemment influencé la manière dont ils avaient conduit leurs expériences. Rosenthal a soumis des professeurs à une épreuve analogue [1]. Il fit passer des tests à des étudiants. Il dressa deux listes, telles que le quotient intellectuel moyen des sujets fût le même pour chacune. Il annonça qu'il avait inscrit sur la première les étudiants les mieux doués, sur la seconde ceux qui étaient moyens ou faibles. Les professeurs proposèrent de nouveaux tests aux étudiants : ceux de la première catégorie obtinrent un quotient extrêmement élevé, ceux de la seconde se montrèrent très médiocres. Tout pédagogue sait que pour qu'un enfant réussisse, il faut qu'on lui fasse confiance; si on doute de lui, il se décourage, il échoue. L'expérience de Rosenthal — et il en a fait beaucoup d'autres, qui aboutissent aux mêmes conclusions — démontre avec une éclatante évidence qu'au cours d'un apprentissage l'attitude du maître à l'égard de l'apprenti a un rôle déterminant : il obtient ce qu'il attend. Or, dès le berceau, et davantage encore par la suite, les parents attendent autre chose de la fille que du garçon. Bien entendu cette attente n'est pas un état d'âme : elle se traduit par des conduites.

Les mères « manipulent, caressent et portent différemment les garçons et les filles », dit le psychanalyste américain Robert J. Staller qui a particulièrement étudié le transexualisme masculin. Il écarte résolument [2] « l'idée discréditée que la masculinité et la féminité sont tout au début produits biologiquement chez les humains »; il rappelle « les nombreuses expériences naturelles qui ont démontré que les effets de l'apprentissage, qui commence à la naissance, déterminent la majeure partie de l'identité du sexe ». Il affirme : « Ce n'est pas du fait de quelque force innée que le bébé saura qu'il est du sexe mâle et qu'il deviendra masculin. Les parents le lui apprennent, et ils pourraient tout aussi facilement lui apprendre autre chose... Choix du nom, couleur et style des vêtements,

1. Rosenthal and K. L. Fole, « The effect of experimental bias on the Performance of the albinos Rat » (1967). — Rosenthal and R. Lawson, « A longitudinal study of Experimental bias on the Operant learning of Laboratory rats ».
2. Dans un article paru dans *La Nouvelle Revue de psychanalyse*, n° 4, automne 1971, où il résume l'essentiel de ses thèses.

façon de porter l'enfant, proximité et distance, genre de jeux — tout cela et bien d'autres choses encore commencent presque à la naissance. »

En particulier, la mère ne traite pas de la même façon le sexe de l'enfant mâle et celui de l'enfant femelle. Toutes les mères ne jouent pas avec le pénis de leur fils aussi complaisamment que les nourrices de Gargantua, que celles de Louis XIII avec celui de leur nourrisson : mais elles en sont fières, elles lui donnent un petit nom d'amitié, à l'occasion elles le flattent. Rien de tel pour la petite fille dont le sexe demeure un domaine caché. C'est là ce qui explique — et non un mystérieux instinct — la diversité des comportements qu'on peut observer dès l'âge de deux ans entre garçons et filles. Une jeune femme qui travaille dans une crèche m'a dit combien elle en avait été frappée; les garçons quand ils vont aux toilettes exhibent volontiers leur sexe; les filles ont déjà appris à « cacher ça »; elles sont timides et honteuses; les garçons épient leurs petites camarades quand elles se lavent ou quand elles font leurs besoins : elles n'épient pas les garçons. Encore une fois, c'est un non-sens d'imaginer que leur pudeur puisse être sécrétée par les hormones : elle a été enseignée et apprise comme le seront par la suite toutes les autres qualités dites spécifiquement féminines. J'ai essayé de montrer dans *Le Deuxième Sexe* comment s'opère dans le détail cette formation. Les jouets donnés aux enfants leur imposent impérieusement des rôles; la petite fille accepte pour sien celui de la mère, le garçon celui du père. Les parents encouragent dans tous les domaines cette différenciation car une de leurs plus grandes craintes c'est d'avoir pour fils un homosexuel, pour fille un « garçon manqué ».

On sait que pour Freud la différence entre l'homme et la femme s'explique tout entière par celle de leur anatomie, la petite fille enviant le pénis des garçons et s'attachant pendant toute sa vie à compenser cette infériorité. J'ai dit dans *Le Deuxième Sexe* que je refusais cette interprétation. Beaucoup de fillettes ignorent l'anatomie des garçons; quand elles découvrent le pénis c'est souvent avec indifférence ou même avec dégoût. Reprenant cette discussion dans *Politics of Sex* Kate Millet demande pourquoi la petite fille trouverait a priori qu'un objet est supérieur à un autre du fait qu'il est plus grand? selon Freud elle y verrait un organe plus propice à la masturbation que le clitoris : mais elle ne saisit jamais le pénis dans sa fonction masturbatoire. Et sait-elle même qu'elle possède un clitoris? Freud ne connaissait la femme qu'à travers des cas cliniques; ses patientes souffraient d'inhibitions sexuelles et elles étaient mécontentes de leur condition. Il a voulu expliquer ce second fait par le premier. Mais c'est la société qui révèle à la femme une infériorité qu'elle lui impose. D'ailleurs, Freud a avoué lui-même à la fin de sa vie qu'il n'avait jamais rien compris aux femmes. Il tenait de son époque et de son milieu un préjugé « maschiste » qui lui faisait considérer la femme comme un homme incomplet. Cette idée, que beaucoup de psychanalystes récusent aujourd'hui, a été largement exploitée par les post-freudiens : à une femme qui ne se tenait pas à « sa place » ils imputaient aussitôt un « complexe de masculinité ».

Car en France comme en Amérique, il y a eu depuis *Le Deuxième Sexe* une abondante littérature qui s'est appliquée à convaincre la femme de sa « vocation spécifique ». Elle prétendait « démystifier le féminisme », ce qui revenait en fait à mystifier les femmes. On a déclaré qu'il était démodé, dépassé : argument massue à une époque soumise au terrorisme de la modernité. Les femmes elles-mêmes le récusent, dit-on; celles qui travaillent ne trouvent dans leur métier que déceptions; elles préfèrent rester au foyer. Quand deux castes s'opposent, il se trouve toujours dans la plus défavorisée des individus qui par intérêt personnel s'allient avec les privilégiés [1]. Et puis il faut se méfier des enquêtes sociologiques généralement menées dans un esprit conservateur [2] : c'est bien souvent la manière de poser la question qui dicte la réponse. D'autre part il est vrai que dans les conditions actuelles le travail qu'elles cumulent avec les tâches ménagères n'apporte pas aux femmes les mêmes gratifications qu'aux hommes : c'est la société qui les leur refuse et elle met tout en œuvre pour leur donner mauvaise conscience. Enfin la femme au foyer est généralement bien loin d'éprouver la satisfaction qu'elle affiche; mécontente de son sort, elle ne veut pas que celui de ses filles soit plus clément et elle réclame d'autant plus âprement le maintien de son statut

---

1. « La femme se valorise à ses yeux et à ceux de l'homme en adoptant le point de vue de l'homme. » G. Texcier, « Les enquêtes sociologiques et les femmes », *Les Temps modernes*, 1-12-65.
2. *Idem.*

qu'elle en souffre davantage. Quand aux hommes, ils tiennent obstinément à maintenir l'affirmation de leur supériorité. Le machisme est si ancré dans le cœur des mâles français que certains n'hésitent pas à la fonder sur le fait qu'ils pissent debout — ce qui est plutôt désobligeant à l'égard des mâles musulmans. M. Chaban-Delmas évoquant avec enthousiasme la « nouvelle société » a précisé que la femme y serait l'égale de l'homme, mais bien entendu dans la différence. Il semble que cette différence la voue essentiellement à torcher : torcher les bébés, les malades, les vieillards, c'est là le « service social » que lui a proposé M. Debré. Le fait est qu'en France, dans ces dix dernières années, la condition de la femme n'a guère changé. On lui a concédé un aménagement du régime matrimonial. La contraception a été autorisée : mais j'ai dit déjà qu'à peine 7 % des Françaises en âge de procréer utilisent les méthodes contraceptives. L'avortement demeure rigoureusement interdit. Les corvées ménagères retombent exclusivement sur les femmes. Leurs revendications en tant que travailleuses sont étouffées.

Aux U.S.A. des femmes ont pris conscience de cette oppression et se sont révoltées. Betty Friedan a fait paraître en 1963 un excellent livre *The Feminine Mystique* qui a eu un immense retentissement. Elle y décrivait un malaise qui n'ose pas dire son nom : le malaise de la ménagère. Elle montrait par quels procédés le capitalisme manipule les femmes afin de les enfermer dans le rôle de consommatrices : c'est l'intérêt de l'industrie et du commerce d'accroître les chiffres de vente. Elle dénonçait l'utilisation du freudisme et de la psychanalyse post-freudienne afin de convaincre la femme qu'un destin singulier lui est imposé : tenir sa maison et faire des enfants. Trois ans plus tard, en 1966, Betty Friedan fonda N.O.W., un mouvement féministe libéral et réformiste qui fut bientôt dépassé par des mouvements plus radicaux, créés par des femmes plus jeunes. En 68, a paru le *Scum Manifesto* : manifeste de la *Society for Cutting Up Men* [1]; il ne faut pas le prendre pour un programme sérieux : c'est un virulent pamphlet, à la manière de Swift, où la révolte contre l'homme est poussée jusqu'à l'absurde. Beau-

1. Société pour l'émasculation des hommes. Il y a un jeu de mots sur *Scum* qui signifie l'*écume*, la lie de la terre.

coup plus importante fut la naissance, pendant l'automne 68, de *Women Lib*, le Mouvement de Libération des femmes qui rassembla un grand nombre d'entre elles. D'autres groupes se sont formés. Ce nouveau féminisme s'est fait connaître par des manifestations plus ou moins spectaculaires et par une abondante littérature : de nombreux articles et des livres, entre autres *Politics of Sex* de Kate Millet, *Dialectic of Sex* de Shulamith Firestone, *Sisterwood is Powerful*, ensemble d'études publiées par Robin Morgan, *The Woman Eunuch* de Germaine Greer. Ce que ces femmes réclament, ce n'est pas une émancipation superficielle, mais la « décolonisation » de la femme, car elles se considèrent comme des « colonisées de l'intérieur ». Exploitées en tant que ménagères à qui la société extorque un travail non rétribué, elles sont victimes d'une discrimination sur le marché du travail : on leur refuse des chances et des salaires égaux à ceux des hommes. Le mouvement a pris une grande extension aux U.S.A. Il s'est répandu dans divers pays, en particulier en Italie et en France où s'est développé depuis 1970 le Mouvement de Libération de la Femme.

D'où est venue cette explosion? Il y a deux raisons principales. La première c'est que dans une société capitaliste avancée le statut des femmes — économiquement très avantageux du point de vue des hommes — représente à leurs yeux une contradiction. Le travail domestique, dans une société basée sur la production des marchandises n'est pas considéré comme un travail réel : pour qu'il le devienne, il faudrait le convertir en production publique. La survivance de tâches ménagères accomplies — fût-ce avec l'aide de machines — à l'intérieur de chaque foyer détonne dans une société technocratique où les autres formes de travail sont de plus en plus rigoureusement rationalisées. La seconde raison, la plus importante, c'est que les femmes ont constaté que les mouvements de gauche et le socialisme n'ont pas résolu leurs problèmes. Changer les rapports de production ne suffit pas à transformer les relations des individus entre eux et en particulier dans aucun pays socialiste la femme n'est devenue l'égale de l'homme. Beaucoup de militantes de *Women Lib* ou du M.L.F. français en ont fait personnellement l'expérience : dans les groupes les plus authentiquement révolutionnaires, la femme est cantonnée dans les tâches les plus ingrates et tous les leaders sont des mâles. Quand à Vincennes une poignée de femmes a levé l'étendard de la révolte, des gauchistes ont envahi la salle en criant : « Le pouvoir est au bout du phallus. » Les Américaines ont fait des expériences analogues.

Quant à leur tactique et à leurs actions, les féministes d'aujourd'hui ont été influencées aux U.S.A. par les Hippies, les Yippies, et surtout les Panthères noires; en France par les événements de Mai 68 : elles visent une autre forme de révolution que la gauche classique et elles inventent pour l'obtenir des méthodes neuves.

J'ai lu la littérature féministe américaine, j'ai correspondu avec des militantes, j'en ai rencontré quelques-unes et j'ai été heureuse d'apprendre que le nouveau féminisme américain se réclame du *Deuxième Sexe* : en 69, le tirage, en édition de poche, atteignait sept cent cinquante mille exemplaires. Que la femme soit fabriquée par la civilisation et non biologiquement déterminée, c'est un point qu'aucune féministe ne met en doute. Là où elles s'éloignent de mon livre, c'est sur le plan pratique : elles refusent de faire confiance à l'avenir, elles veulent prendre dès aujourd'hui leur sort en main. C'est sur ce point que j'ai changé : je leur donne raison.

Le Deuxième Sexe peut être utile à des militantes : mais ce n'est pas un livre militant. Je pensais que la condition féminine évoluerait en même temps que la société. J'écrivais : « En gros, nous avons gagné la partie. Beaucoup de problèmes nous paraissent plus essentiels que ceux qui nous concernent singulièrement. » Et dans *La Force des choses* j'ai dit, en parlant de la condition féminine : « Elle dépend de l'avenir du travail dans le monde, elle ne changera sérieusement qu'au prix d'un bouleversement de la production. C'est pourquoi j'ai évité de m'enfermer dans le féminisme. » Un peu plus tard, dans un entretien avec Jeanson [1], j'ai dit que c'était en tirant le plus radicalement ma pensée vers le féminisme qu'on l'interprétait le plus justement. Mais je demeurais sur un plan théorique : je niais radicalement l'existence d'une nature féminine. Maintenant, j'entends par féminisme le fait de se battre pour des revendications proprement féminines, parallèlement à la lutte des classes et je me déclare féministe. Non, nous n'avons pas gagné la partie :

1. Francis Jeanson, *Simone de Beauvoir* ou *l'entreprise de vivre*.

en fait depuis 1950 nous n'avons quasi rien gagné. La révolution sociale ne suffira pas à résoudre nos problèmes. Ces problèmes concernent un peu plus de la moitié de l'humanité : je les tiens à présent pour essentiels. Et je m'étonne que l'exploitation de la femme soit si facilement acceptée. Considérant les démocraties anciennes, profondément attachées à un idéal égalitaire, on conçoit mal que le statut des esclaves leur ait paru naturel : la contradiction aurait dû, semble-t-il, leur sauter aux yeux. Un jour peut-être la postérité se demandera avec la même stupeur comment des démocraties bourgeoises ou populaires ont maintenu sans scrupule une radicale inégalité entre les deux sexes. Par moments, bien que j'en voie clairement les raisons, j'en suis moi-même ébahie. Bref, je pensais autrefois que la lutte des classes devait passer avant la lutte des sexes. J'estime maintenant qu'il faut mener les deux ensemble.

Dans son excellent petit livre *Woman's Estate* [1], Juliet Mitchell décrit très bien les divergences qui opposent le féminisme radical au socialisme abstrait.

Féminisme radical	*Socialisme abstrait.*
Les hommes sont les oppresseurs.	C'est le système qui est oppressif.
Toutes les sociétés ont donné la suprématie aux hommes.	Le capitalisme opprime les femmes.
C'est d'abord une lutte psychologique pour le pouvoir et les hommes gagnent.	La situation s'explique par la propriété privée.
Le socialisme n'a rien à nous offrir.	Nous devons découvrir notre relation au socialisme.
Etc.	

Il y a quelques années j'aurais défendu exactement les thèses du socialisme abstrait; maintenant je pense comme Juliet Mitchell qu'aucune des deux séries d'affirmations ne se suffit : il faut les compléter les unes par les autres. Oui, le système écrase les hommes et les femmes et incite ceux-là à opprimer

1. Paru en 1971, il reprend et complète un intéressant article : « The longest revolution » publié quelques années plus tôt en Angleterre dans *New Left Review*.

celles-ci : mais chaque homme le reprend à son compte et l'intériorise; il gardera ses préjugés, ses prétentions, même si le système change. Pas plus qu'en 68 la révolte des jeunes ne pouvait à elle seule déboucher sur la révolution, la révolte des femmes ne saurait bouleverser le régime de la production. Mais d'autre part la preuve est faite que le socialisme — tel qu'il est réalisé aujourd'hui — n'a pas affranchi les femmes. Un socialisme vraiment égalitaire y parviendrait-il? Pour l'instant, c'est une utopie tandis que la condition subie par la femme est une réalité.

Il y a beaucoup de points sur lesquels les féministes sont divisées. Sur l'avenir de la famille, elles hésitent. Certaines — entre autres Shulamith Firestone — estiment que sa destruction est nécessaire à la libération de la femme et aussi à celle des enfants et des adolescents. L'échec des institutions qui se substituent aux parents ne prouve rien : ce sont des dépotoirs, en marge d'une société qu'il faudrait radicalement restructurer. C'est juste et je trouve également justes les critiques que Firestone dirige contre la famille. Je déplore l'esclavage imposé à la femme à travers les enfants et les abus d'autorité auxquels ceux-ci sont exposés. Les parents font entrer leurs enfants dans leurs jeux sado-masochistes, projetant sur eux leurs fantasmes, leurs obsessions, leurs névroses. C'est une situation éminemment malsaine. Les tâches parentales devraient être équitablement réparties entre le père et la mère. Il serait souhaitable que les enfants leur soient le moins possible abandonnés, que leur autorité soit restreinte et sévèrement contrôlée. Ainsi aménagée, la famille garderait-elle une utilité? Il existe des communes où tous les enfants sont pris en charge par tous les adultes et qui ont obtenu d'excellents résultats; mais elles sont trop peu nombreuses pour qu'on puisse considérer qu'elles constituent une solution du problème. Comme beaucoup de féministes, je désire l'abolition de la famille, mais sans trop savoir par quoi la remplacer.

Un autre point est controuvé : la relation de la femme à l'homme. Qu'il soit nécessaire de redéfinir l'amour et la sexualité, là-dessus toutes les féministes sont d'accord. Mais certaines nient que l'homme ait un rôle à jouer dans la vie de la femme, en particulier dans sa vie sexuelle, tandis que d'autres veulent lui garder une place dans leur existence et dans leur lit. C'est du côté de celles-ci que je me range. Je répugne absolument à l'idée d'enfermer la femme dans un ghetto féminin.

En s'appuyant sur les expériences de laboratoire réalisées par Masters et Johnson, certaines Féministes prétendent que l'orgasme vaginal est un mythe et que seul est réel l'orgasme clitoridien : pour connaître le plaisir sexuel la femme n'aurait aucun besoin de l'homme, contrairement à ce qu'affirmait Freud. Sans aucun doute, l'attitude de Freud sur ce point est inspirée par sa conception patriarcale du rapport des sexes : il s'agit de refuser à la femme l'autonomie sexuelle et de la mettre sous la dépendance de l'homme. Il va jusqu'à écrire : « La masturbation du clitoris est une activité masculine et l'élimination de la sexualité clitoridienne est une condition nécessaire pour le développement de la féminité. » Le clitoris étant un organe exclusivement féminin l'absurdité de la première phrase saute aux yeux. C'est un préjugé de supposer qu'une femme qui choisit le plaisir clitoridien — dans l'homosexualité ou l'onanisme — est moins équilibrée qu'une autre. D'autre part l'idée d'éliminer la sexualité clitoridienne est erronée; le clitoris est intimement relié au vagin et peut-être est-ce cette liaison qui rend possible l'orgasme vaginal. Ceci dit, il y a une indéniable spécificité du plaisir obtenu dans un coït avec pénétration vaginale et c'est celui que beaucoup de femmes trouvent le plus riche et le plus satisfaisant. Les expériences de laboratoire qui isolent la sensibilité interne du vagin de l'ensemble de ses réactions ne prouvent rien. Le coït n'est pas un rapport entre deux appareils génitaux ni même entre deux corps mais entre deux personnes, et l'orgasme est par excellence un phénomène psychosomatique [1].

Je n'accepte pas non plus l'idée que tout coït est un viol. Je trouve même que j'ai été trop loin quand j'ai écrit dans *Le Deuxième Sexe* : « La première pénétration est toujours un viol. » Je pensais surtout aux nuits de noces traditionnelles

---

1. Gérard Zwang dans son ouvrage *Le Sexe de la femme*, décrit avec beaucoup de précision les conditions et le mécanisme du plaisir vaginal (p. 125 à 129). Il rappelle que les cas d'onanisme vaginal sont très nombreux; l'usage que les Andins font du « guesquel », la manière dont les Polynésiens et bien d'autres peuples habillent le sexe masculin, n'auraient aucun sens en cas d'insensibilité vaginale. Cf. aussi Mary Jane Sher Fey M.D, *The Nature and Evolution of Female Sexuality*, Random House, New York 1972.

où une vierge ignorante est déflorée plus ou moins maladroitement. Il est vrai que bien souvent, dans toutes les couches de la société, l'homme « prend » la femme sans lui demander son avis et même en usant de sa force; s'il lui est infligé sans qu'elle le désire, le coït est un viol. Mais il peut être aussi un échange de part et d'autre librement consenti; alors, assimiler l'intromission à un viol c'est retomber dans tous les mythes masculins qui font du membre viril un soc, une épée, une arme dominatrice.

La haine des hommes pousse certaines femmes à récuser toutes les valeurs reconnues par eux, à rejeter tout ce qu'elles appellent des « modèles masculins ». Je ne suis pas d'accord puisque je ne crois pas qu'il y ait des qualités, des valeurs, des modes de vie spécifiquement féminins : ce serait admettre l'existence d'une nature féminine c'est-à-dire adhérer à un mythe inventé par les hommes pour enfermer les femmes dans leur condition d'opprimées. Il ne s'agit pas pour les femmes de s'affirmer comme femmes, mais de devenir des êtres humains à part entière. Refuser les « modèles masculins » est un non-sens. Le fait est que la culture, la science, les arts, les techniques ont été créés par les hommes puisque c'était eux qui représentaient l'universalité. De même que le prolétariat utilise à sa manière l'héritage du passé, les femmes ont à s'emparer des instruments forgés par les hommes et à s'en servir dans leur propre intérêt. Ce qui est vrai c'est que la civilisation établie par les mâles tout en visant l'universalité reflète leur masochisme; leur vocabulaire même en est marqué. Dans les richesses que nous leur reprenons, nous devons distinguer, avec beaucoup de vigilance, ce qui a un caractère universel, et ce qui porte la marque de leur masculinité. Les mots *noir, blanc* nous conviennent aussi bien qu'à eux : non le mot *viril*. Je pense qu'on peut étudier les mathématiques, la chimie en toute sécurité; la biologie est plus suspecte et davantage encore la psychologie, la psychanalyse. Une révision du savoir me semble de notre point de vue nécessaire, non sa répudiation.

J'ai rencontré, en personne ou à travers leurs écrits, un grand nombre de féministes qui ont les mêmes positions que moi et c'est pour cela que, comme je l'ai raconté, j'ai pu participer à certaines de leurs actions et me lier à leur mouvement. J'ai bien l'intention de poursuivre dans cette voie.

Il y a un point sur lequel ma position n'a pas changé et je veux y revenir ici : mon athéisme. Beaucoup de bonnes âmes déplorent le hasard malheureux qui m'a fait « perdre la foi ». Dans des articles, ou dans des lettres qui me sont adressées j'ai lu souvent : « Ah! si elle avait vécu parmi de vrais chrétiens! » « Si vous aviez lu l'Évangile plutôt que l'Imitation! » « Si elle avait rencontré un prêtre intelligent! » Il faut entendre : « Si elle m'avait rencontré *moi* : elle aurait été édifiée par mon exemple, convaincue par mes arguments. » En fait, mon instruction religieuse a été très poussée; l'Évangile, j'en savais par cœur de longs passages. J'ai connu dès ma jeunesse et dans la suite de ma vie des chrétiens intelligents : et justement parce qu'ils l'étaient, ils ne prétendaient pas que par leur influence ils auraient pu sauver mon âme. La foi, pensaient-ils, dépend de Dieu, de ses desseins, des grâces qu'il accorde. Et en effet, c'est un contresens théologique que d'expliquer sa présence ou son absence par des raisons contingentes et purement naturelles.

Moi cependant qui ne crois pas à l'au-delà, je me trouve autorisée à chercher les facteurs sociaux ou psychologiques qui motivent l'attitude des catholiques pratiquants. La plupart du temps, ils ne font que reproduire celle que leur a inculquée leur éducation et qu'observe leur milieu. Ils pourraient dire comme le personnage qu'incarne Trintignant dans *Ma nuit chez Maud* : « J'étais catholique, alors je le suis resté. » La foi, c'est bien souvent un accessoire qu'on reçoit dans son enfance avec l'ensemble de la panoplie bourgeoise et qu'on garde, comme le reste, sans se poser de question. Si on est effleuré par un doute, souvent on l'écarte pour des raisons affectives : fidélité nostalgique au passé, attachement à son entourage, crainte de la solitude et de l'exil qui menacent les non-conformistes. Zaza avait l'esprit critique et bien des aspects de sa religion l'ont laissée perplexe; si elle n'y a pas renoncé, c'est à cause de l'amour inconditionné et douloureux qu'elle avait voué à sa mère : elle ne voulait pas intérieurement s'éloigner d'elle. Peu sûre de soi, tourmentée, elle avait besoin de faire confiance à un être souverain. Dans la plupart des cas, des intérêts idéologiques sont en jeu. On a acquis des habitudes de pensée, un système de références et de valeurs dont on est devenu prisonnier. Même si ses réflexions l'y incitent, un prêtre répugnera à rompre avec sa vie passée. Des intérêts matériels peuvent aussi intervenir; impossible à un Daniel-Rops, à un Mauriac de s'interroger sur la solidité de leurs convictions : ils auraient risqué de briser leur carrière.

On me dira que pour certains, c'est l'incrédulité qui est donnée d'abord : un jour, soudain, le sujet trouve Dieu : « Il est entré dans ma chambre. Il m'a parlé dans un jardin... Il existe : je l'ai rencontré. » En général — l'exemple de Simone Weil est frappant — le converti traversait une crise. Sa conception du monde s'écroulait, l'image qu'il se faisait de lui-même éclatait. Croire en Dieu lui permettait de remodeler l'univers et sa propre figure. Du sein de son désarroi, entrevoir une issue l'a bouleversé de joie et il a pris son émotion pour une illumination. Les croyants insistent volontiers sur les difficultés qu'ils éprouvent à vivre en présence de Dieu; j'ai constaté qu'ils y trouvent de grandes commodités. Les malheurs, les injustices qui accablent la terre font partie du plan divin et seront compensés dans l'autre monde, ils n'ont pas à s'en soucier. Dieu leur pardonne leurs fautes et leur donne facilement raison puisque ce sont eux qui le font parler. Il y a des exceptions; pour la sœur Renée que j'ai connue dans une *favela* de Rio, Dieu n'était pas un alibi mais une exigence : il lui enjoignait de lutter contre la misère, contre l'exploitation, contre tous les crimes commis par des hommes à l'égard d'autres hommes. Ici et là, des prêtres, des laïcs mènent un combat analogue. Mais ils ne sont pas très nombreux.

J'ai souvent demandé à des croyants comment ils justifiaient leur foi. Certains m'ont répondu par des arguments philosophiques éculés : « Le monde n'est pas sorti du néant... Le monde n'est pas dû au hasard. » D'autres, par un cri du cœur : « Il faut bien qu'il y ait quelque chose après... Sans Dieu il n'y aurait pas de raison de vivre... Ce serait trop désespérant... » D'autres ont invoqué le genre d'expérience auquel j'ai déjà fait allusion. Un théologien m'a dit : « Le jour de ma confirmation, j'ai senti la présence de Dieu avec autant d'évidence que la vôtre en ce moment : ce souvenir ne s'est jamais effacé. » La question était de savoir pourquoi il avait toute sa vie attaché un tel prix à cette impression d'enfance. Beaucoup m'ont dit simplement : « La foi? ça ne s'explique pas. »

Je sais ce qu'est la foi d'un enfant : croire en Dieu, pour lui, c'est croire aux adultes qui lui parlent de Dieu. Quand il a cessé de leur faire confiance, la foi n'est plus qu'un douteux compromis qui consiste à croire qu'on croit. A quinze ans, j'étais trop entière pour m'en contenter. Par la suite, l'étude de la philosophie m'a fait comprendre qu'un être existant à la fois sur le mode de l'en soi et sur celui du pour soi n'était pas pensable. Jamais il n'a été question pour moi — jamais il ne saurait être question — de revenir aux fables qui ont charmé mes premières années.

Parmi les lecteurs qui ont voulu voir dans l'épilogue de *La Force des choses* le constat d'un échec beaucoup se sont empressés de l'attribuer à mon athéisme. Privée de cette foi discrète qui permet aux sexagénaires de passer de joyeuses nuits dans les boîtes parisiennes, j'aurais senti l'horreur d'une existence qui ne se transcende pas en Dieu. L'arrogance de certains chrétiens leur fermerait le ciel si, pour leur infortune, il en existait un. Qu'un incroyant se trouve bien dans sa peau, ils l'accusent de ne rien comprendre à l'énigme et au drame de la condition humaine; c'est M. Homais; ils méprisent la platitude bornée de ses conceptions. S'il a le sens de la mort, du mystère, du tragique, cela se retourne aussi contre lui. Ou bien on lui affirme — à qui n'a-t-on pas fait le coup? — qu'au fond il croit en Dieu. Ou on prend son angoisse, sa révolte, comme preuve de ses erreurs. Le néant me donne le vertige : donc nous sommes immortels. Étrange raisonnement qui dévoile le rôle joué par la religion dans la plupart des cas : une fuite, une désertion. Les difficultés que l'athée affronte honnêtement, la foi permet de les éluder. Et le plus fort c'est que de cette lâcheté le croyant tire des supériorités. Il nous tend de très haut une main charitable : « J'en suis sûr, un jour la voix de Dieu vous atteindra. » Si on lui répondait : « J'espère qu'un jour vous cesserez de vous raconter des sornettes », il serait scandalisé.

Ce monde sans Dieu dans lequel je vis, sous quelles couleurs m'apparaît-il? Beaucoup de mes lecteurs m'ont écrit que ce qui leur plaît dans mes livres, c'est mon goût du bonheur, mon

amour de la vie : mon optimisme. D'autres cependant — en
particulier à propos de mon dernier ouvrage, *La Vieillesse*
— déplorent mon pessimisme. Chacune de ces deux étiquettes
est trop simpliste. Je l'ai dit : mon enfance m'a dotée d'un
optimisme vital. Presque toujours je me suis sentie bien dans
ma peau et j'ai fait confiance à mon étoile. J'ai même poussé
jusqu'à l'étourderie ma confiance en l'avenir : je n'ai pas cru
à la guerre avant qu'elle n'éclatât. Depuis, je suis plus attentive.
Cependant j'ai souvent nourri des espoirs qui ont été démentis :
ce que j'ai attendu du socialisme — de l'U.R.S.S., de Cuba,
de l'Algérie — ne m'a pas été donné. J'ai cru trop vite, quand
j'ai écrit *Le Deuxième Sexe* à une proche victoire des femmes.
Même avertie, mon imagination est toujours dépassée par l'horreur de tragédies comme celles du Biafra, du Bengale : elles me
prennent par surprise. Certainement ma pente n'est pas de
penser que le pire est toujours sûr. Cependant j'ai le souci de
regarder en face la réalité et d'en parler sans fard : qui osera
dire qu'elle est riante? Les lettres de vieilles gens que j'ai
reçues après la publication de *La Vieillesse* m'ont prouvé que
leur condition est encore plus sinistre que je ne l'ai décrite.
C'est justement parce que je déteste le malheur et que je suis
peu encline à le prévoir que lorsque je le rencontre il m'indigne
ou me bouleverse : j'éprouve le besoin de communiquer mon
émotion. Pour le combattre, il faut d'abord le dévoiler, donc
dissiper les mystifications derrière lesquelles on le cache afin
d'éviter d'y penser. C'est parce que je refuse les fuites et les
mensonges qu'on m'accuse de pessimisme; mais ce refus
implique un espoir : celui que la vérité peut servir; c'est une
attitude plus optimiste que de choisir l'indifférence, l'ignorance,
les faux-semblants.

Dissiper les mystifications, dire la vérité, c'est un des buts
que j'ai le plus obstinément poursuivis à travers mes livres.
Cet entêtement a ses racines dans mon enfance; je haïssais ce
que nous appelions ma sœur et moi la « bêtise » : une manière
d'étouffer la vie et ses joies sous des préjugés, des routines, des
faux-semblants, des consignes creuses. J'ai voulu échapper à
cette oppression, je me suis promis de la dénoncer. Pour me
défendre contre elle je me suis de bonne heure appuyée sur
la conscience que j'avais de ma présence au monde; le mystère
de son apparition, sa souveraineté à la fois évidente et contestée,

le scandale de son futur anéantissement : toute petite, ces thèmes m'ont hantée et ils occupent dans mon œuvre une place importante. Un peu plus tard, vers quatorze ans, m'étant identifiée à la Joe de Luisa Alcott, à la Maggie de George Eliot, j'ai souhaité revêtir moi-même, aux yeux d'un public, cette dimension imaginaire qui rendait pour moi si fascinantes ces héroïnes de roman et l'auteur qui se projetait en elle. Je n'ai pas commencé par composer un roman d'apprentissage, car entre vingt et trente ans j'étais détachée de mon passé. Mais plus tard, j'ai tenté de me raconter, dotant mon expérience d'une nécessité.

Sartre m'a dit un jour qu'il n'avait pas l'impression d'avoir écrit les livres qu'il souhaitait écrire à douze ans. « Mais après tout, pourquoi privilégierait-on l'enfant de douze ans ? » a-t-il ajouté. Mon cas est différent du sien. Certes, il est bien difficile de confronter un projet vague et infini avec une œuvre réalisée et limitée. Mais je ne sens pas de hiatus entre les intentions qui m'ont poussée à faire des livres et les livres que j'ai faits. Je n'ai pas été une virtuose de l'écriture. Je n'ai pas, comme Virginia Woolf, Proust, Joyce, ressuscité le chatoiement des sensations et capté dans des mots le monde extérieur. Mais tel n'était pas mon dessein. Je voulais me faire exister pour les autres en leur communiquant, de la manière la plus directe, le goût de ma propre vie : j'y ai à peu près réussi. J'ai de solides ennemis, mais je me suis aussi fait parmi mes lecteurs beaucoup d'amis. Je ne désirais rien d'autre.

Cette fois, je ne donnerai pas de conclusion à mon livre. Je laisse au lecteur le soin d'en tirer celles qui lui plairont.

DU MÊME AUTEUR

Romans.

L'INVITÉE.
LE SANG DES AUTRES.
TOUS LES HOMMES SONT MORTELS.
LES MANDARINS.
LES BELLES IMAGES.

Récit.

UNE MORT TRÈS DOUCE.

Nouvelles.

LA FEMME ROMPUE.

Théâtre.

LES BOUCHES INUTILES.

Essais. Littérature. Philosophie.

LE DEUXIÈME SEXE, I : Les faits et les mythes.
LE DEUXIÈME SEXE, II : L'expérience vécue.
L'AMÉRIQUE AU JOUR LE JOUR.
LA LONGUE MARCHE, essai sur la Chine.
MÉMOIRES D'UNE JEUNE FILLE RANGÉE.
LA FORCE DE L'AGE.
LA FORCE DES CHOSES.
LA VIEILLESSE.

Témoignages.

DJAMILA BOUPACHA. (En collaboration avec Gisèle Halimi.)

Collection « Les Essais ».

PYRRHUS ET CINÉAS.
POUR UNE MORALE DE L'AMBIGUÏTÉ.
PRIVILÈGES.

*Cet ouvrage
a été achevé d'imprimer
sur les presses de l'Imprimerie Floch
à Mayenne le 26 octobre 1972.
Dépôt légal : 4e trimestre 1972.
No d'édition : 17367.
Imprimé en France.
(11540)*